新編高麗史全文

부　록

目　次

參考文獻[1]

韓國

ㄱ

『伽倻山海印寺古籍』 : 海印寺 所藏, 漢裝本.

『嘉梧藁略』, 朝鮮 李裕元 : 『韓國文集叢刊』 315, 民族文化推進會, 2003 所收.

『稼亭集』, 李穀 : 『高麗名賢集』 3, 大東文化研究院, 1973 ; 『韓國文集叢刊』 3, 민족문화추진회, 1990 소수.[2]

『簡易集』, 조선 崔岦 : 『한국문집총간』 49, 민족문화추진회, 소수.

『艮翁集』, 조선 李獻慶 : 『한국문집총간』 234, 민족문화추진회, 소수.

『艮齋集』, 조선 崔演 : 『한국문집총간』 32, 민족문화추진회, 소수.

『感樹齋集』, 조선 朴汝樑 : 『한국문집총간』 續集8 소수.

『江陵劉氏族譜』 : 漢裝本, 1904.

『江漢集』, 조선 黃景源 : 『한국문집총간』 224 소수.

『江華府志』, 조선 金魯鎭 : 1783년(정조7) 刊本, 影印本, 朝鮮古書刊行會, 1911.

『謙菴集』, 조선 柳雲龍 : 『한국문집총간』 49 소수.

『謙齋集』, 조선 趙泰億 : 『한국문집총간』 189 소수.

『經國大典』 : 『經國大典』, 한국법제연구원, 1993.[3]

『經國大典註解』 : 影印本, 亞細亞文化社, 朝鮮王朝法典叢書, 1983 ; 서울대학 奎章閣, 1997.[4]

『慶尙道續撰地理志』 : 朝鮮總督府 中樞院, 1938 ; 弗咸文化社, 1976.

『慶尙道營主題名記』 : 『慶尙道按察使先生案』, 亞細亞文化社, 1982 소수.[5]

---

1) 引用史料의 表記에서 著名한 史料는 著者, 編纂者를 明記하지 않았고, 中國·日本 史料의 排列[配列]은 한글 읽기의 順序로 整列하였다.

2) 이의 번역으로 民族文化推進會, 『국역가정집』, 2006이 있다.

3) 이의 주석으로 윤국일, 『譯註經國大典』, 여강, 2002가 있다.

4) 이의 주석으로 한국법제연구원, 『經國大典註解』, 2009가 있다.

5) 이는 慶尙道地域의 歷代 行政官[牧民官]의 名單을 정리한 것이고(洪思俊 1963년), 이의 번역으로 慶州文化院, 『國譯慶州先生案』, 2002 ; 韓國國學振興院, 『국역경상도선생안』, 2005가 있다. 또 先生案에 대해

『慶尙道地理志』: 朝鮮總督府 中樞院, 1938 ; 弗咸文化社, 1976.

『警修堂全藁』, 조선 申緯 : 『한국문집총간』29 소수.

『敬順王殿事蹟』, 조선 : 영남대학 도서관 東濱文庫 소장.

『敬齋遺稿』, 조선 南秀文 : 『한국문집총간』9 소수.

『敬亭集』, 조선 李民宬 : 『한국문집총간』76 소수.

『景賢錄』, 조선 金宏弼 : 『國譯景賢錄』, 寒暄堂先生紀念事業會, 2004.

『谿谷集』, 조선 張維 : 『한국문집총간』92 소수.

『薊山紀程』, 조선 著者不明, 1803년 :『국역연행록선집』8, 민족문화추진회, 1976 소수.

『桂苑筆耕集』: 『四部叢刊』初編 ; 『崔致遠全集』, 아세아문화사, 1999 소수.[6]

『高麗名賢集』: 영인본, 대동문화연구원, 1980.

『高麗史』: 影印本, 延禧延世大學 東方硏究所, 1955 ; 亞細亞文化社, 1972. 活字本, 國書刊行會,

언급한 다음의 자료가 있는데, 그 중 鄭蘊(1569~11641)은 郡縣의 先生案은 鄕吏들에 의해 작성된 私記이기에 姓名, 在職時期, 官衙 등에 있어 誤謬, 漏落이 있음을 지적하였다. 이 점은 『慶尙道營主題名記』에서도 예외는 아니다.

- 『桐溪集』續集권2, 大靜縣官案序, "縣之爲縣, 迨今數百年矣, 先生案之作, 始見於今日, 何歟? 曰, 作於今日也. 蓋自古傳來者久焉, 而今侯特因而修改之耳, 述之云耳, 豈曰作之云乎? 曰然, 前所謂案者, 非公案, 乃下吏私記也. 書姓名則只取音同, 而不辨眞僞, 記年月則前後乖舛, 而無所取徵, 麤紙胡書, 固不足道也, 曾何案之有哉?".

- 『孤山遺稿』卷5下, 三水郡先生案序, "內而各司, 外而列邑, 曾莅其任者, 謂之先生而作案, 器而藏之該府, 古之道也. 其所謂先生者, 非徒先後之稱也, 蓋亦尊之之義也. 後之尊先, 君子之所貴乎道也. 是以, 先生存則致敬, 沒則有賻, 此先生案之所以不可無者也".

- 『損窩遺稿』권12, 典牲署提調先生案序, "官府之有題名記, 古也, 內而諸司, 外而列邑, 莫不有記籍. 而典牲署獨無所謂先生案, 豈非欠事哉".

- 『鶴巖集』册5, 題鳳城先生案後, "邑皆有先生案, 莅邑之謂先生, 題先生名姓之册謂之案. 不有案, 何以知先生之爲某々, 而年代次第, 亦於何考. 本邑有所謂先生案, 未知何時作, 而首題以安侯處直, 不書到任年月日, 其下六七貞, 亦不書到任年月日, 安侯之在何朝, 亦未可推知. 要之爲中古, 而其前則逸, 而不能書歟. 案册年久渝汚, 且其各名下懸注, 未免疎漏. 書字或有訛誤, 玆不得不易而新之, 釐而正之, 而間亦添, 以耳目所記. 書其卒官及其莅任後, 或有事蹟之可書者, 亦書之". 여기에서 安處直은 1504년(연산왕10) 4월 무렵에 義禁府都事로 在職했던 인물이다(『연산군일기』권52, 10년 4월 庚子[9日]).

- 『存齋集』b권23, 司戶軒先生案序, "凡官府必有吏, 有吏必有案. 案也者, 列書前人姓名·鄕貫·生年及差任月日, 以昭示來後者也. …".

- 『守宗齋集』권8, 南遊日記(1857년, 哲宗8, 丁巳) 4月, "二十日, 晴, … 本府通吏·戶二吏, 俱是年老者, 故招問府中故事. 告以府司有道先生·府先生案二册. 以壬辰倭變, 一吏深藏山寺藏經, 幸得完全. 余求使之持來考見, 則本道營主題名, 始於宋神宗元豊元年, 高麗文宗三十三年三十二. 而監司始稱都部署使, 中稱按察使, 後改按察使, 恭愍朝, 又改按廉使. 明太祖洪武元年戊申恭愍17年, 執端先祖爲本道按廉使, 是時, 一年分兩等遞任, 而先祖監察公宋先生諱明誼居春夏等. 恭愍王三十二年癸卯十一年壬寅, 自安東府還都, 次淸州拱北樓試士, 執端公宋明誼與於是選, 則登科六年, 而除拜旬宣之重任, 可以想見當時雅望之一端也. 又按府尹題名, 我太祖御極之初, 府尹有鷄龍陪從之語, 太祖之幸鷄龍, 信蹟也". 添字는 필자가 추가한 것이고, 宋明誼는 1368년(공민왕17) 春夏番慶尙道按廉使이다.

6) 『四部叢刊』初編은 후일 影印本으로 再刊行될 때 『四部叢刊』正編으로 改稱한 것 같다. 또 『桂苑筆耕集』의 校注로 覺銀平, 『桂苑筆耕集校注』, 中華書局, 2007이 있다.

1908.7)

『高麗史節要』：影印本, 朝鮮史編修會, 1932 ；東國文化社, 1960 ；亞細亞文化社, 1973.8)

『攷事撮要』, 조선 魚叔權：漢裝稿 ；韓國圖書館學 研究會, 1974 ；民族文化, 1989.

『孤山遺稿』, 조선 尹善道：『한국문집총간』 91 소수.

『孤雲先生文集』(崔文昌侯全集), 崔致遠：成均館大學 出版部, 1972 ；『한국문집총간』 1 소수.

『谷雲集』, 조선 金壽增：『한국문집총간』 125 소수.

『觀心論』：天台智顗, 奎章閣 所藏(貴294.315, D168).

『灌圃詩集』, 조선 魚得江：『한국문집총간』 續集1 소수. 槐院謄錄

『久堂集』, 조선 朴長遠：『한국문집총간』 121 소수.

『龜峯集』, 조선 宋翼弼：『한국문집총간』 42 소수.

『龜亭遺藁』, 조선 南在：『한국문집총간』 6 소수.

『國朝文科榜目』, 太學社, 1984.

『群豹一斑』, 조선 金勇：金潤坤 1981년b 附錄.

『歸鹿集』, 조선 趙顯命：『한국문집총간』 212·213 소수.

『葵亭集』, 조선 申厚載：『한국문집총간』 續集42 소수.

『均如傳』：慶北大學, 1954 ；『韓國佛教全書』 4, 東國大學出版部, 1994 소수.9)

『屐園遺稿』(극원유고), 조선 李晩秀：『한국문집총간』 268, 2001 소수.

『近思齋逸藁』, 偰遜：『慶州偰氏諸賢實記』 소수.

『謹齋集』, 安軸：『고려명현집』 2, 1973 ；『한국문집총간』 2, 1990 소수.10)

『金剛般若經略疏』：神奈川縣 橫濱市 金澤區 金澤町 212 稱名寺 金澤文庫 所藏.

『錦溪集』, 조선 黃俊良：『한국문집총간』 37 소수.

『錦谷集』, 조선 宋來熙：『한국문집총간』 303 소수.

『金陵集』, 조선 南公轍：『한국문집총간』 272 소수.

『錦城日記』：京都大學 附屬圖書館 河合文庫 所藏.11)

『錦坡遺稿』, 朝鮮末期 羅允煦：嶺南印刷社, 2008.

『汲古遺稿』, 조선 李洪男：『한국문집총간』 속집2, 2005 소수.

『記言』 → 『眉叟記言』.

---

7) 이의 번역, 교감으로 東亞大學, 『譯註高麗史』, 1982 ；동아대학, 『국역고려사』(原文添附), 2006 以來 ；
   孫曉 等編 『高麗史』 標點校勘本, 西南師範大學 出版社, 2014가 있다.

8) 이의 번역으로 民族文化推進會, 『국역고려사절요』, 1977이 있다.

9) 이의 번역으로 李丙燾, 『均如傳譯注』, 二友出版社, 1981 ；崔喆, 『譯註均如傳』, 새문사, 1986이 있다.

10) 이의 번역으로 順興安氏三派大宗會, 『국역근재선생문집』, 2004가 있다.

11) 이의 번역으로 羅州市文化院, 『國譯錦城日記』, 1989가 있다.

『騎牛集』, 朝鮮 李行 :『고려명현집』3, 1973 ;『한국문집총간』7, 1990 소수.

『寄齋雜記』, 조선 朴東亮 :『國譯大東野乘』권13(민족문화추진회, 1974) 소수.[12]

『企齋集』, 조선 申光漢 :『한국문집총간』22 소수.

「金汝盂功臣教書」:『扶寧金氏族譜』소수.

「金漢啓朝謝文書」: 慶尙北道 有形文化財 第502號.

「金懷鍊開國原從功臣錄券」: 活字本.

ㄴ

『懶庵雜著』, 조선 普雨, 太均 錄 : 木版本.

『懶翁集』, 懶翁惠勤 : 月精寺, 1940.

『懶翁和尙語錄』, 懶翁惠勤 :『韓國佛教全書』6, 1990 소수.

『懶齋集』:『栖碧外史海外蒐佚本』74, 아세아문화사, 1995 ;『한국문집총간』15 소수.

『樂全堂集』, 朝鮮 申翊聖 :『한국문집총간』93 소수.

『洛下生集』, 朝鮮 李學逵 :『한국문집총간』290 소수.

『亂中雜錄』, 조선 趙慶男 :『國譯大東野乘』권26 소수.

『南溪集』, 朝鮮 朴世采 :『한국문집총간』138〜142 소수.

『南明泉和尙頌證道歌事實』:『한국불교전서』6 소수.

『南陽詩集』, 白賁華 :『한국문집총간』2 소수.

『南宦博物』, 조선 李衡祥 :『古典資料叢書』1, 韓國情神文化硏究院, 1980 소수.

『魯西遺稿』, 조선 尹宣擧 :『한국문집총간』120 소수.

『老稼齋燕行日記』, 조선 金昌業 : 1712년(숙종38).[13]

『老乞大』:『元代漢語本老乞大』, 경북대학 출판부, 2000.[14]

『老峯集』, 조선 閔鼎重 :『한국문집총간』129 소수.

『蘆沙集』, 조선 奇正鎭 :『한국문집총간』310 소수.

『蘆沙集』, 조선 奇正鎭 :『한국문집총간』310 소수.

『老松堂日本行錄』, 조선 宋希璟 :『朝鮮學報』45, 46, 1967, 1968 소수.[15]

『農巖集』, 조선 金昌協 :『한국문집총간』161·162 소수.

---

12) 이의 번역은 민족문화추진회,『국역대동야승』13, 1974에 수록되어 있다.

13) 이의 번역은『국역연행록선집』4에 수록되어 있다.

14) 이의 번역으로 金文京 等 譯注,『老乞大』, 東洋文庫699, 平凡社, 2002이 있다. 또 諺解本 索引으로 陶山 信男,『朴通事諺解·老乞大諺解語彙索引』, 采華書店, 名古屋이 있다.

15) 이의 교주로 村井章介,『老松堂日本行錄』, 岩波書店, 1987이 있다.

『農圃問答』, 조선 鄭尙驥 : 필사본(고려대학 소장).[16]

『訥齋集』, 조선 梁誠之 : 『한국문집총간』 9 소수.[17]

『雷淵集』, 조선 南有容 : 『한국문집총간』 217 소수.

『凌虛集』, 조선 朴敏 : 『한국문집총간』 속집14 소수.

    ㄷ

『淡庵逸集』, 白文寶 : 『고려명현집』 5 ; 『한국문집총간』 3 소수.

『藫庭遺藁』, 조선 金鑢 : 『한국문집총간』 289 소수.

『湛軒書』, 조선 洪大容 : 『한국문집총간』 248 소수.

『大覺國師文集』, 義天 : 建國大學出版社, 1974.[18]

『大東野乘』 : 조선고서간행회, 1909 ; 慶熙出版社, 1969.[19]

『大東韻府群玉』, 조선 權文海 : 影印本, 正陽社, 1950 ; 이증문화사, 1991.[20]

『大東地志』, 조선 金正浩 : 漢陽大學 國學硏究院, 1974 ; 忠南大學, 1982.[21]

『大明律直解』 : 保景文化社, 1991.

『大般涅槃經疏』, 唐 釋法寶 : 續藏經의 刊本, 松廣寺 所藏. 影印本, 朝鮮總督府, 1924.[22]

『大方廣佛華嚴經談玄決擇』 : 神奈川縣 橫濱市 金澤區 金澤町 212 稱名寺 金澤文庫 및 京都市 右京區 梅ケ畑栂尾町 高山寺 所藏.

『大方廣佛華嚴經隨疏演義鈔』, 唐 釋澄觀 : 東大寺圖書館 所藏.

『大方廣佛華嚴經隨疏演義鈔』 : 東京都 世田谷區 玉川上野毛町 111 五島美術館 所藏.

『大毗盧遮那成佛神變加持經義釋』(大日經), 善無畏 : 東京都 世田谷區 玉川上野毛町 111, 五島美術館 大東急記念文庫 所藏.

『臺山集』, 조선 金邁淳 : 『한국문집총간』 294 소수.

---

16) 이의 번역으로 李翼成, 『농포문답』, 한길사, 1992가 있다.

17) 이의 번역으로 『국역눌재집』, 한국사상대전집14, 양우당, 1988이 있다.

18) 이의 번역, 點校로 한국정신문화연구원, 『국역대각국사문집』, 1989 ; 黃純艶, 『高麗大覺國師文集』, 甘肅大學出版社, 2007이 있다.

19) 이의 번역으로 민족문화추진회, 『국역대동야승』, 1971년 이래가 있다.

20) 이의 색인, 번역으로 『大東韻府群玉索引』, 아세아문화사, 1976 ; 남명학연구소, 『국역대동운부군옥』, 2003이 있다.

21) 이의 번역으로 임승표, 『역주대동지지』, 이회문화사, 2004가 있다.

22) 현재 이 佛典의 所在를 알 수 없지만, 1922년 7월 조선총독부의 職員인 小田省吾가 권9, 권10을 찾아서 學界에 소개하였던 것 같다. 각권의 冒頭와 末尾에 '順天 松廣寺 堂司册也', '松堂司'가 追記되어 있었다.

『德陽遺稿』, 조선 奇遵 :『한국문집총간』25 소수.

『陶谷集』, 조선 李宜顯 :『한국문집총간』181 소수.[23]

『陶隱集』, 李崇仁 :『고려명현집』4 ;『한국문집총간』6 소수.

『獨谷集』, 조선 成石璘 :『한국문집총간』6 소수.

『東閣雜記』, 조선 :『국역대동야승』13 소수.

『東京雜記』, 조선 南至薰 : 활자본, 조선고서간행회, 1910.

『桐溪集』, 조선 鄭蘊 :『한국문집총간』75 소수.[24]

『東溪集』 a, 조선 趙龜命 :『한국문집총간』215 소수.

『東溪集』 6, 조선 趙亨道 :『한국문집총간』續集15 소수.

『東國李相國集』:『고려명현집』1 ;『한국문집총간』1·2, 소수.[25]

『東國通鑑』: 경인문화사, 1994. 활자본, 조선고서간행회, 1912[26]

『東都歷世諸子記』:『慶州先生案』, 亞細亞文化社, 1982 소수.[27]

『東里集』, 조선 李殷相 :『한국문집총간』122 소수.

『東文選』: 影印本, 慶熙出版社, 1966 ; 學習院大學 東洋文化研究所, 1970. 활자본, 조선고서간
　　행회, 1914.[28]

『東文粹』, 조선 金宗直 編 : 民昌出版社, 1996.

『同文類解』, 조선 玄文恒 : 영인본, 弘文閣, 1995.

『東史綱目』, 安鼎福 : 影印本, 景仁文化社, 1970. 활자본, 조선고서간행회, 1915.[29]

『東岳集』, 조선 李安訥 :『한국문집총간』78 소수.

『動安居士集』, 李承休 : 영인본, 朝鮮古典刊行會, 1939 ;『고려명현집』1 ;『한국문집총간』2 소수.[30]

『東垈集』, 조선 金養根 :『한국문집총간』속집94 소수.

『東園集』, 조선 金貴榮 :『한국문집총간』37 소수.

『東人詩話』조선 徐居正 : 영인본, 景文社, 1980 ; 활자본, 조선고서간행회, 1921.[31]

---

23) 이의 번역으로 성백효 등,『국역도곡집』, 학지원, 2015가 있다.

24) 이의 번역으로 민족문화추진회,『국역동계집』, 2001 이래가 있다.

25) 이의 번역으로 민족문화추진회,『국역동국이상국집』, 1980 이래가 있다.

26) 이의 번역으로 세종대왕기념사업회,『국역동국통감』, 1996이 있다.

27) 이는 慶州地域의 歷代 行政官[牧民官]의 名單을 정리한 것이고, 이의 번역으로 한국국학진흥원,『국역
　　경상도선생안』, 2005가 있다.

28) 이의 번역으로 민족문화추진회,『국역동문선』, 1977이 있다.

29) 이의 번역으로 민족문화추진회,『국역동사강목』, 1980 ;『신편국역 동사강목』, 한국학술정보, 2006이 있다.

30) 이의 번역으로 三陟市,『국역동안거사집』, 1995가 있다.

31) 이의 번역으로 권경상,『原典對照東人詩話』, 다운샘, 2003이 있다.

『東人之文四六』, 崔瀣 :『고려명현집』5 소수 ; 啓明大學 도서관, 2009.

『東人之文五七』, 崔瀣 : 영인본,『계간서지학보』15, 1995.

『東州集』, 조선 李敏求 :『한국문집총간』94 소수.

『東賢眞蹟』: 昌德宮 祕書閣 所藏.

『頭陀草』, 조선 李夏坤 :『한국문집총간』191 소수.

『遁村雜詠』(遁村遺稿) :『고려명현집』3 ;『한국문집총간』3 소수.

ㄹ

『柳巷集』, 韓脩 :『고려명현집』3 ;『한국문집총간』5 소수.

ㅁ

『晩求集』, 조선 李種杞 :『한국문집총간』331 소수.

『萬機要覽』, 조선, 徐榮輔 編 : 민족문화추진회,『국역만기요람』, 1971.[32]

『漫浪集』, 조선 黃㦿(황호) :『한국문집총간』103 소수.

『晩靜堂集』, 조선 徐宗泰 :『한국문집총간』163 소수.

『梅溪集』, 조선 曹偉 :『한국문집총간』16 소수.

『梅窓集』, 조선 鄭士信 :『한국문집총간』속집10 소수.

『梅軒集』, 조선 權遇 :『한국문집총간』속집1 소수.

『俛宇集』, 조선 郭鍾錫 :『한국문집총간』340~344 소수.

『晩洲集』, 조선 鄭昌胄 :『한국문집총간』속집30 소수.

『梅山集』, 조선 洪直弼 :『한국문집총간』295 소수.

『梅泉集』, 조선 黃玹 :『한국문집총간』348 소수.

『梅軒集』, 조선 權遇 :『한국문집총간』續集1 소수.

『鳴巖集』, 조선 李海朝 :『한국문집총간』175 소수.

『慕堂集』, 조선 孫處訥 :『한국문집총간』續集8 소수.

『牧隱集』, 李穡 :『고려명현집』3 ;『한국문집총간』3·4 소수.[33]

『木齋集』: 조선 洪汝河 :『한국문집총간』124 소수.

『蒙山和尙法語略錄』, 懶翁慧勤 : 영인본, 弘文閣, 1996.[34]

---

32) 이에 原文이 수록되어 있다.

33) 이의 번역으로 민족문화추진회,『국역목은집』, 2000以來 ; 여운필,『역주목은시고』, 月印, 2000以來가 있다.

『無名子集』, 조선 尹愭 :『한국문집총간』256 소수.

『武陵雜稿』, 조선 周世鵬 :『한국문집총간』27 소수.

『無衣子詩集』, 釋慧諶 :『한국불교전서』6 소수.

『嘿守堂集』, 조선 崔有海 :『한국문집총간』속집23 소수.

『文谷集』, 조선 金壽恒 :『한국문집총간』133 소수.

『文化柳氏世譜』: 경인문화사, 1979.

『物名攷』, 조선 柳僖 : 한국사상연구소, 1972 ;『西坡柳僖全書』(韓國學資料叢書38), 한국학중앙
　　연구원 소수.[35]

『物譜』, 조선 李載威 : 한국사상연구소, 1972.

『眉山集』, 조선 韓章錫 :『한국문집총간』322 소수.

『眉叟記言』(記言) 조선 許穆 :『한국문집총간』98·99 소수 ; 影印本, 민족문화추진회, 1992.[36]

『密菴集』, 조선 李栽 :『한국문집총간』173 소수.

ㅂ

『朴先生遺稿』, 조선 朴彭年 :『한국문집총간』9 소수.

『朴通事諺解』: 아세아문화사, 1973 ; 서울대학교 규장각, 2004.[37]

『朴通事新釋』: 서울대학 규장각, 2004.

『渤海考』, 조선 柳得恭 : ---, 19---.[38]

『舫山集』, 조선 許薰 :『한국문집총간』327 소수.

『瀋陽世稿』

『百家衣集』, : 許興植,『고려의 동아시아 시문학』, 민족사, 2009.

『白潭遺集』, 조선 趙又新 :『한국문집총간』속집21 소수.

『栢潭集』, 조선 具鳳齡 :『한국문집총간』39 소수.

『白茅堂集』, 朝鮮 : 문집총간에는 나시.

『白沙集』, 조선 李恒福 :『한국문집총간』62 소수.[39]

---

34) 이의 번역으로 세종대왕기념사업회,『역주몽산화상법어약록』, 2002가 있다.

35) 이의 번역으로 김형태,『물명고』, 소명출판, 2019가 있다

36) 이의 번역으로 민족문화추진회,『국역미수기언』, 1978이 있다.

37) 이의 번역, 索引으로 王霞,『譯註朴通事諺解』, 學古房, 2012 ; 장숙영,『박통사언해류』, 한국문화사, 2008 ;
　　陶山信男,『朴通事諺解·老乞大諺解語彙索引』, 采華書店, 名古屋이 있다.

38) 이의 번역으로 宋基豪,『발해고』, 홍익출판사, 2020이 있다.

39) 이의 번역으로 민족문화추진회,『국역백사집』, 1998이 있다.

『白雲和尙語錄』, 白雲景閑 : 影印本(경성제국대학 법문학부, 1934) ; 『한국불교전서』 6 소수.[40]

『白雲和尙抄錄佛祖直指心體要節』: 『한국불교전서』 6 소수.

『白下集』, 조선 尹淳 : 『한국문집총간』 192 소수.

『白軒集』, 조선 李景奭 : 『한국문집총간』 95 소수.

『白花道場發願文略解』: 『한국불교전서』 6 소수.

『樊巖集』, 조선 蔡濟恭 : 『한국문집총간』 235 소수.

『泛虛亭集』, 조선 尙震 : 『한국문집총간』 26 소수.

『法華靈驗傳』, 了圓 : 『日本續藏經』 第1輯 第2編乙 第7套 第4册(134册)[41] ; 影印本, 朝鮮佛書刊
　　行會, 1931 ; 『韓國佛敎全書』 6 소수.[42]

『屛山集』, 조선 李觀命 : 『한국문집총간』 177 소수.

『瓶窩集』, 조선 李衡祥 : 『한국문집총간』 164 소수.

『補閑集』, 崔滋 : 『고려명현집』 2 소수.[43]

『保閑齋集』, 조선 申叔舟 : 『한국문집총간』 10 소수.

『復齋集』, 조선 鄭摠 : 『한국문집총간』 7 소수.

『浮査集』, 조선 成汝信 : 『한국문집총간』 56 소수.

『赴燕日記』, 朝鮮 저자불명 : 1828년(순조28).[44]

『北軒集』, 조선 金春澤 : 『한국문집총간』 185 소수.

『汾西集』, 조선 朴瀰 : 『한국문집총간』 속집25 소수.

『佛國寺古今年代記』: 筆寫本(1822년, 순조22) ; 『佛國寺誌』, 亞細亞文化社, 1983 소수.

『佛說長壽滅罪護諸童子陀羅尼經』: 晋州 凝石寺, 1974.

『不憂軒集』, 조선 丁克仁 : 『한국문집총간』 9 소수.

ㅅ

『四佳集』, 徐居正 : 『한국문집총간』 10～11 소수.[45]

---

40) 이는 無比 譯註, 『백운스님어록』, 民族社, 1996에도 수록되어 있다.

41) 『日本續藏經』은 처음 간행될 때 紙函[套]의 順序로 篇目되었으나 再刊行될 때 册으로 裝幀되어 一連番
　　號가 붙여졌다. 또 이 책의 목록에서 『法華靈驗傳』의 編者를 '明 了因錄'로 정리하였는데, 本文을 읽지
　　않았는지, 不純한 意圖의 結果인지는 알 수 없다.

42) 이의 영인, 주석으로 단국대학, 『法華靈驗傳』, 1976 ; 金行山 譯, 『法華靈驗傳』, 靈山法華出版社, 1982가 있다.

43) 이의 번역으로 『국역보한집』, 범우사, 2001 ; 박정규, 『譯註補閑集』, 寶庫社, 2012가 있다.

44) 이의 번역은 『국역연행록선집』 9에 수록되어 있다.

45) 이의 번역으로 民族文化推進會, 『國譯四佳集』, 2004가 있다.

『沙溪遺稿』, 조선 金長生 : 『한국문집총간』 57 소수.

『私淑齋集』, 조선 姜希孟 : 『한국문집총간』 12 소수.

『四留齋集』, 조선 李廷馣 : 『한국문집총간』 51 소수.[46]

『三國史記』: 영인본, 古典刊行會, 1944년 ; 民族文化推進會, 1973. 활자본, 朝鮮史學會, 1941 ; 末松保和校訂本, 國書刊行會, 1971 ; 李丙燾, 乙酉文化社, 1977 ; 學習院大學 東洋文化研究所, 1986.[47]

『三國遺事』: 영인본, 京都大學文學部叢書6, 1921(正德年間本) ; 古典刊行會, 1932 ; 민족문화추진회, 1973. 활자본(底本, 東京大學所藏), 1904 ; 『大正新脩大藏經』 第49卷, 史傳部1 소수.[48]

『三峰集』: 1487년(성종18) 刊本[49] ; 『한국문집총간』 5 소수. 활자본, 조선고서간행회, 1916 ; 국사편찬위원회 1961.[50]

『三山齋集』, 조선 金履安 : 『한국문집총간』 238 소수.

『三淵集』, 조선 金昌翕 : 『한국문집총간』 165~167 소수.

『三灘集』, 조선 李承召 : 『한국문집총간』 11 소수.

『三韓詩龜鑑』, 崔瀣 批點 : 嘉靖丙寅, 順天府 刊本, 奎章閣 所藏.[51]

『桑楡集』, 조선 柳思規 : 『한국문집총간』 續集4 소수.

『象村稿』, 조선 申欽 : 『한국문집총간』 71·72 소수.

『象村雜錄』, 조선 申欽 : 『大東野乘』 25 소수.

『雙溪遺稿』, 조선 李福源 : 『한국문집총간』 237 소수.

『瑞山鄭氏家乘』: 1819년(순조19) 刊本.

『恕菴集』, 조선 申靖夏 : 『한국문집총간』 197 소수.

---

46) 이 책의 권10, 倭變錄은 李廷馣(1541~1600)이 逝去하기 1년 전에 『삼국사기』, 『고려사』에 수록된 倭와 日本에 대한 기사를 초록한 것이다.

47) 이의 번역, 교감으로 다음이 있다.
 · 李丙燾, 『譯註三國史記』, 乙酉文化社, 1983.
 · 趙炳舜, 『增修補注三國史記』, 保景文化社, 1986.
 · 鄭求福 等編, 『譯註三國史記』, 韓國精神文化研究院, 1996 이래.

48) 이의 번역, 교감으로 다음이 있고, 또 異本도 찾아진다.
 · 朝鮮科學院, 『三國遺事』, 科學院出版社, 平壤, 1959.
 · 姜仁求 等編, 『譯註三國遺事』, 韓國精神文化研究院, 2002.
 · 金思燁, 『完譯三國遺事』, 朝日新聞社, 1976.
 · 三品彰英 等編, 『三國遺事考證』, 塙書房, 1995.
 · 崔光植 等編, 『點校三國遺事』, 高麗大學出版社, 2009.
 · 최광식·박덕재, 『삼국유사』, 고려대학출판부, 2014
 · 延世大學 博物館 編, 『파르본 삼국유사 교감』, 2016.

49) 이 刊本은 足利市 昌平町 233番地 足利學校遺蹟図書館에 소장되어 있다(張東翼 2005년b).

50) 이의 번역으로 민족문화추진회, 『국역삼봉집』, 1977이 있다.

51) 이의 번역으로 金甲起, 『三韓詩龜鑑』, 梨花文化出版社, 1998이 있다.

『西厓集』, 조선 柳成龍 : 『한국문집총간』 52 소수.

『西浦集』, 조선 郭說 : 『한국문집총간』 속집6 소수.

『西河集』, 林椿 : 『한국문집총간』 1 소수.

『釋迦如來行蹟頌』, 浮菴無寄 : 『한국불교전서』 6 소수.[52]

『釋摩訶衍論贊玄疏奏』 : 高麗本 筆寫, 東北大學 所藏.

『釋摩訶衍論贊玄鈔』(釋論通玄鈔) : 高麗本 筆寫, 愛知縣 名古屋市 中區 大須2丁目 眞福寺·高野山 金剛峰寺 寶龜院·叡山文庫 所藏.

『釋摩訶衍論贊玄疏』 : 高麗本 筆寫, 高野山 金剛峰寺 寶龜院·京都市 仁和寺 所藏.

『石北集』, 조선 申光洙 : 『한국문집총간』 231 소수.

『碩齋稿』, 조선 尹行恁 : 『한국문집총간』 287 소수.

『石洲集』, 조선 權韠(권필) : 『한국문집총간』 75 소수.

『石川詩集』, 조선 林億齡 : 『한국문집총간』 27 소수.

『釋華嚴旨歸章圓通鈔』 : 『한국불교전서』 4 소수.

「宣光七年三月日門生進□□士錄」 : 居昌博物館 所藏.

『禪門寶藏錄』 : 『한국불교전서』 6 소수.

『禪門拈頌說話』, 朝鮮 釋覺雲 : 『한국불교전서』 5 소수.[53]

『禪門拈頌集』, 慧諶 : 1636년(仁祖14) 全羅道 寶城郡 大原寺 改版, 『禪學典籍叢刊』 7, 花園大學, 國際禪學研究所 1999 소수.[54]

『禪門撮要』, 宋 釋宗密 : 漢裝本, 高麗本, 『禪學叢書』 2, 中文出版社, 京都, 1974 所收.[55]

『善養亭集』, 조선 丁希孟 : 『한국문집총간』 續集4 소수.

『禪要錄』 : 漢裝本.

『宣和奉使高麗圖經』(高麗圖經) : 『사고전서』 지리(영인본593책) 소수.[56]

『雪谷集』, 鄭誧 : 『한국문집총간』 3, 민족문화추진회, 1990 소수.

『雪汀詩集』, 조선 曺文秀 : 『한국문집총간』 속집24 소수.

『雪海遺稿』, 조선 李晩榮 : 『한국문집총간』 속집30 소수.

---

52) 이의 번역으로 金月雲, 『석가여래행적송』, 東文選, 2004가 있다.

53) 이의 주석으로 釋종진 編, 『禪門拈頌集』, 原典會編, 東國大學 出版部, 2013이 있다.

54) 이의 표점, 번역으로 淨圓, 『禪門拈頌集標註』, 須彌山禪, 2014 ; 趙明濟 등편, 『禪門拈頌說話』, 釜山大學 産學協力團, 2009가 있다.

55) 이는 純宗皇帝가 즉위했던 1907년(隆熙1) 7월 淸道郡 雲門寺에서 만들어진 板木이 東萊府 梵魚寺로 옮겨져 인쇄된 것이다(卷上, 禪警語의 跋尾 題記, 花園大學 圖書館 所藏. 『禪門撮要』, 禪學叢書2, 中文出版社, 京都, 1974).

56) 이의 번역으로 민족문화추진회, 『국역고려도경』, 1987이 있다.

『成謹甫集』, 조선 成三問 :『한국문집총간』10 소수.

『性潭集』, 조선 宋煥箕 :『한국문집총간』244·245 소수.

『成化安東權氏世譜』 :影印本.

『惺所覆瓿藁』(성소부부고), 조선 許筠 :『한국문집총간』74 소수.

『星湖僿說』, 조선 李瀷 : 경인문화사, 1970. 활자본, 조선고서간행회, 1915.[57]

『嘯皐集』, 조선 朴承任 :『한국문집총간』36 소수.

『疎齋集』, 조선 李頤命 :『한국문집총간』172 소수.

『韶濩堂集』, 조선 金澤榮 :『한국문집총간』347 소수.

『小華詩評』, 조선 洪萬鍾 : 국학자료원, 1993.

『損窩遺稿』, 조선 崔錫恒 :『한국문집총간』169 소수.

『松京廣攷』, 조선 林孝憲 : 1832년(순조32) 撰[58]

『松潭集』, 조선 宋柟壽 :『한국문집총간』續集4 소수.

『松堂集』, 조선 趙浚 :『한국문집총간』6 소수.[59]

『松都誌』, 조선 鄭昌順 : 1782년(정조6) 撰(『私撰邑誌』2, 3 所收).

『松都續誌』, 조선 金文淳 : 1802년(순조2) 撰(『私撰邑誌』3 所收).

『松沙集』, 조선 奇宇萬 :『한국문집총간』345·346 소수.

『松巖集』, 조선 李魯 :『한국문집총간』54 소수.

『宋子大全』, 조선 宋時烈 :『한국문집총간』108~113 소수.

『松齋集』, 조선 李堣 :『한국문집총간』17 소수.

『松川遺集』, 조선 梁應鼎 :『한국문집총간』37 소수.

『壽谷集』, 조선 金柱臣 :『한국문집총간』176 소수.

『修堂遺集』, 조선 李南珪 :『한국문집총간』349 소수.

『修山集』, 조선 李種徽 :『한국문집총간』247 소수.

『水色集』, 조선 許𥙿 :『한국문집총간』69 소수.

『首楞嚴經環解刪補記』 :『한국불교전서』6 소수.

『睡隱集』, 조선 姜沆徽 :『한국문집총간』73 소수.

『守宗齋集』, 조선 宋達洙 :『한국문집총간』313 소수.

『壽峴集』, 조선 石之珩 :『한국문집총간』續集31 소수.

『肅齋集』, 조선 趙秉悳 :『한국문집총간』311 소수.

---

57) 이의 번역으로 민족문화추진회,『국역성호사설』, 1997이 있다.

58) 이는 李泰鎭 編,『私撰邑誌』8, 인문과학연구원, 1989에 수록되어 있다.

59) 이의 번역으로 한국고전번역원,『송당집』, 2012가 있다.

`순암집』, 조선 安鼎福 : 『한국문집총간』 229·230 소수.

`詩家點燈』, 조선 李圭景 : 『韓國詩話叢編』 12, 태학사, 1996 소수.

`息山集』, 조선 李萬敷 : 『한국문집총간』 179 소수.

`新增東國輿地勝覽』: 영인본, 아세아문화사. 1974. 활자본, 조선고서간행회, 1912 ; 朝鮮史學會, 1930 ; 『韓國地理風俗誌叢書』 305〜309, 景仁文化社, 2005 소수 ; 淵上貞助 編, 東京, 1906 ; 國書刊行會, 1986.[60]

`新編諸宗敎藏總錄』: 京都市 右京區 梅ケ畑木+母尾町 高山寺 及 大谷大學 所藏.『大正新脩大藏經』 第55卷, 目錄部 소수. 글자만들기(좌우)

`心田稿』, 조선 朴思浩 : 1828년(純祖28).[61]

「沈之伯開國原從功臣錄券」:『朝鮮史料集眞解說』 1 소수.

`雙梅堂篋藏集』, 李詹 : 『한국문집총간』 6, 1990 소수.[62]

`氏族源流』, 朝鮮 趙從耘 : 保景文化社, 1994.

　　　○

`阿彌陀經通贊疏』: 叡山文庫 慈眼堂 舊藏書本.

`雅言覺非』, 조선 丁若鏞 : 『與猶堂全書』 권24 소수.

`樂章歌詞』: 『韓國古典叢書』 2, 大提閣, 1973.[63]

`安東金氏族譜』(1979).

`安東先生案』: 『大丘史學』 19, 1981 소수.

`巖棲集』, 조선 曹兢燮 : 『한국문집총간』 350 소수.

`埜隱逸稿』, 田祿生 : 『고려명현집』 3 ; 『한국문집총간』 3 소수.

`冶隱先生言行拾遺』, 조선 吉再 : 『한국문집총간』 7 소수.

`藥山漫稿』, 조선 吳光運 : 『한국문집총간』 210·211 소수.

`藥泉集』, 조선 南九萬 : 『한국문집총간』 131·132 소수.

`藥圃集』, 조선 鄭琢 : 『한국문집총간』 39 소수.

`約軒集』, 조선 宋徵殷 : 『한국문집총간』 164 소수.

`陽谷集』, 조선 蘇世讓 : 『한국문집총간』 23 소수.

---

60) 이의 번역으로 민족문화추진회, 『국역신증동국여지승람』, 1969 이래 ; 채종준, 『신편국역신증동국여지승람』, 한국학술정보, 2007이 있다.
61) 이의 번역은 『국역연행록선집』 9에 수록되어 있다.
62) 이의 번역으로 金東柱, 『國譯雙梅堂先生文集』, 民昌文化社, 1999가 있다.
63) 이의 주석으로 金明俊, 『樂章歌詞注解』, 다운샘, 2004가 있다.

『養世系略報』, 朝鮮 李允默 : 漢裝本(朝鮮時代 宦者의 族譜)

『陽村集』, 權近 : 『한국문집총간』 7 소수.[64]

『養花小錄』, 朝鮮 : 『晋山世稿』 소수.[65]

『於于集』, 조선 柳夢寅 : 『한국문집총간』 63 소수.

『御定宋史筌』 : 마이크로필림, 서울대학교 규장각, 2007.

『麗史提綱』, 조선 俞棨 : 아세아문화사, 1973.

『旅菴遺稿』, 조선 申景濬 : 『한국문집총간』 231 소수.

『恕菴集』, 조선 申靖夏 : 『한국문집총간』 197 소수.

『與猶堂全書』, 조선 丁若鏞 : 『定本與猶堂全書』, 다산학술문화재단, 2012.

『麗朝科擧事蹟』 : 『國朝文科榜目』 1, 태학사, 1984 소수.

『黎湖集』, 조선 朴弼周 : 『한국문집총간』 196 소수.

『歷代兵要』, 조선 鄭麟趾 : 國防軍史研究所, 1996

『歷代要覽』, 조선, 趙慶男 : 『국역대동야승』 권34 소수.

『櫟翁稗說』 : 『益齋亂藁』 所收[66]

『研經齋全集』, 조선 成海應 : 『한국문집총간』 273 소수.

『燕途紀行』, 조선 李㴭 : 1656년(孝宗7).[67]

『延安府誌』 : 奎章閣 所藏 10,889冊(마이크로필름 79-103-32-A〜C) ; 『私撰邑誌』 32, 人文科學研究院, 1989 소수.

『燃藜室記述』, 조선 李肯翊 : 경문사, 1976. 활자본, 조선고서간행회, 1912.[68]

『延安宋氏世譜』 : 1996년 刊本.[69]

『延安車氏族譜』 : 1879년(高宗16) 목활자본.

『燕轅直指』, 조선 金景善 : 1832년(純祖32), 『국역연행록선집』 10 소수.

『淵齋集』, 조선 宋秉璿 : 『한국문집총간』 329·330 소수.

『淵泉集』, 조선 洪奭周 : 『한국문집총간』 293·294 소수.

『燕行錄』, 조선 崔德中 : 1712년(肅宗38), 『국역연행록선집』 3 소수.

『燕行紀』, 조선 徐浩修 : 1790년(正祖14), 『국역연행록선집』 5 소수.

---

64) 이의 번역으로 민족문화추진회, 『국역양촌집』, 1979 이래가 있다.

65) 이의 번역으로 『국역양화소록』, 을유문화사, 2000이 있다.

66) 이의 번역으로 박정규, 『譯註櫟翁稗說』, 寶庫社, 2012이 있다.

67) 이의 번역은 『국역연행록선집』 3에 수록되어 있다.

68) 이의 번역으로 민족문화추진회, 『국역연려실기술』, 1966이 있다.

69) 이의 내용 중에서 「高麗忠穆王朝壁上功臣錄券」은 南權熙, 『고려시대 기록문화 연구』, 청주고인쇄박물관, 2002, 411쪽에 轉載되어 있다.

『燕行記事』, 조선 李押 : 1777년(정조1), 『국역연행록선집』 6 소수.

『燕巖集』, 조선 朴趾源 : 『한국문집총간』 252 소수.

『熱河日記』, 조선 朴趾源 : 光文會, 1911.[70]

『恬軒集』, 조선 任相元 : 『한국문집총간』 148 소수.

『永川先生案』: 『永陽志』, 大邱, 1935 ; 『韓國近代邑誌』 21, 인문과학연구원, 1991 소수.[71]

『寧海先生案』: 『盈寧志』, 盈德鄕校, 1935 소수.

「五臺山月精寺事蹟」: 『國文學論集』 7・8, 檀國大學, 1975.

『鰲峯集』, 조선 金齊閔 : 『한국문집총간』 속집4 소수.

『五山說林草藁』, 朝鮮 : 『국역대동야승』 2, 1971.

『五洲衍文長箋散稿』, 朝鮮 : 명문당, 1982.[72]

『玉溪集』, 조선 盧禛 : 『한국문집총간』 37 소수.

『沃州誌』: 珍島文化院, 1987.[73]

『龍龕手鏡』, 契丹, 釋行均 : 高麗本. 影印本, 藤本幸夫 編, 『龍龕手鏡研究』, 麗澤大學出版會, 2015.

『龍門集』, 조선 趙昱 : 『한국문집총간』 28 소수.

『龍溪遺稿』, 조선 金終弼 : 『한국문집총간』 續集11 소수.

『龍飛御天歌』: 影印本, 아세아문화사, 1972. 活字本, 朝鮮古書刊行會, 1911.[74]

『慵齋叢話』, 조선 成俔 : 『국역대동야승』 1 소수.

『龍泉談寂記』, 朝鮮 金安老 : 『국역대동야승』 3 소수.

『容軒集』, 조선 李原 : 『한국문집총간』 7 소수.[75]

『牛溪集』, 조선 成渾 : 『한국문집총간』 43 소수.

『于郊堂遺集』, 조선 申悅道 : 『한국문집총간』 속집24 소수.)

『愚伏集』, 조선 鄭經世 : 成均館大學, 1977.

『耘谷詩史』(耘谷行錄), 元天錫 : 『고려명현집』 5 ; 『한국문집총간』 6 소수.[76]

『雲川集』, 조선 金涌 : 『한국문집총간』 63 소수.

『雲海遺稿』, 조선 李晩榮 : 『한국문집총간』 속집30 소수.

---

70) 이의 번역으로 민족문화문고간행회, 『국역열하일기』, 1985가 있다.

71) 이의 서문으로 『海月集』 권7, 永陽先生案序가 있다(1608년).

72) 이의 번역으로 민족문화추진회, 『국역오주연문장전산고』, 1978이 있다.

73) 沃州은 珍島縣의 別號이고, 『沃州誌』 不分卷의 1책은 1761년(영조37)에 편찬된 진도군의 읍지이다.

74) 이의 주석, 번역으로 許雄, 『龍飛御天歌』, 正音社, 1956 ; 李胤錫, 『完譯龍飛御天歌』, 曉星女子大學, 1992가 있다.

75) 이의 번역으로 한국고전번역원, 『국역용헌집』, 2013이 있다.

76) 이의 번역으로 이인재・허경진, 『국역운곡시사』, 혜안, 2007 ; 『운곡시사』, 原州市, 2015가 있다.

『圓鑑國師集』(圓鑑國師歌頌, 圓鑑錄), 釋冲止 :『한국불교전서』6 소수.[77]

『元帥李公實記』, 李芳實 : 1854년(철종5) 刊本, 국립중앙도서관 소장.

『圓齋藁』, 鄭樞 :『한국문집총간』5 소수.

『月澗集』, 조선 李烒 :『한국문집총간』續集10 소수.

『月谷集』, 조선 吳瑗 :『한국문집총간』218 소수.

『月峯集』, 조선 高仁繼 :『한국문집총간』續集13 소수.

『月沙集』, 조선 李廷龜 :『한국문집총간』69·70 소수.

『月汀漫筆』:『국역대동야승』14 소수.

『儒胥必知』, 조선 不明 : 전경목 등편, 사계절출판사, 2006.

『游齋集』, 조선 李玄錫 :『한국문집총간』156 소수.

『柳川遺稿』, 조선 韓浚謙 :『한국문집총간』62 소수.

『挹翠軒遺稿』, 조선 朴誾 :『한국문집총간』21 소수.

『鷹鶻方』, 朝鮮 李瑢 : 1444년(世宗26),『韓國科學技術史資料大系』, 醫藥學篇50, 驪江出版社. 1988.[78]

『耳溪集』, 조선 洪良浩 :『한국문집총간』241·242 소수.

『吏文』: 末松保和 編 : 朝鮮印刷株式會社, 1942.

『吏文輯覽』:『吏文』附, 朝鮮印刷株式會社, 1942.

『增定吏文輯覽』: 동국대학 도서관 소장본.

「李藝鄕吏功牌」: 李樹健,『慶北地方古文書集成』, 嶺南大學出版部, 1981 소수.

『頤齋遺藁』, 조선 黃胤錫 :『한국문집총간』246 소수.

『益齋亂藁』, 李齊賢 :『고려명현집』2 ;『한국문집총간』2 소수.[79]

『麟齋遺稿』, 李鍾學 :『고려명현집』3 ;『한국문집총간』7 소수.

『寅齋集』, 조선 申檣 :『한국문집총간』8 소수.[80]

『忍齋集』, 조선 洪暹 :『한국문집총간』32 소수.

『一善志』: 영인본, 善山文化院, 1983.

『一齋先生逸稿』, 權漢功 :『永嘉世稿』所收.[81]

『林塘遺稿』, 조선 鄭惟吉 :『한국문집총간』35 소수.

『林白湖集』, 조선 林悌 :『한국문집총간』58 소수.

---

77) 이의 번역으로 東國譯經院, 한글대장경, 1995 ; 秦星圭,『국역원감국사집』, 아세아문화사, 1988 ; 이상현,『원감국사집』, 동국대학출판부, 2010이 있다.

78) 이의 번역으로 李源天,『校註國譯鷹鶻方』, 慶北印刷, 1994가 있다.

79) 이의 번역으로 민족문화추진회,『국역익재집』, 1979 이래가 있다.

80) 이의 번역으로 한국고전번역원,『국역인재집』, 2012가 있다.

81) 이의 번역으로『國譯一齋先生實紀』, 釜山 벤프레스, 2003이 있다.

『臨淵齋集』, 조선 裵三益 : 『한국문집총간』 續集4 소수.[82]

『林園經濟誌』, 조선 徐有榘 : 影印本, 民俗苑, 1991.[83]

『立齋遺稿』, 조선 姜再恒 : 『한국문집총간』 210 소수.

『立齋集』, 조선 郭宗魯 : 『한국문집총간』 253·254 소수.

ㅈ

『自著』, 조선 兪漢雋 : 『한국문집총간』 249 소수.

『字學』, 조선 李衡祥 : 『譯註字學』, 푸른역사, 2008.

『雜同散異』, 조선 安鼎福 : 아세아문화사, 1981.

『再思堂逸集』, 조선 李黿 : 『한국문집총간』 16 소수.

『全羅道先生案』 : 『完山志』(奎章閣圖書 12271) 소수.

『全羅道邑誌』 : 서울대학 규장각, 2004.

『全州府史』 : 『韓國地理風俗誌叢書』 92·93, 景仁文化社, 1989.

『佔畢齋集』, 조선 金宗直 : 『한국문집총간』 12 소수.[84]

『貞蕤閣集』(貞蕤集), 조선 朴齊家 : 『한국문집총간』 261 소수 ; 활자본, 국사편찬위원회, 1961.

『定齋集』, 조선 朴泰輔 : 『한국문집총간』 168 소수.

「鄭津開國原從功臣錄券」 : 『朝鮮史料集眞解說』 1 소수.

『諸經撮要』 : 筆寫本.

『霽峯集』, 조선 高敬命 : 『한국문집총간』 42 소수.

『帝王韻紀』, 李承休 · 朝鮮古典刊行會, 1939 ; 『고려명현집』 1 소수.

『霽亭集』, 李達衷 : 『고려명현집』 3 ; 『한국문집총간』 3 소수.

『曹溪山松廣寺史庫』 : 아세아문화사, 1977.

『祖堂集』 : 海印寺 所藏本, 동국대학, 1991 ; 東方佛敎史硏究所 編, 『韓國佛敎思想史』 下, 1994 所收[85]

『造像經』 : 영인본.[86]

『朝鮮寺刹史料』 : 朝鮮總督府, 1911 ; 國書刊行會, 1971.

『朝鮮王朝實錄』 : 국사편찬위원회, 1986.

---

82) 고려시대의 裵氏는 조선시대에 裴氏로 改字하였는데, 著者가 스스로 前者를 취하고 있는 것이 특징이다.

83) 이의 번역으로 정진성 등, 『임원경제지』, 풍석문화재단, 2016년 이래가 있는데, 冊子의 題名이 篇名으로 되어 있어 檢索하기에 어려운 점이 있다.

84) 이의 번역으로 민족문화추진회, 『국역점필재집』, 1999가 있다.

85) 이의 點校로 吳福祥 等編, 『祖堂集』, 岳鹿書社, 1996이 있다.

86) 泰旻, 『佛腹藏에 새겨진 의미』, 養士齋, 2003 ; 泰旻 譯注, 『조상경』, 운주사, 2006에 수록되어 있다.

『朝天記』, 조선 許篈 : 『국역연행록선집』 1 소수.

『存齋集』 a, 조선 李徽逸 : 『한국문집총간』 124 소수.[87]

『存齋集』 b, 조선 朴允默 : 『한국문집총간』 292 소수.

『拙藁千百』, 崔瀣 : 『고려명현집』 2 ;『한국문집총간』 3 소수.[88]

『拙翁集』, 조선 洪聖民 : 『한국문집총간』 46 소수.

『宗門圓相集』 : 『한국불교전서』 6 ;『禪學典籍叢刊』 6冊上, 臨川書店, 1999 소수.

『宗門撫英集』 : 『禪學典籍叢刊』 6冊上 소수.

『竹石館遺集』, 조선 徐榮輔 : 『한국문집총간』 269 소수.

『竹泉集』, 조선 金鎭圭 : 『한국문집총간』 174 소수.

『竹下集』, 조선 金熤 : 『한국문집총간』 240 소수.

『竹泉集』, 조선 金鎭圭 : 『한국문집총간』 174 소수.

『竹軒遺集』, 조선 羅繼從 : 『한국문집총간』 續集1 소수.

『中京志』, 조선 徐憙淳 : 1830년(순조20) 刊本 ; 影印本, 景仁文化社, 1989 ;『私撰邑誌』 5 所收), 活字本, 조선고서간행회, 1911.

『重修大明曆』 : 奎章閣本

『重修大明曆丁卯年日食假令』 : 奎章閣本

『重峰集』, 조선 趙憲 : 『한국문집총간』 54 소수.

『重編曹洞五位』, 一然 : 筆寫本 ;『한국불교전서』 6冊, 소수.[89]

『增補文獻備考』 : 동국문화사, 1957.[90]

『增補耽羅誌』, 朝鮮 尹蓍東 : 영인본, 濟州文化院, 2016.[91]

「指空戒牒」(紺紙金銀泥文殊最上乘無生戒牒) : 海印寺所藏(覺經戒牒, 1326), 個人所藏(妙德戒牒, 1326).[92]

『芝峯類說』, 조선 李睟光 : 東西文化院, 1989. 활자본, 조선고서간행회, 1915.

『芝峯集』, 조선 李睟光 : 『한국문집총간』 66 소수.

『知守齋集』, 조선 兪拓基 : 『한국문집총간』 213 소수.

『至正條格』 : 韓國學中央研究院, 2007.

『止止堂詩集』, 조선 金孟性 : 『한국문집총간』 續集1 소수.

---

87) 이의 번역으로 成百曉, 『國譯存齋先生文集』, 한국국학진흥원, 2009가 있다.

88) 이의 번역으로 민족문화추진회, 『국역졸고천백』, 2006 ; 李鎭漢 等編, 『拙藁千百譯注』, 경인문화사 2015가 있다.

89) 이의 번역으로 이창섭·최철환, 『중편조동오위』, 대한불교진흥원, 2002가 있다.

90) 이의 번역으로 金永吉, 『國譯增補耽羅誌』, 제주문화원, 2016이 있다.

91) 이의 번역으로 민족문화추진회, 『국역청장관전서』, 1979가 있다.

92) 妙德戒牒은 大邱市 有形文化財 第78號이다.

『止浦集』, 金坵 :『고려명현집』 2 ;『한국문집총간』 2 소수.

『芝湖集』, 조선 李選 :『한국문집총간』 143 소수.

『眞覺國師語錄』, 釋慧諶 :『한국불교전서』 6 소수.

「鎭安君李芳雨墓碑銘」, 朝鮮 正祖御筆 : 拓本.93)

『晋菴集』, 조선 李天輔 :『한국문집총간』 218 소수.

『眞逸遺藁』, 조선 成侃 :『한국문집총간』 12 소수.

『懲毖錄』, 柳成龍 : 활자본, 조선고전간행회, 1913.

ㅊ

『滄溪集』, 조선 文敬仝 :『한국문집총간』 속집1 소수.

『滄洲集』, 조선 沈之漢 :『한국문집총간』 속집26 소수.

『惕若齋學吟集』, 金九容 :『고려명현집』 3 ;『한국문집총간』 6 소수.

『惕齋集』, 조선 李書九 :『한국문집총간』 270 소수.

『天台四敎儀』(四敎儀), 高麗 釋諦觀 : 古印刷本.

『天台四敎儀集解』, 釋從義 : 金屬活字本(1455년 무렵, 乙亥字本).94)

『淸江集』, 조선 李濟臣 :『한국문집총간』 43 소수.

『靑丘風雅』, 조선 金宗直 :『국역청구풍아』, 다운샘, 2002.

『靑城集』, 조선 成大中 :『한국문집총간』 248 소수.

『靑莊館全書』, 조선 李德懋 :『한국문집총간』 257~259 소수 ; 서울대학출판부, 1966.95)

『淸州韓氏世德淵源錄』 : 漢裝本, 1929.

『靑泉集』, 조선 申維翰 :『한국문집총간』 200 소수.

『靑坡劇談』, 조선 李陸 :『국역대동야승』 2 소수.96)

『靑坡集』, 조선 李陸 :『한국문집총간』 13 소수.

『淸虛集』, 조선 釋休靜 :『한국불교전서』 7 소수.

---

93) 이 拓本의 裝幀本은 虫飾이 매우 심하고, 表紙 裏面에 다음과 같은 題記[內賜記]가 있다(京都大學 文學部 所藏 ; 藤本幸夫 2018年 1469쪽). 또 이 拓本의 사진판이 수록되어 있는 자료집도 간행되었다(韓國學中央研究院 2007년). 이 비문은『弘齋全書』권15, 鎭安大君墓碑銘幷序를 刻字한 것이고, 1787년(정조 11, 丁未) 豊德縣에서 발견된 墓碣을 통해 알게 된 李芳雨의 墓前에 건립한 것으로 추측된다.
  ・ 題記 "乾隆五十五年正祖14年正月二十八日,」內賜原任提學李福源」御製御筆鎭安大君墓碑銘一件,」命除賜」恩」待敎臣金 手決祖淳"".

94) 이는 대구시 유형문화재 제67호이다.

95) 이의 번역으로 민족문화추진회,『국역청장관전서』, 1979가 있다.

96) 이 책은 下記의『靑坡集』권2에도 수록되어 있으나 약간의 차이가 있다.

『草澗集』, 조선 權文海 : 『한국문집총간』 42 소수.

「草溪鄭氏古文書」 : 「宣光七年三月日門生進□□士錄」[97]

『崔文昌侯全集』 → 『孤雲先生文集』.

『秋江冷話』 : 『국역대동야승』 1 소수.

『秋江集』, 조선 金時習 : 『한국문집총간』 16 소수.

『秋齋集』, 조선 趙秀三 : 『한국문집총간』 271 소수.

『春洲遺稿』, 조선 金道洙 : 『한국문집총간』 219 소수.

『炊沙集』, 조선 李汝馪 : 『한국문집총간』 속집9 소수.

『恥齋遺稿』, 조선 洪仁祐 : 『한국문집총간』 36 소수.

ㅌ

『太古和尙語錄』(太古錄), 太古普愚 : 대한불교조계종수선회, 1974 ; 백련선서간행회, 1993 ; 『한국불교전서』 6 소수.

『泰安寺寺誌』 : 아세아문화사, 1984.

『澤堂集』, 조선 李植 : 『한국문집총간』 88 소수.

『通度寺事蹟略錄』(『通度寺舍利袈裟事蹟略錄』), 釋瑚 : 1675년(康熙14, 肅宗1) 重刊. 동국대학, 2008

『通度寺誌』, 亞細亞文化社, 1979

『通錄撮要』, 著者不詳 : 『한국불교전서』 7 소수.

『通文館志』, 조선 金指南 編 : 서울대학, 2002. 활자본, 조선고서간행회, 1913[98]

『退溪集』, 조선 李滉 : 『한국문집총간』 29~31 소수.

『退憂堂集』, 조선 金壽興 : 『한국문집총간』 127 소수.

ㅍ

『坡谷遺稿』, 조선 李誠中 : 『한국문집총간』 49 소수.

『破閑集』, 李仁老 : 『고려명현집』 2 소수.[99]

『八谷集』, 조선 具思孟 : 『한국문집총간』 40 소수.

---

97) 이는 居昌博物館所藏의 고문서 裏面에 기록되어 있는 同年錄이다.

98) 이의 번역으로 세종대왕기념사업회, 『국역통문관지』, 1998이 있다.

99) 이의 번역으로 박정규, 『譯註破閑集』, 寶庫社, 2012이 있다.

『稗官雜記』, 조선 魚叔權 :『국역대동야승』1 소수.

『圃巖集』, 조선 尹鳳朝 :『한국문집총간』193 소수.

『圃隱集』, 鄭夢周 :『고려명현집』3 ;『한국문집총간』5 소수.

『圃陰集』, 조선 金昌緝 :『한국문집총간』176 소수.

『豊山沈氏世譜』: 仕宦日記 沈龜齡 豊山沈氏世譜

『浦渚集』, 조선 趙翼 :『한국문집총간』85 소수.

『筆苑雜記』, 조선 徐居正 :『국역대동야승』1 소수.

ㅎ

『河西全集』, 조선 金麟厚 :『한국문집총간』33 소수.

『河陰集』, 조선 申楫 :『한국문집총간』속집20 소수.

『夏亭集』, 조선 柳寬 : 啓明大學 所藏本 ; 韓國歷代文集叢書, 경인문화사, 1996 소수.

『鶴巖集』, 조선 趙文命 :『한국문집총간』192 소수.

「韓努介開國原從功臣錄券」:

『寒洲集』, 조선 李震相 :『한국문집총간』318 소수.

『韓漢淸文鑑』: 박창해 편, 연세대학, 1956 이래.[100]

『咸安李氏族譜』: 咸安, 1922.

『海東金石苑』: 亞細亞文化社, 1976.

『海東名蹟』: 寶物 第526號.

『海東文獻總錄』, 朝鮮 金烋 : 影印本, 學文閣, 1969.

『海東樂府』, 조선 李瀷 :『국역대동야승』2 소수.

『海東繹史』, 조선 韓致奫 : 경인문화사, 1974. 활자본, 조선고서간행회, 1911.[101]

『海東繹史續』, 조선 韓鎭書 : 활자본, 朝鮮光文會, 1913.

『海東雜錄』, 조선 權鼈 : 영인본, 태학사, 1986.[102]

『海東諸國紀』, 조선 申叔舟 : 朝鮮史編修會, 1933.[103]

『海東曹溪宓庵和尙雜著』:『曉城先生八十頌壽高麗佛籍集佚』, 동국대학 출판부, 1985.[104]

---

100) 이의 색인으로 박은용,『韓漢淸文鑑語彙索引』, 曉星女子大學(현 대구가톨릭대학), 發行年不明.

101) 이의 번역으로 민족문화추진회,『국역해동역사』, 2004가 있다.

102) 이는 경상북도 유형문화재 제170호로 지정된 것이 있고, 번역으로『국역대동야승』5가 있다.

103) 이의 번역, 연구로 민족문화추진회,『국역해동제국기』(『海行叢書』1), 1974 ; 孫承喆,『海東諸國紀의 世界』, 景仁文化社, 2008이 있다.

104) 이의 번역으로 秦星圭,『圓鑑國師集』, 아시아문화사, 1988이 있다.

『海石遺稿』, 조선 金載瓚 : 『한국문집총간』 259 소수.

『海月集』, 조선 黃汝一 : 『한국문집총간』 續集10 소수.

『海左集』, 조선 丁範祖 : 『한국문집총간』 239 소수.

『海行叢書』, 조선 尹舜擧 : 활자본, 조선고서간행회, 1914.

『海石遺稿』, 조선 金載瓚 : 『한국문집총간』 259 소수.

『萍溪齋詩集』, 조선 尹順之 : 『한국문집총간』 94 소수.

『許白亭集』, 조선 洪貴達 : 『한국문집총간』 14 소수.[105)

『虛應堂集』, 조선 釋普雨, 釋太均 編 : 『한국불교전서』 7 소수.

『玄洲集』, 조선 趙纘韓 : 『한국문집총간』 79 소수.

『玄谷集』, 조선 鄭百昌 : 『한국문집총간』 93 소수.

『亨齋詩集』, 조선 李稷 : 『한국문집총간』 7 소수.

『湖山錄』 : 『大芚寺志』, 아세아문화사, 1980 ; 『한국불교전서』 6 소수.[106)

『湖陰雜稿』, 조선 鄭士龍 : 『한국문집총간』 25 소수.

『浩亭集』, 조선 河崙 : 『한국문집총간』 6 소수.

『弘贊法華傳』, 唐 釋慧祥 : 東大寺圖書館 所藏本.

『洪崖遺稾』, 洪侃 : 『한국문집총간』 2 소수.

『弘齋全書』, 조선 李祘[正祖] : 『한국문집총간』 262～267 소수.

『華谷集』, 조선 黃宅厚 : 『한국문집총간』 209 소수.

『華西集』, 조선 李恒老 : 『한국문집총간』 304·305 소수.

『華嚴經隨疏演義鈔』 : 『大正新脩大藏經』 第36卷, 經疏部4 소수.

『華嚴經隨疏演義鈔』 : 神奈川縣 橫濱市 金澤區 金澤町 212 稱名寺 金澤文庫 所藏.

『華嚴論節要』 : 神奈川縣 橫濱市 金澤區 金澤町 212 稱名寺 金澤文庫 所藏.

『晦軒先生實記』, 조선 安在默 編 : 경인문화사, 1993.[107)

『悔軒集』, 조선 趙觀彬 : 『한국문집총간』 211 소수.

『休翁集』, 조선 沈光世 : 『한국문집총간』 84 소수.

『訓讀吏文』 : 末松保和 編, 國書刊行會, 1975.

『希樂堂稿』, 조선 金安老 : 『한국문집총간』 21 소수.

『彙纂麗史』, 조선 洪汝河 : 아세아문화사.[108)

---

105) 이의 번역으로 민족문화추진회, 『허백정집』, 1988이 있다.

106) 이의 주석, 번역으로 許興植, 『眞靜國師와 湖山錄』, 民族社, 1995 ; 『호산록』, 해조음, 2009가 있다.

107) 이의 번역으로 榮州市, 『국역회헌선생실기』, 2000이 있다.

108) 이의 목판(彙纂麗史木板, 경상북도 유형문화재 251호)이 軍威郡 缶溪面 南山里에 보존되어 있다.

ㄱ

『家世舊聞』, 宋 陸游 : 『新編叢書集成』 86 ; 『全宋筆記』 5-8, 2003年(朱易安, 大象出版社) 所收 ; 『家世舊聞』, 中華書局, 1993.[110]

『嘉祐雜誌』(醴泉筆錄), 宋 江休復 : 『四庫全書』 小說家類(영인본1036책)의 『嘉祐雜誌』 ; 『신편 총서집성』 86의 『醴泉筆錄』.

『嘉靖衢州府志』, 明 楊淮修 : 『北京圖書館古籍珍本叢刊』 29 소수.

『嘉定赤城志』(赤城志), 宋 陳耆卿 : 『宋元方志叢刊』 7, 中華書局, 北京, 1990 ; 『사고전서』 地理 (영인본486책) 소수.

『嘉定錢大昕全集』, 淸 錢大昕.[111]

『嘉泰普登錄』, 宋 釋正受 : 『日本續藏經』 第1輯 第2編乙 第10套 第2冊(--冊).

『嘉泰會稽志』, 宋 施宿 : 『송원방지총간』 7 ; 『사고전서』 地理(영인본486책) 소수.

『可閒老人集』 → 『張光弼詩集』.

『却掃編』, 宋 徐度 : 『사고전서』 雜家類(영인본863책) 소수.

『刊誤』, 唐 李涪 : 『사고전서』 雜家類(영인본850책) ; 『全唐五代筆記』 3 소수.

『江西通志』, 淸 謝旻 等編 : 『사고전서』 지리(영인본513~518책) 소수.

『江蘇金石志』, 民國 嚴觀 : 『石刻史料新編』 1-13 소수.

『開慶四明續志』, 宋 梅應發 : 『송원방지총간』 6 ; 『사고전서』 지리(영인본487책) 소수.

『開元占經』(唐開元占經), 唐 瞿曇悉達 : 『사고전서』 術數(영인본807책) 소수

『開元釋敎錄』, 唐 釋智昇 : 『大正新脩大藏經』 第55卷, 目錄部 : 『사고전서』 釋家(영인본1051 책) 소수.

『開元釋敎錄略出』 : 『大正新脩大藏經』 第55卷 소수.

『居家必用事類全集』 : 『續修四庫全書』 雜家類 1184책 ; 『北京圖書館古籍珍本叢刊』 12~16 소수.[112]

『乾道四明圖經』, 宋 張津 : 『송원방지총간』 5 소수.

『建炎以來繫年要錄』, 宋 李心傳 : 『사고전서』 史部(영인본325~327책) ; 『신편총서집성』 115·

번역으로 김현영 등편, 『국역휘찬여사』, 軍威文化院, 2012가 있다.

109) 우리들이 흔히 볼 수 있는 中原의 典籍 중에서 淸 以前의 것들도 대개 淸代에 板刻된 것인데, 이들은 이 시기에 改書, 補筆[添加]된 내용이 많다. 그래서 宋元版, 또 明刊本이 우선적으로 이용되어야 하며, 四庫全書本은 여러 면에서 문제점이 많음을 熟知할 필요가 있다.

110) 『全宋筆記』의 5-8은 5編 1冊을 가리킨다(以下 同一).

111) 이의 점교로 陳文和 編, 『嘉定錢大昕全集』, 鳳凰出版社, 2016이 있다.

112) 이의 일부 번역으로 金一權 等, 『居家必用』 飮食篇, 세계김치연구소, 2015가 있다.

116 소수.[113)

『建炎以來朝野雜記』, 宋 李心傳 : 『사고전서』 政書(영인본608책) ; 『총서집성초편』 836～841 소수.

『劍南詩藁』, 宋 陸游 : 『사고전서』 集部(영인본1162～1163책) 소수.

『揭文安公全集』(文安集), 元 揭傒斯 : 『사부총간』 初編 ; 『사고전서』 別集(영인본1208) 소수.[114)

『揭曼碩詩集』, 元 揭傒斯 : 『신편총서집성』 初編71 소수.

『京口耆舊傳』, 宋 著者不明 : 『사고전서』 傳記(영인본451책) 소수.

『景德傳燈錄』(傳燈錄), 宋 釋道原 : 『사부총간』 三編 ; 『大正新脩大藏經』 제51권 소수.[115)

『庚申外史』, 元 權衡 : 國學文庫48編, 北平 文殿閣書莊 ; 臺北, 廣文書局, 1968 ; 『신편총서집성』
      117 ; 『續修四庫全書』 雜史類 423책 소수.

『慶元條法事類』, 宋 謝深甫 : 『續修四庫全書』 政書類 861책 소수.

『景定建康志』, 宋 周應合 : 『송원방지총간』 2 ; 『사고전서』 지리(영인본489책) 소수.

『經進東坡文集事略』, 宋 郎曄 選注 : 『사부총간』 正編47 소수.

『稽古錄』, 宋 司馬光 : 『사부총간』 ; 『총서집성』 초편(3510·3511) 소수.[116)

『耕學齋詩集』, 明 袁華 : 『사고전서』 별집5(영인본1232책) 소수.

『契丹交通史料七種』 編輯者 不明 : 國學文庫47編, 北平 文殿閣書莊.

『契丹國志』, 宋 葉崇禮 : 『사고전서』 別史類(영인본383책) 소수.[117)

『雞肋集』 → 『濟北晁先生雞肋集』.

『雞肋編』, 宋 莊綽(莊季裕) : 『叢書集成初編』 2867 소수.

『癸辛雜識』, 宋 周密 : 『사고전서』 小說(영인본1040책) ; 『宋元筆記小說大觀』, 上海古籍出版社,
      2001년 소수.

『考古編』: 宋 程大昌 : 『사고전서』 雜家(영인본852책) ; 『총서집성초편』 292 소수.

『古今圖書集成』(古今圖書匯編), 淸 陳夢雷 等編 : 영인본, 中華書局, 1934(民國23).

『古今事文類聚』, 宋 祝穆 : 『사고전서』 類書(영인본925～929책) 소수.

『高麗圖經』: 徐兢 : 『사고전서』 지리(영인본593책) ; 『全宋筆記』 3-8 소수.[118)

---

113) 이의 校注, 索引으로 胡坤, 『建炎以來繫年要錄』, 中華書局, 2013 ; 梅原旭, 『建炎以來繫年要錄人名索引』,
    同朋舍, 1983이 있다.

114) 이의 교주로 李夢生, 『揭傒斯全集』, 上海古籍出版社, 1985(2012, 교정)가 있다.

115) 이의 색인으로 禪文化硏究所, 『景德傳燈錄索引』, 1993이 있다.

116) 이의 點校로 王亦今, 『稽古錄點校本』, 中國友誼出版公司가 있다. 이 책에는 한반도 관계의 기사가 간
    략히 수록되어 있으나 그리 注目되는 것은 없다.

117) 이는 14세기 전반[元代中期以前]에 『大金國志』와 함께 만들어진 僞書로 추측된다(劉浦江 1999年 323～
    334쪽 ; 吉本道雅 2013年 附論5, 契丹國志疏證). 또 이의 색인, 교주, 點校로 巴黎大學 北平漢學硏究所
    編, 『契丹國志通檢』, 1949 ; 賈敬顏 編, 『點校契丹國志』, 上海古籍出版社, 1985가 있다.

118) 이의 번역으로 민족문화추진회, 『국역고려도경』, 1987 ; 朴尙德, 『高麗圖經』, 國書刊行會, 東京1995 ;

『古林淸茂禪師語錄』(梵竺僊禪師語錄), 宋 釋元浩 編 : 筆寫本 ; 『日本佛教全書』 96 ; 『大正新脩
　　大藏經』 제80권 ; 『日本續藏經』 1輯 2編 28套 3冊 ; 『禪宗集成』 18 소수.

『高峯文集』, 宋 廖剛 : 『사고전서』 별집(영인본1142책) 소수.

『姑蘇志』, 明 王鏊 : 『사고전서』 지리(영인본493책) 소수.

『高太史大全集』(大全集), 明 高啓 : 『사부총간』 초편 ; 『사고전서』 별집5(영인본1230책) 소수.

『曲洧舊聞』, 宋 朱弁 : 『사고전서』(영인본863책) ; 『신편총서집성』 84 ; 『全宋筆記』 3-7 소수.

『谷響集』, 元 釋善住 : 『사고전서』 別集(영인본1195책) 소수.

『困學齋雜錄』, 元 鮮于樞 : 『사고전서』 雜家(영인본866책) 소수.

『攻媿集』, 宋 樓鑰 : 『사부총간』 正編55 ; 『사고전서』 별집(영인본1153책) 소수.[119]

『公是集』 : 宋 劉敞 : 『사고전서』 별집(영인본1095책) ; 『총서집성초편』 1899～1906 소수 ; 『宋
　　集珍本叢刊』 9 소수.

『孔氏談苑』 → 『談苑』.

『孔子家語』, 三國 魏 王肅 注 : 『사부총간』 초편 ; 『사고전서』 儒家(영인본695책) 소수 ; 千頃
　　堂書局. 1920.[120]

『管子』, 周 管仲 : 『사부총간』 초편 ; 『사고전서』 法家(영인본729책) 上海古籍出版社, 1989.[121]

『觀堂集林』, 民國 王國維 : 烏程蔣氏密雲韻樓刊, 1923年(癸亥) ; 『王國維遺書』, 上海古籍出版社,
　　1983 소수.[122]

『光緒偃居志』, 淸 陳常鏵 : 『석각사료신편』 3-9 소수.

『廣雅』(博雅), 魏 張輯 : 『사고전서』 小學(영인본221책) 소수.[123]

『僑吳集』, 元 鄭元祐 : 中央圖書館景印舊鈔本 ; 『사고전서』 별집4(영인본1216책) ; 『北京圖書館
　　古籍珍本叢刊』 95 소수.[124]

『九家舊晋書輯本』, 淸 湯球 : 『총서집성초편』 3806～3810 소수.[125]

『句曲外史貞居先生詩集』(九曲外史集, 貞居先生詩集), 元 張雨 : 『사부총간』 初編 소수 ; 『사고전
　　서』 별집4(영인본1216책) ; 『貞居先生詩集』(『武林往哲遺著』 第26冊上, 淸光緒中 錢唐丁氏

李鎭漢 等編, 『高麗圖經譯註』(韓國史學報65號), 2016以來가 있다.

119) 이의 점교로 高大朋 編, 『樓鑰集』, 浙江古籍出版社, 2010이 있다.

120) 이의 번역으로 宇野精一, 『孔子家語』, 新釋漢文大系53, 明治書院, 1996이 있다.

121) 이의 번역으로 遠藤哲夫, 『管子』, 新釋漢文大系42~43, 52, 明治書院, 1989 ; 李克和 等編, 『管子譯註』,
　　黑龍江人民出版社, 2002가 있다.

122) 이의 점교로 『觀堂集林』, 中華書局, 1959가 있다.

123) 이의 점교, 색인으로 『廣雅疏證』 新式標點, 中文大學出版社, 1978 ; 『廣雅疏證』, 中華書局, 1983 ; 戴
　　山靑, 『廣雅疏證索引』, 中華書局, 1990이 있다.

124) 이의 점교로 鄧瑞生 等編, 『鄭元祐集』, 吉林文史出版社, 2010이 있다.

125) 이의 점교로 楊朝明, 『九家舊晋書輯本』, 中州古籍出版社, 1991있다.

嘉惠堂 刊本).

『舊唐書』, 後晋 劉昫 : 中華書局, 1975.

『舊聞證誤』, 宋 李心傳 : 『사고전서』 史評(영인본686책) ; 『신편총서집성』 117 ; 『全宋筆記』 6-8
　　소수.

『歐陽文忠公文集』, 宋 歐陽修: 『사부총간』 初編 ; 『사고전서』 별집의 『歐陽脩撰集』(영인본1136책)

『舊五代史』 : 中華書局, 1975 ; 修訂本 2015.[126]

『九朝編年備要』 → 『皇朝編年綱目備要』.

『救荒活民書』, 宋 董煟 : 『총서집성초편』 964 소수.

『救荒活民類要』, 元 張光大 : 『北京圖書館古籍珍本叢刊』 56(明刊本) 소수.

『國榷』, 清 談遷 : 張宗祥 編, 『國榷』, 中華書局 ; 『續修四庫全書』 編年類 358~363책 소수.

『國史紀聞』, 明 張銓 : 田同旭 等編, 『國史紀聞』, 上海古籍出版社, 2018.

『國語』, 左丘明 : 『사부총간』 초편 ; 商務印書館, 1934.[127]

『國語韋氏解』 : 漢裝本(湖北 崇文書局, 1912) ; 『사고전서』 雜史(영인본406책) 소수

『國朝名臣事略』(元朝名臣事略), 元 蘇天爵 : 中華書局, 1996 ; 『사고전서』 總錄之續(영인본451
　　책) 소수.

『國朝文類』(元文類), 元 蘇天爵 : 『사부총간』 집부 ; 『사고전서』 총집(영인본1367책) ; 宮內廳
　　書陵部所藏 宋元版漢籍選刊167~170 소수.

『群書考索』(山堂考索) 宋 章如愚 : 『사고전서』 類書(영인본937책) 소수 ; 明刊本, 京都, 中文出
　　版社, 1982.

『郡齋讀書志』, 宋 晁公武 : 『사부총간』 三編 ; 『사고전서』 목록(영인본674책) 소수.

『貴耳集』, 宋 張端義 : 『신편총서집성』 84 ; 『사고전서』 잡가(영인본865책) ; 『全宋筆記』 6-10
　　소수.

『歸潛志』, 金 劉祁 : 『사고전서』 小說家類1(영인본1040책) 소수.

『圭齋文集』, 元 歐陽玄 : 『사부총간』 초편 ; 『사고전서』 별집(영인본1210책) 소수.[128]

『近光集』, 元 周伯琦 : 『사고전서』 별집(영인본1214책) 소수.

『金剛般若經集驗記』, 唐 孟獻忠 : 『卍續藏經』 1-2乙-122-1 소수.[129]

『金國志』, 宋 宇文懋昭 : 『說郛』 권86 소수.

---

126) 이의 색인으로 張萬起, 『新舊五代史人名索引』, 上海古籍出版社, 1980이 있다.

127) 이의 번역, 색인으로 大野 峻, 『國語』, 新釋漢文大系66~67, 明治書院, 1994 ; 鈴木隆上, 『國語索引』,
　　東方文化學院 京都研究所, 1934가 있다.

128) 이의 점교로 魏崇武 等編, 『歐陽玄集』, 吉林文史出版社, 2009 ; 湯銳 編, 『歐陽玄全集』, 四川大學出版社
　　가 있다.

129) 이의 필사본(平安朝 初期 筆寫)이 天理大學 圖書館에 소장되어 있다(重要文化財, 天理大學 圖書館 1997년).

『金臺集』, 元 納延(乃賢, 酒賢) : 『사고전서』 별집4(영인본1215책) 소수.

『金史』 : 中華書局, 1985.[130]

『金史紀事本末』, 淸 李有棠 : 『續修四庫全書』 紀事本末類 388·389책 소수.

『金石萃編』, 淸 王旭 : 『석각사료신편』 1-4 ; 『續修四庫全書』 金石類 886~891책 소수.

『金石萃編未刻稿』, 淸 王旭 ; 『석각사료신편』 1-5 ; 『續修四庫全書』 金石類 891책 소수.

『金華黃先生文集』, 元 黃溍 : 漢裝本 ; 『사부총간』 초편 ; 『사고전서』 별집4(영인본1209책) : 『續修四庫全書』 1323책 소수.

『猗覺寮雜記』, 宋 朱翌 : 『사고전서』 잡가(영인본850책) ; 『全宋筆記』 3-10 소수. 『筆記小說大觀』 21, 新興書店.

『寄園寄所寄』, 淸 趙吉士 : 『筆記小說大觀』 7 ; 『續修四庫全書』 雜家類 1196·1197책 소수.[131]

『吉林通志』, 淸 長順 : 『석각사료신편』 3-32 소수.

ㄴ

『羅氏雪堂藏書遺珍』 : 北京 全國圖書館文獻縮微複制中心, 1994.

『灤京雜咏』, 元 楊允孚 : 『사고전서』 별집(영인본1219책) 소수.

『欒城集』, 宋 蘇轍 : 『사부총간』 초편 ; 『사고전서』 별집(영인본1112책) 소수.

『南唐書』(陸氏南唐書), 宋 陸游 : 『사부총간』 續編 ; 『사고전서』 載記(영인본464책) ; 『新編叢書集成』 115 소수.[132]

『南宋元明禪林僧寶傳』, 淸 釋自融 : 『日本續藏經』 子部 255책? 소수.

「藍玉黨供狀」 : 『北京圖書館古籍珍本叢刊』 1 소수.

『南齊書』 : 中華書局, 修訂本, 2017.

『南澗甲乙稿』, 宋 韓元吉 : 『사고전서』 별집(영인본1165책) 소수.

『南村輟耕錄』, 明 陶宗儀 : 『사부총간』 三編 ; 『사고전서』 小說家類(영인본1040책) ; 『총서집성초편』 218~220 ; 『歷代小史』 권73 소수 ; 中華書局, 1959 ; 楊家駱, 『輟耕錄』, 『讀書箚記叢刊』 2-9, 世界書局, 1978.[133]

『南泰紀略』(塞語), 明 尹耕 : 天一閣 所藏本

『南軒集』, 宋 張栻 : 『사고전서』 별집(영인본1167책) 소수.

---

130) 이의 색인으로 小野川秀美, 『金史語彙集成』, 京都大學 人文科學硏究所, 1960 ; 崔文印, 『金史人名索引』, 中華書局, 1980이 있다.

131) 이의 點校로 『寄園寄所寄』, 黃山書社, 2008이 있다.

132) 『사부총간』 續編은 영인본으로 발간될 때 『사부총간』 廣編으로 改稱된 것 같다.

133) 이의 색인으로 巴黎大學 北京漢學硏究所 編, 『輟耕錄通檢』, 遣使會印書館, 1950이 있다.

『老子道德經』:『사고전서』道家(영인본1055책) ;『총서집성초편』536 소수.『老子集解』, 1925년.[134]

『虜廷事實』, 宋 文惟簡 :『說郛』권8 소수.

『鹿皮子集』, 元 陳樵 :『金華叢書』;『사고전서』별집(영인본1216책) 소수.

『論語』:『사부총간』초편 ;『十三經注疏』(阮元 編, 漢裝本) 所收.[135]

『論衡』, 漢 王充 :『사부총간』초편 ;『사고전서』雜家(영인본862책) ;『총서집성초편』589~
593 소수.[136]

『農桑輯要』, 元 司農司 撰 :『사고전서』農家類(영인본730책) ;『총서집성초편』1462·1463 ;『續
修四庫全書』農家類 975책 소수.[137]

『能改齋漫錄』, 宋 吳曾 :『사고전서』잡가(영인본850책) ;『총서집성초편』289~291 ;『筆記
三編』, 廣文書局, 1970 ;『全宋筆記』5-3·4 소수.

『陵川集』(郝文忠公陵川集), 元 郝經 : 筆寫本 ;『사고전서』별집(영인본1192책) ;『北京圖書館古
籍珍本叢刊』91 소수.

ㄷ

『丹陽集』, 宋 葛勝仲 :『사고전서』별집(영인본1127책) ;『叢書集成』續編102 ;『宋集珍本叢刊』
32 소수.

『曇芳和尙語錄』(守忠行業記), 元 曇芳守忠 述, 克新 撰 :『禪宗集成』18 소수.

『談苑』, 宋 孔平仲 :『사고전서』소설(영인본1037책) 소수.

『唐開元占經』→『開元占經』.

『唐代海東藩閥誌存』, 羅振玉 :『石刻史料新編』2 소수.

『唐律疏議』, 唐 長孫無忌 等撰 :『사부총간』3編 ;『사고전서』政書(영인본672책) ;『총서집성
초편』775~780 소수.

『唐寧宗實錄』(玉牒) : 繆荃孫,『藕香零拾』32, 出版社 不明 所收.

『唐文粹』, 宋 姚鉉 :『사부총간』초편 ;『사고전서』總集(영인본1343·1344책) 소수.

『唐宋八大家文』, 唐 韓愈 等 :『사고전서』集部(영인본1400~1409책) 소수.[138]

---

134) 이의 校箋, 번역으로 樓宇烈,『老子道德經注校釋』, 中華書局, 2008 ; 樊波成,『老子指歸校箋』, 上海古籍
出版社, 2013 ; 阿部吉雄 等編,『老子·莊子』, 新釋漢文大系7, 明治書院, 1994 ; 崔仲平,『老子道德經譯
注』, 黑龍江人民出版社, 2002 ; 윤재근,『老子81章』, 동학사, 2020이 있다.

135) 이의 번역으로 吉田賢抗,『論語』, 新釋漢文大系1, 明治書院, 1995 ; 朴昌錦,『論語集註詳說』, 피와이메
이트, 2019가 있다.

136) 이의 주석, 색인으로 黃暉,『論衡校釋』, 중화서국, 1990 ; 程湘淸,『論衡索引』, 중화서국, 1994 ; 張宗
祥,『論衡校注』, 上海古籍出版社, 2010이 있다.

137) 이의 역주로 馬宗申,『農桑輯要譯注』, 상해고적출판사, 2008이 있다.

『唐詩紀事』, 宋 計有功 :『사고전서』詩文評(영인본1479책) 소수.

『唐新語』(大唐新語) 唐 劉肅 :『사고전서』小說(영인본1035책) 소수.

『唐六典』→『大唐六典』.

『唐摭言』, 五代 王定保 :『사고전서』소설(영인본1035책) 소수.

『唐會要』, 宋 王溥 :『사고전서』政書(영인본606·607책) ;『총서집성초편』813～828 소수.[139]

『大觀茶論』宋 徽宗 :『說郛』권52 소수.

『大金國志』, 宋 宇文懋昭 : 漢裝本 ;『사고전서』別史類(영인본383책) 소수.[140]

『大金詔令釋注』, 조사요망

『大金弔伐錄』, 金 著者不明 :『사고전서』別史類(영인본383책) 소수.[141]

『大唐開元禮』(開元禮), 唐 蕭嵩 等撰 :『사고전서』政書(영인본646책) 소수 ; 汲古書院, 1981.

『大唐新語』→『唐新語』.

『大唐六典』(唐六典), 唐 張九齡 等撰 : 漢裝本 ;『사고전서』職官(영인본595책) 소수.[142]

『大唐貞元續開元釋教錄』(續開元錄)→『開元釋教錄』.

『大戴禮記』, 漢 戴德 :『사고전서』禮(영인본128책) ;『총서집성초편』1027·1028 소수.

『大明高僧傳』(明高僧傳), 明 如惺 :『大正新修大藏經』제50권, 史傳部 소수.[143]

『大明一統志』(明一統志), 明 李賢 等撰 :『사고전서』지리(영인본472·473책) 소수 ;『和刻大明
    一統志』, 汲古書院, 1978.

『大明集禮』(明集禮), 明 徐一夔 等撰 :『사고전서』政書(영인본649·450책) 소수

『大明會典』(明會典), 明 李東陽·徐溥 等撰, 申明行 等 重修 : 影印本, 東南書報社, 1963 ; 文海出
    版社, 1964 ; 臺北 新文豊出版公司, 1977 ;『正德大明會典』, 汲古書院, 1989 ;『사고전서』政
    書(영인본617·618책) ;『續修四庫全書』政書類 789～792책 소수.

『大涅槃經』: 一歸守性 編,『新編麗本大涅槃經』外十二部, 三藏園出版, 2007.

『大宋僧史略』, 宋 贊寧 :『大正新修大藏經』제54권, 外敎部 소수.

『大元官制雜記』, 淸 文廷式 :『續修四庫全書』職官類 748책 소수.

『大元馬政記』: 國學文庫49編, 北平 文殿閣書莊.[144]

---

138) 이의 번역으로 星田淸孝 等編,『唐宋八大家文讀本』, 新釋漢文大系70~75, 114, 明治書院, 1995 以來가 있다.

139) 이의 교정으로 牛繼淸『唐會要校證』, 三秦出版社, 2010이 있다.

140) 이는 14세기 전반 元代中期以前에『契丹國志』와 함께 만들어진 僞書로 추측된다(劉浦江 1999年 335쪽).
    이의 색인, 교정으로 巴黎大學 北平漢學硏究所 編,『大金國志通檢』, 1949 ; 崔文印,『大金國志校證』, 中
    華書局, 1986이 있다.

141) 이의 교주로 金少英 等編,『大金國弔伐錄校補』, 中華書局, 2001이 있다.

142) 이의 점교, 주석으로 廣池學園出版社, 1989 ; 陳仲夫,『唐六典校注』, 중화서국, 1992 ; 袁文興 等編,『唐
    六典全譯』, 甘肅人民出版社, 1995가 있고, 譯註로 金澤敏,『譯註唐六典』, 신서원, 2003이 있다.

143) 이의 색인으로 牧田諦亮 等編,『大明高僧傳索引』, 平樂寺書店, 1978이 있다.

『大元聖政國朝典章』(元典章), 元 官撰 : 文海出版社, 1974. ;『續修四庫全書』政書類 787책 소수.[145]

『大元一統志』, 元 孛蘭月+兮 等撰 ; 漢裝本 ; 影印本, 玄覽堂叢書續集, 正中書院, 臺北, 1985.[146]
　　글자만들기(좌우)

『大元倉庫·海運記』, 淸 胡敬 輯 : 國學文庫37編, 北平 文殿閣書莊.

『大元通制條格』 →『通制條格』.

『大元海運記』, 淸 胡敬 輯 : 國學文庫37編, 北平 文殿閣書莊.[147]

『大元混一方輿勝覽』, 元 劉應李 : 漢裝本.[148]

『大學衍義』, 宋 陳德秀 :『사고전서』儒家(영인본704책) 소수.[149]

『大慧普覺禪師書』, 宋 釋宗杲 : 高麗本, 1566년(嘉靖丙寅, 明宗21) 忠淸道[淸洪道] 恩津縣 雙溪寺 開版.[150]

『圖書編』, 明 張潢 : 岳元暨 校訂,『圖書編』, 成文出版社, 1971.

『道園學古錄』(道園類稿), 元 虞集 :『사부총간』초편 ;『사고전서』별집(영인본1207책) ;『元人文集珍本叢刊』5 ;『北京圖書館古籍珍本』94 소수.[151]

『道園類稿』, 元 虞集 :『元人文集珍本叢刊』5 소수.

『島夷志略』(島夷志), 元 汪大淵 :『사고전서』지리(영인본594책) 소수.

『圖畵見聞誌』, 宋 郭若虛 :『사부총간』續編 ;『사고전서』예술(영인본812책) ;『총서집성초편』1648 ;『신편총서집성』53 소수.

『獨斷』, 漢 蔡邕 :『사고전서』雜家類(영인본850책) ;『총서집성초편』811 소수.

『讀通鑑論』, 淸 王夫之 : 中華書局, 1995.

『圖繪寶鑑』, 元 夏文彦 :『사고전서』예술(영인본814책) ;『총서집성초편』1654 소수.

『東觀漢記』, 漢 劉珍 :『사고전서』別史(영인본370책) 소수.

---

144) 이는『經世大典』에 수록된 馬政에 대한 내용을 拔萃·정리한 것으로 王國維,『廣倉學窘叢書』甲類1에 수록되어 있다.

145) 이의 교주로 陳高華 等編,『元典章』, 중화서국, 2011 ; 洪金富,『校定本元典章』, 中央硏究院 歷史語言硏究所, 2016이 있다.

146) 이의 교주로 趙萬里,『元一統志』, 중화서국, 1965가 있다..

147) 이는『영락대전』15,949~950, 運字, 元漕運1~2(영인본167책)에 수록되어 있는『經世大典』·『成憲綱要』·『國朝典章』·『大德典章』등의 내용을 정리한 것이다(羅振玉,『國學叢刊』3~4 소수).

148) 이의 校注로 郭聲波,『大元混一方輿勝覽』, 四川大學出版社, 2003이 있다.

149) 이의 번역으로 辛承云 等編,『역주대학연의』, 傳統文化硏究會, 2013以來가 있다.

150) 이의 번역으로 楊氣峰,『大慧書』, 김영사, 2001이 있다.

151) 이의 校注로 王珽,『虞集全集』, 天津古籍出版社, 2007이 있는데,『道園學古錄』와『道園類稿』는 내용이 거의 비슷하나 體制, 編次에서 차이가 있다. 또 前者의 四庫全書本은 淸代에 改書된 北方人物, 地名으로 되어 있어 四部總刊本을 이용하는 것이 좋을 것이다.

『東京夢華錄』, 宋 孟元老 : 『사고전서』 지리(영인본589책) ; 『全宋筆記』 5-1 소수.

『東觀餘論』, 宋 黃伯思 : 『사고전서』 잡가(영인본850책) ; 『석각사료신편』 3-40 ; 『全宋筆記』
　　3-4 소수 ; 『宋本東觀餘論』, 北京, 中華書局, 1988.

『東都事略』, 宋 王稱 : 『사고전서』 別史類(영인본382책) 소수 ; 『中國野史集成』 7, 巴蜀書店, 1993.

『東北輿地圖說』, 清 曹廷杰 : 『遼海叢書』, 遼沈書社, 1985 소수.

『東北輿地釋略』, 清 景方昶 : 『遼海叢書』 6, 遼沈書社, 1985 소수.

『東西洋考』, 明 張燮 : 『사고전서』 지리(영인본594책) 소수.

『東坡全集』(東坡集), 蘇軾 : 『사고전서』 別集(영인본1107·1108책) ; 楊家駱, 『中國文學名著第六
　　集』 9·10, 世界書局, 1982 ; 『宋集珍本叢刊』 17·18 소수.[152]

『東坡詩集註』, 宋 王十朋 : 『사고전서』 별집(영인본1109책) 소수.

『註東坡先生詩』, 宋 施元之 等編 : 『宋集珍本叢刊』 18·19 소수.

『東坡志林』, 蘇軾 : 『사고전서』 雜家(영인본863책) ; 『신편총서집성』 86 ; 『全宋筆記』 1-9 소수.

『蠹齋鉛刀編』, 宋 周孚 : 『사고전서』 별집(영인본1154책) 소수.

　　　　ㄹ

『羅豫章先生文集』(豫章文集), 宋 羅從彥 : 『사고전서』(영인본1135책) ; 『신편총서집성』 74 소
　　수 ; 臺北, 文華出版公司, 1968.

『樂全集』, 宋 張方平 : 『사고전서』 별집(영인본1104책) 소수.

『路史』, 宋 羅泌 : 『사고전서』 別史類(영인본383책) 소수.

『了菴淸欲禪師語錄』, 元 了菴淸欲 : 『禪宗集成』 19 소수.

『柳河東集』, 唐 柳宗元 : 『사고전서』 별집(영인본1076책) 소수.[153]

　　　　ㅁ

『滿洲金石誌』, 羅福頤, 1937年 : 『석각사료신편』 1-23 소수.

『孟子』 : 『사부총간』 초편 ; 商務印書館, 1929.[154]

『孟子注疏』, 漢 趙岐 注, 宋 孫奭 疏 : 『사고전서』 四書(영인본195책) 소수.[155]

---

152) 이의 점교로 『蘇軾文集』, 中華書局, 1986이 있다.

153) 이의 교점으로 『柳河東集』, 商務印書館, 1958이 있다.

154) 이의 注釋으로 內野熊一郎, 『孟子』, 新釋漢文大系4, 明治書院, 1962가 있다.

155) 이의 주석으로 崔彩基, 『譯註孟子注疏』, 傳統文化研究會, 2017以來가 있다.

『明高僧傳』 → 『大明高僧傳』.

『明史』: 中華書局, 1985.[156]

『明鑑綱目』: 印鸞章·李介人 修訂, 北京 中國書店, 1985.

『名臣碑傳琬琰之集』, 宋 杜大珪: 『사고전서』 전기(영인본450책) 소수.

『明一統志』 → 『大明一統志』.

『明太祖文集』(明太祖御製文集), 明 姚士觀 編: 『사고전서』 별집(영인본1223책) 소수 ; 臺灣, 學
　　生書局, 1965.

『毛詩』: 『사부총간』 초편 소수.

『毛詩注疏』, 漢 毛亨 注, 唐 孔穎達 疏: 『사고전서』 詩類(영인본69책) 소수.[157]

『牧庵集』(姚文公牧庵集), 元 姚燧: 『사부총간』 초편 ; 『사고전서』 별집(영인본1201책) ; 『叢書
　　集成初編』 2101～2107 ; 『北京圖書館珍本叢刊』 92 소수.

『夢溪筆談』, 宋 沈括: 『사부총간』 續編 ; 『사고전서』 잡가(영인본862책) ; 『총서집성초편』
　　281·282 ; 『全宋筆記』 2-3 소수 ; 『夢溪筆談』, 中華書局, 2015.

『夢溪補筆談』, 『夢溪續筆談』, 宋 沈括: 필사본 ; 『사고전서』 잡가(영인본862책) ; 『총서집성초
　　편』 281～283 ; 『全宋筆記』 2-3 소수. 283책 일독 요망

『蒙古秘史』(元朝秘史), 元 著者不明: 『사부총간』 三編 ; 永樂大全本 소수.[158]

『蒙古源流』, 淸 薩囊徹辰.[159]

『蒙韃備錄』, 宋 趙珙: 『蒙韃備錄箋證』(王國維) ; 『續修四庫全書』 雜史類 423책 소수.

『夢粱錄』, 宋 吳自牧: 『사고전서』 지리(영인본590책) ; 『총서집성초편』 3219～3221 소수.

『武經總要』, 宋 曾公亮: 正德年間本 ; 『사부총간』 3篇 ; 『사고전서』 兵家(영인본726책) 소수.

『武林舊事』, 宋 周密: 『사고전서』 지리(영인본590책) ; 『신편총서집성』 96 소수.

『武林西湖高僧事略』, 宋 釋元敬: 『四庫全書存目叢書』 子部 254책 소수.

『武林石刻記』, 宋 倪濤: 『석각사료신편』 2-9 소수.

『武備志』, 明 茅元儀: 華世出版社, 1985 ; 『續修四庫全書』 兵家類 963～966책 ; 中國兵書集成
　　編委會 編, 『中國兵書集成』 27～36 所收, 解放軍出版社, 1989 ; 마이크로필름.

『無錫縣志』, 明 著者不明: 『사고전서』 사부(영인본492책) 소수.

『武夷新集』, 宋 楊億: 『사고전서』 별집(영인본1086책) ; 『北京圖書館珍本叢刊』 2 소수.

『默堂先生文集』(默堂集), 宋 陳淵: 『사고전서』 별집영인본(1139책) 소수.

---

156) 이의 색인으로 李裕民, 『明史人名索引』, 中華書局, 1985가 있다.

157) 이의 색인으로 洪業 等編, 『毛詩註疏索引』, 상해고적출판사, 1986이 있다.

158) 이의 音譯으로 白鳥庫吉, 『音譯蒙文元朝秘史』, 東洋文庫, 1942 ; 小澤重男, 『元朝秘史全釋』, 風間書房,
　　1984 以來 ; 小澤重男, 『元朝秘史全釋續攷』, 風間書房, 1987 이래가 있다.

159) 이의 역주로 岡田英弘, 『蒙古源流』, 刀水書房, 2004가 있다.

『墨史』, 元 陸友 : 『사고전서』 子部(영인본843책) ; 『총서집성초편』 1495 소수.[160]

『墨子』: 『사부총간』 초편 ; 『사고전서』 雜家(영인본(848책) ; 『총서집성초편』 576 소수 ; 商務印書館, 1929.[161]

『墨莊漫錄』, 宋 張邦基 : 『사부총간』 廣編 ; 『사고전서』 잡가(영인본864책) ; 『신편총서집성』 86 ; 『全宋筆記』 3-9 소수.

『聞見近錄』, 宋 王鞏 : 『사고전서』 小說家類(영인본1037책) ; 『신편총서집성』 117 ; 『全宋筆記』 2-6 소수.

『聞見錄』, 宋 邵伯溫 : 『사고전서』 小說家類(영인본1038책) 소수.

『聞見後錄』 → 『河南邵氏聞見後錄』.

『文選註』, 梁 蕭統, 唐 李善 注 : 『사고전서』 總集(영인본1329책) 소수 ; 華正書局, 1977.[162]

『文心雕龍』, 齊 劉勰 : 『사고전서』 詩文評(영인본1478책) 소수.[163]

『文安集』 → 『揭文安公全集』.

『文子』, 周 辛鈃 : 『사고전서』 道家(영인본1058책) 소수.

『文章緣起』(文章始), 梁 任昉 : 『사고전서』 詩文評(영인본1478책) 소수.

『文定集』, 宋 汪應辰 : 『사고전서』 별집(영인본1138책) 소수.

『文昌雜錄』, 宋 龐元英 : 『사고전서』 잡가(영인본862책) ; 『신편총서집성』 84 ; 『全宋筆記』 2-4 소수.

『文忠集』, 宋 歐陽修 : 『사부총간』 초편: 『사고전서』 별집(영인본1102·1103책) 소수.

『文忠集』, 宋 周必大 : 『사고전서』 별집(영인본1147~1149책) 소수.

『文憲集』(宋文憲全集), 明 宋濂 : 『사고전서』 별집(영인본1223·1224책) ; 『四部備要』 集部 소수.[164]

『文獻通考』, 元 馬端臨 : 『사고전서』 政書類(영인본610책) 소수 ; 『十通』 第七種, 1987.[165]

『澠水燕談錄』, 宋 王闢之 : 『사고전서』 잡가(영인본1036책) ; 『총서집성초편』 209 ; 『全宋筆記』 2-4 소수 ; 『中國野史集成』 8, 巴蜀書店, 1993.

---

160) 이의 교점으로 韓格平, 『元代古籍集成』 2, 北京師範大學出版社, 2016이 있다.

161) 이의 번역으로 山田 琢, 『墨子』, 新釋漢文大系50~51, 明治書院, 1975 ; 蔣玉斌 等編, 『墨子譯注』, 黑龍江人民出版社, 2002 ; 金學主, 『墨子』, 明文堂, 1993 ; 최환, 『墨子』, 乙酉文化社, 2019가 있다.

162) 이의 색인으로 洪業 等編, 『文選注引書引得』, 燕京圖書館, 1935 ; 斯波六郎 編, 『文選索引』, 京都大學人文科學研究所가 있다. 또 이의 주석으로 小尾郊一, 『文選』, 全釋漢文大系, 集英社, 1974 以來 ; 張啓成 等編, 『文選全譯』, 貴州人民出版社, 1990 ; 김영문 등편, 『文選譯注』, 소명, 2010이 있다.

163) 이의 주석으로 王運熙 譯注, 『文心雕龍』, 상해고적출판사, 2010 ; 성기옥 역주『문심조룡』, 지식을 만드는 지식, 2010이 있다.

164) 이의 점교로 宋濂全集編纂委員會, 『宋濂全集』, 浙江古籍出版社, 1999가 있다.

165) 이의 교정으로 『文獻通考』, 中華書局, 2011이 있다. 이 책의 권325, 四裔考2, 高句麗에 수록되어 있는 高麗王朝의 記事는 以前의 여러 典籍을 정리한 것이어서 특별히 주목되는 점은 없다.

『方輿勝覽』, 宋 祝穆 :『사고전서』 지리(영인본471책) 소수.

『白氏長慶集』, 唐 白居易 :『사고전서』 별집(영인본10809) 소수.[166]

『百爵齋藏歷代名人法書』, 民國 羅振玉 : 墨綠堂書店, 1938.

『白虎通義』(白虎通德論, 白虎通), 漢 班固 :『사부총간』 초편 ;『사고전서』 雜家類(영인본850)
 ;『총서집성초편』 238·239 소수.[167]

『樊南文集』, 唐 李商隱 : 中華書局, 1949 ; 上海古籍出版社, 1988[168]

『樊南文集補編』, 唐 李商隱 : 臺灣 中華書局, 1969.

『樊川文集』, 唐 杜牧 :『사부총간』 초편 ;『사고전서』 별집(영인본1081) 소수.

『范德機詩集』, 元 范梈 :『사부총간』 초편 ;『사고전서』 별집(영인본1208) 소수.

『范文正公集』, 宋 范仲淹 :『사부총간』 초편 ;『사고전서』 별집(영인본1089책) ;『宋集珍本叢
 刊』 2, 3, 소수.

『范太史集』, 宋 范祖禹 :『사고전서』 별집(영인본1100책) ;『宋集珍本叢刊』 24 소수.

『法苑珠林』, 唐 道世 :『사고전서』 釋家(영인본1149·50책) 소수.

『碧巖錄』(碧巖集, 佛果圓悟禪師碧巖錄), 宋 圜悟克勤 :『大正新脩大藏經』 제48권, 史傳部 소수[169]

『寶慶四明志』, 宋 羅濬 :『송원방지총간』 ;『사고전서』 지리(영인본487책) 소수.

『寶慶會稽續志』, 宋 張淏 :『송원방지총간』 ;『사고전서』 지리(영인본486책) 소수.

『補史記』, 唐 司馬貞 :『사고전서』 史部(영인본244책) 소수.

『補續高僧傳』, 明 明河 : 1621년(天啓1) 明刊本 ;『日本續藏經』 第1輯 第2編乙 第7套 第2, 3册
 (134책) 소수.[170]

『補續芝園集』 :『日本續藏經』 제1집 제2편 제10투 제4책(-册) 소수.

『補筆談』 → 『夢溪補筆談』.

『補陀洛迦山傳』, 元 盛熙明 :『大正新脩大藏經』 제51권, 史傳部 소수.

『本草綱目』 : 明 李時珍,『사고전서』 醫家(영인본772～774책) 소수 ; 金陵初刻本校注, 安徽科學
 技術出版社, 2001.

『浮溪文粹』, 宋 汪藻 :『사고전서』 별집(영인본1228책) 소수.[171]

---

166) 이의 교주로『白居易詩集校注』, 중화서국, 2006이 있다.

167) 이의 색인, 역주으로 伊東倫厚 等編,『白虎通索引』, 北海道中國哲學會, 1979 ; 신정근,『백호통의』, 소
 명, 2005 ; 김만원,『백호통역주』, 역락, 2018이 있다.

168) 이의 교주로 馮浩,『樊南文集詳注』, 臺灣 中華書局, 1969가 있다.

169) 이의 번역으로 末木之美士,『現代語譯碧巖錄』, 岩波書院, 2001 以來 ; 李喜益,『碧巖錄』, 상아출판사,
 1988 ; 석지현 편,『碧巖錄』, 민족사, 2007 ; 혜원 편,『벽암록』, 김영사, 2021이 있다.

170) 이의 점교로『名僧傳抄·補續高僧傳』, 新文豊出版公司, 1975가 있다.

『浮溪集』, 宋 汪藻 :『사부총간』 초편 ;『사고전서』 별집(영인본1128책) ;『사부총간』 正編51 소수.[172]

『傅與礪詩文集』(傅與礪詩集, 傅與礪文集), 元 傅若金 :『사고전서』 별집(영인본1213책) ;『北京圖書館古籍珍本叢刊』 92 소수.[173]

『負暄雜錄』, 宋 顧文薦 :『說郛』 권18 소수.

『負暄野錄』, 陳槱 :『사고전서』 잡가(영인본871책) ;『羅雪堂先生全集』 初編18 ;『총서집성초편』 1552 소수.[174]

『北堂書鈔』, 唐 虞世南 :『사고전서』 類書(영인본889책) 소수.[175]

『北夢瑣言』, 宋 孫光憲 :『사고전서』 小說(영인본1036책) 소수.

『北山小集』(北山集), 宋 程俱 :『사부총간』 속편 ;『사고전서』 별집(영인본1130책) ;『宋集珍本叢刊』 33 소수.

『北巡私記』, 元 劉佶 :『羅雪堂先生全集』 5編, 大通書局 ; 國學文庫45編, 北平 文殿閣書莊 ;『續修四庫全書』 雜史類 424책 소수.

『北海集』, 宋 綦崇禮 :『사고전서』 별집(영인본1134책) ;『宋集珍本叢刊』 38 소수.

『北行日錄』, 宋 樓鑰 :『사고전서』 별집(영인본1153책),『攻媿集』 권111 ;『신편총서집성』 93 ;『사부총간』 초편,『攻媿集』 권111 ;『全宋筆記』 6-4 소수.

『北湖集』, 宋 吳則禮 :『涵芬樓秘笈』 4, 上海商務印書館, 1919 ;『사고전서』 별집(영인본1122책) 소수.

『佛法金湯編』, 明 釋心泰 :『日本續藏經』 1-2乙-21套(5册)

『佛祖歷代通載』, 元 釋念常 :『사고전서』 자부(영인본1054책) ;『大正新脩大藏經』 제49권 ;『北京圖書館古籍珍本叢刊』 77 소수.

『佛祖統紀』, 宋 釋志磐 :『大正新脩大藏經』 제49권, 史傳部1 ;『日本續藏經』 1-2乙-4套(4册) ;『佛教要籍選刊』 12, 上海古籍出版社, 1992 소수.

『飛閣元龜政要』, 明 著者不明(嘉靖年間) : 明刊本, 北京圖書出版社 ;『四庫全書存目叢書』 소수.

『毘陵集』, 宋 張守 :『사부총간』 초편 ;『사고전서』 별집(영인본1127책) 소수.

『秘書監志』(秘書志), 元 王士點 :『사고전서』 職官(영인본596책) 소수 ; 倉聖明智大學, 1916.[176]

---

171) 이 책은 胡堯臣(1507~1579)이『浮溪集』을 다시 편집한 책이다.

172) 이의 四部叢刊本은 四庫全書本을 이용한 것이다.

173) 이의 점교로 史傑鵬 等編,『傅若金集』, 吉林文史出版社, 2010이 있다.

174) 이의 점교로 臺北, 文華出版公司, 1968이 있다.

175) 虞世南(558~638)은 二王(王羲之·王獻之의 父子)의 書法[家法]을 계승한 僧侶 智永(생몰년 불명, 陳·隋代의 名筆)으로부터 流麗한 筆致의 南朝의 書法을 전수받아 行書를 잘 표현하였다고 한다(百橋明穗 編 1997年 278面). 또 이의 색인으로 山田英雄,『北堂書鈔引書索引』(프린트본), 采華書林, 1973이 있다.

176) 이의 점교로 高榮盛,『秘書監志』, 浙江古籍出版社, 1992가 있다.

『賓退錄』, 宋 趙與時 : 『사고전서』 雜家(영인본853책) ; 『총서집성초편』 314~315 ; 『全宋筆記』
    6-10 소수.

    ∧

『使金錄』, 宋 鄭卓 : 汪如藻家藏本 ; 『全宋筆記』 6-5 ; 『續修四庫全書』 雜史類 423책 소수.
『四庫全書薈要』, 淸 于敏中 等撰 : 影印本, 吉林人民出版社, 1997.
『史記』 : 中華書局, 1959 ; 修訂本, 中華書局 2013.[177]
『史記索隱』, 唐 司馬貞 : 『사고전서』 正史(영인본246책) 소수.
『史記正義』, 唐 張守節 : 『사고전서』 正史(영인본247·248책) 소수.
『史記集解』, 南朝 宋裴駰 : 『사고전서』 正史(영인본245·246책) 소수.[178]
『事林廣記』, 宋 陳元靚 : 中華書局, 1998 ; 叡山文庫所藏本.[179]
『司馬法』, 周 司馬穰苴 : 『사고전서』 兵家(영인본726책) 소수.[180]
『四明尊者敎行錄』, : 『大正新脩大藏經』 제46권 소수.
『四六談塵』, 宋 謝伋 : 『사고전서』 詩文評(영인본1480책) ; 『筆記小說大觀』 9 ; 『신편총서집성』
    80 소수.
『事物紀原』, 宋 高承 : 『사고전서』 類書(영인본920책) ; 『총서집성초편』 1209~1212 소수.
『祠部集』, 宋 强至 : 『사고전서』 별집(영인본1091책) 소수.
『四書說約』.
『四書章句集注』, 朱熹 : 『사고전서』 四書(영인본197책) 소수.
『事實類苑』 → 『皇朝類苑』.
『四夷考』, 明 葉向高 : 『筆記小說大觀』 4 소수.
『四夷廣記』, 明 愼懋賞 : 影印本, 玄覽堂叢書續集, 正中書院, 臺北, 1985.
『山谷內集詩注』, 宋 黃庭堅 : 『사고전서』 별집(영인본1114책) 소수.
『山谷年譜』(山谷集年譜) : 『사고전서』 별집(영인본1113책) 소수.
『山堂考索』 → 『群書考索』.
『山房新語』, 元 楊瑀 : 『사고전서』 子部(영인본1021책) ; 『叢書集成』 초편 소수 ; 『筆記小說大
    觀』 續編, 新興書局, 1962.

---

177) 이의 번역, 箋注로 吉田賢抗, 『史記』, 新釋漢文大系38~92, 明治書院, 1994 ; 韓兆琦, 『史記箋證』, 江西
    人民出版社, 2004가 있다.
178) 이상의 『史記集解』·『史記索隱』·『史記正義』를 合綴한 것을 『三家注史記』 라고 한다.
179) 叡山文庫所藏本의 『事林廣記』(1684년, 日本版)에 대한 검토가 있다(宮 紀子 2008년).
180) 이의 색인으로 劉殿爵 等編, 『兵書四種逐字索引』, 商務印書館, 1992가 있다.

『山西金石志』, 劉舒俠 : 『석각사료신편』1-19 소수.

『山菴雜錄』, 元 釋無慍 : 『日本續藏經』1-2乙-21套(2冊) ; 1797年, 日本刊本[181]

『三國志』: 中華書局 1962년.[182]

『三餘集』, 宋 黃彥平 : 『사고전서』 별집(영인본1132책) 소수.

『三朝名臣言行錄』, 宋 司馬光 : 『사부총간』 초편 소수.

『三朝北盟會編』, 宋 徐夢莘 : 『사고전서』 紀事本末類(영인본350~352책) 소수. 影印本(1878, 光緒4) ; 活字本, 上海古籍出版社, 1987(2000年 2版).

『常山貞石志』, 淸 沈濤 : 『석각사료신편』 第1輯 18 소수.

『尙書』: 『사부총간』 초편 소수.[183]

『尙書大傳』: 『사부총간』 초편 ; 『사고전서』 書類(영인본68책) 소수

『尙書說』, 宋 黃度 : 『사고전서』 書類(영인본57책) 소수.

『尙書正義』: 『十三經注疏』(淸 阮元 編) ; 『사부총간』 三編 소수 ; 上海古籍出版社, 2007 ; 影印 南宋官版, 新華書店, 2015.

『尙書注疏』: 『사고전서』 書類(영인본54책) 소수.

『書經』: 『十三經注疏』(阮元 編) 所收.[184]

『書經大全』, 明 吳廣 : 『사고전서』 書類(영인본63책) 소수.

『書經集傳』, 宋 蔡沈 : 『사고전서』 書類(영인본58책) 소수.

『西臺集』, 宋 畢仲游 : 『사고전서』 별집(영인본1122책) 소수.

『書林外史』, 元 袁士元 : 『四庫全書存目叢書』 集部 23책 소수.

『書史會要』, 明 陶宗儀 : 筆寫本(洪武本) ; 『사고전서』 예술(영인본814책) 소수.

『西巖集』, 元 張之翰 : 『사고전서』 별집(영인본1204책) 소수.[185]

『西遼立國本末攷』: 『古學彙刊書目提要』2, 1912.

『西天目祖山志』(天目山志), 著者不明 : 『中國佛教寺誌叢刊』, 江蘇廣陵古籍刻印社, 1992 ; 『四庫全書存目叢書』 史部 233책 소수.

『西漢會要』, 宋 徐天麟 : 『사고전서』 政書(영인본609책) 소수.

『石林詩話』, 宋 葉夢得 : 『사고전서』 詩文評(영인본1478책) ; 『신편총서집성』 78 소수.

---

181) 荒木見悟·岡田武彦 等編, 『近世漢籍叢刊』 5, 京都 中文出版社, 1984에 수록되어 있다. 이의 번역으로 『산암잡록』, 禪林古鏡叢書29, 藏經閣, 1993이 있다.

182) 이의 校注로 楊耀坤 等編, 『三國志』, 巴蜀書社, 2010 ; 梁滿倉, 『新譯三國志』, 三民書局, 2013이 있다.

183) 이의 색인으로 劉殿爵 等編, 『尙書逐字索引』, 商務印書館(香港), 1995가 있다.

184) 이의 번역으로 加藤常賢, 『書經』, 新釋漢文大系25~26, 明治書院, 1995 ; 김동주, 『역주상서정의』, 전통문화연구회, 2020이 있다.

185) 이의 점교로 鄧瑞生 等編, 『張之翰集』, 吉林文史出版社, 2009가 있다.

『石林燕語』, 宋 葉夢得 :『신편총서집성』 83 ;『총서집성속편』 45 ;『사고전서』 雜家(영인본 863책) ;『全宋筆記』 2-10 소수.[186]

『石林燕語辨』, 宋 葉夢得 :『총서집성초편』 295 소수.

『釋名』(逸雅), 漢 劉熙 :『총서집성초편』 1151 소수.

『釋名疏證』, 宋 畢沅 :『총서집성초편』 1152 ～1154 소수.

『釋門正統』, 宋 釋宗鑑 : 蘇淵雷·高振農 編,『佛藏要籍選刊』 13, 上海古籍出版社, 1992 소수.

『釋氏稽古略』, 元 釋覺岸 :『사고전서』 釋家類(영인본1054책) ;『大正新脩大藏經』 제49권 ;『日本續藏經』 第1輯 第2編乙 第6套, 第1冊(1책) 소수.

『釋氏稽古略續集』(稽古略續集), 明 幼輪 :『사고전서』 釋家類(영인본1054책) ;『大正新脩大藏經』 제49권 ;『日本續藏經』 第1輯 第2編乙 第6套, 第1冊(2책) 소수.

『石屋禪師山居詩』, 元 石屋淸珙 :『禪門逸書』 初編6, 明文書局, 1980 소수.

『石屋禪師語錄』, 元 石屋淸珙 :『日本續藏經』 1輯-2編-27套 소수.

『析津志輯佚』, 元 熊梵祥.[187]

『石湖居士詩集』(石湖詩集), 宋 范成大 :『사부총간』 初編 6冊 ;『사고전서』 별집(영인본1159책) 소수.

『禪林蒙求拾遺』(禪苑蒙求拾遺), 金 志明 撰, 元 德諫 注 :『日本續藏經』 1-2乙-21-4(134冊)

『禪林僧寶傳』 宋 惠洪, 覺範 :『사고전서』 釋家(영인본1052책) ;『日本續藏經』 1-2乙-10套-4 ;『佛藏要籍選刊』 13, 上海古籍出版社, 1992 ;『禪宗全書』 4, 臺北 文殊文化有限公司, 1990 소수.[188]

『禪苑淸規』 宋 釋宗賾 :『禪宗全書』 81 소수.[189]

『宣室志』, 唐 張讀 :『사고전서』 小說(영인본1042책) 소수.

『宣和奉使高麗圖經』 →『高麗圖經』

『宣和遺事』 : 世界書局, 1981 ;『叢書集成』 초편 소수.

『雪樓集』 →『楚國文憲公雪樓程先生文集』.

『說文正字』 : 影印本, 東京古典會, 1952.[190]

『說文解字』, 後漢, 許愼 :『총서집성초편』 1076～1080 소수.[191]

---

186) 이의 주석으로 逯銘昕,『石林詩語校注』, 人民文學出版社, 2011이 있다.

187) 이의 점교로 李致忠 等編,『析津志輯佚』, 北京古籍出版社, 1997이 있다.

188) 이의 번역으로 釋圓徹,『禪林僧寶傳』, 藏經閣, 1999가 있다.

189) 이의 번역으로 曹洞宗宗務廳,『譯註禪苑淸規』, 1972 ; 崔法慧,『高麗板 禪院淸規 譯註』, 가산불교문화 연구원, 2001이 있다.

190) 이 책은 北宋本으로 高麗 肅宗代 이래 宮闕에 소장되어 있었던 것이다.

191) 이의 교점, 번역으로 琴河淵 等編,『段玉裁注說文解字』, 日月山房, 2013(자유문고, 2015) ; 琴河淵,『說文解字』, 日月山房, 2016이 있다.

『說郛』, 明 陶宗儀 :『사고전서』잡가(영인본876~882책) 소수 ; 上海古籍出版社,『說郛三種』, 1988(涵芬樓本 100권, 明刊本 120권, 明刊本『說郛』 46권).[192]

『說苑』, 漢 劉向 :『사부총간』초편 ;『사고전서』유가(영인본696책) ;『총서집성초편』526~ 528 소수.[193]

『說學齋稿』 →『危太樸雲林集』

『星命總括』, 遼 耶律純 :『사고전서』術數類(영인본809책) 소수.

『誠意伯文集』, 明 劉基 :『사부총간』초편 ;『사고전서』별집(영인본1225책) 소수.

『星學大成』, 明 萬民英 :『사고전서』術數類(영인본809책) 소수.

『歲時廣記』, 宋 陳元靚 :『新編叢書集成』43-397冊 소수.

『世說新語』, 南朝 宋 劉義慶 :『사고전서』小說(영인본1035책) 소수.[194]

『昭代典則』, 明 黃光昇 : 明清史料叢編, 北京大學出版社, 1993 ;『續修四庫全書』編年類 351책 소수.[195]

『邵氏見聞後錄』, 宋 邵博 :『全宋筆記』4-6 소수.

『少室山房筆叢正集』, 明 胡應麟 :『사고전서』雜家(영인본886책) 소수.

『少室山房集』, 明 胡應麟 :『사고전서』別集(영인본1290책) 소수.

『蘇魏公文集』, 宋 蘇頌 :『사고전서』별집(영인본1092책) 소수.[196]

『小畜集』, 宋 王禹偁 :『사부총간』초편 ;『사고전서』별집(영인본1086책) ;『宋集珍本叢刊』1 소수.

『蘇平仲文集』, 明 蘇伯衡 :『사부총간』초편 ;『사고전서』별집(영인본1228책) 소수.

『小學紺珠』, 宋 王應麟 :『사고전서』類書(영인본948책) ;『叢書集成初編』176~178 소수.

『續高僧傳』, 唐 道宣 :『大正新脩大藏經』제50권, 史傳部2 소수.[197]

『續文獻通考』, 明 王圻 :『사고전서』政書(영인본626~631책) ;『續修四庫全書』政書類 761~ 767책 소수.[198]

---

192) 이는 版種에 따라 내용 및 卷數의 차이가 매우 심하므로 版種을 주목하여야 하는데, 이 책에서 제시한 卷數는 上海古籍出版社,『說郛三種』, 1988에 의거하였다.

193) 이의 疏證, 주석으로 趙善治 疏證,『說苑疏證』, 華東師範大學出版社, 1981 ; 高木友之助 譯,『說苑』, 明德出版社, 中國古典新書, 1969가 있다.

194) 이의 교주, 번역으로『世說新語選譯』, 鳳凰出版社, 2011 ; 安吉煥,『世說新語』, 明文堂, 2006 ; 金長煥,『世說新語』, 東西文化社, 2011 ; 金長煥,『世說新語姓彙韻分』, 學古房, 2012 ; 李丞宰,『'世說新語'對話文 用字의 音韻對立』, 一潮閣, 2018이 있다.

195) 이의 점교로 顏章炮,『昭代典則』, 商務印書館, 2011이 있다.

196) 이의 점교로 王同策 等編,『蘇魏公文集』, 중화서국, 1988이 있다.

197) 이의 번역으로 이창섭,『續高僧傳』, 東國大學, 1997이 있다.

198) 이의 영인본으로『續文獻通考』, 現代出版社, 1991이 있다.

『續佛祖統紀』, 明 著者不明 : 『日本續藏經』 1-2乙-4套-4 소수.

『續宋中興編年資治通鑑』, 宋 劉時擧 : 王瑞來, 『點校續宋中興編年資治通鑑』, 中華書局, 2014.

『續修四庫全書』 : 上海古籍出版社, 2000.

『續修四庫全書提要』, 民國 柯劭忞 等編 : 影印本, 齊魯書社

『續資治通鑑』, 淸 畢沅 : 中華書局, 2018 ; 『續修四庫全書』 編年類 343책 소수.

『續資治通鑑長編拾補』, 淸 黃以周 等輯 : 中華書局, 2004.

『續資治通鑑長編』, 李燾 : 『사고전서』 편년류(영인본314~322책) 소수. 上海古籍出版社, 1985 ;
　　『宋板續資治通鑑長編』, 中華全國圖書館文獻縮微複製中心, 1995年.[199]

『續資治通鑑長編紀事本末』 → 『皇宋通鑑長編紀事本末』.

『續傳燈錄』, 宋 惟白, 明 居頂 : 『佛光大藏經』 所收.

『續通典』, 淸 官修撰 : 新興書局.

『續通志』, 淸 官修撰 : 新興書局.

『孫公談圃』, 宋 孫升 : 『신편총서집성』 83 ; 『사고전서』 小說家類(영인본1037책) ; 『전송필기』
　　2-1 소수.

『孫臏兵法』, 戰國 齊 孫臏 : 『續修四庫全書』 兵家類 959책 소수 ; 活字本, 燕山出版社, 2009.[200]

『孫子』, 周 孫武 : 『총서집성초편』 935 소수.

『孫子集註』(孫子十家註), 周 孫武 : 『사부총간』 초편 ; 『사고전서』 兵家類(영인본726책) ; 『총
　　서집성초편』 935~937 소수.[201]

『宋高僧傳』, 宋 釋贊寧 : 『사고전서』 釋家類(영인본1052책) ; 『佛敎要籍選刊』 12, 上海古籍出版
　　社, 1992 소수.[202]

『宋大詔令集』(宋朝大詔令集), 宋 宋敏求: 楊家駱 編, 『宋大詔令集』, 鼎文書局, 1972 ; 『續修四庫
　　全書』 詔令奏議類 456책 소수.[203]

『松漠紀聞』(松漠記聞), 宋 洪皓 : 『사고전서』 雜史類(영인본407책) ; 『신편총서집성』 117 ; 『총

---

199) 이의 색인, 點校로 梅原旭, 『續資治通鑑長編人名索引』, 同朋舍, 1978 ; 『續資治通鑑長編語彙索引』, 同朋
　　舍, 1989 ; 『續資治通鑑長編』, 중화서국, 1995가 있다.

200) 이의 점교, 번역으로 廖楊膁, 『孫臏兵法』, 新華出版社, 1991 ; 金鎭浩, 『孫臏兵法』, 명문당, 1994 ; 이
　　병호, 『손빈병법』, 홍익출판사, 1998이 있다.

201) 이의 색인, 번역으로 吳九龍 等編 『孫子校釋』, 軍事科學出版社, 1991 ; 劉殿爵 等編, 『兵書四種逐字索
　　引』, 商務印書館, 1992 ; 郭化若, 『孫子譯注』, 上海古籍出版社, 1992 ; 楊丙安, 『十一家注孫子校理』, 中
　　華書局, 1999 ; 蔣玉斌 『孫子譯注』, 黑龍江人民出版社, 2002 ; 李鍾學, 『孫子兵法』, 명문당, 1993 ; 金
　　學主, 『孫子·誤字』, 명문당, 1999가 있다.

202) 이의 점교, 색인으로 范祥雍, 『宋高僧傳』, 중화서국, 1987 ; 牧田諦亮 等編, 『大明高僧傳索引』, 平樂寺
　　書店, 1976이 있다.

203) 『宋大詔令集』은 淸代 이래 3種의 版本이 있는데, 판본에 따라 약간의 字句 출입이 있지만, 고려 관계
　　기사는 내용상으로 차이가 없다.

서집성속편』166 ;『全宋筆記』3-7 소수.

『宋名臣言行錄』→『五朝名臣言行錄』.

『宋名臣言行錄別集』, 朱熹 :『사고전서』별집(영인본449책) 소수.

『宋名臣奏議』→『皇朝名臣奏議』.

『宋文鑑』→『皇朝文鑑』.

『宋四六話』, 淸 彭元瑞 :『叢書集成』초편 소수.

『宋史』: 中華書局, 1985.[204]

『宋史全文』→『宋史全文續資治通鑑』.

『宋史全文續資治通鑑』(宋史全文), 宋 著者不明 :『사고전서』編年(영인본330책) ;『宋史資料萃編』
    2, 臺北 文海出版社, 1969 소수 ; 北京圖書館出版社, 2006.

『松雪齋文集』(松雪齋集), 趙孟頫 :『사부총간』초편 ;『사고전서』별집(영인본1196책) 소수.[205]

『宋詩紀事』, 淸 厲鶚 :『사고전서』시문평(영인본1484・1485책).[206]

『宋遼金元四史朔閏考』, 淸 錢大昕 :『叢書集成初編』1330 소수.

『宋元科擧題名錄』:『北京圖書館古籍珍本叢刊』21, 書目文獻出版社 소수.

『宋元詩會』, 淸 陳焯 :『사고전서』총집(영인본1463・1464책) 소수.

『宋磧砂藏經』: 影印本, 上海, 1936.

『宋元學案』, 淸 黃宗羲・全祖望 : 臺北 正中書局, 1954 ;『續修四庫全書』傳記類 518・519책 소수.

『宋元學案補遺』, 淸 王梓材・馮雲濠 :『叢書集成』속편 소수.

『宋朝事實』, 宋 李攸 : 中華書局, 1955 ;『총서집성초편』833～835 ;『四庫全書』政書(영인본
    608책) 소수.

『宋學士全集』(文憲集), 明 宋濂 :『사부총간』초편 ;『金華叢書』;『사부비요』집무 ;『사고전
    서』별집(영인본1223・1224책) ;『叢書集成初編』2110～2133(이는 金華叢書本임) 소수.

『宋景濂未刻集』, 明 宋濂 :『사고전서』별집(영인본1224책) 소수.

『宋刑統』→『刑統』.

『宋會要輯稿』, 淸 徐松 編 : 北平圖書館, 1936 ; 臺北, 世界書局, 1964 ; 新文豊出版公司, 1976 ;
    『宋會要輯稿補編』, 新華書店, 1988 ;『續修四庫全書』政書類 775～786책 소수.[207]

---

204) 이의 職官志 색인으로 佐伯富,『宋史職官志索引』, 同朋舍, 1974가 있다.

205) 이의 點校로 任道斌,『趙孟頫集』, 浙江古籍出版社, 1986이 있다

206) 이 중에서 권95는 高麗人의 詩話를 모은 것인데, 文宗・韓緻如・朴寅亮・魏繼廷・朴景綽・李資諒 그리고『고
    려도경』에 수록된 無名氏의 작품 등 8편의 시문이 수록되어 있고, 그 외 사신단의 왕래에 따른 시문 1
    편이 더 찾아진다.

207) 이의 교점, 색인으로 靑山定雄,『宋會要輯稿食貨索引』, 年月日・詔勅篇, 東洋文庫, 1985 ; 東洋文庫,『宋
    會要輯稿』食貨索引, 職官篇, 1995,『宋會要輯稿』食貨索引, 地名編, 2005가 있다[日本]. 또『宋會要輯
    稿』, 新文豊出版公司, 1992 劉琳 等編,『宋會要輯稿』, 上海古籍出版社, 2014 ; 王德毅,『宋會要輯稿人名

『水陸道場法輪寶懺』(法界聖凡水陸大齋法輪寶懺), 淸 咫觀 :『日本續藏經』 第1輯 第2編乙 第7套 第1册(134책) 소수.

『搜神記』, 晋 干寶 :『사고전서』 小說(영인본1042책) 소수.

『水心先生文集』:『사부총간』 초편 소수.

『水雲村藁』(水雲村泯稿), 元 劉壎 :『사고전서』 별집(영인본1195책) 소수.

『隨園隨筆』, 淸 袁枚 : 漢裝本

『純白齋類稿』, 元 胡助 :『사고전서』 별집(영인본1214책) 소수.

『淳祐玉峯志』:『송원방지총간』 1 소수.

『荀子』, 周 荀況, 唐 楊倞 注 :『사고전서』 儒家(영인본695책) 소수.

『淳化閣帖』:『총서집성초편』 1619~1620 ; 福本雅一 等編, 『淳化閣帖』(影印本), 二玄社, 1980.[208]

『淳熙三山志』, 宋 梁克家 :『송원방지총간』 8 ;『사고전서』 지리(영인본484책) 소수.

『嵩山文集』(景迂生集), 宋 晁說之 :『사부총간』 속집 ;『사고전서』 별집(영인본1118책) 소수.

『詩經』: 淸 阮元 編, 『十三經注疏』 所收.[209]

『新唐書』, 宋 宋祁·歐陽修 等撰 : 中華書局, 1975.[210]

『新唐書糾謬』, 宋 吳縝 :『사부총간』 初編.

『新書』, 漢 賈誼 :『사부총간』 初編 ;『사고전서』 儒家(영인본695책) ;『총서집성초편』 519 소수.[211]

『新脩科分六學僧傳』, 元 曇噩 :『日本續藏經』 1-2乙-6套-3,4,5 소수.

『新五代史』(五代史記) : 中華書局, 1974 ; 修訂本 2015.[212]

『新安志』, 宋 羅願 :『사고전서』 지리(영인본485책) 소수.

『新元史』, 民國 柯劭忞 : 영인본, 中國書店, 1998.

『心史』, 宋 鄭思肖 : 1941년 鄭貞文校刊本 ;『四庫全書存目叢書』 集部 21책 ;『北京圖書館古籍珍本叢刊』 90 소수.[213]

索引」, 新文豊出版公司, 1992 ; 苗書梅, 『宋會要輯稿』 崇儒, 河南大學出版社, 2001 ; 郭聲波, 『宋會要輯稿』 蕃夷·道釋, 四川大學出版社, 2010 ; 馬泓波, 『宋會要輯稿』 刑法, 河南大學出版社, 2011이 있다(張東翼 2001년).

208) 이의 釋文, 考正으로 顧從義 『法帖釋文考異』 ; 王澍, 『淳化秘閣法帖考正』 이 있다(『사고전서』 영인본683, 684책).

209) 이의 번역으로 石川忠久, 『詩經』, 新釋漢文大系110~112, 明治書院, 2000이 있다.

210) 이 책의 本紀와 列傳은 宋祁(998~1061)가, 志와 表는 歐陽修(1007~1072)가 편찬하였다.

211) 이의 校注로 李, 『新書校注』, 중화서국, 2002가 있다.

212) 이의 색인으로 張萬起, 『新舊五代史人名索引』, 상해고적출판사, 1980이 있다.

213) 『心史』는 明末에 浙江省 海鹽縣(現 浙江省 嘉興市 海鹽縣)의 姚士粦에 의한 僞書이라는 견해도 있다(『四庫全書總目提要』 권174, 集部27, 別集類存目1, 心史七卷). 이 책은 李德懋(1741~1793)가 燕京에서 구입해 왔다고 하며, 이를 통해 成海應(1760~1839)이 그 由來를 정리하였다(『研經齋全集』 권3, 次顧亭林咏心史韻).

『十駕齋養新錄附餘錄』, 淸 錢大昕 :『中國學術名著』6, 世界書局, 1977 소수 ; 上海書店, 1983.

『十二硯齋金石過眼錄』, 淸 汪鋆 :『石刻史料新編』1-10 소수.

『十一家注孫子』, 唐 杜牧 :『續修四庫全書』兵家類 959책 소수.

『十國春秋』, 淸 吳任臣 :『사고전서』載記(영인본465·466책) 소수.

『十三經注疏』, 淸 阮元 編 : 漢裝本 ; 中文出版社, 1979 ; 中華書局, 1979 ; 新文豊出版公司, 2001.[214)

『十三經注疏校勘記』, 淸 阮元 編 : 新華書店, 2015.

『雙溪醉隱集』, 元 耶律鑄 :『遼海叢書』, 遼海書社, 1987 ;『사고전서』별집(영인본1199책) 소수.

ㅇ

『阿吒婆拘鬼神大將上佛陀羅尼經』, 著者不明 :『大正新脩大藏經』제21권, 密敎部4 所收

『安南志略』, 元 黎崱 :『사고전서』載記(영인본464책) 소수.

『顔氏家訓』, 隋 顔之推 :『사부총간』초편 ;『사고전서』雜家(영인본848책) ;『총서집성초편』970~973 소수.[215)

『安雅堂文集』, 元 陳旅 : 中央圖書館景印舊鈔本 ;『사고전서』별집(영인본1213책)의『安雅堂集』.

『安陽集』, 宋 韓琦 :『사고전서』별집(영인본1089책) 소수.

『梁谿集』(梁溪集), 宋 李綱 :『사고전서』별집(영인본1125·1126책) ;『無錫文庫』3·4 소수.

『楊公筆錄』, 宋 楊彦齡 :『사고전서』잡가(영인본863책) ;『신편총서집성』86 ;『전송필기』1-10 소수.『筆記小說大觀』6.

『養蒙先生文集』(養蒙集), 元 張伯淳 :『사고전서』별집(영인본1194책) 소수 ; 中央圖書館景印舊鈔本.

『兩山墨談』, 明 陳霆 :『총서집성초편』331 所收

『梁書』: 中華書局, 1973.[216)

『兩宋名賢小集』, 宋 陳思 :『사고전서』총집(영인본1362~1364책) 소수.

『養吾齋集』, 元 劉將孫 :『사고전서』별집(영인본1199책) 소수.[217)

---

214) 이의 색인, 標點, 校勘으로 南嶽出版社 編,『十三經引得』, 1934 ; 中華書局 編,『十三經索引』, 1983 ; 周何,『十三經分段標點』, 新文豊出版公司, 2001 ; 劉玉才 等編,『十三經校勘記』, 北京大學出版社, 2015 가 있다.

215) 이의 주석으로 夏家善,『顔氏家訓』, 天津古籍出版社, 1994 ; 渡邊養浩,『顔氏家訓』, 汲古書院, 2018이 있다.

216) 이의 교주로 態淸元 等編,『梁書』, 巴蜀書社, 2010이 있다.

217) 이의 점교로 李鳴 等編,『劉蔣孫集』, 吉林文史出版社, 2009가 있다.

『揚子法言』(揚子雲集), 漢 揚雄 :『사고전서』 별집(영인본1063책) 소수.[218]

『兩朝綱目備要』, 著者不明 :『사고전서』 편년(영인본329책) 소수.

『揚州府志』 : 萬曆 33年刊

『語石』, 淸 葉昌熾 :『석각사료신편』 2-16 소수.

『漁隱叢話』, 宋 胡仔 :『사고전서』 詩文評(영인본1480책) 소수.

『御定月令輯要』, 淸 李光地 等撰 :『사고전서』 時令(영인본467책) 소수.

『弇山堂別集』, 明 王世貞 :『사고전서』 雜史(영인본409·410책) 소수.

『呂氏春秋』, 秦 呂不韋 :『사부총간』 초편 ;『사고전서』 雜家類(영인본848책) 소수.[219]

『呂氏春秋集解』, 宋 呂本中 :『사고전서』 春秋類(영인본150책) 소수.

『女靑鬼律』 : 正統 道藏本 소수.

『歷代建元考』, 淸 鍾淵映 :『墨海金壺』 9 ;『四庫全書』 史部(영인본662책) 소수.

『歷代名臣奏議』, 明 黃准·楊士奇 :『사고전서』 奏議(영인본433～442책) ; 明刊本, 吳相湘 編,
　　　　『中國史學叢書』 1 소수.

『歷代名賢確論』, 宋 著者不明 :『사고전서』 史評(영인본687책) 소수.

『歷代小史』, 明 李栻 : 江蘇廣陵古籍刻印社, 1989 소수.

『歷代史表』, 淸 萬斯同 :『총서집성초편』 3504～3509책 소수.

『歷代釋氏寶鑑』, 元 釋熙仲 :『日本續藏經』 제1집 제2편乙 제5투 제1책(一冊).[220]

『歷代輿地圖』, 淸 楊守敬 : 漢裝本, 鄂城 楊氏觀海堂, 1909(宣統1) 以來

『演繁露』(程氏演繁露), 宋 程大昌 :『사부총간』 二編 ;『사고전서』 雜家(영인본852책) ;『총서
　　　　집성초편』 292 ;『전송필기』 4-8·9 소수.[221]

『研北雜志』, 元 陸友仁 :『說郛』 ;『총서집성초편』 3887·3888 所收.[222]

『燕石集』, 元 宋褧 :『사고전서』 별집(영인본1212책) ;『北京圖書館古籍珍本叢刊』 92 소수.

『燕翼貽謀錄』, 宋 王林 :『사고전서』 雜史(영인본407책) 소수.

『延祐四明志』, 元 袁桷 :『송원방지총간』 6 ;『사고전서』 사부(영인본491책) 소수.

『剡源戴先生文集』(剡源集, 剡源文集), 元 戴表元 :『사부총간』 初編 ;『사고전서』 별집(영인본
　　　　1194책) ;『叢書集成』 초편 소수.

---

218) 이의 譯注로 李守奎,『揚子法言譯注』, 黑龍江人民出版社, 2002 ; 朴勝珠,『譯注揚子法言』, 傳統文化研究
　　　所, 2017이 있다.

219) 이의 번역으로 陳奇猷,『呂氏春秋校釋』, 學林出版社, 1984 ; 楠山春樹,『呂氏春秋』, 明治書院, 1996 ;『呂
　　　氏春秋新校釋』, 上海古籍出版社, 2002 ; 張玉春 等編,『呂氏春秋譯注』, 黑龍江人民出版社, 2002가 있다.

220) 이에는 佛典名이『歷代釋氏資鑑』으로 되어 있다.

221)『사부총간』에 수록된『程氏演繁露』는 10권으로 된 殘本이다.

222) 이의 活字本으로『研北雜志』, 中華書局, 1991이 있다.

『永覺和尙廣錄』, 明 永覺元賢 述, 爲霖道霈 編 : 『禪宗全書』 20 소수.

『永樂大典』, 明 解縉 等編 : 『永樂大典』 730권, 20函, 202册, 北京, 중화서국, 1959~60 ; 『永樂
　　大典』 67권, 2函, 20册, 北京, 중화서국, 1986년(合綴 797권 16책) ; 『重編影印永樂大典』
　　742권 10책, 臺灣, 大化書局, 1985.[223]

『嶺外代答』, 宋 周去非 : 國學文庫42編, 北平, 文殿閣書莊, 1937.[224]

『寧波府簡要志』 : 『四庫全書存目叢書』 史部 174책 소수.

『永平府志』, 淸 宋琬 等編 : 1711년(康熙50) 版本.[225]

『嶺表錄異』, 唐 劉恂 : 『사고전서』 지리(영인본589책) 소수.

『禮記』 : 『사부총간』 三編 ; 『十三經注疏』(阮元 編, 漢裝本) 소수.[226]

『禮記正義』 : 影印南宋越刊八行本, 北京大學出版社, 2014.

『禮記注疏』, 漢 鄭玄·唐 孔穎達 : 『사고전서』 禮(영인본115·116책) 소수.

『禮部集』 → 『吳正傳先生文集』.

『禮書』, 宋 陳祥道 : 『사고전서』 禮(영인본130책) 소수.

『預章文集』 → 『羅預章先生文集』.

『豫章黃先生文集』(豫章文集), 宋 羅從彦 : 『사부총간』 초편 ; 『사고전서』 별집(영인본1135책) 소수.

『醴泉筆錄』 → 『嘉祐雜誌』.

『五家語錄』, 明 圓信·郭凝之 : 『日本續藏經』 1-2-5(24册) 소수.

『梧溪集』, 元 王逢 : 『北京圖書館古籍珍本叢刊』 95 ; 『사고전서』 별집(영인본1218책) 소수.

『吳郡圖經續記』, 宋 朱長文 : 『송원방지총간』 1 ; 『사고전서』 지리(영인본484책) 소수.

『吳郡志』, 宋 范成大 : 『송원방지총간』 1 ; 『사고전서』 史部(영인본485책) 소수.

『五代史記』 → 『新五代史』.

『五代會要』, 宋 王溥 : 『사고전서』 政書(영인본607책) ; 『총서집성초편』 829~832 ; 『신편총
　　서집성』 28 소수. 臺北, 世界書局, 1970 : 上海, 古籍出版社, 1978.

『五燈會元』, 宋 釋普濟 : 『사고전서』 釋家(영인본1053책) 소수.[227]

---

223) 그 외에 東洋文庫, 『永樂大典』 권19, 416~19, 426, 5책, 1930, 縮小影印 ; 京都大學人文科學研究所, 『永
　　樂大典』 권665~666, 1973 ; 天理大學出版部, 『永樂大典』 권908~909 등 16권, 八木書店, 1980 ; 文廷
　　式, 『經世大典輯本二卷』(『永樂大典』 권4,972, 권13,345, 권1,119, 권7,511, 淸抄本, 京都府立圖書館所藏,
　　『羅氏雪堂藏書遺珍』 7 所收)이 있다(張東翼 2005년).

224) 이의 교주로 屠友祥, 『嶺外代答』, 上海遠東出版社, 1996 ; 楊武泉, 『嶺外代答校注』, 中外交通史籍叢刊16,
　　중화서국, 1999이 있다.

225) 이는 董輝會 等編, 『秦皇島歷代志書校注』 7, 中國電計出版社, 2001에 수록되어 있다.

226) 이의 번역, 색인으로 王夢鷗, 『禮記今注今譯』, 臺灣 商務印書館, 1969(中國語) ; 竹內照夫, 『禮記』, 新
　　釋漢文大系27~29, 明治書院, 1971 ; 劉殿爵, 『禮記逐字索引』, 商務印書館, 1993이 있다.

227) 이의 점교, 훈독으로 蘇淵雷, 『五燈會元』, 中華書局, 1982 ; 能仁晃道, 『訓讀五燈會元』, 禪文化研究所,

『五燈會元續略』, 明 淨柱 :『日本續藏經』第1輯 第2編乙 第11套, 第5册(2책) 소수.

『吳文正公集』(吳文正集, 臨川吳文正公集), 元 吳澄 :『원인문집진본총간』3·4 ;『사고전서』별
　　집(영인본1197책) 소수.

『五百家注柳先生集』→『柳河東集』.

『五百家播芳大全文粹』, 宋 魏齊賢 :『사고전서』總集(영인본1352·1353책) 소수.

『吳淵穎集』(淵穎集), 元 吳萊 :『사고전서』별집(영인본1209책) 소수.[228]

『吳王張士誠載記』, 民國 支偉成 輯 : 上海 大中書局, 1930.[229]

『吳越備史』, 宋 錢儼 :『사부총간』속편 ;『사고전서』載記(영인본464책) 소수.

『吳子』, 周 吳起 :『사고전서』兵家類(영인본726책) ;『총서집성초편』939 소수.[230]

『吳正傳先生文集』(吳禮部集, 禮部集), 元 吳師道 :『사고전서』별집4(영인본1212책 ;『元代珍本
　　文集彙刊』;『北京圖書館古籍珍本叢刊』93 소수.[231]

『五朝名臣言行錄』(宋名臣言行錄), 朱熹 :『사부총간』초편 ;『사고전서』傳記類(영인본449책)
　　소수.

『五總志』, 宋 吳坰 :『사고전서』雜家(영인본863책) ;『총서집성초편』295 ;『전송필기』5-1
　　소수.

『玉溪生詩詳注』:『玉溪生詩醇』, 中華書局, 2008.[232]

『玉岑山慧因高麗華嚴教寺志』, 淸 李翥 : 木版本(1881年 刊本) ;『中國佛教寺志彙刊』1-20, 臺北,
　　明文書局 1980 소수.

『玉牒』→『唐寧宗實錄』.

『玉篇』, 南朝 梁 顧野王 :『총서집성초편』1054～1057 소수.

『玉海』, 宋 王應麟 :『사고전서』類書(영인본947책) 소수 ; 江蘇古籍出版社, 1988 ; 廣陵出版社, 2003.[233]

2006이 있다.

228) 이의 점교로 張文澍 編,『吳萊集』, 吉林文史出版社, 2010이 있다.

229) 이는 北京圖書館 編,『北京圖書館藏珍本年譜叢刊』36, 1999에도 수록되어 있다. 또 이 책에서 至正年
　　間의 時期를 西曆으로의 계산한 것에는 誤謬가 있으니 바르게 고쳐야 할 것이다(例, "癸巳, 元至正十
　　三年, … 西曆紀元一三二七年一三六三年'. 添字와 같이 고쳐야 옳게 된다). 또 載記는 正史의 世家와 같은
　　성격을 지닌 것으로 正統性을 가진 王朝가 아니고 地方에 割據하였던 政治集團에 대한 기록이다.
　　・『후한서』권40上, 班彪列傳第30上, 固, "… 顯宗甚奇之, 召詣校書部, 除蘭臺令史, 與前睢陽令陳宗·長
　　　陵令尹敏·司隷從事孟異共成世祖本紀. 遷郞, 典校祕書. 固又撰功臣平林·新市·公孫述事, 作列傳·載記二
　　　十八篇, 奏之. 帝乃復使終成前所著書'.
　　・『廿二史箚記』권1, 各史例目異同, 世家, "… '晋書'於僭僞諸國數代相傳者, 不曰世家, 而曰載記, 蓋以·
　　　劉·石·苻·姚諸君, 有稱大號者, 不得以侯國例之也…".

230) 이의 색인으로 劉殿爵 等編,『兵書四種逐字索引』, 商務印書館, 1992가 있다.

231) 이의 점교로 邱居里,『吳師道集』, 吉林文史出版社, 2008이 있다.

232) 이 책은 李商隱(813～858 推定)의 詩 156首에 대한 注釋書이다.

『玉壺野史』(玉壺清話), 宋 釋文瑩 :『사고전서』小說(영인본1037책) ;『玉壺清話』(叢書集成初編
  所收).

『王右丞集箋注』, 唐 王維 :『사고전서』별집1(영인본1071책) 소수.[234]

『王忠文公文集』(王忠文集), 明 王褘 :『사고전서』별집5(영인본1226책) ;『北京圖書館古籍珍本
  叢刊』98 소수.

『王荊公文集』(臨川文集), 王安石 :『사부총간』초편 소수.[235]

『王荊公詩注』, 王安石 :『사고전서』별집2(영인본1106책) 소수.

『溫國文正公文集』, 司馬光 :『사부총간』초편 ;『총서집성초편』1917~1920 소수.

『宛委別藏』, 淸 阮元 : 江蘇古籍出版社, 1988.

『玩齋集』(貢禮部玩齋集), 元 貢師泰 :『사고전서』별집(영인본1215책) 소수.[236]

『遼代金石錄』, 民國 黃任伯 :『石刻史料新編』10, 新文豊出版社 소수.

『遼大臣年表』, 淸 萬斯同 : 開明書局, 中華書局 編,『二十五史補編』, 1956年.

『遼東行部志』, 金 王寂 :『國學文庫』第二編, 1933. 楊循吉 等編,『遼海叢書』15, 遼海書社, 1987 ;
  『續修四庫全書』地理類 731책 소수.[237]

『遼史』:百衲本 ; 中華書局, 1985 ; 修訂本 2016.[238]

『遼史考異』, 淸 錢大昕 :『遼史彙編』, 鼎文書局, 1973.

『遼史紀事本末』, 淸 李有棠 :『續修四庫全書』紀事本末類 388책 소수.

『遼史拾遺』, 淸 厲鶚 :『사고전서』史部(영인본289) 소수 ;『遼史彙編』, 鼎文書局, 1973.

『遼史拾遺補』, 淸 楊復吉 :『遼史彙編』, 鼎文書局, 1973.

『遼諸帝系統圖』, 淸 萬斯同 : 開明書局, 中華書局 編,『二十五史補編』, 1956年.

『遼志』, 宋 葉隆禮 :『說郛』권86 소수.[239]

『遼史拾遺補』, 淸 楊復吉 :『遼史彙編』, 鼎文書局, 1973.

『容齋隨筆』, 宋 洪邁 :『사부총간』속편 ;『전송필기』5-5·6 소수.[240]

---

233) 이 책에 대한 연구로 武秀成,『玉海藝文檢證』, 鳳凰出版社, 2013이 있다.

234) 이의 箋注로『王右丞集箋注』, 上海古籍出版社, 1961 ;『王右丞集箋注』, 臺北 中華書局,『王右丞集箋注』,
  1970 ;『王右丞集箋注』, 臺北 河洛圖書出版社, 1975가 있다.

235) 이의 箋注로 李之亮,『王荊公文集箋注』, 巴蜀出版社, 2004가 있다.

236) 이의 점교로 邱居里 等編,『孔氏三家集』, 吉林文史出版社, 2010이 있다.

237) 이는 淸 宣統年間(1909~1911)에 간행된 繆荃孫,『藕香零拾』32(出版社 不明)을 轉載한 것이다.

238) 이의 색인으로 若城久治郎,『遼史索引』, 東方文化學院 京都研究所, 1937 ; 曾貽芬·崔文印,『遼史人名索
  引』, 中華書局, 1982가 있다(張東翼 2002년). 또 번역으로 金渭顯,『國譯遼史』, 檀國大學出版部, 2012
  가 있다.

239)『遼志』는『契丹國志』의 다른 표기이다.

240) 이의 점교로 孔凡禮,『容齋隨筆』, 中華書局, 2005가 있다.

『羽庭集』, 元 劉仁本 :『사고전서』 잡가(영인본864책) 소수.

『寓簡』, 宋 沈作喆 :『사고전서』 잡가(영인본864책) ;『총서집성초편』 296 소수.

『友會談叢』, 宋 上官融 :『신편총서집성』 82 소수.

『郧溪集』, 宋 鄭獬 :『사고전서』 별집(영인본1097책) ;『총서집성속편』 101 ;『宋集珍本叢刊』
　　15 소수.

『雲笈七籤』, 宋 張君房 :『사고전서』 道家(영인본1060·1061책) 소수.

『雲麓漫鈔』, 宋 趙彦衛 :『사고전서』 잡가(영인본864책) ;『총서집성초편』 298～298 ;『전송
　　필기』 6-4 소수.[241]

『雲林集』(貢文靖雲林集), 元 貢奎 :『사고전서』 별집(영인본1205책) ;『北京圖書館古籍珍本叢刊』
　　92 소수.[242]

『韻語陽秋』, 宋 葛立方 :『사고전서』 詩文評(영인본1479책) 소수.

『雲莊四六餘話』, 宋 楊困道 :『叢書集成』 초편 소수.

『元高麗紀事』 : 筆寫本 ; 倉聖明智大學,『廣倉學窘叢書』 甲類第2集, 1917 ; 國學文庫43編, 北平,
　　文殿閣書莊, 1937 ;『史料四編元高麗紀事』, 廣文書局, 1972(以上의 3種은 同一版本이다).[243]

『元曲選』, 明 臧懋循 : 중화서국, 1996.[244]

『元宮詞』, 明 周王[周憲王] 朱有炖 :『四庫全書存目叢書』 集部 24책 소수.

『元文類』 →『國朝文類』.

『元史』 : 百衲本 ; 中華書局, 1976.[245]

『元史紀事本末』, 明 陳邦瞻 :『사고전서』 史部(영인본353책) 소수 ; 影印本(光緖13, 廣雅書局版) ;
　　中華書局, 1976 ;『續修四庫全書』 紀事本末類 389책 소수.

『元史本證』, 淸 王輝祖 :『續修四庫全書』 史部 293책 소수.

『元史類編』, 淸 邵遠平 : 漢裝本.

---

241) 이의 점교로 傅根淸,『雲麓漫鈔』, 중화서국, 1996이 있다.

242) 이의 점교로 邱居里 等編,『孔氏三家集』, 吉林文史出版社, 2010이 있다.

243) 이 책은『永樂大典』 4,446에 引用되어 있는『經世大典』 政典, 征伐의 내용을 中華民國[民國] 초기에
　　발췌, 정리한 것을『元高麗紀事』라는 이름으로 단행본이 만들어졌다. 이를 活字로 간행한 國學文庫
　　本, 倉聖明智大學本(上海, 1917)이 현재 사용되고 있지만, 誤字, 脫字가 많이 찾아지므로 筆寫本을 參
　　照하는 것이 좋을 것이다. 또 1331년(至順2)에 완성된『經世大典』이 편찬될 때 몽골제국의 요청에
　　의해 고려가 麗·蒙 交涉의 記錄을 提供하였다. 그래서『經世大典』→『元史』·『永樂大典』→『元高麗
　　紀事』 등으로 이어지면서 記事 發生의 時点空間[時期]이 中原[蒙古帝國]인 것, 韓半島[高麗]인 것이 混
　　在되어 있기에, 이의 分別에 조심해야 한다(張東翼 2005년). 그리고 이의 譯注로 李鎭漢 等,『譯註元
　　高麗紀事』, 선인, 2008이 있어 크게 有用하다.

244) 이의 교주로 王學奇 等編,『元曲選校注』, 河北敎育出版社, 1994가 있다.

245) 이의 색인으로 京都大學 文學部,『元史語彙集成』 上·中·下, 1961이래 ; 京都大學 人文科學硏究所,『元
　　史百官志索引』, 1996 ; 姚景安,『元史人名索引』, 中華書局, 1982가 있다(張東翼 2001년).

『元史續編』, 明 胡粹中 : 漢裝本.

『元史氏族表』, 清 錢大昕 :『續修四庫全書』史部 293책 소수.

『元史新編』, 清 魏源 :『續修四庫全書』別史類 314책 소수.

『元史節要』, 明 張九韶 :『四庫全書存目叢書』史部 131책 소수.

『元書』, 清 曾廉 : 層漪堂, 1911년(宣統3) 刊本.

『元詩選』(元詩選癸集), 清 顧嗣立 : 1888년(光緒14) 刊本 ;『사고전서』총집(영인본1469책) 소수.[246]

『元詩體要』, 明 宋公傳 :『사고전서』총집(영인본1372책) 소수.

「元辛卯會試題名記」 → 「至正十一年進士題名記」.

『元氏掖庭記』, 明 陶宗儀 :『說郛』권110上 소수(『사고전서』잡가, 영인본882책 소수)

『元一統志』 → 『大元一統志』.

『元典章』 → 『大元聖政國朝典章』.

『元朝名臣事略』 → 『國朝名臣事略』.

『元朝秘史』 → 『蒙古秘史』.

『元豊九域志』, 宋 王存 : 1781년(乾隆49) 刊本 ;『사고전서』史部(영인본471책) 소수.[247]

『元豊類藁』, 宋 曾鞏 : 1763년(建隆28)의 刊本 ;『사부총간』집부 ;『사고전서』별집(영인본
　　1098책) ;『宋集珍本叢刊』10, 11 소수.[248]

『元風雅』 → 『皇元風雅』.

「元統元年進士錄」 : 徐乃昌,『宋元科舉三錄』, 1923 ;『北京圖書館古籍珍本叢刊』21, 書目文獻出
　　版社 소수.

『元行省丞相平章政事年表』, 民國 吳廷燮 :『二十五史補編』6冊, 中華書局, 1956.

『元憲臺通紀』, 元 趙承禧 :『永樂大典』권02608, 09, 10, 11, 臺字, 御史臺(影印本, 東洋史學會,
　　東洋史研究叢刊3, 1938).[249]

『元婚禮貢舉考』 :『古學彙刊』二編, 1912.

『元和郡縣圖志』(元和郡縣志), 唐 李吉甫 :『사고전서』지리(영인본468책) 소수.

『月令』 :『四庫全書珍本初集』소수.

『月令解』, 宋 張虙 :『사고전서』禮(영인본116책) 소수.

『衛公兵法輯本』, 清 汪宗沂 : 光緒本 ;『총서집성초편』941 소수[250]

---

246) 이의 活字本으로『元詩選』, 中華書局, 2014 ;『元詩選注』, 中州古籍出版社, 1991이 있다.

247) 이의 색인으로 嶋居一康,『元豊九域志索引』, 中文出版社, 1976이 있고, 附錄으로『元豊九域志』, 影印本
　　이 添附되어 있다. 또 교주로 王文楚,『元豊九域志』, 中華書局, 1984가 있다.

248)『사부총간』의『元豊類藁』는 誤字가 매우 많다.

249) 이의 點校로 王曉欣,『憲臺通紀』, 外三種, 浙江古籍出版社, 2002 ; 洪金富,『元代臺憲文書匯編』, 中央研
　　究院歷史語言研究所, 2003이 있다.

『渭南文集』, 宋 陸游：『사부총간』 초편 ; 『사고전서』 별집(영인본1163책) ; 『宋集珍本叢刊』 47 所收[251]

『緯略』, 宋 高似孫：『사고전서』 잡가(영인본852책) ; 『총서집성초편』 308～309 ; 『전송필기』 6-5 소수. 臺北 廣文書局, 1970.

『魏書』：中華書局, 修訂本, 2017.

『危太樸文續集』, 元 危素：『元人文集珍本叢刊』 7 소수.

『危太樸雲林集』(說學齋稿), 元 危素：『원인문집진본총간』 7 ; 『사고전서』 별집(영인본1226책) 소수.

『庾開府集箋注』, 北周 庾信：『사고전서』 별집(영인본1064책) 소수.

『柳待制文集』(待制集), 元 柳貫：『사부총간』 초편 ; 『사고전서』 별집(영인본1210책) 소수.

『遺山先生文集』(遺山先生集, 遺山集), 金 元好問：『사부총간』 초편 ; 『사고전서』 별집(영인본1191책).[252]

『遊城南記』, 宋 張禮：『사고전서』 지리(영인본593책) ; 『전송필기』 3-1 소수.

『酉陽雜俎』, 唐 段成式：『사고전서』 小說(영인본1047책) ; 『총서집성초편』 276～278 소수.

『游宦記聞』, 宋 張世南：『사고전서』 잡가(영인본864책) ; 『신편총서집성』 87 소수.

『六臣註文選』：『사부총간』 초편 ; 『사고전서』 總集(영인본1330·1331책) 소수 ; 中華書局, 1987.[253]

『六十四卦經解』, 清 朱駿聲：中華書局(혹은 古籍出版社), 1958.

『陸氏南唐書』 → 『南唐書』.

『六祖壇經』, 唐 慧能：『中國佛教叢書』 禪宗編1 소수.[254]

『隆平集』, 宋 曾鞏：『사고전서』 別史(영인본371책) 소수.[255]

『飲膳正要』, 元 忽思慧：『사부총간』 續編, 子部 ; 『飲膳正要』, 商務印書館, 1924 ; 『續修四庫全書』 譜錄類 1115책 소수.[256]

『飲氷室全集』, 清 梁啓超：『飲氷室合集』, 上海 中華書店.

『猗覺寮雜記』. 宋 朱翌：『사고전서』 잡가(영인본850책) ; 『총서집성초편』 284 소수.

『儀禮』, 漢 鄭玄：『사부총간』 초편 ; 『十三經注疏』(阮元 編, 漢裝本) ; 『총서집성초편』 998·999 소수.[257]

---

250) 衛公은 唐代의 將帥였던 李靖(571～649)을 가리킨다.

251) 이의 교주로 潘新國, 『陸游全集校注』, 浙江教育出版社, 2011 ; 馬亞中, 『渭南文集校注』, 浙江教育出版社, 2015가 있다.

252) 이의 교주로 朱烈孫, 『元遺山文集校補』, 巴蜀書社, 2013이 있다

253) 이의 교주로 俞紹初 等編, 『新校訂六家注文選』, 鄭州大學出版社, 2013이 있다.

254) 이의 注釋으로 釋智海, 『六祖壇經註解』, 臺灣 佛學書局, 1922가 있다.

255) 이의 교주로 王瑞來, 『隆平集校注』, 中華書局, 2012가 있다.

256) 이의 번역으로 조병채, 『飲膳正要』, 자유문고, 1987이 있다.

257) 이의 색인으로 野間文史, 『儀禮索引』, 中國書店, 1988 ; 何志華, 『儀禮逐字索引』, 商務印書館, 1994가 있다.

『儀禮疏』(儀禮注疏), 唐 賈公彦 疏 : 『사부총간』 속편 ; 『사고전서』 禮(영인본102책) 소수.

『儀眞縣志』 : 隆慶刊, 康熙32年刊

『夷堅支志』, 宋 洪邁 : 『사고전서』 小說家類(영인본1047책) 소수.[258]

『摛文堂集』, 宋 慕容彦逢 : 『사고전서』 별집(영인본1123책) ; 『叢書集成』 속편 소수.

『夷白齋稿』, 元 陳基 : 『사부총간』 집부 ; 『사고전서』 별집(영인본1222책) 소수.

『伊濱集』, 元 王沂 : 『사고전서』 별집(영인본1208책) 소수.

『爾雅注疏』, 西晉 郭璞 注, 宋 邢昺 疏 : 『사고전서』 小學類(영인본221책) ; 『총서집성초편』 1139 소수.[259]

『李衛公問對』, 唐 李靖 : 『사고전서』 兵家類(영인본726책) 소수.

『史學指南』(習吏幼學指南), 元 徐元瑞 : 上海古籍出版社, 2002.[260]

『二十五史補編』 : 臺北 開明書店, 1967.

『廿二史考異』, 淸 錢大昕 : 『叢書集成初編』 3543~3552 ; 中華書局, 1984 ; 『續修四庫全書』 史評類 454책 소수.

『廿二史箚記』, 淸 趙翼 : 『叢書集成初編』 3543~3552 ; 中華書局, 1984 ; 『續修四庫全書』 史評類 453책 소수.[261]

『異域志』, 元 周致中 : 『筆記小說大觀』 20 소수.[262]

『李義山詩集』・『李義山文集箋註』, 唐 李商隱 : 『사고전서』 별집(영인본1082) 소수 → 『樊南文集』.

『二程遺書』, 宋 程顥・程頤 : 『사고전서』 儒家(영인본698책) ; 『총서집성초편』 622~625 소수 ; 『二程集』, 中華書局, 1981.[263]

『李太白文集』, 唐 李白 : 『사고전서』 별집(영인본1066책) 소수.[264]

『吏學指南』, 元 徐元瑞 : 『居家必用事類全集』 辛集 ; 『續修四庫全書』 소수.[265]

『仁王護國般若波羅蜜經』(仁王經), 鳩摩羅什 譯 : 『大正新脩大藏經』 제8권, 般若經部4 소수. 他本 조사요망

---

258) 이의 역주로 齊藤 茂 等編, 『夷堅志譯注』, 汲古書院, 2014 以來가 있다.

259) 이의 번역으로 崔亨柱, 『이아주소』, 自由文庫, 2001 ; 李忠九 等編 『이아주소』, 소명출판, 2002가 있다.

260) 이의 번역으로 鄭光 等編, 『吏學指南』, 태학사, 2002가 있다.

261) 이의 교정, 번역으로 杜維運 『校證補編廿二史箚記』, 華世出版社, 1977 ; 朴漢濟, 『廿二史箚記』, 소명, 2009 가 있다.

262) 『異域志』 上下 2권은 200餘個의 國家를 간단히 소개한 책자이다. 그 중에 重複된 것도 있고, 국가를 이루지 못한 지역 또는 정치집단, 假想의 국가도 있다. 또 내용적으로 사실과 부합되지 않는 서술도 있다.

263) 이의 점교로 『二程集』, 中華書局, 2006이 있다.

264) 이의 점교로 『李太白文集』, 上海古籍出版社, 1994가 있다.

265) 이의 번역으로 鄭光 等譯, 『吏學指南』, 태학사, 2002가 있다.

『麟原文集』, 元 王禮 :『사고전서』別集(영인본1220책) 소수.

『人天寶鑑』, 宋 釋曇秀 :『日本續藏經』第1輯 第2編乙 第21套 第1册 ;『佛教史料叢書』3, 한국정신문화연구원, 1980 소수.

『日知錄』, 淸 顧炎武 :『사고전서』雜家(영인본858책) 소수.

『日下舊聞考』(→『欽定日下舊聞考』).

『林間錄』, 宋 釋慧洪 :『사고전서』釋家(영인본1052책) ;『日本續藏經』1-2乙-22套-4 ;『禪宗全書』32 ;『佛教要籍選刊』11 ;『中國佛教叢書』禪宗編 11 소수.[266]

『林泉高致集』, 宋 郭熙 :『사고전서』藝術(영인본812책) 소수.

『臨川文集』(王莉公文集), 王安石 :『사고전서』別集(영인본1105책) 소수.

『臨濟錄』, 唐 義玄圓寂 : 大藏出版, 1977.[267]

ㅈ

『自警篇』, 宋 趙善璙 :『사고전서』雜家類(영인본875책) 소수.

『滋溪文稿』, 元 蘇天爵 : 中央圖書館景印舊鈔本 ;『사고전서』別集(영인본1214책) 소수.

『紫山大全集』, 元 胡祗遹 :『사고전서』別集(영인본1196책) 소수. ; 中文出版社, 1985.

『資治通鑑』, 司馬光 :『사부총간』초편 ;『사고전서』編年(영인본304~310책) 소수 ; 上海古籍出版社, 1994 ; 中華書局, 1956.[268]

『資治通鑑綱目』(通鑑綱目), 朱熹 :『御批資治通鑑綱目』, 臺灣, 商務印書館, 1983 ;『資治通鑑綱目』, 아름출판사, 2002.

『資治通鑑考異』, 司馬光 :『사고전서』編年(영인본311책) 소수.

『資治通鑑釋文辨誤』, 元 胡三省 :『사고전서』編年(영인본312책) 소수

『資治通鑑補』, 明 嚴衍 : 廣文書局 ; 中華書局, 2013 ;『續修四庫全書』編年類 336책 소수.

『資治通鑑音注』, 元 胡三省 注 :『사고전서』編年(영인본304~310책) 소수

『慈湖遺書』, 宋 楊簡 :『사고전서』別集(영인본1156책) 소수.

『潛然居士文集』, 元 耶律楚材 :『사고전서』別集(영인본1191책) 소수.

『潛研堂文集』, 淸 錢大昕 : 木版本 ;『사부총간』3편.

『潛研堂金石文跋尾』 : 木版本 ;『續修四庫全書』金石類 891책 소수.

---

266) 이의 번역으로 聖哲,『林間錄』, 藏經閣, 1987이 있다.

267) 이의 번역으로 山田無文,『臨濟錄』, 禪文化研究所, 1984 ; 백련선서간행회,『臨濟錄』, 藏經閣, 1987이 있다.

268) 이의 교주, 색인, 번역으로 李宗侗 等編,『資治通鑑今註』, 臺灣, 1956 ; 楊家駱 等編,『新校資治通鑑注』, 世界書局, 1977 ; 佐伯 富,『資治通鑑索引』, 東洋史研究會, 1961 ; 權重達,『國譯資治通鑑』, 三和, 2007 이래가 있다.

『張可久詩集』, 元 張可久 : 隋樹森 編 1964年 『全元散曲』, 中華書局 소수.

『張光弼詩集』(可閒老人集), 元 張昱(字는 光弼) : 『사부총간』 속편 ; 『사고전서』 별집(영인본 1222책) 소수.

「張百戶墓碑銘」 : 『滿洲金石誌』, 『석각사료신편』 1-23 소수.[269]

『莊子』 : 『莊子集解』, 1909년(宣統1) ; 『莊子集釋』, 中華書局, 1982 ; 『莊子補正』, 中華書局, 2015.[270]

『赤城志』 → 『嘉定赤城志』.

『積齋集』, 元 程端學 : 『사고전서』 별집(영인본1212책) ; 『叢書集成』 속편 소수.

『戰國策』, 漢 高誘 : 『사고전서』 雜史(영인본406책) 소수.[271]

『戰國策注』, 宋 鮑彪 : 『사고전서』 雜史(영인본406책) 소수.

『戰國策校注』, 元 吳師道 : 『사고전서』 雜史(영인본407책) 소수.

『錢塘先賢贊』, 宋 袁韶 : 『사고전서』 傳記(영인본451책) 소수.

『全唐詩』, 淸 官撰 : 『사고전서』 總集(영인본1423～1431책) 소수.[272]

『錢唐遺事』, 元 劉一淸 : 『사고전서』 사부(영인본408책) 소수 ; 영인본上海古籍出版社, 1985.

『傳燈錄』 → 『景德傳燈錄』.

『剪燈餘話』, 明 李昌祺 : 『古本小說叢刊』 5-1, 中華書局, 1990.

『典論』, 魏 文帝(曹丕) : 『叢書集成』 초편 소수.

『前漢紀』(漢紀), 漢 荀悅 : 『사고전서』 編年(영인본303책) 소수.

『錢通』, 明 胡我琨 : 『사고전서』 政書(영인본662책) 소수.

『浙江通志』, 淸 沈翼機 等撰 : 『사고전서』 지리(영인본519～526책) 소수.

『靖康要錄』, 宋 著者不明 · 『사고전서』 編年(영인본329책) ; 『신편총서집성』 116 소수.[273]

『貞居先生詩集』 → 『句曲外史貞居先生詩集』.

『貞觀政要』, 唐 吳兢 : 『사부총간』 속편 ; 『사고전서』 雜史(영인본407책) 소수.[274]

---

269) 이 자료는 현재의 遼寧省 金州市 金州鎭(大連市의 동북쪽에 위치)에서 1924년에 발견된 新附軍百戶 張成의 묘비이다. 이는 羅福頤 編, 『滿洲金石誌』, 1937에 수록되어 있고, 岩間德也一, 『元張百戶墓碑考』, 1925 ; 川上市太郎 編, 『元寇史蹟』 地, 1941에 인용되어 있다.

270) 이의 색인, 點校, 注釋으로 劉殿爵, 『莊子逐字索引』, 商務印書館, 2000 ; 方勇 點校, 『南華經心編』, 中華書局, 2013 ; 李葆華 等編, 『莊子譯注』, 黑龍江人民出版社, 2002 ; 金正鐸, 『莊子譯註篇』, 成均館大學出版部, 2019 ; 李錫浩 『莊子』, 明文堂, 2020이 있다.

271) 이의 번역으로 張淸常, 『戰國策箋注』, 南開大學出版社, 1993 ; 李相玉, 『新譯戰國策』, 明文堂, 2000 ; 林東錫, 『譯註戰國策』, 전통문화연구회, 2002이래가 있다.

272) 이의 索引, 點校로 『全唐詩索引』, 上海古籍出版社, 1993 ; 陳抗 等編, 『全唐詩索引』, 中華書局, 1992 ; 秦皇, 『全唐詩索引』, 現代出版社, 1995 ; 『全唐詩著者索引』, 中華書局, 2000 ; 喩朝剛 等編, 『全唐詩』, 遼寧 人民出版社, 1994가 있다.

273) 이의 箋注로 汪藻, 『箋注靖康要錄』, 四川大學出版社, 2008이 있다.

274) 이의 번역, 색인으로 原田種成, 『貞觀政要』, 『貞觀政要語彙索引』, 汲古書院, 1975年 ; 『貞觀政要』 新釋

『正德大明會典』, 明 李東陽·徐溥 等撰 : 영인본, 汲古書院, 1989.

『正德松江府志』, 明 顧淸 等撰 :

『程氏演繁露』 → 『演繁露』.

『貞元新譯華嚴經疏』, 唐 釋證观 : 神奈川縣 橫濱市 金澤區 金澤町 212 稱名寺 金澤文庫 所藏本.

『貞元新定釋敎目錄』(貞元錄), 唐 釋圓照 : 『大正新脩大藏經』 제54권, 目錄部 소수.

『鄭忠肅奏議遺集』, 宋 鄭興裔 : 『사고전서』 별집(영인본1140책) 소수.

『政和五禮新儀』, 宋 鄭居中 等撰 : 『사고전서』 政書(영인본647책) 소수.

『濟南金石志』, 淸 馮雲鵷 : 『石刻史料新編』 2 소수.

『諸蕃志』, 宋 趙汝适 : 『叢書集成』 초편 3272 소수.[275]

『齊民要術』, 後魏 賈思勰 : 『사부총간』 초편 ; 『사고전서』 農家(영인본730책) ; 『총서집성초편』 1459~1460 소수.

『濟北晁先生雞肋集』(雞肋集), 宋 晁補之 : 『사부총간』, 初集 ; 『사고전서』 별집(영인본1118책) 소수.

『諸臣奏議』 → 『皇朝名臣奏議』.

『徂徠文集』, 宋 石介 : 淸 張位 鈔本, 『宋珍本叢刊』 4 소수.[276]

『曹祠部集』, 唐 曹鄴 : 『사고전서』 별집(영인본1083책) 소수.

『朝野僉載』, 唐 張鷟 : 『사고전서』 별집(영인본1037책) 소수.

『存復齋文集』, 元 朱德潤 : 『사부총간』 續編 ; 『涵芬樓秘笈』 5, 上海商務印書館, 1919 소수.

『存復齋續集』, 元 朱德潤 : 『사부총간』 續編 ; 『涵芬樓秘笈』 5 소수.

『存悔齋稿』, 元 龔璛 : 『사고전서』 별집(영인본1199책) 소수.

『周禮注疏』, 漢 鄭玄 : 『사부총간』 초편 ; 『사고전서』 禮(영인본90책) 소수.[277]

『朱文公文集』(晦庵集), 朱熹 : 『사부총간』 초편 ; 『사고전서』 별집(영인본1143~1146책) 소수.

『周易』 : 『사부총간』 초편 소수.[278]

『周易本義』, 朱熹 : 『사고전서』 易類(영인본12책) 소수 ; 中華書局, 2009.

『周易傳義大全』, 明 胡廣 : 『사고전서』 易類(영인본28책) 소수.

『周易注疏』, 唐 孔穎達 : 『사고전서』 易類(영인본7책) 소수.

漢文大系95~96, 明治書院, 1979 ; 葉光大 等, 『貞觀政要譯註』, 四川人民出版社, 1986이 있다.

275) 이의 譯注로 藤善眞澄, 1991年 『諸蕃志』, 關西大學出版部, 1991이 있다.

276) 이의 점교로 陳植鍔, 『徂徠石先生文集』, 중화서국, 1984가 있다.

277) 이의 색인, 번역으로 野間文史, 『周禮索引』, 中國書店, 1989 ; 本田二郞, 『周禮通釋』, 秀英出版, 1977이 있다.

278) 이의 번역, 색인, 標點으로 今井宇三郞, 『易經』 新釋漢文大系』 23, 24, 63, 明治院, 1994 ; 野間文史, 『周易正義訓讀』, 明德出版社, 2011 ; 劉殿爵 等編, 『周易逐字索引』, 商務印書館, 香港, 1995 ; 于天寶, 『宋本周易注疏』, 중화서국, 2018 ; 郭文友, 『周易辭海』, 巴蜀書社, 2005가 있다.

『周易集解』, 唐, 李鼎祚, 淸 孫星衍 : 上海書店, 1988.[279]

『朱子大全』, 宋 朱熹 : 學民文化社, 2004(大田廣域市).

『朱子家禮』, 宋 朱熹 : 소수.[280]

『朱子語類』, 宋 黎靖德 : 『사고전서』 자부(영인본700~702책) 소수. 1473년(成化9)의 明刊本,
　　　臺北, 正中書局, 1962.[281]

『朱子年譜』, 淸 王懋竑 : 『사고전서』 傳記(영인본447책) 소수.

『籌海圖編』, 明 胡宗憲 : 『사고전서』 지리(영인본584) 소수.

『注解傷寒論』(傷寒論註釋), 金 無己 注 ; 『사부총간』 초편 ; 『사고전서』 醫家類(영인본734책)
　　　소수.

『竹莊詩話』, 宋 何谿汶 : 『사고전서』 시문평(영인본1481책) 소수.

『中堂事記』, 元 王惲 : 『秋澗先生大全文集』 소수.

『重光會史』, 著者不名 : 東京都 目墨區 駒場町 尊經閣文庫 所藏의 影印本.[282]

『中說』, 隋 王通 : 『사부총간』 子部 ; 『사고전서』 儒家(영인본696) 소수.

『重修政和證類本草』(證類本草), 唐 愼微 : 『사부총간』 子部 ; 『사고전서』 醫家(영인본740) 소수.

『中庵集』(中庵先生劉文簡公文集), 元 劉敏中 : 『사고전서』 별집(영인본1206책) ; 『北京圖書館古
　　　籍珍本叢刊』 92 소수.[283]

『中吳紀聞』, 宋 龔明之 : 『사고전서』 지리(영인본589책) ; 『신편총서집성』 95 ; 『전송필기』 3-7
　　　소수.

『中庸』 : 『十三經注疏』(阮元 編, 漢裝本) 소수.[284]

『中州集』, 金 元好問 . 『사고전서』 총집(영인본1365책) 所收.[285]

『中興小紀』(中興小曆), 宋 熊克 : 『사고전서』 사부(영인본313책) ; 『신편총서집성』 115 소수 ;
　　　『皇朝中興記事本末』, 北京圖書館出版社, 2005.[286]

---

279) 이의 點校로 黃冕, 『孫氏周易集解』, 中華書局, 1986 ; 王豊先, 『周易集解』, 중화서국, 2016이 있다.

280) 이의 주석으로 細谷惠志, 『朱子家禮』, 明德出版社, 2014가 있다.

281) 이의 점교, 주석으로 王星賢, 『朱子語類』, 중화서국, 2018 ; 垣內景子, 『朱子語類譯注』, 汲古書院, 2007
　　　以來 ; 이주행, 『朱子語類』, 소나무, 2001이 있다.

282) 이 책에 찍힌 印章으로 "經筵", "高麗國十四葉辛巳歲" 藏書, 大宋建中靖國" 元年,大遼乾統元年"이 있
　　　다(張東翼 2004년 696쪽). 또 이의 箋證으로 周延良, 『重光會史箋證』, 齊魯書社, 2010이 있다.

283) 이의 점교로 鄧瑞全, 『劉民中集』, 吉林文史出版社, 2008이 있다.

284) 이의 번역으로 赤塚忠, 『大學·中庸』, 新釋漢文大系2, 明治書院, 1994 ; 金秀吉, 『中庸』, 대유학당, 2019
　　　가 있다.

285) 이의 점교로 朱烈孫, 『元遺山文集校補』. 巴蜀書社, 2013이 있다.

286) 『中興小紀』는 원래 『中興小曆』으로 불렸으나 淸 乾隆帝의 이름[弘曆]을 피하여 前者로 바뀌었다고
　　　한다. 또 이의 原名은 『皇朝中興記事本末』이었다고 한다.

『增補武林舊事』, 宋 周密 :『사고전서』지리(영인본590책) 소수.

『證類本草』 →『重修政和證類本草』.

『芝苑遺編』, 宋 釋元照 :『日本續藏經』第壹輯 第貳編 第拾套 第三冊(1-2-10套-3, -책) 소수.

『芝園集』, 宋 釋元照 :『日本續藏經』1-2-10套-4 (-책) 소수.

『至順鎭江志』, 元 兪希魯 :『송원방지총간』3 소수.

「至正十一年進士題名記」(元辛卯會試題名記) :『金石萃編未刻稿』9 :『石刻史料新編』1-5 ; 徐乃
    昌 編,『宋元科擧三錄』, 1923 ;『北京圖書館古籍珍本叢刊』21, 書目文獻出版社 소수.

『至正金陵新志』, 元 張鉉 :『송원방지총간』6 소수.

『至正崑山郡志』, 元 著者不明 :『송원방지총간』1 소수.

『至正四明續志』, 元 王元恭 :『송원방지총간』7 소수.

『至正直記』, 元 孔齊 : 1559년(嘉靖38) 木版本.[287]

『至正集』, 元 許有任 :『북경도서관고적진본총간』95 ;『사고전서』別集(영인본1211책) 소수.

『直齋書錄解題』, 宋 陳振孫 :『사고전서』目錄(영인본674책) 소수.[288]

『珍席放談』, 宋 高晦叟 :『사고전서』小說家類(영인본1037책) 소수.

『晋書』: 中華書局, 1962 ;『晋書』, 影印本, 汲古書院, 1997.

『晋書』(王隱晋書), 東晋 王隱 :『총서집성초편』3806～3810 ;『九家舊晋書輯本』, 中華書局, 1985.

『集註分類東坡先生詩』(王狀元集註分類東坡先生詩, 東坡詩集註) :『사고전서』別集(영인본11090
    책) 소수 ; 商務印書館, 1929.

ㅊ

「贊皇復縣之記」:『北京圖書館藏中國歷代石刻拓本匯編』48, 中州古籍出版社, 1990 소수.

『昌黎先生文集』(五百家注昌黎先生文集), 唐 韓愈 :『사고전서』별집(영인본1074책) 소수 ; 商務
    印書館, 1929.

『册府元龜』(新編君臣事跡), 宋 王欽若 等撰 : 중화서국, 1960 ;『사고전서』類書類(영인본919
    책) 소수.『宋本册府元龜』, 중화서국, 1989 ;『册府元龜』(校訂本), 鳳凰出版社, 2006.[289]

『天目山志』 →『西天目祖山志』.

『天目中峰和尙廣錄』, 元 中峰明本 :『北京圖書館古籍珍本叢刊』77, 書目文獻出版社, 元刊本 ;
    1624년 日本刊本, 京都 中文出版社, 1984 ;『大日本校訂大藏經』第31套 第6 7冊 ;『佛敎大藏

---

287) 이의 점교로 莊敏 等,『至正直記』, 上海古籍出版社, 1987이 있다.

288) 이의 점교로 顧美華,『直齋書錄解題』, 상해고적출판사, 1987이 있다.

289) 이의 색인으로 宇都宮淸吉 等編,『册府元龜』奉使部·外臣部索引, 東方文化硏究所, 京都, 1938이 있다.

經』73, 佛書書局, 臺北, 1978.[290]

『天如和尙語錄』(天如集?), 元 天如惟則 : 刊年未詳 日本刊本, 京都 中文出版社, 1984.

『天聖令』:『天一閣藏明鈔本天聖令校證』, 天一閣博物館, 2006.[291]

『天下同文』, 元 周南瑞 :『사고전서』 總集(영인본1366책).『國學叢刊』 1～?, 1909년(宣統1)이
래 分載 ;『羅雪堂先生全集』 3編, 文華出版公司.

『泉貨彙攷』, 淸 王錫棨 : 1863年(同治2) 漢裝本 ; 中華書局, 1988.

『輟耕錄』→『南村輟耕錄』.

『鐵崖古樂府』(東維子文集), 元 楊維楨 : 漢裝本;『사부총간』 正編 ;『사고전서』 別集(영인본
1221책) ;『四部備要』, 臺灣 中華書局, 1971 소수.

『鐵圍山叢談』, 宋 蔡絛 :『사고전서』 小說家類(영인본1037책) ;『전송필기』 3-9 소수.

『淸江三孔集』, 宋 孔文仲 :『사고전서』 總集(영인본1345책) ;『송집진본총간』 16 소수.

『淸江貝先生文集』, 元 貝瓊 :『사부총간』 초편 ;『사고전서』 별집(영인본1228책) 소수.[292]

『淸陽文集』(靑陽集), 元 余闕 :『사부총간』 속편 ;『사고전서』 별집4(영인본1214책) 소수.

『淸容居士集』, 元 袁桷 :『사부총간』 초편 ;『사부비요』 ;『사고전서』 별집(영인본1203책) 소수.[293]

『淸異錄』, 宋 陶穀 :『사고전서』 小說家類(영인본1047책) ;『신편총서집성』 86 ;『전송필기』 1-2
소수.

『淸波別志』, 宋 周煇 :『사고전서』 小說家類(영인본1039책) ;『전송필기』 5-9 소수.

『淸波雜志』·『淸波別志』, 宋 周煇 :『사부총간』 廣編 ;『사고전서』 小說家類(영인본1039책) ;『신
편총서집성』 84 소수.

『淸獻集』, 宋 趙抃 :『사고전서』 별집(영인본1094책) ;『송집진본총간』 6 소수.

『淸河集』, 元 元明善 :『續修四庫全書』 1323 소수 ; 上海古籍出版社, 1995.

『苕溪集』, 宋 劉一止 :『사고전서』 별집(영인본1132책) 소수.

『苕溪漁隱叢話』, 宋 胡仔 :

『楚國文憲公雪樓程先生文集』(雪樓集), 元 程鉅夫 : 中央圖書館景印覆刻洪武本 ;『사고전서』 별집
(영인본1202책) 소수.[294]

『楚辭』, 屈原 等編 :『사부총간』 초편 소수.

『草堂雅集』, 元 顧瑛 :『사고전서』 總集(영인본1369책) 소수.[295]

290) 이의 권11에 수록되어 있는『山房夜話』의 역주로 野口善敬,『山房夜話譯注』, 汲古書院, 2015가 있다.

291) 이의 역주로 金澤民 等編,『天聖令譯註』, 혜안, 2013이 있다.

292) 이의 점교로 李鳴 等編,『貝瓊集』, 吉林文史出版社, 2010이 있다.

293) 이의 점교로 李軍 編,『袁桷集』, 길림문사출판사, 2010이 있다.

294) 이의 점교로 張文澍 編,『程鉅夫集』, 길림문사출판사, 2009가 있다.

295) 이의 점교로 楊鐮,『草堂雅集』, 중화서국, 2008이 있다.

『草木子』, 明 葉子奇 : 『사고전서』 雜家(영인본866책) ; 中國子學名著集成43, 臺北 ; 『閩刻珍本叢刊』 40 소수 ; 中華書局, 1959. 中國子學名著集成 43.

『楚辭集注』, 朱熹 : 『사고전서』 楚辭(영인본1062책) 소수.[296]

『楚石梵琦禪師語錄』, 元 梵琦楚石 : 『禪宗集成』 20 소수.

『初學記』, 唐 徐堅 等撰 : 『사고전서』 類書(영인본890책) 소수.[297]

『燭湖集』, 宋 孫應時 : 『사고전서』 별집(영인본1166책) 소수.

『秋澗先生大全文集』(秋澗集), 元 王惲 : 『사부총간』 초편 ; 『사고전서』 별집(영인본1201책) ; 『元人文集珍本叢刊』 1·2 소수.

『春明退朝錄』, 宋 宋敏求 : 『사고전서』 잡가(영인본862책) 소수

『春渚紀聞』, 宋 何薳 : 『사고전서』 잡가(영인본863책) ; 『신편총서집성』 82 ; 『전송필기』 3-3 소수.

『春草齋集』, 元 烏斯道 : 『사고전서』 별집(영인본1232책) 소수.

『春秋公羊傳注疏』, 唐 徐彦 疏 : 『사고전서』 春秋(영인본145책) 소수.

『春秋穀梁傳注疏』, 唐 楊士勛 疏 : 『사고전서』 春秋(영인본145책) 소수.[298]

『春秋正義』, 唐 孔穎達 等撰 : 『사부총간』 속편 소수.

『春秋左傳注疏』(春秋左傳正義, 左氏春秋, 春秋左氏傳, 左傳), 魯 左丘明, 晋 杜預注, 唐孔穎達疏 : 『사고전서』(영인본143·144책) 소수.[299]

『春秋胡氏傳』(胡氏春秋傳), 宋 胡安國 : 『사고전서』 春秋(영인본151책) 소수

『忠文公集』(王忠文公文集, 王忠文集), 明 王褘 : 『사고전서』 별집(영인본1226책) ; 『北京圖書館古籍珍本叢刊』, 소수.

『忠肅集』, 宋 劉摯 : 『사고전서』 별집(영인본1099책) ; 『송집진본총간』 15 소수.

『忠惠集』, 宋 翟汝文 : 『사고전서』 별집(영인본1129책) 소수.

---

296) 이의 번역, 색인으로 星川淸孝, 『楚辭』, 新釋漢文大系34, 明治書院, 1970 ; 竹治貞夫, 『楚辭索引』, 德島大學, 1964가 있다.

297) 이의 活字本으로 『初學記』, 中華書局, 1962 ; 新興書局 1971이 있고, 색인으로 司義祖, 『初學記』, (出版社不明), 臺北, 1969 ; 中津濱涉, 『初學記引書引得』, 프린트본, 1973 ; 『初學記索引』, 중화서국, 1980이 있다.

298) 이의 번역으로 田中麻紗巳, 『春秋穀梁傳楊士勛疏』, 汲古書院, 2015가 있다

299) 『春秋左氏傳』의 著者(左丘明, 劉歆, 吳起)와 左丘明의 姓氏(左丘明, 左丘明, 丘明)에 대해서는 異見이 있다. 이의 번역으로 竹內照夫, 『春秋左氏傳』, 全釋漢文大系, 集英社, 1974 ; 鎌田 正, 『春秋左氏傳』, 新釋漢文大系, 明治書院, 1977이래 ; 文璇奎, 『春秋左氏傳』, 明文堂, 1993(改訂版 2009)이 있다.

ㅌ

『太常因革禮』, 宋 歐陽修 等撰 : 『총서집성초편』 1043~1046 ; 『신편총서집성』 35 ; 『續修四庫全書』 政書類 821책 소수.

『蛻菴集』, 元 張翥 : 『사부총간』 속편 ; 『사고전서』 별집(영인본1215책) 소수.

『太宗皇帝實錄』, 宋 錢若水 等撰 : 『사부총간』 3編, 上海 商務印書館, 1936 ; 『古學彙刊』 第3~4編, 1949, 1950 소수.[300]

『太平廣記』, 宋 李昉 等撰 : 『사고전서』 小說家類(영인본1043~1046책) 소수.[301]

『太平御覽』, 宋 李昉 等撰 : 『사부총간』 3편 ; 『사고전서』 類書(영인본893~901책) 소수.[302]

『太平治跡統類』, 宋 彭百川 : 『사고전서』 雜史(영인본408책) 소수.

『太平寰宇記』 宋 樂史 : 『사고전서』 지리(영인본469~470책) 소수.[303]

『通鑑紀事本末』, 宋 袁樞 : 『사고전서』 編年(영인본332책) 소수.[304]

『通鑑續編』, 元 陳桱 : 『사고전서』 編年(영인본332책) 소수.[305]

『通典』, 唐 杜佑 : 『사고전서』 政書(영인본603~605책) 소수 ; 『北宋版通典』, 影印本, 汲古書院, 1980.[306]

『通制條格』(大元通制條格), 元 拜住 等撰 : 北平圖書館, 1930 ; 『續修四庫全書』 政書類 787책 소수.[307]

『通志』, 宋 鄭樵 : 『사고전서』 政書(영인본603~605책) 소수.

ㅍ

『坡門酬唱集』, 宋 邵浩 : 『사고전서』 총집(영인본1346책) 소수.

『巴西集』, 元 鄧文源 : 『사고전서』 別集(영인본1195책) ; 『북경도서관진본총간』 소수.

『八瓊室金石補正』, 民國 陸增祥 : 『석각사료신편』 1-8 소수.

---

300) 이의 校注로 燕永成, 『宋太宗實錄』, 甘肅人民出版社, 2005 ; 范學輝, 『宋太宗皇帝實錄校注』, 中華書局, 2012가 있다.

301) 이의 번역으로 김장환, 『太平廣記註釋本』, 學古房, 2000이래가 있다. 『太平廣記』는 허구적인 사실을 담고 있는 小說이기에 신빙하기 어려운 점이 있지만, 당시의 社會相을 이해할 수 있는 자료도 많이 있다고 한다(李潤和 譯 2006년 268쪽).

302) 이의 색인, 교주로 洪業 等編, 『太平御覽引得』, 燕京大學圖書館, 1935 ; 夏劍欽 等編, 『太平御覽』, 河北教育出版社, 2000이 있다.

303) 이의 교주로 王文楚 等編, 『太平寰宇記』, 中華書局, 2007이 있다.

304) 이 책은 事實의 경과를 本末로 나누어 기록한 것으로 기전체와 편년체의 부족함을 보완한 새로운 史體[紀事本末體]의 始初로 稱해지고 있다.

305) 이는 연대편성[繫年]에 문제점이 많아 다른 자료와의 비교, 검토가 필요하다.

306) 이의 교주로 王文錦 編, 『通典』, 中華書局, 1988(개정 2003)이 있다.

307) 이의 주석으로 岡本敬二, 『通制條格の研究譯註』, 國書刊行會, 1964 以來 ; 方齡貴, 『通制條格校注』, 中華書局, 2001이 있다.

『佩王齋類藁』, 元 楊翮 : 『사고전서』 별집(영인본1220책) 소수.

『抱朴子』, 晋 葛洪 : 『사고전서』 道家(영인본1059책) ; 『총서집성초편』 561~569 소수.

『蒲室集』, 元 笑隱大訢 : 『사고전서』 별집(영인본1204책) 소수.[308]

『彭城集』, 宋 劉攽 : 『사고전서』 별집(영인본1096책) ; 『총서집성초편』 1907~1911 소수.

『片玉詞』, 宋 周邦彦 : 『사고전서』 詞曲類(영인본1487책) 소수.

『萍洲可談』, 宋 朱彧 : 『사고전서』 小說家類(영인본1038책) ; 『신편총서집성』 117 ; 『전송필기』 2-6 소수.

『風俗通義』, 漢 應劭 : 『사고전서』 잡가(영인본862책) ; 『총서집성초편』 274 소수

『豊淸敏公遺書』 : 民國 張壽鏞, 1932 ; 『신편총서집성』 102 ; 『四庫全書存目叢書』 史部 81책 소수.

『避署錄話』, 宋 葉夢得 : 『신편총서집성』 84 ; 『사고전서』 잡가(영인본863책) ; 『전송필기』 2-10 소수.

ㅎ

『河南先生文集』(河南集), 宋 尹洙 : 『사부총간』 집부 ; 『사고전서』 별집(영인본1090책) ; 『송집진본총간』 3 소수.

『河南邵氏聞見後錄』(聞見後錄), 宋 邵博 : 『신편총서집성』 83 ; 『사고전서』 小說家類(영인본1039책) ; 『전송필기』 2-6 소수.[309]

『河朔訪古記』, 元 納延(乃賢, 迺賢) : 『사고전서』 遊記(영인본593책) 소수.

『學林』, 宋 王觀國 : 『사고전서』 雜家(영인본851책) 소수.

『漢官儀』(漢官舊儀), 漢 衛宏 : 『사고전서』 政書(영인본646책) ; 『총서집성초편』 811 ; 『續修四庫全書』 職官類 746책 소수.

『漢紀』 → 『前漢紀』.

『韓非子』 : 『사부총간』 초편 ; 『사고전서』 法家類(영인본729책) 소수.[310]

『漢上易傳』, 宋 朱震 : 『사고전서』 易類(영인본11책) 소수.[311]

『漢書』 : 中華書局, 1962 ; 『漢書』, 影印本, 汲古書院, 1997.[312]

---

308) 『蒲室集』은 일본에서도 近世에 刻板되었던 것 같다(荒木見悟·岡田武彦 等編, 『近世漢籍叢刊』 1, 京都 中文出版社, 1984).

309) 이의 교주로 繆荃, 『邵氏聞見錄校記』, 稿本叢書11, 天津 古籍出版社, 1996이 있다.

310) 이의 교주, 색인으로 陳奇猷, 『韓非子新校注』, 上海古籍出版社, 2000 ; 劉坤 等編, 『韓非子譯注』, 黑龍江人民出版社, 2002 ; 張覺 等編, 『韓非子譯注』, 上海古籍出版社, 2012 ; 周鍾靈, 『韓非子索引』, 中華書局, 1982 ; 何志華 編, 『韓非子逐字索引』, 中華書局, 2000 ; 蕭旭, 『韓非子校補』, 古典文獻硏究輯刊20-8, 花木蘭文化出版社, 2015 ; 申東埈, 『韓非子』, 인간사랑, 2020이 있다.

311) 이의 點校로 劉景章, 『漢上易傳』, 上海古籍出版社, 2020이 있다.

『翰苑群書』, 宋 洪遵 :『사고전서』職官(영인본595책) 소수.

『翰苑集』(陸宣公翰苑集), 唐 陸贄 :『사고전서』별집(영인본1072책) 소수.

『翰苑英華中州集』(中州集), 金 元好問 :『사부총간』집부 ;『사고전서』총집(영인본1365책) 소수.

『韓魏公集』, 宋 韓琦 : 日本版, 1884년 ;『신편총서집성』74 소수.

『漢魏六朝百三家集』, 明 張溥 : 사고전서』총집(영인본1412〜1416책) 소수.[313]

『閑閑老人滏水文集』(滏水集), 金 趙秉文 :『사부총간』초편 ;『사고전서』별집(영인본1190책) 소수.

『咸淳毘陵志』, 宋 史能之 :『송원방지총간』3 소수.

『咸淳臨安志』, 宋 潛說友 :『송원방지총간』4 ;『사고전서』지리(영인본490책) 소수.[314]

『咸平集』, 宋 田錫 :『사고전서』별집(영인본1085책) ;『송집진본총간』1 소수.[315]

『陔餘叢考』, 淸 趙翼 : 河北人民出版社, 2002.

『海東金石苑』, 淸 劉燕庭 : 아세아문화사, 1976.

『海東金石存考』, 淸 劉喜海 :『石刻史料新編』제1집 26 소수.

『海錄碎事』, 宋 葉庭珪 :『사고전서』類書(영인본921책) 소수.

『香乘』, 宋 周嘉胄 :『사고전서』譜錄(영인본844책) 소수.

『許國公奏議』, 宋 吳潛 :『총서집성초편』909 ;『신편총서집성』31 ;『續修四庫全書』詔令奏議
　　類 457책 소수.

『虛堂智愚禪師語錄』, 宋 虛堂智愚 :『日本續藏經』1-2-26-4 소수,

『許白雲先生文集』, 元 許謙 :『사부총간』속편 ;『사고전서』별집(영인본1199책) 소수.

『虛舟普度禪師語錄』(虛舟和尙語錄), 元 釋淨伏 編 :『日本續藏經』第1輯 第2編 第28套 第1冊

『憲臺通紀』 → 『元憲臺通紀』.

『憲章錄』, 明 薛應旂 :『續修四庫全書』編年類 352책 소수.[316]

『荊楚歲時記』, 梁 宗懍 :『사고전서』地理(영인본589책) 소수.[317]

『刑統』(重詳正刑統, 宋刑統), 宋 竇儀 : 天一閣本.[318]

『慧林宗本禪師別錄』:『禪宗集成』23 ;『禪宗全書』40 소수.

---

312) 이의 주석으로 吳榮曾 等編,『新譯漢書』, 三民書局, 2013이래 ; 陳起煥,『漢書』, 明文堂, 2017 ; 이한
　　후,『완역한서』, 21세기북스, 2020이 있다.

313) 이의 주석으로 殷孟倫,『漢魏六朝百三家集題辭注』, 人民文學出版社, 1981이 있다.

314)『사고전서』의『함순임안지』에는 권65가 闕失되어 있다.

315) 이의 교점으로 羅國威,『咸平集』, 巴蜀書店, 2008이 있다.

316) 이의 교주로 展龍 等編,『憲章錄校注』, 鳳凰出版社, 2014가 있다.

317)『荊楚歲時記』는 隋代의 杜公瞻(두공섬)이 叔父인 杜臺卿의『玉燭寶典』을 이용하여 宗懍의『荊楚記』에
　　주석을 붙여『荊楚歲時記』로 改名하였다(中村裕一 2014年 85面).

318) 이의 교점으로 薛梅卿,『宋刑統』, 法律出版社, 1999가 있다.

『滹南遺老集』(滹南集), 金 王若虛 : 『사부총간』 초편 ; 『사고전서』 별집(영인본1190책) 소수.

『護法論』, 宋 張商英 : 漢裝本.[319]

『扈從集』, 元 周伯琦 : 『사고전서』 별집(영인본1214책) 소수.

『弘簡錄』, 明 邵經邦 : 淸刊本 ; 『續修四庫全書』 別史類 304책 소수.

「洪武四年進士登科錄」: 『신편총서집성』 102 소수.

『畫墁錄』, 宋 張舜民 : 『사고전서』 小說家類(영인본1037책) ; 『신편총서집성』 86 ; 『전송필기』 2-1 소수.

『華陽集』 宋 王珪 : 『사부총간』 3편 ; 『사고전서』 별집(영인본1093책) ; 『총서집성초편』 1912~1916 ; 『송집진본총간』 38 소수.

『華夷譯語』: 『北京圖書館古籍珍本叢刊』 6, 書目文獻出版社.

『還山遺稿』, 元 楊奐: 『사고전서』 별집(영인본1098책) 소수.

『寰宇訪碑錄』: 『叢書集成初編』 ; 『中國古籍善本書目』 소수.

『皇明文衡』(明文衡), 明 程敏政 : 『사부총간』 초편 ; 『사고전서』 총집(영인본1373·1374책) 소수.

『皇明制書』, 明 張鹵 編 : 影印本, 古典刊行會, 1967 ; 『續修四庫全書』 政書類 788책 소수.[320]

『皇明詔令』, 明 撰者 不明 : 『四庫全書存目叢書』 史部 58책 소수.

『皇明通記』, 明 陳建 : 錢茂偉 點校, 中華書局, 2008.

『皇宋十朝綱要』, 宋 李埴 : 『宋史資料萃編』 1, 臺北 文海出版社, 1980 소수.[321]

『皇宋中興兩朝聖政』, 宋 撰者 不明 : 『사부총간』 초편 ; 『宋史資料萃編』 1, 臺北 文海出版社, 1967 소수.[322]

『皇宋通鑑長編紀事本末』(續資治通鑑長編紀事本末), 宋 楊仲良 : 江蘇古籍出版社, 1988 ; 『宋史資料萃編』 5, 臺北 文海出版社, 1967 소수.

『皇元風雅』(元風雅), 元 孫存吾 : 『사고전서』 總集(영인본1368책) ; 『閩刻珍本叢刊』 56 소수.

『皇朝中興記事本末』 → 『中興小紀』.

『黃氏日抄』(黃氏日鈔), 宋 黃震 : 『사고전서』 儒家(영인본707·708책).

『皇朝名臣奏議』(諸臣奏議·宋名臣奏議), 宋 趙汝愚 : 『사고전서』 詔令奏議類(영인본431·432책) 소수. 『宋史資料萃編』 2, 臺北 文海出版社, 1970.

『皇朝文鑑』(宋文鑑), 宋 呂祖謙 : 『사부총간』 초편 ; 『사고전서』(영인본1350책) 소수.

『皇朝事實類苑』(事實類苑), 宋 江少虞 : 『사고전서』(영인본874책) ; 『筆記小說大觀』 30 소수.

---

319) 이의 번역으로 김달진, 『顯正論·護法論』, 동국대학 역경원, 1988이 있다.

320) 이의 교주로 楊一凡, 『皇明制書』, 社會科學文獻出版社, 2013이 있다.

321) 이의 교주로 燕永成, 『皇宋十朝綱要校正』, 중화서국, 2013이 있다.

322) 이의 교점으로 『皇宋中興兩朝聖政輯校』, 중화서국, 2019가 있다.

『皇朝編年綱目備要』(九朝編年備要), 宋 陳均 : 『사고전서』편년류(영인본328책)의 『九朝編年備要』;『點校皇朝編年綱目備要』, 中華書局, 2006 ; 釜山, 必峰文化社.[323]

『黃州府志』:『石刻史料新編』3-13 소수.

『淮南鴻烈解』(淮南子), 漢 劉安, 高誘 注 :『사고전서』雜家(영인본848책) ;『총서집성초편』586~588 소수.[324]

『晦庵集』 → 『朱文公文集』.

『晦庵先生朱文公文集』 → 『朱文公文集』.

『淮海集』, 宋 秦觀 :『사부총간』 초편 ;『사고전서』 별집(영인본1115책) 소수.

『孝經注疏』, 唐 玄宗 :『사고전서』孝經(영인본182책) 소수.[325]

『後村先生大全集』(後村集), 宋 劉克莊 :『사부총간』 正編 ;『사고전서』(영인본1180책)의 『後村集』.[326]

『後漢書』, 南朝宋 范曄, 晋 司馬彪 : 中華書局, 1964 ;『後漢書』影印本, 汲古書院, 1999이래.[327]

『揮麈錄』, 宋 王明淸 :『사부총간』 초편 ;『전송필기』6-1 소수. 點校本, 上海書店出版社, 2001.

『揮麈後錄』, 宋 王明淸 :『사부총간』 광편 ;『사고전서』小說家類(영인본1038책) ;『신편총서집성』 84 소수.

『黑韃事略』, 宋 彭大雅, 徐霆 :『叢書集成初編』3177 ;『續修四庫全書』雜史類 423책 소수.

『黑龍江興地圖說』, 淸 屠寄 :『遼海叢書』, 遼沈書社, 1985 所收.

『欽定盛京通志』, 淸 阿桂 等撰 : 臺灣 商務印書館, 1983.『사고전서』지리(영인본501~503책) 소수.

『欽定續通典』, 淸 奉勅撰 :『사고전서』政書(영인본639~641책) 소수.

『欽定遼金元三史國語解』, 淸 高宗 :『사고전서』正史(영인본296책) 소수.

『欽定日下舊聞考』, 淸 于敏中 等編 :『사고전서』地理(영인본497~499책) 소수.

---

323) 釜山에서의 影印本은 25권까지 宋刊本을, 26권 이하는 간행 시기를 알 수 없는 『九朝編年備要』를 영인한 것이다. 또 이의 교주로 許沛藻, 『皇朝編年綱目備要』, 中華書局, 2007이 있다.

324) 이의 색인, 점교, 번역으로 鈴木隆一, 『淮南子索引』(프린트본), 京都大學 人文科學硏究所, 1975 ; 劉殿爵, 『淮南子逐字索引』, 商務印書館, 1993 ; 趙宗乙, 『淮南子譯注』, 黑龍江人民出版社, 2002 ; 陳靜, 『淮南子』, 中州古籍出版社, 2010 ; 安吉煥 等編, 『新完譯淮南子』, 明文堂, 2013이 있다.

325) 이의 주석으로 栗原圭介, 『孝經』, 新釋漢文大系35, 明治書院, 1986이 있다.

326) 이의 교정으로 辛更儒, 『劉克莊集箋校』, 中華書局, 2011이 있다.

327) 이의 訓注, 색인으로 吉川忠夫, 『訓注後漢書』, 岩波書店, 2001以來 ; 渡邊義浩, 『全譯後漢書』, 汲古書院, 2001以來 ; 魏連科, 『全譯後漢書』, 三民書局, 2013 ; 藤田至善, 『後漢書語彙集成』, 京都大學 人文科學硏究所, 1960이 있다.

월남

『大越史記全書』, 陳荊和 : 東京大學 東洋文化硏究所, 東洋學文獻センター叢刊42～47, 1984.

日本

ㄱ

『勘仲記』(兼仲卿記), 廣橋兼仲(勘解由小路兼仲, 1244～1308) : 筆寫本[328] ; 『史料大成』26～28 ; 『增補史料大成』34～36 ; 『史料纂集』 소수.[329]

『江談抄』, 藤原實兼(12세기후반) 編 : 『群書類從』27, 雜部, 권486 ; 『國史叢書』11 소수.

『岡屋關白記』(岡屋兼經公記・岡屋殿御記), 藤原兼經 : 『日本古記錄』 소수.

「筥崎宮記」 : 『朝野群載』3, 文筆下 ; 筥崎宮 編, 『筥崎宮史料』, 筥崎宮, 1975 소수.

『建內記』, 萬里小路時房 : 『日本古記錄』 소수.

『乾峰和尙語錄』(廣智國師語錄), 乾峰士曇(僧, 1285-1361) : 玉村竹二, 『五山文學新集』別2, 東京大學出版會, 1981 소수.

『建治三年記』(太田康有日記), 三善康有(13세기후반) : 『續史料大成』10 ; 『群書類從』23, 武家部, 권421 소수.

『見聞私記』 : 『續群書類從』30상, 잡부22, 권872 소수.

『鎌倉大日記』 : 『增補續史料大成』51, 臨川書店 소수.

『鎌倉年代記』(北條九代記), 著者不明 : 『續史料大成』18 ; 『增補續史料大成』51 ; 『續群書類從』29上, 雜部5, 권855 ; 『改定史籍集覽』 5 소수.

『鎌倉年代記裏書』 : 『續史料大成』18, 臨川書店, 1967.

『鎌倉遺文』 古文書編1-42, 補遺編1-4, 東京堂出版, 1971년 이래.

「京都御敎書案」(室町幕府의 命令書, 1381년 8월) : 禰寢文書.[330]

---

328) 이하 일본 자료에서 筆寫本을 제시한 것은 筆者가 확인했던 것들로서, 近代이래 이들을 活字化하는 과정에서 여러 필사본을 網羅하지 못해 版本에 따라 내용의 차이가 있기 때문이다. 또 戰前에 간행된 活字本의 일부에는 編輯者가 任意로 한반도에 관련된 기사를 누락, 탈락시킨 경우도 있었다.

329) 이에 수록되어 있는 『勘仲記』에는 麗元聯合軍의 博多地域 공격에 대한 弘安 4년 6월의 기사가 수록되어 있지 않다. 이를 보완하기 위해 다른 필사본에 의거한 八代國治, 「蒙古襲來に就ての硏究」『史學雜誌』29-1, 1918 ; 『國史叢說』, 吉川弘文館, 1925 ; 山口修, 「元寇の硏究」『東洋學報』43-4, 1961 ; 森茂曉, 「蒙古襲來と朝幕關係」『鎌倉時代の朝幕關係』, 思文閣, 1991, 223쪽 ; 村井章介, 「勘仲記弘安四年夏記」『鎌倉遺文硏究』12, 2003 등을 참조하였다.

『京都將軍家譜』 : 京都大學 文學部 所藏 筆寫本.

「慶尙道按察使牒」(1269年) : 『異國出契』所收.

『雞林拾葉』 : 필사본 ; 甫喜山景雄, 『我自刊我書』, 1880 소수.

「高麗國國書」(「調伏異朝怨敵抄」, 1267년 9월) : 東大寺 尊勝院文書 ; 『異國出契』.[331]

「高麗國王書寫」(高麗國書, 1292년 10월) : 金澤文庫文書.[332]

「高麗國征東行中書省箚」 : 醍醐寺文書(報恩院文書, 1366년 11월).[333]

「高麗牒狀不審條〃」 : 東京大學 史料編纂所 保管文書(1271년 9월).[334]

『古林淸茂禪師語錄』, 古林淸茂(僧, 元人, 1262~1329) :

『高野春秋編年輯錄』, 懷英(僧, 1642-1727) : 『日本佛敎全書』131 소수.

『敎王護國寺文書』2, 1961.

『公卿補任』 : 『新訂增補國史大系』53~57, 吉川弘文館 所收.[335]

『空華日用工夫略集』(日用工夫集・日工集), 義堂周信(僧, 1325~1388) : 『續史籍集覽』3 소수. 辻善之助, 『空華日用工夫略集』, 1939.[336]

『空華集』, 義堂周信(僧, 1325~1388) : 上村觀光, 『五山文學全集』2, 六條活版製造所, 1906 소수.

『菅家文草』, 菅原道眞(845~903) : 『日本古典文學大系』72 소수.[337]

「關東御敎書」(鎌倉幕府의 命令書, 1271년 9월) : 肥後小代文書.[338]

「關東御敎書」(鎌倉幕府의 命令書, 1274년 11월) : 東寺百合文書 ; 『日本古文書』家わけ10, 東寺文書 소수.[339]

「關東御敎書」(鎌倉幕府의 命令書, 1275년 7월) : 大友文書 ; 山田安榮, 『伏敵編』3, 1891.[340]

---

330) 이는 瀨野精一郎, 『南北朝遺文』 九州編5, 東京堂出版, 1988에 인용되어 있다.

331) 이는 山田安榮, 『伏敵編』1, 東京築地活版製作所, 1891 ; 『朝鮮史料集眞續』, 便利堂, 1937에 인용되어 있다.

332) 이는 神奈川縣立金澤文庫 所藏 ; 金澤文庫, 『金澤文庫古文書』9, 佛事篇, 1956 ; 『神奈川縣史』 資料編2, 1973 ; 竹內理三, 『鎌倉遺文』 古文書編23, 1982에 인용되어 있다.

333) 이는 黑板勝美, 『徵古文書』甲集, 1896 ; 『日本史料』6-27, pp.20-824 ; 中村榮孝, 『日鮮關係史の硏究』 上, 吉川弘文館, 1965, pp.206-208 ; 『日本古文書』家わけ19, 醍醐寺文書6, pp.270-273 ; 『太平記』: 『日本古典文學大系』36, 岩波書店에 인용되어 있다.

334) 이의 발굴을 통한 기초적인 분석이 있었다(石井正敏 1977年 ; 金潤坤 1981년).

335) 이의 색인으로 『新訂增補國史大系』別卷1이 있다.

336) 이의 주석으로 藤木英雄, 『訓注空華日用工夫略集』, 思文閣出版, 1982가 있다.

337) 이의 주석으로 文章の會, 『管家文草注釋』, 勉誠出版, 2014가 있다.

338) 이는 竹內理三 編, 『鎌倉遺文』 古文書編14, 1978 ; 竹內理三 編, 『大宰府・太宰府天滿宮史料』8, 1972 ; 相田二郎, 『蒙古襲來の硏究』 增補版, 吉川弘文館, 1982에 인용되어 있다.

339) 이는 『鎌倉遺文』 古文書編15, 1978 ; 『大宰府・太宰府天滿宮史料』8, 1972, ; 『蒙古襲來の硏究』 增補版, 吉川弘文館, 1982, ; 歷史學硏究會, 『日本史史料』2, 中世, 岩波書店, 1998에 인용되어 있다.

「關東御教書」(鎌倉幕府의 命令書, 1275년 12월) : 東寺百合文書 ;『伏敵編』3, 1891.[341]

「關東下知狀」(鎌倉幕府의 命令書, 1268년 2월) :『新御式目』(『新御式目』) ;『續群書類從』23下, 武家部2, 권656 ;『改定史籍集覽』17 소수.

「關東御教書」(鎌倉幕府의 命令書, 1280년 12월) : 大友文書.[342]

『關東評定傳』(關東評定衆傳), 著者不明 :『群書類從』3, 補任部6, 권49 소수.

『寬治二年白河上皇高野御幸記』:『續史料大成』22, 臨川書店, 1967 소수.

『匡遠記』:『增補史料大成』36 소수.

「宏覺禪師祈願開白文」: 正傳寺, 京都大學 所藏文書(1268년 12월 이후) :『正傳寺文書』(寫眞本).[343]

『九曆』, 藤原師輔 :『日本古記錄』소수.

『鳩嶺雜事記』:『群書類從』16, 雜部10, 권455 소수.

『群書類從』: 1~25輯, 東京 經濟出版社, 1898년(明治31) 以來.

『權記』(行成卿記・權大納言記), 藤原行成(972-1027) : 필사본 ; 笹川種郎,『史料大成』35, 36, 內外書籍株式會社 ;『增補史料大成』4, 5 ;『史料纂集』소수.

『金山卽休和尙拾遺集』(金山卽休契了禪師拾遺集), 元 卽休契了 撰, 日 愚中周及 編 :『日本續藏經』1-2-28套 ;『禪宗集成』18 소수.

『今昔物語集』, 著者不明 :『新訂增補國史大系』17 소수 ; 影印本, 東京大學 國語研究室 編, 汲古書院, 1984年 以來.[344]

『金詩佳絕』, 宮澤 雉 等編 : 1837年 刊本(長澤規矩也 編,『和刻本漢詩集成』總集篇10, 汲古書院, 1979 소수).

『祈雨日記』:『續群書類從』25下, 권725 소수.

『吉記』(吉戶記), 藤原經房(吉田經房, 1143~1200) : 필사본 ;『史料大成』23 ;『增補史料大成』29 ;『日本史史料叢刊』3 소수.

『吉續記』(經長卿記), 藤原經長(吉田經長, 1239~1309) : 필사본 ;『史料大成』23 ;『增補史料大成』30 소수.

『喫茶養生記』, 明庵榮西(僧, 1141~1215) :『日本佛教全書』115 ;『群書類從』19, 飲食部, 권368 소수.

---

340) 이는『鎌倉遺文』古文書編16, 1979 ;『大宰府・太宰府天滿宮史料』8, 1972에 인용되어 있다.
341) 이는『鎌倉遺文』古文書編16, 1979 ;『太宰府大宰府天滿宮史料』8, 1972에 인용되어 있다.
342) 이는『鎌倉遺文』古文書編19, 1980 ;『大宰府・太宰府天滿宮史料』8, 1972에 인용되어 있다.
343) 이는『鎌倉遺文』古文書編14, 古文書編, 1978에 인용되어 있다.
344) 이의 주석으로 芳賀矢一,『攷證今昔物語集』, 富山房, 1976이 있다.

ㄴ

『南方紀傳』:『改定史籍集覽』3 소수.

『南游稿』, 鄂隱慧奯(僧, 1357~1425):『五山文學全集』3, 1908;『日本古典文學大系』89 소수.

ㄷ

『大槐秘抄』, 藤原伊通(九條伊通, 1093~1164):『群書類從』17, 雜部44, 권489 소수.

「大內氏奉行人連署奉書」(大內義弘 參謀의 傳令, 1378년 4월): 長門忌宮神社文書.[345]

「大奉幣神寶料物目錄」(1195년).[346]

「大友賴泰書下」(大友賴泰의 書狀, 1276년 3월): 野上文書;『伏敵編』3, 1891.[347]

『大日本古記錄』, 1956;天理大出版部,『天理圖書館善本叢書』42, 1980;『續續群書類從』5, 記錄部 소수.

『大日本史料』: 東京大學 史料編纂所, 1869 이래.

『大正新脩大藏經』: 大正一切經刊行會(후일 大藏出版株式會社), 1924~1934.

『對州編年略』(本州編年略): 필사본, 1723.

『大智禪師偈頌』:『日本史料』6-27 轉載.

『渡宋記』, 戒覺(僧, 11세기후반): 宮內廳 書陵部, 便利堂, 1991.

『東寶記』:『續群書類從』12, 宗敎部2 소수.

「東寺王代記」: 筆寫本;『續群書類從』29下, 雜部6, 권856 소수.

「東寺長者補任」: 筆寫本(京都大學 貴重資料 デジタルアーカイブ, Kyoto Universty Rare materials Archive);『群書類從』3, 補任部15 소수.[348]

『洞院公定日記』(洞院公記):『續史料大成』;『女子大文學』國文編15 소수.[349]

---

345) 이는 松岡久人,『南北朝遺文』中國·四國編5, 東京堂出版, 1993에 인용되어 있다.

346) 이는 森克己,『日宋貿易の研究』, 國書刊行會, 1975, 218~220쪽에 인용되어 있다.

347) 이는『鎌倉遺文』古文書編16, 1979;『太宰府大宰府天滿宮史料』8, 1972에 인용되어 있다.

348) 『群書類從』에 수록되어 있는 것은 戰前에 만들어진 것이기에 판독한 내용이 매우 疏略하므로 디지털로 제작된 필사본을 참고하는 것이 좋을 것이다.

349) 일본의 전근대 사회에서 이루어진 日記[닛키]는 日次記[히나미키]라고도 하며, 매일 具注曆[구추우레키]의 餘白에 細筆로 3行 정도 기록한 것[曆記, 략키]으로 여백이 부족하면 裏面에 기록하는데, 이를 裏書[우라가키]라고 한다. 또 特定 事實을 상세하게 다른 紙面에 기록한 것을 別記[벳키]]라고 한다. 이들 일기는 朝廷의 外記[게키]·內記[나이키]·藏人[쿠로우토] 등의 實務官人이 公的으로 기록한 公日記, 官人들이 私的으로 기록한 私日記(혹은 私記)가 있고, 그 형태는 曆記, 別記 그리고 記載된 내용을 項目別로 분류하여 고쳐 기록한 部類記[부루이키]가 있다. 또 이들 일기는 역사학의 입장에서 일반적으로 公家의 女子들이 日本의 諺文인 仮名[假名, 카나]로 쓴 仮名日記(혹은 女流日記)와 함께 古記錄이라고 하는데, 이는 일기가 여러 면에서 古文書와 성격을 달리 한 점을 염두에 둔 것이다.

『多平公記』:『增補史料大成』36 소수.

『東海一漚集』:『五山文學全集』2 ;『五山文學新集』4, 東京大學出版會, 1970 소수.

□

『明極和尙語錄』, 明極楚俊(僧, 元人, 1262～1336) :『五山文學全集』3, 1908 岩波書店 소수.[350]

「明僧克勤書」:『日本續藏經』第壹輯 第貳編 第六套 第五册 소수.

『明月記』(照光記), 藤原定家(1162～1241) : 筆寫本 ; 國書刊行會, 1969 ; 續群書類從完成會, 1971 以來 ; 影印本, 德大寺家本, ゆまに書房, 2004 ; 冷泉家時雨亭文庫, 朝日新聞社, 1993 ; 翻刻明月記, 朝日新聞社, 2012 以來 ; 影印本, 新天理圖書館善本叢書5, 八木書店, 2015.[351]

『蒙古寇紀』: 필사본.

「蒙古國國書」(「調伏異朝怨敵抄」, 1266년 8월) : 東大寺 尊勝院文書.[352]

「蒙古國中書省牒」(1269년 6월):『異國出契』소수.

「蒙古襲來祈禱注錄」: 西大寺文書(1264년 이래) ;『西大寺文書』1, 1908 소수.

「蒙古來使記錄」:「賜蘆文庫文書 : 稱名寺文書」(1269년 2월이래).[353]

『妙槐記』:『增補續史料大成』33 소수.

『武家年代記』, 著者不明 :『續史料大成』18 ;『增補續史料大成』51 ;『續國史大系』5 소수.

『民經記』(經光卿記·中光記·糸光記), 藤原經光(1212～1274) :『日本古記錄』소수.

ㅂ

「潘阜書狀」: 東大寺 尊勝院文書(1268년 1월).[354]

『狛氏系圖』:『群書類從』7下, 系圖部 187 소수.

『百練抄』(百鍊抄), 著者不明 :『國史大系』14 ;『新訂增補國史大系』11 소수.

『梵竺僊禪師語錄』(竺僊和尙語錄), 竺仙梵僊(僧, 元人, 1292～1348) :『日本佛敎全書』96 ;『大正新脩大藏經』제80권 소수.

『法隆寺古今目錄拔萃』:『改定史籍集覽』12 소수.

---

350) 이의 일부로서 詩文으로 구성된 『明極楚俊遺稿』이 있다.

351) 이의 색인으로 今川文雄,『新訂明月記人名索引』, 河出書房出版社, 1985가 있다.

352) 이는『異國出契』; 啓運日澄,『日蓮註畫讚』2, 第12 蒙古牒狀 ; 伊藤松,『隣交徵書』初編1 ;『伏敵編』1, 東京築地活版製作所, 1891에 인용되어 있다.

353) 이는 金澤文庫,『金澤文庫古文書』9, 1956 ;『鎌倉遺文』古文書編14, 1978에 인용되어 있다.

354) 이는『異國出契』;『伏敵編』1, 1891에 인용되어 있다.

『法隆寺良訓補忘記』, 良訓(18세기) : 『續〃群書類從』 11, 宗教部 소수.

『伏見天皇宸記』: 『增補史料大成』 3 소수.

『伏敵編』: 山田安榮, 東京築地活版製作所, 1891.[355]

『本朝高僧傳』, 卍元師蠻(僧, 1626～1710) : 『일본불교전서』 102・103 소수.

『本朝麗藻』: 『群書類從』 6, 文筆部6, 권127 ; 『新校群書類從』 6, 文筆部6, 권127 ; 『日本古典全
　　集』 소수.[356]

『本朝文粹』, 藤原明衡 : 『新訂增補國史大系』 29下 ; 『校注日本文學大系』 24 소수 ; 影印本, 身延
　　山久遠寺 編, 汲古書院, 1980.

『本朝文集』: 『新訂增補國史大系』 30 소수.

『本朝世紀』(史官記・外記日記), 藤原通憲(1106～1159) : 『群書類從』 8, 帝王部 ; 『新訂增補國史大
　　系』 9 소수.[357]

『本朝續文粹』: 『新訂增補國史大系』 29下 ; 『校注日本文學大系』 24 소수 ; 『本朝文粹』 影印本,
　　汲古書院, 1980.

『本朝僧寶傳』, 岐陽方秀(僧, 1361～1424) : 『日本佛教全書』 111 소수.

『本朝通鑑』, 德川幕府 編 : 漢裝本, 江戶幕府, 1670년 ; 活字本, 國書刊行會, 1930 以來.

『本朝統曆』, 安藤有益 : 필사본(內閣文庫 소장), 國文學硏究資料館 DB.

『扶桑禪林僧寶傳』, 高泉性潡(僧, 淸人, 1633～1695) : 『일본불교전서』 109 소수.

『扶桑略記』, 皇円(僧, 11세기후반) 推測 : 『新訂增補國史大系』 12 ; 『改定史籍集覽』 1 ; 物集高
　　見, 『新註皇學叢書』 6, 廣文庫刊行會, 1931 소수.[358]

『扶桑集』: 『群書類從』 8, 文筆部3, 권126 소수.

『北山抄』(四條大納言記・四條記) : 影印本(尊經閣文庫 所藏, 八木書店, 1995이래).

『北野天神御傳』(菅家傳) : 『日本古典文學大系』 72 소수.

『北越略風土記』: 필사본.

ㅅ

『師守記』, 中原師守(14세기 전반) : 續群書類從刊行會, 『史料纂集』 소수.

---

355) 이에 대한 검토로 川添昭二, 「伏敵編成立事情」 『日本歷史』 260, 1970이 있다.

356) 이의 주석으로 『本朝麗藻全注釋』, 新典社注釋叢書5, 新典社, 1993 ; 川口久雄 等編, 『本朝麗藻簡注』, 勉
　　　誠社, 1993이 있다.

357) 이의 색인으로 駒澤大學 大學院 史學會, 『本朝世紀人名索引』, 1984가 있다.

358) 이의 人名索引으로 鹽澤直子, 「扶桑略記人名總索引」 『政治經濟史學』 244・245, 日本政治經濟史學研究所,
　　　1986이 있다.

『山槐記』(忠親卿記·深山記·達幸記·貴嶺記), 藤原忠親(中山忠親, 1131~1195) : 筆寫本 ; 『增補史料大成』 소수.

『薩戒記』, 中山定親 : 『日本古記錄』, 岩波書店, 2000 소수.

『三國名勝圖會』 : 1848年(天保14) 刊行本.

『三井續燈記』, 釋尊通(1425~1516) : 필사본 ; 『日本佛教全書』 111 소수.

『西宮記』(西宮抄) : 『改定史籍集覽』 編外1. 影印本, 尊經閣文庫 所藏, 八木書店, 1993 以來 ; 書陵部 所藏, 八木書店, 2006 以來.

『石淸水文書』 : 『日本古文書』, 家わけ第4 소수.

『禪居集』, 淸拙正澄(僧, 元人, 1274~1339) : 『五山文學全集』 1 소수.

『善隣國寶記』, 瑞溪周鳳(僧, 1391~1473) : 『續群書類從』 30上, 雜部32, 권882 소수 ; 國書刊行會, 1975.[359]

『攝州島下郡應頂山勝尾寺支證類聚第一緣起』(『勝尾寺流記』) : 『日本佛教全書』 118 소수.

『聖一國師年譜』(東福開山聖一國師年譜), 圜心(円心, 僧, 13세기후반) : 『일본불교전서』 95 소수.

『細々要紀』 : 『續史籍集覽』 1 ; 『國史叢書』 25 소수.

『細々要紀拔書』 : 『일본불교전서』 興福寺叢書2 소수.

『小記目錄』, 藤原實資 : 『日本古記錄』, 小右記9~10, 岩波書店, 1979 소수.

『小右記』(野府記·小野宮記·小記·續水心記), 藤原實資(957~1046) : 『史料大成』 ; 『增補史料大成』 ; 『日本古記錄』 소수. 影印本, 尊經閣文庫 所藏, 八木書店 2016.[360]

「少貳經資의 書狀」(武雄神社文書, 1281년 2월).[361]

「少貳經資의 書狀案」(薩摩比志島文書, 1275년 2월).[362]

「少貳經資石築地役催促狀」(少貳經資의 書狀, 1276년 3월) : 深江文書 ; 『伏敵編』 3, 1891.[363]

『續古事談』 : 『群書類從』 17, 雜部44, 권487 ; 『國史叢書』 소수.

『續本朝通鑑』 : 江戶幕府, 1670년(漢裝本).

『續扶桑禪林僧寶傳』, 高泉性激(僧, 淸人, 1633~1695) : 『日本佛教全書』 109 소수.[364]

『續史愚抄』 : 『新訂增補國史大系』 13~15, 吉川弘文館, 1966 소수.

---

359) 이의 주석으로 田中健夫, 『譯注日本史料 善隣國寶記·新訂續善隣國寶記』, 集英社, 1995가 있다.

360) 이의 주석, 번역으로 三橋 正, 『小右記注釋』, 八木書店, 2008 ; 倉本一宏, 『現代語譯小右記』, 吉川弘文館, 2015 以來가 있다.

361) 이는 『鎌倉遺文』 古文書編19, 1980 ; 『大宰府·太宰府天滿宮史料』 8, 1972에 인용되어 있다.

362) 이는 『大宰府·太宰府天滿宮史料』 8, 1972 ; 『蒙古襲來의 硏究』 增補版, 吉川弘文館, 1982에 인용되어 있다.

363) 이는 『鎌倉遺文』 古文書編16, 1979 ; 『大宰府·太宰府天滿宮史料』 8, 1972 ; 『蒙古襲來의 硏究』 增補版, 吉川弘文館, 1982에 인용되어 있다.

364) 이는 『扶桑禪林僧寶傳』을 보완한 책이다.

『續日本高僧傳』9 : 『日本佛教全書』104 소수.

『帥記』(都記・經信卿記), 源經信(1016~1097) : 필사본 ; 『史料大成』5 ; 『增補史料大成』5 소수.

『水左記』(堀河左府記・土左記), 原俊房(1035-1121) : 『史料通覽』 ; 柳原家本 寫眞版 ; 『史料大成』
    5 ; 『增補史料大成』8 소수. 影印本, 尊經閣文庫 編, 八木書店, 2017.

「守護所廻文」(守護所의 回覽文, 1272년 2월) : 野上文書.[365]

『勝尾寺流記』 : 『일본불교전서』118 소수.

『時範記』(時範日記), 平時範(1045~1109) : 필사본.[366]

『新脩科分六學僧傳』 : 『日本續藏經』1-2乙-6套(5册).

『新式目』 → 『新御式目』.

『新御式目』(新式目) : 『續群書類從』23下, 武家部2, 권656 ; 『改定史籍集覽』17 소수.

『新抄』(外記日記) : 『續史料纂集』1, すみや書房, 1970 ; 『續史籍集覽』1 소수 ; 八木書店, 2019.

『新編追加』 : 『續群書類從』23下, 武家部1, 권655 소수.

『神皇正統記』, 北畠親房 : 『續群書類從』29上, 雜部1, 권851 ; 『改定史籍集覽』5 소수. 影印本,
    六地藏寺本, 汲古書店, 1997 ; 國學大學院 編, 朝倉書店, 2014.[367]

『實躬卿記』(愚林記・寬躬記・先人記), 藤原實躬 : 『日本古記錄』소수 ; 八木書店, 2019.

『實冬公記』 : 『日本古記錄』소수.

『深心院關白記』(深心院基平公記・深心院殿記), 藤原基平(近衛基平, 1246~1268) : 陽明文庫, 『陽
    明叢書』2 ; 『日本古記錄』소수.

ㅇ

『御堂關白記』, 藤原道長 : 『日本古記錄』소수. 影印本, 思文閣, 1983(陽明叢書記錄文書篇 第1輯).[368]

『廬山蓮宗復教集』 : 小笠原宣秀, 『中國近世淨土敎史硏究』, 1963.

「如是院年代記」 : 『群書類從』16, 권460, 雜部15 소수.

『歷代鎭西志』 : 筆寫本.

---

365) 이는 『大宰府・太宰府天滿宮史料』8, 1972 ; 『蒙古襲來の硏究』增補版, 吉川弘文館, 1982에 인용되어 있다.

366) 이의 逸文을 정리한 本木好信 等編, 『時範記逸文集成』, 岩田書店, 2018이 있다.

367) 이의 주석, 번역으로 御橋惠言, 『神皇正統記注解』, 續群書類從刊行會, 2001 ; ---, 『現代語譯神皇正統記』,
    新人物文庫, 2015가 있다.

368) 이의 주석으로 山中 裕, 『御堂關白記全註釋』, 思文閣出版, 2007以來가 있다. 또 御堂(미도우)은 藤原道
    長(후지와라노 미치나가, 966~1027)가 死後에 불린 通稱으로 그가 晚年에 건립한 法成寺(호우조지)에
    서 유래하였고, 그는 실제로 關白(칸바쿠)을 역임하지 않았지만 後世에 그렇게 불렸다. 또 이 일기의
    自筆本 14권은 古色蒼然한 自筆日記의 하나로서 2013년에 유네스코 記憶遺産으로 등록되었다고 한다.
    그리고 이 일기의 自筆本과 筆寫本에 記載된 가나[假名]를 정리, 분석한 연구도 있다(倉本一宏 2018年a).

『歷代鎭西要略』: 文獻出版, 1976.[369]

『歷代皇紀』 → 『皇代曆』.

『延寶傳燈錄』, 卍元師蠻(僧, 1626~1710) : 『日本佛敎全書』 108-109 소수.

『年中行事祕抄』: 『群書類從』 6, 公事部, 권86 소수.

『迎陽記』, 東坊城秀長(菅原秀長, 1338~1411) : 筆寫本(京都大學 附屬圖書館 所藏) ; 八木書店,
    2011年 以來(『史料纂集』 所收).

『永源寂室和尙語錄』: 『大正新脩大藏經』 제81권 소수.

『永仁三年記』, 太田時連(13세기후반) : 『續史料大成』 10 소수.

『五家正宗贊』: 『日本續藏經』 1-2乙-8套(5冊).

『五代帝王物語』(五代記) : 『群書類從』 2, 帝王部9, 권37 소수.

『吾妻鏡』(東鑑), 鎌倉幕府 編 : 『續國史大系』 4·5 ; 『新訂增補國史大系』 32·33, 소수. 『吾妻鏡』
    吉川本, 國書刊行會, 1923 ; 『吾妻鏡』, 寬永版影印, 汲古書院, 1976.[370]

『玉葉』(玉海), 九條兼實(藤原兼實, 1149~1207) : 『玉葉』, すすや書房, 1966 ; 『圖書寮叢刊』 소수.[371]

『玉芯』, 九條道家 : 『九條家歷世記錄』(『圖書寮叢刊』 소수).

『玉英記抄』(玉英, 玉英御記), 一條兼良(室町時代) : 『續史料大成』 18 소수.

『外記日記』 → 『新抄』.

『龍山德見集』: 『五山文學新集』 3, 1969, 東京大學出版會 소수.

『愚管記』(後深心院關白記), 近衛道嗣(1332~1387) : 『續史料大成』 ; 『增補續史料大成』 ; 『日本
    古記錄』 소수.

『愚官抄』: 『新訂國史大系』 19 소수.

『愚昧記』, 藤原實房 : 『日本古記錄』 소수.

『宇治拾遺物語』: 『新訂增補國史大系』 18 ; 『日本古典文學大系』 27 ; 『日本古典文學全集』 28 소수.

『雲門一曲』: 『日本史料』 6-38·40에서 引用하였다.

『元寇紀略』: 筆寫本 ; 國立國會圖書館, データベース.

『圓太曆』: 筆寫本 ; 1971 以來, 續群書類從完成會.

『圓通大應國師語錄』: 『大正新脩大藏經』 제80권 소수.

『元亨釋書』, 虎關師鍊(僧, 1278~1346) : 『日本佛敎全書』 101 ; 『新訂增補國史大系』 31 소수.[372]

---

369) 이는 『歷代鎭西志』를 요약한 것이다.

370) 이 책의 여러 樣相을 분석한 업적으로 佐藤和彦 等編, 『吾妻鏡事典』, 東京堂出版, 2007 ; 五味文彦,
    『增補吾妻鏡の方法』, 吉川弘文館, 2018 ; 南基鶴, 2017년 '아즈마카가미[吾妻鏡]은 어떠한 사서인가?'
    등이 있다.

371) 이의 교정, 훈독으로 山田安榮, 『玉葉』, 東京活版株式會社, 1907 ; 高橋貞一, 『訓讀玉葉』, 高科書店,
    1988 以來가 있다.

『月舟和尙語錄』:『續群書類從』13, 文筆部26, 권342 소수.

『爲房卿記』(大記, 大卿記, 大府記), 平安 藤原爲房 : 필사본 ;『歷代殘闕日記』18 소수.

『類聚旣驗抄』:『續群書類從』3, 神祇部58, 권58 소수.

『類聚三代格』:『新訂增補國史大系』25 소수.

『應永記』(大內義弘退治記) :『群書類從』13, 合戰部6, 권374 소수.

『應頂山勝尾寺緣起』, 別傳(僧, 元人, 14세기중반) : 필사본.

「異國牒狀記」: 筆寫本, 京都大學 文學部圖書館 所藏本, 1924 ;『日本史料』6-28 소수.[373]

『伊勢記』(逸書):『大神宮叢書』9, 神宮參拜記 소수.

『異國出契』: 筆寫本, 國立公文書館 內閣文庫·京都大學 文學部圖書館 所藏本.

『異稱日本傳』:『改定史籍集覽』20 ;『皇學叢書』11 소수.

『隣交徵書』: 1840년(天保11) 刊本.

『一代要記』, 著者不明 : 필사본 ;『史籍集覽』;『改正史籍集覽』;『新訂增補史籍集覽』소수.

「日蓮書狀」: 小川泰堂,『高祖遺文錄』; 本化聖典普及會,『日蓮聖人御遺文』, 1932 ; 立正大學日
    蓮敎學硏究所 編,『日蓮聖人遺文』, 1959.[374]

『日蓮註畫讚』(日蓮聖人註畫讚) :『續群書類從』9, 傳部13, 권220 소수.

『日本古文書』: 東京大學 史料編纂所, 1901이래.

『日本紀略』(日本史記略·日本紀類), 著者不明 : 필사본 ;『國史大系』5 ;『新訂增補國史大系』10～
    11 소수.

『日本洞上聯燈錄』, 嶺南秀恕(僧, 1675～1752) :『曹洞宗全書』16, 史傳上 ;『日本佛敎全書』110 소수.

『日本史料』: 東京大學 史料編纂所, 1869년 이래.

『日本佛敎全書』: 佛書刊行會, 1913年 以來 ; 鈴木學術財團, 1973.

『日本三代實錄』:『新訂增補國史大系』4 소수.

『日本續藏經』: 續藏經編纂室, 1912 ; 國書刊行會, 1980年 以來.

『日本長曆』(長曆), 涉川春海 : 神宮文庫 所藏.

『一山國師妙慈弘濟大師語錄』(一山國師語錄) :『일본불교전서』95 ;『大正新脩大藏經』제80권
    소수.

『一山國師行記』:『續群書類從』9, 傳部13, 권220 소수.

『日鮮關係史料』: 필사본.

---

372) 이의 훈독, 색인으로 藤田琢司,『訓讀元亨釋書』, 禪文化硏究所, 2011 ; 八卷紀道,「日本高僧傳要文抄·元
    亨釋書人名總索引」『政治經濟史學』192, 1982가 있다.

373) 이를 傳寫한 것이『弘安文祿征戰偉續』, 史學會, 1905의「異國牒狀事」이다.

374) 이의 번역으로 韓國佛敎會,『日蓮聖人御書全集』, 和光出版社, 1996이 있다.

『立定安國論』:『日本古典文學大系』82 소수.

「立川寺年代記」:『續群書類從』29下, 권859, 雜部9 소수.

ㅈ

『長谷寺靈驗記』:『일본불교전서』118;『續群書類從』27下, 釋家部84, 권799上 소수.

「將軍家政所下文」(鎌倉幕府의 命令書, 1275년 10월):山代文書.[375]

『將軍記』:『國史叢書』15 소수.

『長曆』→『日本長曆』

『猪隈關白記』, 藤原家實;『日本古記錄』소수.

『寂照堂谷響續集』:

『前大納言公任卿集』:『中古諸家集全』, 校註國歌大系13, 講談社, 1976;『新日本古典文學大系』28 소수.

『殿曆』, 藤原忠實:東京大學 史料編纂所,『日本古記錄』, 1960.

『田氏家集』, 島田忠臣(828~892):『群書類從』6, 文筆部9, 권130 소수.[376]

『正慶亂離志』(博多日記):『續史料大成』18 소수.

『政事要略』:『新訂增補國史大系』28, 吉川弘文館, 2004 소수.

『貞信公記抄』(貞信公卿記·貞卿記·貞公記), 藤原忠平(880~949):東京大學 史料編纂所,『日本古記錄』, 1956;天理大出版部,『天理圖書館善本叢書』42, 1980;『續續群書類從』5, 記錄部 소수.

『正法眼藏』:『大正新脩大藏經』제82권 소수;『正法眼藏』(兩足院所藏 影印本), 臨川書店, 2006.[377]

「正應六年太政官牒」:『續群書類從』3 神祇部76 권76 소수.

『濟北集』:『五山文學全集』1, 1905 소수.

『帝王編年記』(帝王編年集成·歷代編年記·扶桑編年記), 著者不明(僧 永祐 推測):『新訂增補國史大系』12 소수.

「醍醐寺雜事記」:『群書類從』16輯, 권453, 雜部8 소수.

『朝鮮物語』, 江戶 木村理右衛門:영인본, 京都大學 國文學會, 1970.

『朝野群載』:필사본;『新訂增補國史大系』29상;『改定史籍集覽』18 소수.

「趙良弼書狀」(東福寺文書, 1271년):『東福寺文書』1;『隣交徵書』初編1;『伏敵編』1 소수.[378]

---

375) 이는『太宰府大宰府天滿宮史料』8, 1972에 인용되어 있다.

376) 이의 주석으로 中村璋八·島田伸一郎,『田氏家集全釋』, 汲古書院, 1993;小島憲之,『田氏家集注』, 和泉書院, 1991~1994.가 있다.

377) 이의 번역으로 森本和夫,『正法眼藏』訓讀, 筑摩書房, 2003 以來가 있다.

378) 이는『徵古文書』甲集, 1896;『鎌倉遺文』古文書編14, 1978;『大宰府·太宰府天滿宮史料』8, 1972에

『造興福寺記』：『일본불교전서』 123 소수.

『尊卑分脈』：『新訂增補國史大系』 58~60 소수.

『左經記』(經賴記·糸束記·源大丞記), 源經賴(976~1039) : 필사본 ; 『史料大成』 4 ; 『增補史料大成』 6 소수.

『竹崎季長繪詞』(『蒙古襲來繪詞』) : 複寫本 ; 『日本思想大系』 21 소수.[379]

『重刊貞和類聚祖苑聯芳集』：『일본불교전서』 143 소수.

『中右記』(中御門右府記·宗忠公記·愚林), 藤原宗忠(1062~1141) : 필사본 ; 『史料大成』 8-14 ; 『增補史料大成』 9-15 ; 『日本古記錄』 소수.[380]

『中院一品記』, 中院通冬(1315~1363) : 東京大學史料編纂所, 『日本古記錄』 소수.

『智覺普明國師語錄』, 春屋妙葩(僧, 1311~1388) : 『大正新脩大藏經』 제80권 ; 『日本佛敎全書』 111 소수.

ㅊ

『參天台五臺山記』, 成尋(1011~1081) : 東洋文庫, 東洋文庫叢刊7 ; 『日本佛敎全書』 115 ; 『改定史籍集覽』 26 소수.[381]

『千載和歌集』：『新日本古典文學大系』 10 ; 『新編國歌大觀』 1 소수. 影印本, 冷泉家時雨亭文庫 編, 朝日新聞社, 2006.[382]

『靑方文書』(長崎縣立圖書館 所藏文書).[383]

「淸拙大鑑禪師塔銘」：『續群書類從』 9, 傳部41, 권230 소수.

『春記』：『增補史料大成』 7, 소수.

『測量日記』, 伊能忠敬(1745~1818) : 鏡神社所藏 筆寫本 ; 大空社, 1998.

『親信卿記』(天延二年記), 平親信(946~1017) : 『續群書類從』 29下, 雜部14, 권864 ; 『歷代殘闕日記』 소수.

인용되어 있다.

379) 이의 注釋으로 石井進, 「竹崎季長繪詞校注」 『中世政治社會思想』 上 : 『日本思想大系』 21, 岩波書店, 1981 이 있다.

380) 이의 색인으로 佐々木令信, 『中右記人名索引』, 臨川書店, 1993 以來가 있다.

381) 이의 교주로 王麗萍, 『新校參天台五臺山記』, 上海古籍出版社, 2009가 있다.

382) 이의 교정으로 上條彰次, 『千載和歌集』, 和泉書院, 1994가 있다.

383) 이의 校訂으로 瀨野精一郞, 『靑方文書』, 續群書類從完成會, 1975가 있다.

ㅌ

『台記』, 藤原賴長 ： 『增補史料大成』, 臨川書店 소수. 影印本, 尊經閣文庫 編, 八木書店, 2017.

『太平記』： 『玄玖本太平記』, 前田育成會, 1975 ； 『太平記』, 國書刊行會, 1907 ； 影印本, 新典社善本叢書9, 1990.[384]

『土右記』, 源師房 ： 『續史料大成』 22, 臨川書店, 1967 소수.

ㅍ

「播磨矢野莊人夫役等催促狀案」(播磨守護 赤松義則의 傳令, 1375년 11월) ： 東寺百合文書.[385]

『八幡愚童記』(異本은 『八幡愚童訓』) ： 『群書類從』 1 소수.

『平戶記』(經高卿記), 平經高(1180~1255) ： 『史料大成』 24·25 ； 『增補史料大成』 32·33 소수.

ㅎ

『河內國小松寺緣起』 ： 『續群書類從』 27下, 권801, 釋家部86 소수.

『河海抄』 ： 筆寫本.

『鶴岡社務記錄』 ： 『改定史籍集覽』 25 ； 『續史料大成』 18 소수 ； 平井九馬三, 『鶴岡社務記錄』, 1908.

『旱霖集』, 夢巖祖應(僧, ?~1374) ：『續群書類從』 12, 文筆部8, 권324 ； 『日本古典文學大系』 89 ； 『五山文學全集』 1 소수.

「弘安四年日記抄」(「壬生官務日記抄」, 「壬生家日記抄」), 小槻顯衡(壬生顯衡, 13세기 후반) ： 京都大學 文學部 古文書室 所藏 ； 國民精神文化硏究所, 『元寇史料集』 2(『國民精神文化文獻』 2), 1935 ； 『正傳寺文書』 소수.

『花營三代記』 ： 『群書類從』 26, 雜部459 소수.

『花園天皇宸記』 ： 『史料大成』 33 ； 『增補史料大成』 2·3 소수.[386]

『華頂要略』, 進藤爲善(僧, 19세기전반) ： 『일본불교전서』 128~130 소수.

『和漢合符』 ： 筆寫本.[387]

---

384) 이의 주석으로 『日本古典文學大系』 34~36, 岩波書店 1977 ； 山下宏明, 『太平記』, 新潮社, 1977 以來가 있다.

385) 이는 『日鮮關係史料』 ； 『日鮮關係史の硏究』 上, 吉川弘文館, 1965 ； 『日本史料』 6-44 ； 『日本古文書』 家わけ10, 東寺文書11에 인용되어 있다.

386) 이의 번역으로 村田正志 編, 『和譯花園天皇宸記』, 續群書類從刊行會, 1998 以來가 있다.

387) 이는 『日鮮關係史料』에 인용되어 있다.

『和漢合運曆』(和漢合運) : 筆寫本.[388]

『皇年代私記』 → 『皇年略記』

『皇代記』: 『新道大系』 神宮編2, 精興社, 1980 소수.

『皇代曆』(歷代皇紀·歷代皇記·皇代略記), 洞院公賢(1291~1360), 甘露寺親長(1424~1500) 等 : 『改定
   史籍集覽』 18 소수.

『皇代略記』(皇年代私記) : 『續群書類從』 第4, 권82, 帝王部1, 『皇代略記』 ; 『改定史籍集覽』 19, 『皇年
   代私記』·『續皇年代私記』.

『皇帝紀抄』: 『群書類從』 2, 帝王部, 권35 소수.

『會津舊事土苴考』: 國史叢書18·19 소수.

『後鑑』: 『續國史大系』 6-8 ; 『新訂增補國史大系』 34-37 소수.

『後深心院關白記』 → 愚管記.

「後深草上皇院宣」(後深草上皇의 宣旨, 1289년 5월) : 大和春日神社文書.[389]

「後深草上皇書狀」(後深草上皇의 宣旨, 1292년 12월) : 武藏 細川護立所藏文書.[390]

『後愚昧記』(後押小路內府公忠公記), 三條公忠(1324~1383) : 筆寫本 ; 『日本古記錄』 소수.

『後二條師通記』, 藤原師通 : 『日本古記錄』 소수.

『興福寺略年代記』(興福寺年代記) : 『續群書類從』 29下, 雜部7, 권857 소수.

---

388) 이는 『日鮮關係史料』에 인용되어 있다.

389) 이는 『徵古文書』 甲集, 1896 ; 『鎌倉遺文』 古文書編22, 1982에 인용되어 있다.

390) 이는 『鎌倉遺文』 古文書編23, 1982에 인용되어 있다.

參考研究業績

韓國語[1]

ㄱ

강경구 等編 1995년 以來 『朝鮮百科大事典』, 百科事典出版社, 平壤

강경숙 2005년 『한국 도자기 가마터 연구』, 時空社

姜吉仲 1991년 「南宋과 高麗의 政治外交와 貿易關係에 대한 考察」 『慶熙史學』 16·17合

康萬益 2016년 「고려말 탐라목장의 운영과 영향」 『耽羅文化』 52

강문석 2004년 「철원환도이전의 궁예정권연구」 『歷史와 現實』 57

‐‐‐‐‐‐‐ 2016년 「나말여초 재지성주의 장군칭호의 의미」 『新羅史學報』 37

강문식 2008년 『權近의 經學思想 研究』, 一志社

강민경 2019년 「새롭게 확인된 고려묘지지명」 『美術資料』 96

강병국 2019년 「필사본 '鄕藥救急方'의 流轉」 『歷史와 現實』 112

姜鳳龍 2001년 「押海島의 번영과 쇠퇴」 『島嶼文化』 8

‐‐‐‐‐‐‐ 2003년 「羅末麗初 王建의 西南海地方掌握과 그 背景」 『島嶼文化』 21

姜鳳龍 等編 2019년 『해양강국 고려와 전남』, 民俗苑

강봉원 2010년 「仇於驛의 위치에 관한 고찰」 『大丘史學』 98

강순애 2006년 「順天 松廣寺 四天王像의 腹藏典籍考」 『書誌學研究』 27

강순애 등 2006년 『송광사 사천왕상 발굴 자료의 종합적 연구』, 亞細亞文化社

姜信沆 1980년 『鷄林類事 高麗方言 研究』, 成均館大學 出版部

江原大學 博物館 1996년 『麟蹄 甲屯里一帶 石塔調査報告書』

‐‐‐‐‐‐‐ 2012년 『壯節公申崇謙將軍의 活動과 春川遺蹟地의 再照明』

‐‐‐‐‐‐‐ 2013년 『春川所在 壯節公申崇謙將軍의 遺蹟地 資料集』

江原文化財研究所 2002년 『師子山興寧院』, 地表調査報告書

강인수 1975년 「瑞山文殊寺 金銅如來坐像 佛腹遺物」 『美術資料』 18

---

1) 여기에서 韓國語에 能熟하지 못한 外國學者를 위해 筆者가 題目을 적절히 漢字로 變更한 경우도 있다.

姜在光 2008년 「對蒙戰爭期 崔氏政權의 海島入保策과 戰略海島」『軍史』 66

------- 2011년 『蒙古侵入에 대한 崔氏政權의 外交的 對應』, 景仁文化社

------- 2012년 「1258~1259년 將軍 朴希實·趙文柱의 對蒙外交와 對蒙講和」『韓國中世史研究』 34

------- 2012년 「對蒙戰爭期 西·南海岸 州縣民의 海島入保抗戰과 海上交通路」『地域과 歷史』 30

------- 2013년 「金俊勢力의 形成과 金俊政權의 三別抄改編」『한국중세사연구』 36

------- 2014년 「1255~1256년 槽島·牙州海島 대상지 비정과 海戰의 影響」『군사』 93

------- 2015년 「對蒙抗爭期 高宗의 出陸外交와 그 歷史的 性格」『한국중세사연구』 43

------- 2018년a 「1232년 李世華의 廣州山城戰鬪 勝捷의 歷史的 意味」『民族文化研究』 78

------- 2018년b 「對蒙戰爭期 處仁城勝捷의 性格과 歷史的 意味」『한국중세사연구』 53

------- 2019년 「對蒙戰爭期 高麗 水軍의 活動樣相과 戰爭史的 意味」『한국중세사연구』 57

------- 2020년 「1231년 西北面兵馬使 朴犀의 龜州城戰鬪에 대한 檢討」『한국중세사연구』 61

------- 2022년a 「고려무인정권 말기 武臣 宋松禮의 정변 참여와 무인정권 붕괴」『한국중세사연구』 68

------- 2022년b 「대몽항쟁을 통해 본 김윤후의 대몽전략과 리더십」『민족문화연구』 96

姜在求 2016년a 「몽골의 高麗 北界 분리 시도와 東寧府의 편제」『地域과 歷史』 39

------- 2016년b 「高麗 元宗代 麗蒙關係의 推移와 東寧府의 設置目的」『한국중세사연구』 47

------- 2021년 「동녕부의 군사적 기능과 1290년 고려 북계지역의 반환」『한국중세사연구』 66

姜晋哲 1980년 『高麗土地制度史研究』, 高麗大學出版部

------- 1989년 『韓國中世土地所有研究』, 一潮閣

------- 1991년 『改定高麗土地制度史研究』, 일조각

강화역사박물관 2017년 『삼별초와 동아시아』

姜好鮮 2010년 『高麗末 懶翁慧勤 研究』, 서울대학 박사학위논문

------- 2013년 「13世紀 江都 및 開京의 寺刹運營」『대구사학』 110

------- 2015년 「고려시대 국가의례로서의 불교의례 설행과 그 정치적 의미」『東國史學』 59

姜喜雄 1977년 「高麗惠宗朝 王位繼承亂의 新解釋」『韓國學報』 7

開城發掘組 1986년 「개성만월대의 못과 지하하수도시설물에 대한 조사발굴보고」『朝鮮考古研究』 3

兼若逸之 1988년 「"高麗史"方三十三步 및 "高麗圖經"每一百五十步의 面積에 대하여」『孫寶基博士停年紀念韓國史學論叢』, 知識産業社

京畿道博物館 1999년 『京畿道佛蹟資料集』, 381쪽

------- 2003년 『全州李氏寄贈古文書』

慶南發展研究院 歷史文化센타 2007년 『昌寧末屹里高麗時代建物址』

------- 2008년 『馬山會原縣城』

慶尙大學 博物館 1997년 『泗州 本村里 廢寺址』, 發掘調査報告書

慶南大學 博物館 2016년 『東國諸賢遺墨』

慶尙北道 編 2019년 『指定文化財現況』

慶州文化財研究所 1998년 『天龍寺址』, 發掘調査報告書

考古美術同人會 1964년 『韓國古建物上樑記文集』(『考古美術資料』5)

高麗大學 中央圖書館 1984년 『漢籍目錄』

高麗大學 民族文化研究院 2011년 『韓國語大事典』

고명수 2019년 『몽골-고려 관계 연구』, 慧眼

고바야시 히토시[小林 仁] 2016년 「中國 出土 高麗 靑磁」『美術資料』90, 국립중앙박물관

高柄翊 1970년 『東亞交涉史의 研究』, 서울大學 出版部

-------- 1973년 「元과의 關係의 變遷」『韓國史』7

-------- 1977년 「高麗와 元과의 關係」『東洋學』7

-------- 1991년 「麗代 東아시아의 海上通交」『震檀學報』71·72合

高爽林 1991년 『宋代社會經濟史研究』, 螢雪出版社

高錫元 1977년 「麗末鮮初의 對明外交」『白山學報』23

고용규 2018년 「珍島 龍藏城의 구조와 성격」『韓國中世考古學』3

高裕燮 1946년 『松都古蹟』, 博文出版社

-------- 1979년 『松都의 古蹟』, 悅話堂

高銀美 2018년 「전근대 동아시아의 무역과 화폐」『역사와 현실』110

-------- 2021년 「중세 일본의 외교권」『大東文化研究』113

高翊晋 1987년 『韓國撰述佛書의 研究』, 民族社

高惠玲 2001년 『高麗後期 士大夫와 性理學 受容』, 일조각

高惠玲 等編 2003년 『조선시대의 사회와 사상』, 집문당

功德山後學 1924년 「懶翁王師의 菩薩戒牒을 보고」『佛教』5

空印博物館 編 2008년 『空印博物館』, 大雲山 神妙精舍

郭魯鳳 2015년 「고려시대의 영남서예」『한국학논집』61, 啓明大學

郭丞勳 編 2021년 『고려시대 전적자료집성』, 혜안

곽유석 2012년 『고려선의 구조와 조선기술』, 민속원

구범진 2012년 『吏文譯注』, 세창출판사

具山祐 1992년 「高麗 成宗代 對外關係의 展開와 그 政治的 葛藤」『韓國史研究』78

-------- 1992년 「羅末麗初의 蔚山地域과 朴允雄」『韓國文化研究』5

-------- 1999년 「14세기 전반기 崔瀣의 저술 활동과 사상적 단면」『지역과 역사』5

-------- 2001년 「高麗前期 香徒의 佛事 조성과 구성원 규모」『한국중세사연구』10

-------- 2002년a 「高麗時期 界首官의 地方行政 機能과 位相」『역사와 현실』 43

-------- 2002년b 「高麗 太祖代의 歸附豪族에 대한 政策과 鄕村社會」『지역과 역사』 11

-------- 2002년c 「고려시기의 촌락과 사회」『한국중세사연구』 13

-------- 2003년a 「高麗 成宗代 政治勢力의 性格과 動向」『한국중세사연구』 14

-------- 2003년b 『高麗前期의 鄕村支配體制研究』, 혜안

-------- 2008년 「新羅末 高麗初 金海·昌原地域의 豪族과 鳳林山門」『한국중세사연구』 25

-------- 2010년 「高麗末 城廓築造와 鄕村社會의 動向」『역사와 경계』 75

-------- 2011년 「高麗의 一品·三品軍에 관한 새로운 資料의 紹介와 分析」『역사와 경계』 78

-------- 2018년a 「高麗 治所城에 건설된 地方軍에 관한 새로운 기와 銘文」『木簡과 文字』 21

-------- 2018년b 「高麗時期 金海의 地方行政構造」『한국중세사연구』 54

-------- 2020년a 「고려시기의 성곽 건설과 주민동원」『한국중세사연구』 60

-------- 2020년b 「高麗前期 州縣軍의 活動과 指揮」『한국중세사연구』 63

具山祐 等 2008년 『慶南의 書院』, 善麟

----------- 2011년 『慶南昌原의 進禮山城』, 善麟

國立慶州博物館 1987년 『李養璿蒐集文化財』

---------- 2017년 『경주 호장의 기록, 부사선생안』

국립고궁박물관 2011년 『初彫大藏經』

國立公州博物館 1995년 『天安南山里高麗墳』

國立大邱博物館 2004년 『嶺南의 큰 고을 星州』, 통천문화사

國立文化財研究所 2005년 『文獻으로 보는 高麗時代의 民俗』

-------- 1993년 『坡州瑞谷里 高麗壁畫墓 發掘調査報告書』

-------- 2005년a 『오쿠라 컬렉션 한국문화재』

-------- 2005년b 『미국 보스턴미술관 소장 한국문화재』

-------- 2005년 『文獻으로 보는 高麗時代의 民俗』

-------- 2006년 『북한국보유적』

-------- 2007년 『江華 高麗王陵』

-------- 2008년a 『開城高麗宮城試掘調査報告書』

-------- 2008년b 「高敞禪雲寺東佛庵」『건축유적 발굴조사 자료집』 사찰편Ⅲ(전북·전남·제주)

-------- 2008년c 『海外典籍文化財調査目錄』, 日本大谷大學所藏 高麗大藏經

-------- 2011년 『佛國寺多寶塔修理報告書』

-------- 2015년 『개성 고려궁성』, 남북공동 발굴조사보고서Ⅱ

국립민속박물관 1997년 『한국의 도량형』, 辛酉文化社

-------- 2003년 『한국세시풍속자료집성』(삼국·고려시대편)

국립부여박물관 2018년 『開泰寺』

국립전주박물관 2016년 『吳越과 後百濟』 (발표초록)

國立中央博物館 1992년 『高麗陶瓷銘文』

------- 1999년 『아름다운 金剛山』

------- 2002년a 『유창종기증 기와·전돌』

------- 2002년b 『高麗·朝鮮의 對外交流』, 통천문화사

------- 2006년a 『다시 보는 역사 편지 고려묘지명』

------- 2006년b 『북녘의 문화유산』

------- 2008년 『高麗王室의 陶瓷器』

------- 2009년a 『불국사석가탑유물2, 重修文書』

------- 2009년b 『高麗時代를 가다』

------- 2013년 『고려시대 향로』

------- 2013년 『韓國의 道敎文化』

------- 2015년 『발원, 간절한 바람을 담다』

------- 2019년 『대고려, 그 찬란한 도전』

國立中央圖書館 編 1970년 『國立中央圖書館善本解題』

國立濟州博物館 2013년 『제주 출토 고려시대 도자기』

國立晉州博物館 2002년 『晋州城蠹石樓外廓의 試掘調査報告書』

國立淸州博物館 1999년 『高麗工藝展』

------- 2014년 『淸州 思惱寺 金屬工藝』

------- 2017년 『淸州 興德寺』

國立春川博物館 2002년 『國立春川博物館』

國立海洋文化財研究所 2009년 『高麗靑磁寶物船』 (泰安郡沿海 發掘報告書)

------- 2011년 『泰安魔道海域探査報告書』

------- 2011년 『泰安馬道2號船』

------- 2012년 『泰安馬道3號船』

------- 2015년 『珍島 鳴梁大捷路 海域 水中發掘調査 報告書』

------- 2016년a 『泰安馬道4號船』

------- 2016년b 『安山大阜島2號船』

------- 2017년 『泰安馬島海域』

------- 2018년 『珍島 鳴梁大捷路 海域 水中發掘調査 報告書』

國史編纂委員會 2006년 『高麗·朝鮮墓誌 新資料』 (韓國史史料叢書50)

國史編纂委員會 2011년 『韓國 書藝文化의 歷史』

菊竹淳一·鄭于澤 1997년 『高麗時代의 佛畵』, 時空社

국토지리정보원 2013년 『한국지명유래집』 북한편1·2

權悳永 1999년 「天地瑞祥志의 編纂者에 대한 새로운 視覺」『白山學報』 52

-------- 2000년 『후백제와 견훤』, 서경문화사

-------- 2006년 「新羅下代 西南海地域의 海賊과 豪族」『韓國古代史研究』 4

권두규 2017년 「高麗時代 陵號 記載樣式과 投與基準」『韓國中世考古學』 1

權相老 1917년 『朝鮮佛教略史』, 新文館

-------- 1975년 『韓國寺刹全書』, 東國大學出版部

-------- 1989년 『退耕堂全書』, 退耕堂全書刊行委員會(영인본, 梨花文化出版社, 1998)

權善宇 1999년 「고려 충렬왕대 김방경 무고 사건의 전개와 그 성격」『인문과학연구』 5, 동아대학

權純馨 2008년 「高麗 穆宗代 獻哀王太后의 攝政에 대한 考察」『사학연구』 89

權延雄 1983년 「高麗時代의 經筵」『慶北史學』 6

權寧國 2016년 「고려시대의 三師와 三公」『崇實史學』 36

-------- 2020년 『고려시대 군사제도 연구』, 경인문화사

權寧國 等 1996년 『譯註高麗史食貨志』, 韓國精神文化研究院

權叡洹 2018년 「金帝國에 파견된 高麗使臣團의 類型과 構成」, 慶北大學 教育學 碩士學位論文

權五重 1980년 「靺鞨의 種族系統에 관한 試論」『진단학보』 49

權容徹 2015년 「고려인 환관 高龍普와 大元帝國 徽政院使 禿滿迭兒의 관계에 대한 소고」『사학연구』 117

-------- 2018년a 「李穀의 稼亭集에 수록된 大元帝國 역사관련 기록 분석」『역사학보』 237

-------- 2018년b 「대원제국 말기 재상 톡토의 至正 9년 再執權에 대한 검토」『大丘史學』 130

-------- 2019년 「高麗史에 기록된 元代 케식 文書史料의 분석」『한국중세사연구』 58

권은주 2020년 「渤海遺民 張汝猶墓誌銘 檢討」『한국고대사탐구』 34

권지연 2004년 「海印寺 소장 佛說像修十王生七經 연구」『비교한국학』 12, 국제비교한국학회

權熹耕 1976년 「日本에 現存하는 高麗寫經」『고고미술』 132

-------- 1978년 「佐賀博物館所藏의 高麗寫經八冊本法華經에 關한 考察」『고고미술』 138·139合

-------- 1986년 『高麗寫經의 研究』, 미진사

-------- 2003년 「親元系 高麗寫經의 發願者·施財者에 관한 研究」『서지학연구』 26

-------- 2006년 「高麗個人發願寫經」『한국기록학회지』 6-1

-------- 2006년 『高麗의 寫經』, 글고운

祁慶富 1995년 「宣和奉使高麗圖經의 版本과 그 源流」『계간서지학보』 16

-------- 1997년 「10~11세기 한중 해상교통로」『한중 문화교류와 남방해로』, 국학자료원

吉熙星 1983년 「高麗時代의 僧階制度에 對하여」『奎章閣』 7

金甲起 1998년 『三韓詩龜鑑』, 梨花文化出版社

金甲童 1988년 「高麗初期 官階의 成立과 그 意義」『역사학보』 117

------- 1990년 『羅末麗初의 豪族과 社會變動研究』, 高麗大學 民族文化研究所

------- 1993년 「王權의 確立과 豪族」『韓國史』 12, 국사편찬위원회

------- 1994년a 「高麗太祖王建과 後百濟神劍의 戰鬪」『朴秉國教授停年記念史學論叢』

------- 1994년b 「金審言의 生涯와 思想」『史學研究』 48

------- 1994년c 「高麗時代의 都兵馬使」『역사학보』 14

------- 1996년 「高麗時代의 都領」『한국중세사연구』 3

------- 1997년 「고려시대 순창의 지방세력과 성황신앙」『한국사연구』 97

------- 1997년 「高麗初의 官階와 鄕職」『國史館論叢』 78

------- 2000년 「後百濟 甄萱의 戰略과 領域의 變遷」『軍史』 41

------- 2001년 「高麗時代 羅州의 地方勢力과 그 動向」『한국중세사연구』 11

------- 2002년a 「王建의 訓要10條에 대한 再解釋」『역사비평』 60

------- 2002년b 「羅末麗初 天安府의 成立과 그 動向」『한국사연구』 117

------- 2004년 「高麗初期 洪城地域의 動向과 地域勢力」『사학연구』 74

------- 2005년 『고려전기 정치사』, 일지사

------- 2008년a 「고려의 건국 및 후삼국통일의 민족사적 의미」『한국사연구』 134

------- 2008년b 「고려의 후삼국통일과 庚黔弼」『軍史』 69

------- 2008년c 「王建의 중국 출신설에 대한 비판적 검토」『동북아역사논총』 19

------- 2010년a 『高麗의 後三國統一과 後百濟』, 서경문화사

------- 2010년b 「千秋太后의 實體와 西京勢力」『歷史學研究』 38

------- 2014년 「張東翼 著, '高麗史世家初期篇補遺1,2'의 書評」『한국중세사연구』 40

------- 2016년 「고려시대 巫俗信仰의 전개와 변화」『역사와 담론』 78, 호서사학회

------- 2017년a 「高麗 太祖代 木天의 地方勢力과 天安」『王建, 신도시 天安을 건설하다』, 天安市

------- 2017년b 「木川의 地方勢力과 天安府의 成立」『역사와 담론』 84

------- 2017년c 「後三國의 大中國 外交」『한국중세사연구』 49

------- 2017년d 『高麗의 土俗信仰』, 혜안

------- 2019년 「고려의 『7대사적』과 『태조실록』」『사학연구』 133

------- 2021년 『고려 태조 왕건정권 연구』, 혜안

金甲童 等編 2004년 『고려 무인정권과 명학소민의 봉기』, 다운샘

------- 等編 2015년 『고려의 왕비』, 경인문화사

金甲周 1969년 「朝鮮初期 上院, 洛山寺의 堤堰開墾에 대하여」『동국사학』 11

------- 1976년 「朝鮮前期 寺院田을 中心으로 한 佛教界動向의 一考」『동국사학』 11

김갑진 2013년 「나말여초 경상도 연해지역 판축토성 연구」『문물연구』 24

金乾坤 1991년 「高麗時代의 制誥」『정신문화연구』 14-1(42)

金乾坤 等編 2020년 『고려시대 외교문서와 사행문서』, 한국학중앙연구원 출판부

金暻綠 2007년 「공민왕대 국제정세와 대외관계의 전개양상」『역사와 현실』 64

------- 2017년 「洪武年間 明의 遼東經略과 朝·明 關係」『군사』 102

김경찬 1993년 「九月山一帶의 地域城防禦體系」『金日成綜合大學·學報』 39-4

金光洙 1969년a 「高麗時代의 同正職」『역사교육』 11·12合

------- 1969년b 「高麗時代의 胥吏職」『한국사연구』 4

------- 1973년 「高麗太祖의 三韓功臣」『史學誌』 7

------- 1977년 「高麗建國期의 浿西豪族과 對女眞關係」『史叢』 21·22合

------- 1979년 「羅末麗初의 豪族과 官班」『한국사연구』 23

金光植 1995년 『高麗武人政權과 佛敎界』, 민족사

金光哲 1984년 「洪子藩研究」『慶南史學』 1

------- 1986년 「高麗 忠宣王의 現實認識과 對元活動」『釜山史學』 11

------- 1990년 「高麗 忠肅王12年의 改革案과 그 性格」『考古歷史學志』 5·6合

------- 1991년 『高麗後期世族層研究』, 동아대학출판부

------- 1996년 「14세기 초 元의 政局동향과 忠宣王의 吐蕃 유배」『한국중세사연구』 3

------- 2008년 「高麗史의 編纂과 刊行」『國譯高麗史』 1, 景仁文化社

------- 2005년 「麗末鮮初 密陽地域社會와 守山堤」『石堂論叢』 36

------- 2011년 「高麗史의 編年化와 高麗實錄體制의 再構成」『한국중세사연구』 30

------- 2012年a 「高麗史譯注事業과 國譯高麗史」『국역고려사완간의 의미와 활용방안』, 2012(東亞大學校, 發表要旨)

------- 2012년b 「高麗史의 刊行·流通과 東亞大學所藏 高麗史版本의 特徵」『石堂論叢』 54

------- 2013년 「高麗初期의 實錄編纂」『석당논총』 56

------- 2016년 「고려 무인집권기 鄭晏의 정치활동과 불교」『석당논총』 65

------- 2016년 「高麗國史에서 高麗全史로」『석당논총』 67?

------- 2018년 『원간섭기 고려의 측근정치와 개혁정치』, 경인문화사

金九鎭 1973년 「吾音會의 斡朶里 女眞에 대한 研究」『史叢』 17·18合

------- 1986년 「元代 遼東地方의 高麗軍民」『이원순화갑사학기념논총』

金圭錄 2015년金圭錄 2015년 「고려중기의 宋 使節 迎送과 伴使의 운용」『歷史敎育』 134

------- 2021년 「高麗 仁宗元年 設行 對宋外交儀禮의 構成과 特徵」『역사와 현실』 119

金基德 1998년 『高麗時代 封爵制研究』, 靑年社

------- 2002년 「高麗時代 王室 璿源錄의 復原試圖」『역사와 현실』 43

金琪燮 1997년「14세기 倭寇의 동향과 고려의 대응」『한국민족문화』9, 부산대학

------- 2006년「高麗太祖代의 郡縣改編의 過程과 그 意味」『한국중세사연구』21

------- 2016년「高麗 景宗代 始定田柴科의 成立과 理念的 指向」『역사와 세계』50, 효원사학회

------- 2020년「高麗 馬島 1·2號船 木簡을 통해 본 租의 受取方式과 土地의 性格」『한국중세사연구』63

金琪燮 等 2005년『日本의 古中世文獻 속의 韓日關係史料集成』, 慧眼

金洛珍 2016년「高麗 光宗의 改革政治와 清州 龍頭寺 鐵幢竿의 건립」『사학연구』121

------- 2016년「高麗 武人政權期 曹元正 亂의 전개과정과 그 특징」『崇實史學』37

------- 2017년「高麗 光宗의 侍衛軍 增强과 軍制改編」『대구사학』127

金蘭玉 2005년「원나라 사람의 고려유배와 조정의 대응『한국학보』118

------- 2008년「13세기 후반 원나라의 刑政 간섭과 고려의 대응」『湖西史學』49

------- 2012년「'高麗史節要' 卒記의 記載方式과 性格」『韓國史學報』48

------- 2013년「恭愍王代의 記事의 收錄方式과 原典資料의 記事轉換方式」『한국사학보』52

------- 2014년「高麗史의 編纂과 朝鮮前期의 朝鮮史認識」『사학연구』116

------- 2015년「고려말 詩文 교류와 인적관계」『한국사학보』61

------- 2017년「충숙왕대의 征東省官」『역사교육』141

------- 2017년「고려후기 몽골 관직의 承襲과 君臣關係」『한국사연구』179

金南奎 1989년『高麗兩界地方史研究』, 새문사

金塘澤 1980년「高麗 穆宗 12년의 政變에 대한 一考」『韓國學報』18

------- 1981년「崔承老의 卜書文에 보이는 光宗代의 後生과 景宗元年의 田柴科」『高麗光宗의 研究』, 일조각

------- 1981년『高麗武人政權研究』, 새문사

------- 1992년「'詳定古今禮文'의 編纂時期와 그 意圖」『湖南文化研究』21

------- 1997년「高麗 禑王 元年 元과의 외교관계 再開를 둘러싼 정치세력간의 갈등」『진단학보』83

------- 1998년『元干涉下의 高麗政治史』, 일조각

------- 1999년『高麗의 武人政權』, 國學資料院

------- 2001년「高麗 仁宗朝의 西京遷都·稱帝建元·金國征伐論과 金富軾의 三國史記 편찬」『역사학보』170

------- 2007년「高麗史列傳의 編纂을 통해 본 朝鮮의 建國」『한국중세사연구』23

------- 2010년『고려 양반국가의 성립과 전개』, 전남대학출판부

金大植 2008년「高麗初期 中央官制의 成立과 變化」『歷史와 現實』68

金德原 2002년「高麗時代 百濟 記事 整理」『明知史論』13, 明知大學

金度燕 2017년 『高麗時代 貨幣流通의 研究』, 고려대학 박사학위논문

金東昭 1992년 『女眞語·滿語研究』, 출판사?

金東洙 1981년 「高麗의 兩班功蔭田柴法의 解釋에 대한 再論」 『全南大學論文集』 26

------- 1985년 「'世宗實錄' 地理志 姓氏條의 檢討」 『東亞研究』 6

------- 1989년 「高麗 中·後期의 監務派遣」 『전남사학』 3

------- 1991년 『'世宗實錄' 地理志의 研究』, 西江大學 박사학위논문

金東宇 2001년 「徐恭 神道碑考」 『美術資料』 67

金東旭 1994년 「悼二將歌에 對하여」 『人文科學』 14, 延世大學

金東哲 1985년 「高麗末의 流通構造와 商人」 『부대사학』 9

------- 1993년 「商業과 貨幣」 『韓國史』 14, 국사편찬위원회

金東賢 1977년 「浮石寺 無量壽殿과 祖師堂」 『불교미술』 3

金杜珍 1975년 「了悟禪師 順之의 禪思想」 『역사학보』 65

------- 1984년 『均如의 華嚴思想研究』, 일조각

------- 1988년 「羅末麗初 桐裏山門의 成立과 그 思想」 『東方學志』 57

------- 1995년 「玄暉와 坦文의 佛教思想」 『歷史와 人間의 對應』, 한울

------- 2006년 『고려전기 교종과 선종의 교섭사상사 연구』, 일조각

김만태 2012년 「성수신앙의 일환으로서 북두칠성의 신앙적 화현현상」 『東方學志』 159

金明俊 2004년 『樂章歌詞注解』, 다운샘

金明鎭 2008년 「太祖王建의 羅州攻略과 押海島 能昌 制壓」 『島嶼文化』 32, 木浦大學

金明鎭 2012년a 「高麗太祖 王建의 一牟山城戰鬪와 龔直의 役割」 『軍史』 85

------- 2012년b 「고려 태조 왕건의 牙山灣一帶 攻掠過程 檢討」 『地域과 歷史』 30

------- 2014년a 『高麗太祖 王建의 統一戰爭 研究』, 혜안

------- 2014년b 「高麗 明宗代 趙位寵의 亂과 金의 對應」 『동북아역사논총』 46

------- 2015년 「高麗太祖 王建의 運州戰鬪와 兢俊의 役割」 『軍史』 96

------- 2016년a 「고려 태조 왕건의 騎兵運營에 대한 檢討」 『군사』 101

------- 2016년b 「고려 태조 왕건의 三韓一統과 王室 神聖化 檢討」 『한국중세사연구』 46

------- 2018년a 「고려 태조 왕건의 公山桐藪戰鬪와 申崇謙의 役割」 『한국중세사연구』 52

------- 2018년b 『통일과 전쟁, 고려태조 왕건』, 혜안

------- 2019년 「고려 삼별초의 진도 입도와 용장성 전투 검토」 『대구사학』 134

------- 2022년 「고려 현종과 봉선홍경사」 『한국중세사연구』 68

金美涓 2012년 「'高麗圖經' 人物條를 통해본 仁宗初 政局의 一面」 『역사교육논집』 48

金美葉 1991년 「高麗前期 鄕職·武散階의 重複支給研究」 『誠信史學』 9

김미영 2004년 「유물일치론에 나타난 함허당 기화의 불교사상」 『불교학연구』 8, 불교학연구회

김방울 2019년 「고려본 大顚和尙注心經과 저자 문제」『서지학연구』 77

金芳漢 1971년 「八思巴文字 新資料」『東亞文化』 10

------- 1999년 『몽골어연구』, 서울大學 出版部

김범수 2015년 「鏡神社 水月觀音圖의 연구 동향과 쟁점」『원불교사상과 종교문화』 66, 원광대학

金秉仁 1994년 「高麗 睿宗代 監務의 設置背景」『전남사학』 8

------- 1997년 「高麗 睿宗代 韓安仁勢力의 性格」『전남사학』 11

------- 2003년 『高麗 睿宗代 政治勢力 硏究』, 경인문화사

김병희 2018년 「문자기와를 통한 안성 봉업사의 성격 연구」『白山學報』 112

金甫桃 2007년 「高麗·元의 關係史硏究에서 元高麗紀事의 活用과 加置」『한국사학보』 29

------- 2012년 「고려 충렬왕의 怯薛制 도입과 그 의도」『史學硏究』 107

------- 2014년 「李仁老의 事例로 본 高麗前期 直翰林院의 運營과 役割」『史叢』 83

------- 2014년 「고려 목종대 정치세력과 정국동향」『역사와 현실』 91

------- 2014년 「고려 성종·현종대 太祖配享功臣의 選定過程과 그 意味」『사학연구』 113

------- 2015년 「고려의 對蒙 대응 논리와 大國이미지」『한국사학보』 61

------- 2015년 「고려-몽골 관계의 전개와 다루가치의 置廢過程」『역사와 담론』 76

------- 2016년 「고려전기 公服制의 정비 과정에 대한 연구」『사학연구』 121

------- 2016년 「고려 내 다루가치의 존재 양상과 영향」『역사와 현실』 99

------- 2016년 「12세기 초 송의 책봉 제의와 고려의 대응」『동국사학』 60

------- 2017년 「고려국왕의 征東行省 保擧權 장악과 그 의미」『사총』 92

------- 2018년 「고려전기 탐라에 내린 지배방식과 인식의 변화」『역사와 담론』 85

------- 2019년 「고려전기 宣麻儀의 구성과 의례 검토」『史叢』 97

------- 2021년 「고려시대 大臣의 死亡과 國家的禮遇」『한국중세사연구』 65

金甫桃 等編 2015년 『고려의 국왕』, 경인문화사

金甫貞 2010년 「麗末鮮初 對明 南京使行路의 분석과 영향」『지역과 역사』 27

金福順 2005년 「9~10세기 신라 유학승들의 중국 유학과 활동 반경」『역사와 현실』 56

------- 2015년 「고려시대 경주와 신라문화」『경주사학』 39·40합

金福姬 1990년 「高麗初期 官階의 成立基盤」『釜大史學』 14

金庠基 1948년 『東方文物交流史論攷』, 을유문화사

------- 1963년 「文獻에 나타난 在銘高麗酒器의 一例」『고고미술』 4-12(41)

------- 1966년 『高麗時代史』, 東國文化社

------- 1974년 『東方史論叢』, 서울大學 出版部

金相潡 1996년 「新羅末 舊加耶圈의 金海 豪族勢力」『진단학보』 82

金相範 2013년 「唐末·五代時期의 具注曆日과 地方祭祀」『中國古中世史研究』 29

金相永 等編 2007년 『先覺國師 道詵』, 靈巖郡

金相朝 1969년 「高麗時代의 盂蘭契碑」 『고고미술』 103

金相賢 1996년 「閔漬의 本朝編年綱目」 『韓國史』 21, 국사편찬위원회

金錫亨 1981년 「舊'三國史'와 '三國史記'」 『역사과학』 4

김석환 2011년 「몽골제국의 대고려정책의 일면」 『동양사학과논집』 35, 서울대학

김선아 2015년 「崔氏 武臣政權과 門客集團」 『軍史』 94

------- 2018년 「고려의 保州 확보와 그 의미」 『군사』 106

金成奎 2001년 「入宋高麗國使의 朝貢 儀禮와 그 주변」 『전북사학』 24

------- 2016년 「麗·金의 국교 수립과 誓表 문제」 『한국사연구』 173

金聖洙 2016년 「新編諸宗教藏總錄의 찬술배경과 서지기술에 관한 연구」 『書誌學研究』 66

------- 2017년 「기림사 소조비로자나불 服藏 목판인쇄본 典籍에 관한 서지적 연구」 『서지학연구』 72

------- 2019년 「1335년 刊記 達磨大師觀心論 書誌的 研究」 『서지학연구』 77

金性彦 1994년 『韓國 館閣詩의 研究』, 東亞大學出版部

------- 2012년 「高麗史世家에 收錄된 詩歌의 文學論的 檢討」 『石堂論叢』 54

金成俊 1974년 「高麗와 元明關係」 『한국사』 8

------- 1985년 『韓國中世政治法制史研究』, 일조각

------- 1989년 「10世紀 東北아시아의 國際情勢와 韓·日交涉問題」 『대동문화연구』 23

------- 1994년 「七代實錄·高麗實錄」 『韓國史』 17, 국사편찬위원회

김성준 2017년 「煌丕昌天銘 航海圖紋 高麗銅鐘에 새겨진 배의 國籍」 『역사와 경계』 105

김세린 2019년 「고려시대 입사공예품의 장인과 기술」 『한국중세고고학』 5

김성진 2008년 「동래읍성 축조시기 및 배경연구」 『한국성곽학보』 14

金松姬 1987년 「提調制에 관한 研究」 『한국학논집』 12

김수연 2016년 「閔泳珪本 梵書摠持集의 構造와 特徵」 『한국사상사학』 54

金水珍 1993년 「高麗時代의 女性官人」 『부산여대사학』 10·11合

金順子 1995년 「고려말 대중국관계의 변화와 신흥유신의 사대론」 『역사와 현실』 15

------- 2002년 「고려 시대 대중국관계사 연구의 현황」 『역사와 현실』 43

------- 2006년 「10~11세기 高麗와 遼의 영토정책」 『북방사논총』 11

------- 2007년 『韓國中世韓中關係史』, 혜안

------- 2012년 「12세기 高麗와 女眞·金의 영토분쟁과 對應」 『역사와 현실』 83

金承鎬 1993년 「趙明基 舊藏本 "證道歌註"의 著者에 대하여」 『季刊書誌學報』 10

金時鄴 1981년 「麗元間 文學交流에 대하여」 『한국한문학연구』 5

------- 1982년 「高麗後期 士大夫文學의 一研究」 『대동문화연구』 15

金時晃 1997년 「飮酒 文化에 대하여」『大東漢文學』9

김신해 2015년 「고려 예종대 恩賜政策의 유형과 정치적 성격」『한국사학보』58

金아네스 1996년 「高麗初期 地方支配體制의 研究」 서강대학 박사학위논문

------- 2008년 「고려시대 천추태후의 정치적 활동」『한국인물사연구』10

------- 2011년 「고려 무신집권기 지리산의 은자 韓惟漢」『역사학연구』41

------- 2017년 「고려시대 地方制度의 運營과 天安府」『한국중세사연구』48

------- 2019년 「高麗前期 老人賜設儀의 設行과 政治的 意味」『대구사학』135

金陽爕 1989년 「遼·金·宋 三史의 編纂에 대하여」『中央史論』6, 中央大學

김양진 2015년 「高麗史 속의 漢字語」『國語史研究』21

金英吉 1977년 「고려 諦觀의 渡宋에 관한 고찰」『한국불교학』3

金泳斗 1996년a 「高麗太祖代의 役分田」『高麗太祖의 國家經營』, 서울大學 出版部.

------- 1996년b 「高麗 太祖代의 祿邑制」『한국사연구』94

金英美 1997년 「大覺國師 義天의 阿彌陀信仰과 淨土觀」『역사학보』156

------- 2002년 「11世紀後半~12世紀初 高麗·遼의 外交關係와 佛經交流」『역사와 현실』43

------- 2006년 「10세기초 禪師들의 중국유학」『이화사학연구』33

------- 2012년 「고려후기 法華經 靈驗譚 유포와 그 의의」『이화사학연구』45

金英美 等 2010년 『전염병의 문화사』, 혜안

金英愛 1992년 「在日 韓國佛像의 研究現況」『강좌미술사』4, 한국미술사연구소

김영원 2016년 「新安船 磁器와 高麗 遺蹟 出土 元代 磁器」『미술자료』90

金榮濟 2003년 『唐宋財政史』, 新書苑

------- 2009년 「麗·宋 交易의 航路와 船舶」『역사학보』204

------- 2016년 「宋代 中國과 高麗 사이의 海上 交易品」『역사문화연구』60, 한국외국어대학 역
　　사문화연구소

金榮擖 2002년 『도자기가마터발굴보고』, 사회과학출판사(백산자료원, 2003년 再版)

김영진 등편 2010년 『계명대학교 동산도서관 소장 고서의 자료적 가치』, 계명대학

金煐泰 1988년 「高麗 開國初의 佛教思想」『韓國史論』18, 국사편찬위원회

김영하 2018년 「경기지역 고려시대 발굴조사 성과」『韓國中世考古學』4

金鎔坤 1986년 「고려 충숙왕 6년 安珦의 文廟從祀」『이원순교수화갑기념논총』, 교학사

金龍善 1981년 「光宗의 改革과 歸法寺」『高麗光宗의 研究』, 일조각

------- 2004년 『고려금석문연구』, 일조각

------- 2006년 『高麗墓誌銘集成』(第4版), 翰林大學 出版部

------- 2008년a 『궁예의 나라, 태봉』, 일조각

------- 2011년 『高麗史兵志譯注』, 일조각

------- 2012년 『개정증판역주 고려묘지명집성』 상·하, 한림대학 출판부

------- 2013년 『李奎報의 年譜』, 일조각

------- 2013년 『生活人 李奎報』, 일조각

------- 2015년 「崔弘宰와 金尹覺의 墓誌銘」 『한국중세사연구』 41

------- 2016년 『續高麗墓誌銘集成』, 한림대학 출판부

------- 2017년 「고려시대의 장례와 택일」 『진단학보』 129

金容燮 1990년 「高麗刻本元朝正本農桑輯要를 통해 본 農桑輯要의 撰者와 資料」 『동방학지』 65

------- 2001년 「高麗忠烈王朝의 光山縣題詠詩序의 分析」 『역사학보』 172

金渭顯 1989년 「麗元 日本征伐軍의 出征과 麗元關係」 『국사관논총』 9

------- 2004년 『高麗時代對外關係史研究』, 景仁文化社

金渭顯 等編 2012년 『國譯遼史』, 檀國大學 出版部

김유나 2015년 「고려 전기 北界民의 형성과 그 집단의식」 『역사와 현실』 96

金潤坤 1974년 「新興士大夫의 擡頭」 『한국사』 8

------- 1976년 「李資謙의 勢力基盤에 대하여」 『대구사학』 10

------- 1978년 「江華遷都의 背景에 관해서」 『대구사학』 15·16合

------- 1981년a 「三別抄의 對蒙抗爭과 地方郡縣民」 『동양문화』 20·21合

------- 1981년b 「'群豹一斑'解題」 『民族文化論叢』 1, 嶺南大學

------- 1993년 「'고려대장경'의 각판과 국자감시 출신」 『국사관논총』 46

------- 1997년 「중세사의 시기 구분론」 『고려 시대사강의』, 늘함께

------- 2001년a 『韓國中世의 歷史像』, 嶺南大學出版部

------- 2001년b 『高麗大藏經造成名錄集』, 영남대학출판부

------- 2001년c 『韓國中世嶺南佛敎의 理解』, 영남대학출판부

------- 2001년d 「懶翁惠勤의 檜巖寺 重創과 反佛論의 制壓企圖」 『대구사학』 62

------- 2002년 『高麗大藏經의 새로운 理解』, 佛敎時代社

------- 2003년 「高麗 '國本' 大藏經의 革新과 그 背景」 『민족문화논총』 27

金潤萬 2012년 「忠烈公墓所 失傳에 대해 論함」 『忠烈公金方慶資料集成』 3, 安東金氏大宗會

金崙禹 1989년 「新羅末의 仇史城과 進禮城考」 『史學志』 22

金允貞 2003년 『高麗後期에서 朝鮮初期까지 象嵌靑磁에 나타난 元代磁器의 影響』, 弘益大學 석사학위논문

------- 2015년 「고려 중기 銘文靑磁의 유형과 성격」 『역사와 담론』 76

------- 2015년 「고려 14세기 상감청자의 신경향과 그 성리학적 의미」 『한국학연구』 55, 고려대학

金胤知 2016년 「高麗 光宗代 僧階制의 施行과 佛敎界의 改編」 『한국사상사학』 54

-------- 2020년 「高麗時代 僧侶 批職의 運營과 그 意味」『역사와 현실』 115

-------- 2021년a 「高麗時代 僧侶의 寺院轉補와 遂領」『사총』 103

-------- 2021년b 「高麗時代 王師·國師册封儀禮와 君臣·師資關係敎導?의 具現實相?」『역사와 현실』 119

-------- 2022년 「고려시기 승려 관고 지급의 기준과 성격」『한국중세사연구』 70

金仁圭 1996년 「高麗太祖代의 對外政策」『高麗太祖의 國家經營』, 서울大學 出版部

김인철 2003년 『고려무덤 발굴보고』, 백산자료원

金仁昊 1993년 「이규보의 현실이해와 정치경제 개선론」『학림』 15

-------- 2001년 「金祉의 '周官六翼' 편찬과 그 성격」『역사와 현실』 40

-------- 2002년 「고려의 元律 수용과 高麗律의 변화」『한국사론』 33

-------- 2004년 「元의 高麗認識과 高麗人의 對應」『한국사상사학』 21

-------- 2016년 「고려후기 이제현의 중국 문인과의 교류와 만권당」『역사와 실학』 61, 역사실학회

-------- 2021년 「고려시대 가족의 소망과 좌절」『한국중세사연구』 65

金一權 2002년 「天地瑞祥志의 歷史的 意味와 史料的 價値」『韓國古代史研究』 26

-------- 2007년 『동양 천문사상 하늘의 역사』, 예문서원

-------- 2011년 『고려사의 자연학과 오행지 역주』, 한국학중앙연구원출판부

-------- 2016년 「삼국사기 일식기록의 한중 사료 대조와 일식상황 비교」『신라사학보』 37

金一權 等編 2019년 『중세 동아시아의 해양과 교류』, 경인문화사

金日宇 1998년 『高麗初期 國家의 地方支配體系研究』, 志社

-------- 2000년 『高麗時代耽羅史 研究』, 신서원

-------- 2002년 「고려후기 濟州 法華寺의 重創과 그 位相」『한국사연구』 119

-------- 2005년 『고려시대 제주사회의 변화』, 서귀포문화원

-------- 2005년 『역주증보탐라지』, 제주문화원

-------- 2007년 「高麗時代와 朝鮮初期 濟州島地域의 行政單位 變遷」『한국중세사연구』 23

-------- 2015년 「濟州 江汀洞 大闕터 遺蹟의 歷史的 性格」『한국사학보』 60

金壯求 2015년 「한국에서 高麗-몽골 關係史인식과 北方民族史 연구」『동국사학』 59

金在滿 1983년 「五代와 後三國·高麗初期의 關係史」『대동문화연구』 17

-------- 1986년 「契丹·高麗 國交前史」『成均館大學 人文科學』 15

金載名 1993년 「景宗元年의 田柴科」『韓國史』 14, 국사편찬위원회

金在元 2001년 『羅麗時期 寺院의 建立과 營造物에 관한 研究』, 영남대학 박사학위논문

金載洪 1964년 「13~14세기 고려와 몽고의 관계에 대해」『역사과학』 1964-4·5

김재홍 2017년 「고려 출수 목간의 지역별 문서양식과 선적방식」『목간과 문자』 19

金定慰 1977년 「中世 中東文獻에 비친 韓國像」 『한국사연구』 16

金鍾鳴 2001년 『韓國中世의 佛敎儀禮』, 문학과 지성사

김종민 2010년a 「일본에 유존하는 한국 불교미술에 관한 고찰」 『서지학보』 36

------- 2010년b 「萬德院의 高麗寫經」 『불교미술사학』 10

김종섭 2006년 「五代의 高麗에 대한 인식」 『이화사학연구』 33

김종수 2014년 「고려 전기의 무반과 군반」 『한국사연구』 164

金宗鎭 1984년 「李穀의 對元意識」 『태동고전연구』 1

김종혁 1986년 「開城一代의 高麗王陵發掘報告」 『朝鮮考古研究』 1986-2

金鍾塤 2014년 『韓國固有漢字研究』, 보고사

金周成 1988년 「高麗初 淸州地方의 豪族」 『한국사연구』 61·62合

------- 2019년 「궁예와 고려 태조의 농민정책에 대한 재검토」 『신라사학보』 47

김주원 2008년 『朝鮮王朝實錄의 女眞族 族名과 人名』, 서울大學 出版部

김지희 2016년 「고려 우왕대 이인임 세력의 혼인이 인적관계에 미치는 영향」 『인문학연구』
　　　30, 경희대학

김진곤 2018년 「원 간섭기 國外流民의 刷還과 伊里干의 설치」 『역사와 현실』 107

김진형 2013년 「강원지방 중세성곽에 대한 연구」 『한국성곽학보』 23

김진희 2016년 「월남사지 발굴조사의 현황과 조성시기에 대한 재검토」 『한국중세사연구』 44

金昶均 2001년 「安東鳳停寺 木造觀音菩薩坐像考」 『聖寶』 3, 大韓佛敎曹溪宗

金昌洙 1956년 「遼文存所高麗關係資料에 대하여」 『동국사학』 4

------- 1961년 「麗代 惡少考」 『史學研究』 12

------- 1966년 「成衆愛馬考」 『동국사학』 9·10合

金昌賢 1992년 「高麗時代 日官에 대한 一考察」 『사학연구』 45

------- 1998년 「高麗의 耽羅에 대한 政策과 耽羅의 動向」 『한국사학보』 5

------- 1998년 『高麗後期政房研究』, 고려대학 민족문화연구소

------- 2002년 『高麗 開京의 構造와 그 理念』, 新書苑

------- 2006년 『高麗의 南京, 漢陽』, 신서원

------- 2011년a 『高麗의 佛敎와 上都, 開京』, 신서원

------- 2011년b 『고려 개경의 편제와 궁궐』, 경인문화사

------- 2011년c 「『고려사』 예지의 구조와 성격」 『韓國史學報』 44

------- 2012년 「高麗時代의 墓誌銘에 보이는 年代와 互稱의 表記方式」 『한국사학보』 48

------- 2016년 「高麗王室 外戚의 登場과 王位繼承方式의 變化」 『한국중세사연구』 46

------- 2017년 『고려후기 정치사』, 경인문화사

金澈珉 1973년 「元의 日本遠征과 麗元關係」 『건대사학』 3

金澈雄 1999년 「峻豊四年銘의 기와에 대한 고찰」『安城 望伊山城』, 2차 발굴조사보고서, 檀國
　　　　大學博物館

------- 2001년 「고려시대의 山川祭」『한국중세사연구』 11

------- 2001년 『高麗時代의 雜祀 研究』, 고려대학 박사학위논문

------- 2003년 「詳定古今禮의 편찬 시기와 내용」『동양학』 33

------- 2004년 「高麗와 宋의 海上交易路와 交易港」『중국사연구』 28

------- 2003년 『韓國中世 國家祭祀의 體制와 雜祀』, 韓國研究院

------- 2007년 『韓國中世의 吉禮와 雜祀』, 경인문화사

------- 2017년 『고려시대의 道教』, 경인문화사

------- 20년 「高麗와 중국 元·明 교류의 통로」『동양학』 53

金哲埈 1967년 「益齋 李齊賢의 史學」『동방학지』 8

------- 1968년 「고려초의 天台學 연구-諦觀과 義通-」『동서문화』 2, 啓明大學

------- 1976년 「蒙古壓制下의 高麗史學의 動向」『고고미술』 129·130합

金秋溪 1925년 「高麗寺歌」『佛教』 8

金春鉉 1976년 「晦軒 安珦의 교육사상」『공주교대논문집』 12-2

金泰植 1987년 「三國遺事에 나타난 一然의 高麗時代認識」『蔚山史學』 1, 蔚山大學

金泰永 1977년 「高麗後期 士類層의 現實認識」『창작과 비평』 44

金泰俊 2004년 「중국 내 연행노정고」『동양학』 35

金泰亨 1993년 「高麗朝 郡縣陞降의 分析」『弘益史學』 22

김태홍 2017년 「11～16세기 도기가마의 변화과정과 의미」『한국상고사학보』 98

金鐸敏 等編 2003년 『역주 당육전』, 신서원

金包光 1928년 「片雲塔과 後百濟의 年號」『佛教』 49

金漢植 1977년 「明代 韓中關係를 둘러싼 若干의 問題」『대구사학』 12·13合

金香花 2018년 「高麗中期 按察使 任命과 그 官衙」, 慶北大學 教育學 碩士學位論文

金海榮 1986년 「'高麗史'天文志의 檢討」『慶尙史學』 2

------- 2002년 『高麗 太廟儀禮 研究論集』, 景仁文化社

------- 2003년 『朝鮮初期 祭事典禮 研究』, 集文堂

金顯吉 1989년 「崇善寺址와 忠州劉氏」『金宅圭博士華甲紀念論叢』, 論文集刊行委員會

金顯吉 編 1989년 『中原의 金石文集』

金賢羅 2006년 『高麗後期 下層身分의 研究』, 부산대학 박사학위논문

------- 2015년 「高麗와 唐·宋의 奸非法 比較」『역사와 경계』 97

------- 2016년 「원간섭기 忠宣王妃 薊國大長公主의 위상 정립과 의미」『지역과 역사』 39

김현우 2015년 「고려 문종의 의사파견 요청과 여일관계」『日本歷史研究』 41

------- 2017년 「刀伊의 침구사건의 재검토와 여일관계의 변화」『일본학』 45, 동국대학

김현정 2005년 「안동 본정사 대웅전 영상회상도후불벽화에 관한 고찰」『문화재학보』 2

------- 2015년 「중국 항주·영파 출토 고려 청자 조사 현황」『미술자료』 88

金炯秀 2002년 「策問을 통해 본 李齊賢의 現實認識」『한국중세사연구』 13

------- 2013년 『고려후기 정책과 정치』, 지성인

金惠苑 1986년 「忠烈王의 入元行績의 性格」『고려사의 제문제』

------- 1993년 「高麗後期 瀋王의 政治·經濟的 基盤」『국사관논총』 49

金晧東 2000년 「麗末鮮初 鄕校敎育의 强化와 그 經濟的 基盤의 確保過程」『대구사학』 61

------- 2007년 『한국 고중세 불교와 유교의 역할』, 景仁文化社

金浩東 1998년 「唐의 羈縻支配와 北方遊牧族의 對應」『역사학보』 137

金浩東 譯注 2000년 『동방견문록』, 사계절출판사

------- 2003년 『칭기스칸기』, 사계절출판사

------- 2003년 『부족지』, 사계절출판사

------- 2005년 『칸의 후예들』, 사계절출판사

------- 2005년 『유라시아 유목제국사』, 사계절출판사

------- 2006년 「몽골제국와 大元」『역사학보』 192

金昊鍾 1981년 「安珦의 儒敎振興運動에 대한 研究」『安東文化』 2

金虎俊 2012년 『高麗 對蒙抗爭期의 築城과 入保』, 忠北大學 博士學位論文

------- 2015년 「남한지역 高麗時代 城郭 築城과 年號銘 기와의 關聯性」『군사』 97

------- 2016년 「對蒙抗爭期 3次 戰爭과 竹州山城 築城의 變化」『문화사학』 46

------- 2017년 『高麗의 對蒙抗爭과 築城』, 서경문화사

金弘柱 1993년 「淸州社稷洞出土 思惱寺銘半子」『미술자료』 52

김희윤 2014년 「고려 현종대 羅城 축조 과정에 관한 연구」『한국사학보』 55

김홍삼 2014년 「고려말 보우 관련 삼산비명 비교·검토」『역사와 현실』 91

　　　　ㄴ

나영남 2017년 『遼·金時代의 異民族 支配와 渤海人』, 신서원

南權熙 1991년 「1302년 阿彌陀佛腹藏 印刷資料에 대한 서지학적 분석」『1302년 阿彌陀佛腹藏
　　　物의 調査研究』, 溫陽民俗博物館

------- 1994년 「筆寫本‘諸經撮要’에 수록된 蒙山德異와 高麗人物들과의 交流」『圖書館學論集』 21

------- 1997년 「13세기 天台宗 관련 高麗佛經 3종의 書誌的 考察」『서지학보』 19

------- 1999년 「高麗時代 陀羅尼와 曼茶羅類에 대한 書誌的 分析」『高麗의 佛腹藏과 染織』, 啓蒙社

------- 2001년 「'佛說長壽滅罪護諸童子陀羅尼經'의 판본 연구」『국회도서관학보』 38

------- 2002년 『高麗時代의 記錄文化研究』, 淸州古印刷博物館

------- 2005년 「韓國 記錄文化에 나타난 眞言의 流通」『密敎學報』 7

------- 2007년 「日本 南禪寺所藏의 高麗 初雕大藏經」『書誌學研究』 36

------- 2009년 「柳觀·辛克敬·鄭津 朝鮮開國原從功臣錄券研究」『영남학』 15, 경북대학

------- 2010년a 「南禪寺 初彫大藏經의 書誌的 分析」『한국중세사연구』 28

------- 2010년b 「南禪寺所藏 初彫本과 再造本의 對照」『古印刷文化』 17, 淸州古印刷博物館

------- 2011년 『證道歌字와 高麗時代의 金屬活字』, 다보성

------- 2014년 「高麗時代 密敎大藏卷9의 書誌的研究」『서지학연구』 58

------- 2015년 「天台·法華 章疏의 刊行과 流通」『서지학연구』 62

------- 2016년 「日本所在 佛敎 敎藏文獻의 書誌調査」『서지학연구』 67

------- 2017년 「고려시대 간행의 수진본 小字 '총서진언집' 연구」『서지학연구』 71

南權熙·남경란 2016년 「13세기 高麗 釋譯口訣本'慈悲道場懺法'卷4 殘片의 구결 소개」『국어사 연구』 22

南權熙·朴鎔辰 2016년 「고려후기 科註妙法蓮華經의 刊行과 천태종 章疏」『불교학보』 76

南權熙·석혜영 2018년 「1284년 忠烈王, 元成公主 발원 金字大藏'百千印陀羅尼經'의 서지적 연구」 『서지학연구』 74

------- 2020년 「김병구 소장 紺紙金字『大方廣佛華圖經』卷第22의 서지적 연구」『서지학연구』 81

南基鶴 1996년 「蒙古侵入과 中世 日本의 對外關係」『아시아문화』 12, 한림대학

------- 2000년 「고려와 일본의 상호인식」『일본역사연구』 11

------- 2002년 「10~13세기의 동아시아와 고려·일본」『인문학연구』 9, 한림대학

------- 2003년 「鎌倉時代의 武威에 대한 일고찰」『역사학보』 178

------- 2016년 「張東翼 著, "モンゴル帝國期の北東アジア"書評」『일본역사연구』 43

------- 2017년 『가마쿠라시대 막부 정치사의 연구』, 한국문화사

南都泳 1960년 「麗末鮮初 馬政上으로 본 對明關係」『동국사학』 6

------- 1969년 「朝鮮時代의 濟州島牧場」『한국사연구』 4

南東信 1998년 「新羅 中代佛敎의 成立에 관한 研究」『한국문화』 21

------- 2005년 「나말여초 국왕과 불교의 관계」『역사와 현실』 56

------- 2006년 「목은 이색과 불교 승려의 詩文 교유」『역사와 현실』 62

------- 2007년 「麗末鮮初期 懶翁顯彰運動」『한국사연구』 139

------- 2011년 「高麗中期의 王室과 華嚴宗」『역사와 현실』 79

------- 2019년 「高麗中期의 法相宗과 海麟」『한국사론』 65

南東信 等編 2020년 『大東金石書 研究』, 한국학중앙연구원 출판부

南仁國 1983년 「崔氏政權下 文臣地位의 變化」『대구사학』 22

------- 1986년 「高麗前期의 投化人과 그 同和政策」『역사교육논집』 8

------- 1999년 『高麗中期의 政治勢力研究』, 新書苑

------- 2006년 「元干涉期 金方慶의 後裔와 그들의 存在樣態」『역사교육논집』 27

------- 2014년 「惕若齋 金九容의 生涯와 交遊樣相」『역사교육논집』 53

南在澈 2018년 「冶隱吉再와 그 後孫들의 錦山, 善山地域과의 關係에 對한 檢討」『대동한문학』 56

南豊鉉 1974년 「13世紀의 奴婢文書와 吏讀」『檀國大學校論文集』 8

------- 1994년 「高麗初期의 貼文과 그 吏讀에 대하여」『고문서연구』 5

------- 1995년 「淳昌城隍堂 懸板에 대하여」『고문서연구』 7

------- 1997년 「淨兜寺造塔形止記의 解讀」『고문서연구』 12

南豊鉉 編 1973년 『南明泉繼頌諺解』, 檀國大學出版部

南漢鎬 1997년 「9世紀 後半 新羅商人의 動向」『青藍史學』 1, 한국교원대학

南海郡 1994년 『南海分司都監 關聯 基礎調査 報告書』

內務府 1996년 『地方行政區域要覽』

노경정 2017년 「태안해역 고려 침몰선 발굴과 출수 목간」『목간과 문자』 19

노기식 2003년 「元·明 교체기의 遼東과 女眞」『아시아문화』 19

盧明鎬 1981년 「高麗의 五服親과 親族關係法制」『한국사연구』 33

------- 1990년 「高麗後期의 族黨勢力」『이재룡환력기념 한국사학논총』

------- 1986년 「高麗初期 王室出身의 鄕里勢力」『高麗史의 諸問題』, 三英社

------- 1992년 「羅末麗初 豪族勢力의 經濟的 基盤과 田柴科體制의 成立」『진단학보』 74

------- 2004년 「高麗太祖 王建銅像의 流轉과 文化的 背景」『韓國史論』 50, 서울大學

------- 2006년 「高麗太祖 王建銅像의 皇帝冠服과 造型象徵」『북녘의 文化遺産』, 國立中央博物館

------- 2009년 『고려국가와 집단의식』, 서울대학 출판부

------- 2012년 「高麗時代의 分家規定과 單丁戶」『역사학보』 172

------- 2014년 「高麗史의 僭衣之事와 大赦天下의 以實直書」『한국사론』 60

------- 2015년 「고려사와 고려사절요의 재인식과 한국사학의 과제」『역사학보』 228

------- 2015년 「새 資料들로 補完한 高麗史節要와 纂校高麗史의 再認識」『진단학보』 124

------- 2017년 「고려시대 새로운 영역의 연구에서 사료와 개념체계의 관계」『대동문화연구』 100

------- 2019년 『고려사와 고려사절요의 사료적 특성』, 지식산업사

盧明鎬 等編 2000년 『韓國古代·中世古文書研究』, 서울大學 出版部

------- 2004년 『韓國古代中世 地方制度의 諸問題』, 集文堂

------- 2016년 『校勘高麗史節要』, 集文堂

------- 2017년 『고려 역사상의 탐색』, 集文堂

盧明鎬·李承宰 2009년 「釋迦塔에서 나온 重修文書의 判讀 및 譯註」『重修文書』 2, 國立中央博物館

盧庸弼 1989년 「光宗末年 太子 伷의 政治的 役割」『진단학보』 68

盧泰敦 1982년 「三韓에 대한 認識의 變遷」『한국사연구』 38

-------- 2008년 「高麗로 넘어온 渤海朴氏에 대하여」『한국사연구』 141

ㄷ

檀國大學 東洋學研究所 2002년 『韓國漢字語辭典』, 改定版

大邱國立博物館 2004년 『嶺南의 큰 고을 星州』, 통천문화사

大邱文化藝術會館 2009년 『大邱의 歷史와 遺産』

渡邊哲也 1975년 『韓國的佛畫』, 新光文化社

도의철 2013년 「강릉 굴산사지 가람의 고고학적 성과와 고려 굴산사」『한국선학』 36

都賢喆 1993년 「高麗末期 儒子의 學問論」『국사관논총』 45

-------- 1999년 『高麗末 士大夫의 政治思想研究』, 일조각

-------- 2001년 「고려말 士大夫의 王安石 認識」『역사와 현실』 42

-------- 2004년 「李穡의 書筵講義」『역사와 현실』 62

-------- 2007년 「麗鮮交替期 ‘桐軒集’ 復元과 資料의 特徵」『學林』 28

-------- 2008년 「고려말 염흥방의 정치활동과 사상의 변화」『동방학지』 141

-------- 2009년 「對策文을 통해 본 鄭夢周의 國防對策과 文武兼用論」『한국중세사연구』 26

-------- 2011년 『목은 이색의 정치사상 연구』, 혜인

-------- 2013년 『조선전기 정치사상사』, 태학사

-------- 2016년 「고려후기 성리학 도입에 관한 제설의 검토와 金坵의 역할」『歷史와 實學』 59

-------- 2019년 「고려후기 대책문의 종류와 성격」『圃隱學研究』 23, 圃隱學會

-------- 2021년 『이곡의 개혁론과 유교 문명론』, 지식산업사

東國大學 1985년 『曉城先生八十頌壽高麗佛籍集佚』, 東國大學 出版部

東國大學 博物館 2003년 『江華 禪源寺址 發掘調査報告書』, 江華郡

東國大學 佛教文化研究所 編 1976년 『韓國佛教撰述文獻總錄』, 東國大學 出版部

東國大學 佛典刊行委員會 編 1990년 『韓國佛教全書』

東國文化財研究院 2018년 『大邱 夫仁寺 遺蹟』

東北亞歷史財團 2011년 『고려-몽골관계의 탐구』

-------- 2018년 『韓國의 對外關係와 外交史』

東北亞歷史財團 編 2019년 『고려의 국가의식과 동아시아』

東亞大學 古典研究室 1982년 『譯注高麗史』

---------- 石堂學術院 2006년 이래 『國譯高麗史』

東亞大學 博物館 2014년 『東亞의 國寶·寶物』

ㄹ

羅逸星 2000년 『韓國天文學史』, 서울大學 出版部

羅鍾宇 1984년 「高麗時代의 對宋關係」『원광사학』 3

-------- 1991년 「高麗前期의 對外關係史研究」『국사관논총』 29

-------- 1996년 『韓國中世對日交涉史研究』, 圓光大學出版局

룩콴텐 1979년 『유목민족제국사』 (宋基中譯, 1984, 민음사)

柳麻理 1981년 「高麗阿彌陀佛畵의 研究」『佛敎美術』 6, 동국대학

-------- 1992년 「中國 敦煌 莫高窟 發見의 觀經變相圖와 韓國 觀經變相圖의 比較考察」『강좌미술사』 4, 한국미술사연구소

-------- 1995년 「1323년 4월作 觀經十六觀變相圖」『文化財』 28

柳富鉉 2015년 「'三國遺事' 壬申本의 底本과 板刻에 대한 연구」『서지학연구』 62

-------- 2016년 「종래 避諱缺劃字에 의거하여 추정된 初雕藏本·再雕藏本에 대한 고찰」『서지학연구』 66

류선영 1993년 「고려후기 김방경의 정치 활동과 그 성격」, 전남대학 석사학위논문

柳永哲 1994년 「高麗牒狀不審條條의 재검토」『한국중세사연구』 1

-------- 2004년 『高麗의 後三國統一過程研究』, 경인문화사

柳元秀 역주 2004년 『몽골비사』, 사계절출판사

柳田聖山 1988년 「'祖堂集' 解題」『趙明基博士追慕佛敎史學論文集』, 동국대학출판부

류주희 1998년 「朝鮮初 非開國派 儒臣의 政治的 動向」『역사와 현실』 29

-------- 2010년 「고려전기 상서 6부의 겸직운영」『역사와 현실』 76

柳浩錫 1984년 「고려시대의 覆試」『전북사학』 8

-------- 1987년 「高麗時代의 制科應試와 그 性格」『宋俊浩敎授停年紀念論叢』

柳洪烈 1957년 「高麗의 元에 대한 貢女」『진단학보』 18

柳煥星 2010년 「慶州出土 羅末麗初 寺刹銘 평기와의 변천과정」『新羅史學報』 14

-------- 2015년 「慶州出土 高麗時代의 院銘기와의 檢討」『木簡과 文字』 14

리디야 불라디미르초프, 1934 『몽골사회제도사』: 周采赫 譯, 1990, 대한교과서주식회사

ㅁ

馬宗樂 1990년 「高麗時代의 軍人과 軍人田」『백산학보』 36

-------- 1998년 「李奎報의 儒學思想」『한국중세사연구』 5

-------- 2000년 「元干涉期 益齋 李齊賢의 儒學思想」『한국중세사연구』 8

모리히라 마사히코 2012년 「牧隱 李墻의 두 가지 入元 루트」『진단학보』 114

木浦大學 博物館 2005년 『新安 新邑里 建物址』, 調査報告書

-------- 2006년 『珍島 龍藏山城』, 조사보고서

木浦大學 島嶼文化硏究院 2012년 『목포권 다도해와 류큐열도의 도서해양문화』, 민속원

文景鉉 1987년 『高麗建國期의 後三國統一硏究』, 형설출판사

-------- 1989년 「탐라국 성주·왕자고」『용암차문섭교수화갑기념사학논총』, 신서원

-------- 2000년 『高麗史硏究』, 慶北大學 出版部

文敬鎬 2011년 「泰安 馬島 1號船을 통해본 高麗의 漕運船」『한국중세사연구』 31

-------- 2014년 『高麗時代 漕運制度의 硏究』, 혜안

-------- 2015년a 「高麗圖經을 통해 본 群山島와 群山亭」『지방사와 지방문화』 18-2

-------- 2015년b 「高麗時代의 鎭城倉 硏究」『한국중세사연구』 43

-------- 2016년 「1123년 서긍의 고려 항로에 대한 재검토」『역사와 담론』 78

-------- 2018년 「公州 彌勒院 飯子의 銘文과 奉安處에 대한 재고찰」『지방사와 지방문화』 21-1

文明大 1979년 「魯英의 阿彌陀·地藏佛畵에 대한 考察」『미술자료』 25

-------- 1980년a 「魯英筆·阿彌陀九尊圖' 뒷면 佛畵의 再檢討」『고문화』 18, 한국대학박물관협회

-------- 1980년b 『韓國彫刻史』, 悅話堂

-------- 1981년 「高麗觀經變相圖의 硏究」『佛敎美術』 6, 동국대학

-------- 1983년 「高麗後期 端雅樣式佛像의 成立과 展開」『고문화』 22

-------- 1985년 「對馬島의 韓國佛像 考察」『불교미술』 8

-------- 1992년 「在日 韓國佛畵 調査硏究」『강좌미술사』 4, 한국미술사연구소

-------- 1994년 『高麗佛畵』, 열화당

-------- 1996년 「高麗 13世紀 彫刻樣式과 開運寺藏 鷲峯寺木阿彌陀佛像의 硏究」『강좌미술사』 8

-------- 2007년 「守國寺 高麗(1239년) 木造阿彌陀佛坐像의 硏究」『미술사학연구』 255

-------- 2018년 「1306年作 戒文發願 根津美術館所藏 阿彌陀獨尊圖의 綜合的硏究」『강좌미술사』 51

文明大 編 1994년 『韓國佛敎美術大典』, 韓國色彩文化社

문병우 1980년 「13세기말~14세기 봉건통치계급을 반대한 고려인민의 투쟁」『역사과학』 1

문상련 2018년 「수덕사 塑造 여래좌상 복장 典籍類 고찰」『淨土學硏究』 30

문성렵 1980년 「12세기 초 고려가 9城을 설치하던 시기 曷懶甸의 지역적 범위에 대하여」『역
　　사과학』 4

文素然 2010년 『제주, 몽골을 만나다』, 제주문화예술재단

文喆永 1982년 「麗末 新興士大夫들의 新儒學 受容과 그 特徵」『한국문화』 3

------- 1984년 「朝鮮初期의 新儒學 수용과 그 性格」『한국학보』 36

------- 2014년 「李奎報의 交遊關係網을 통해 본 北宋 新儒學 수용 양상」『역사와 담론』 69

文化公報室, 1960年 『韓中詩史』, 寶庫社

文化財管理局 編 1991년 『日本所在韓國典籍目錄』, 문화재연구소

------- 1991년 『動産文化財指定報告書』, 1990년 指定篇

------- 1996년 『朝鮮時代 卽位儀禮와 朝賀儀禮의 研究』

------- 1998년 『重要發見埋藏文化財圖錄』

文化財廳 2015, 16년 『중요동산문화재 불상기록화 정밀조사 보고서』

--------- 2016년 『문화재대관보물불교조각』

閔丙河 1990년 『高麗武臣政權研究』, 성균관대학출판부

閔泳珪 1966년 「長谷寺 高麗鐵佛 腹藏遺物」『人文科學』 14·15合, 연세대학

------- 1984년 「一然重編 曹洞五位 重印序」『學林』 6, 연세대학

------- 1988년 「高麗佛籍集佚札記」『趙明基博士追慕佛教史學論文集』, 동국대학출판부

------- 1994년 「高麗雲默和尙無寄輯佚」『韓國佛教思想史』 下, 東方佛教史研究所

閔賢九 1968년 「高麗史에 실려 있는 蒙古語」『백산학보』 4

------- 1973년 「月南寺址 眞覺國師碑의 陰記에 대한 一考察」『진단학보』 36

------- 1974년 「高麗後期 權門世族」『한국사』 8

------- 1976년 「趙仁規와 그의 家門」『진단학보』 42, 43.

------- 1985년 「高麗後期의 班主制」『千寬宇先生還曆記念韓國史學論叢』, 正音文化社

------- 1987년 「閔漬와 李齊賢」『李丙燾博士九旬紀念韓國史學論叢』, 지식산업사

------- 1996년 「高麗後期 安東權氏 家門의 展開」『道山學報』 5

------- 2004년 『高麗政治史論』, 고려대학출판부

------- 2005년 『한국중세사 산책』, 일지사

ㅂ

바바 히사유키 2008년 「日本 大谷大學所藏 高麗大藏經의 傳來와 特徵」『海外典籍文化財調査目錄』,
    국립문화재연구소

朴杰淳 1997년 「朝鮮初 高麗史의 編纂過程과 葛藤」『韓國史學史研究』 1, 나남

박경남 2018년 「李領의 왜구 주체 논쟁과 현재적 과제」『역사비평』 122

朴京安 1996년 『高麗後期 土地制度研究』, 혜안

\-\-\-\-\-\-\- 2000년 「麗末鮮初 順興安氏家의 坡州農莊에 관하여」『경기향토사학』 5

\-\-\-\-\-\-\- 2012년 『麗末鮮初의 農場形成과 農學研究』, 혜안

\-\-\-\-\-\-\- 2015년 「고려전기 外來人의 문화적 특성과 정착과정」『한국중세사연구』 42

朴敬子 2001년 『고려시대 향리연구』, 국학자료원

朴慶輝 1990년 「徐兢과 宣和奉使高麗圖經」『퇴계학연구』 4, 단국대학

박광연 2016년 「한국 불교와 종파」『한국중세사연구』 44

\-\-\-\-\-\-\- 2018년 「고려시대 관련 불교서지학의 최근 연구 성과와 활용」『사학연구』 132

朴桃花 1992년 「在日 韓國佛畫의 現況과 研究課題」『강좌미술사』 4, 한국미술사연구소

朴文烈 2017년 「忠州 靑龍寺 刊行의 禪林寶訓에 관한 研究」『서지학연구』 72

\-\-\-\-\-\-\- 2019년 「高麗版 『禮記集說』의 殘存本에 관한 研究」『書誌學研究』 77

朴文烈·金東煥 2007년 「高麗本 '佛說大報父母恩重經'의 校勘에 관한 研究」『서지학연구』 37

박미선 2008년 「一然의 신라사 시기구분 인식」『역사와 현실』 70

박병동 2003년 『불경 전래설화의 소설적 변모 양상』, 亦樂

朴相圭 編 1986년 『蒙古風俗圖錄』, 亞細亞文化社

朴相國 1989년 「現存 古本을 통해본 六祖大師法寶壇經의 流通」『書誌學研究』 4

\-\-\-\-\-\-\- 1990년 「祇林寺 毘盧舍那佛像 腹藏經典에 대하여」『季刊書誌學報』 2

朴相國 編 1987년 『全國寺刹所藏木板集』, 문화재관리국

朴相國 等編 2008년 『海外典籍文化財調査目錄』, 大谷大學所藏 高麗大藏經, 문화재관리국

朴仲鎭 1998년 「高麗大藏經板의 材質로 본 板刻地에 대한 考察」『人文科學』 12, 경북대학

朴性奎 2003년 『高麗後期 士大夫文學 研究』, 고려대학 출판부

朴星來 1978년 「高麗初의 曆과 年號」『한국학보』 10

\-\-\-\-\-\-\- 2000년 「한국 전근대의 역사와 시간」『역사비평』 50

\-\-\-\-\-\-\- 2002년 「授時曆의 受容과 七政算의 完成」『한국과학사학회지』 24-2

朴盛鍾 1993년 「李和 開國功臣錄券의 吏讀와 그 解讀」『고문서연구』 4

朴成柱 2005년 「高麗·朝鮮의 遣明使 研究」, 동국대학 박사학위논문

\-\-\-\-\-\-\- 2013년 「朝謝의 사용 의미와 文書式」『고문서연구』 42

박성진 2016년 「개성 고려궁성 남북공동발굴조사의 최신 조사성과」『서울학연구』 63, 漢城市立大學

박성호 2016년 「새로 발견된 고려말 홍패의 고문서학적 고찰과 사료로서의 의의」『고문서연구』 48

박수찬 2017년 「高麗前期 覆試의 施行과 機能」『역사와 현실』 106

朴淳發 2000년 「甄萱王陵考」『後百濟와 甄萱』, 서경문화사

朴淳佑 2017년 『10~14세기 渤海人 연구』, 한국학중앙연구원 박사학위논문

------- 2020년 「遼代 渤海人 政治體로서의 兀惹部 研究」『대동문화연구』 109

------- 2021년 「遼~金代 渤海人 張浩 家系 人物의 행적과 通婚 사례 분석」『대동문화연구』 114

朴承範 2004년 「9~10세기 東아시아 地域의 交易」『중국사연구』 29

朴英綠 2013년 「高麗史의 蒙古直譯體白話牒文 二篇의 解釋的 研究」『中國言語研究』 44

------- 2014년a 「高麗史에 수록된 蒙元公文의 用語와 飜譯에 대한 檢討」『大東文化研究』 85

------- 2014년b 「元代 直譯體公文의 構造 및 常套語」『대동문화연구』 86

박영은 2015년a 「高麗時代 天台宗 所依 章疏와 ‘新編諸宗教藏總錄’」『서지학연구』 62

------- 2015년b 「‘三十分功德疏經’ 해제 및 역주」『이화사학연구』 50

박영해 1982년 「11세기 여진인들의 약탈책동을 분쇄하기 위한 고려인민의 투쟁」『역사과학』 1982-1(101)

朴玉杰 1996년 『高麗時代의 歸化人研究』, 國學資料院

------- 1997년 「高麗來航 宋商人과 麗·宋의 貿易政策」『대동문화연구』 32

朴勇國 2010년 『智異山 斷俗寺』, 寶庫社

------- 2014년 「晋州 淸源里 拓齋 李鍾浩의 家系와 그의 삶」『慶南圈文化研究』 24

------- 2015년 「山淸 丹溪里의 歷史變遷과 意味」『南冥學研究』 48

------- 2017년 「조선 초·중기 晋州 勝山里의 역사 변천」『南冥學研究』 56

朴容淑 1971년 「恭愍王代의 對外關係」『부산사학』 2

朴龍雲 1990년 『高麗時代의 蔭敍制와 科擧制研究』, 일지사

------- 1994년 「高麗後期의 必闍赤에 대한 檢討」『李基白古稀紀念韓國史學論叢』 上, 일조각

------- 1995년a 「高麗·宋 交聘의 목적과 使節에 대한 考察」『한국학보』 21, 22

------- 1995년b 「高麗時代 官員의 陞黜과 考課」『역사학보』 145

------- 1996年 「고려시대 開京의 部坊里制」『韓國史學報』 1

------- 1996년 『高麗時代의 開京研究』, 일지사

------- 1997년 『高麗時代의 官階·官職研究』, 고려대학출판부

------- 1999년 『高麗時代史研究의 成果와 課題』, 新書苑

------- 2000년a 『高麗時代 中書門下省의 宰臣研究』, 일지사

------- 2000년b 『高麗時代 尙書省의 研究』, 일지사

------- 2001년 『高麗時代 中樞院의 研究』, 고려대학 민족문화연구원

------- 2003년 『高麗社會와 門閥貴族家門』, 경인문화사

------- 2005년a 「고려시기의 通文館에 대한 검토」『한국학보』 120

------- 2005년b 「安東權氏의 사례를 통해 본 高麗社會의 一斷面」『역사교육』 94

------- 2006년 『高麗의 高句麗繼承에 대한 綜合的 檢討』, 일지사

------- 2008년a 「高麗時期의 兵馬使와 都兵馬使機構에 대한 몇 가지의 問題」『한국사연구』 141

------- 2008년b 『高麗時代史』, 일지사

------- 2009년 『高麗史百官志譯註』, 신서원

------- 2010년 『고려시기 역사의 몇 가지 문제』, 일지사

------- 2012년 『高麗史選擧志譯註』, 경인문화사

------- 2013년 『高麗史輿服志譯註』, 경인문화사

------- 2016년 『고려시대 사람들의 의복식 생활』, 경인문화사

------- 2019년 『고려시대 사람들의 식음 생활』, 경인문화사

朴鎔辰 2012년a 「고려후기 元版大藏經 印成과 流通」『중앙사론』 35

------- 2012년b 「고려 우왕대 大藏經 印成과 그 성격」『한국학논총』 37

------- 2015년 「高麗時代 大藏經 및 敎藏認識의 의의」『한국중세사연구』 42

------- 2015년 「高麗時代 天台宗의 所依章疏와 新編諸宗敎藏總錄」『서지학연구』 62

------- 2016년 「新編諸宗敎藏總錄의 對校와 校勘 硏究」『書誌學硏究』 67

------- 2017년 「고려전기 義天撰 圓宗文類 所收 불교 문헌의 현황과 전승」『한국학논총』 47,
국민대학

------- 2017년 「敎藏의 成立과 역사적 변천」『서지학연구』 69

------- 2022년 「고려후기 백련사와 송 천태종 교류」『민족문화연구』 96

박원길 등편 2006년 『몽골비사의 종합적 연구』, 민속원

朴潤美 2011년 「12세기 전반기의 국제정세와 고려-금의 관계 정립」『사학연구』 104

------- 2012년 「金에 파견된 高麗使臣의 사행로와 사행여정」『한국중세사연구』 33

------- 2015년 「고려 전기 외교의례에서 國王西面의 의미」『역사와 현실』 98

------- 2015년 「金代 賓禮를 통해 본 宋·高麗·夏의 國際地位」『동북아역사논총』 49

------- 2016년 『高麗前期 外交儀禮 硏究』, 숙명여자대학 박사학위논문

박윤진 2020년 「高麗前期 法號의 使用과 그 運營의 特質」『민족문화연구』 87

朴恩卿 1996년 『高麗時代鄕村社會硏究』, 일조각

朴銀卿 2000년 「日本所在 朝鮮佛畵 遺例 : 安國寺藏 天藏菩薩圖」『考古歷史學志』 16, 동아대학

朴銀順 1997년 『金剛山圖硏究』, 일지사

朴在淵·洪波 校注 2001년 『吏文·吏文輯覽』, 鮮文大學

朴宰佑 1997년 「고려전기 宰樞의 운영원리와 권력구조」『역사와 현실』 26

------- 2000년 「高麗時代의 宰樞兼職制硏究」『국사관논총』 92

------- 2004년 「高麗前期 宰樞의 任用方式과 性格」『한국사연구』 125

------- 2005년 『고려 국정운영의 체계와 왕권』, 신구문화사

------- 2006년 「高麗 正案의 樣式과 基礎資料」『고문서연구』 28

------- 2010년 「高麗時代 紅牌의 樣式과 特徵」『고문서연구』 37

------- 2010년 「고려전기 臺諫의 겸직운영과 성격」 『역사와 현실』 76

------- 2014년 『고려전기 대간제도 연구』, 새문사

------- 2014년 「고려 최씨정권의 政房운영과 성격」 『한국중세사연구』 40

------- 2015년 「고려 무신정권기 교정도감에 대한 새로운 해석」 『한국사학보』 60

------- 2015년 「고려전기 姜邯贊의 관료진출과 정치활동의 성격」 『역사학보』 228

------- 2015년 「고려전기 宰樞의 출신과 국정회의에서의 위상」 『동방학지』 172

------- 2016년 「高麗 崔氏政權의 權力行使와 王權의 位相」 『한국중세사연구』 46

------- 2018년 「1960년~70년대 고려 귀족제설의 정립과 그 전망」 『한국사연구』 183

朴宗基 1982년 「14〜15세기 越境地에 대한 再檢討」 『한국사연구』 36

------- 1990년 『高麗時代 部曲制研究』, 서울大學 出版部

------- 1994년 「高麗時代의 對外關係」 『韓國史』 6, 한길사

------- 1996년 「고려중기 대외정책의 변화에 대하여」 『한국학논총』 16

------- 1996년 「雪村家蒐集古文書解題」 『雪村家蒐集古文書集』, 國民大學

------- 1997년a 「高麗時代의 地方官員들」 『역사와 현실』 24

------- 1997년b 「李奎報의 生涯와 著述傾向」 『한국학논총』 19

------- 1998년 「11세기 고려의 대외관계와 정국운영론의 추이」 『역사와 현실』 30

------- 2002년 『支配와 自律의 空間, 高麗의 地方社會』, 푸른역사

------- 2006년 『안정복, 고려사를 공부하다』, 고즈원

------- 2007년 「李穡의 當代史 認識과 人間觀」 『역사와 현실』 66

------- 2008년a 「高麗時代의 追贈制度」 『한국학논총』 31

------- 2008년b 「고려말 왜구와 지방사회」 『한국중세사연구』 24

------- 2012년 「國譯高麗史의 完刊과 學術的 意義」 『石堂論叢』 54

박종민 1998년 「고려왕실의 세시의례」 『민속학연구』 5, 국립민속박물관

朴鍾進 2003년 「高麗時期 按察使의 機能과 位相」 『동방학지』 122

------- 2011년 「고려시기 개경 절의 위치와 기능」 『역사와 현실』 38

------- 2011년 「開京研究의 새로운 摸索」 『歷史와 現實』 79

------- 2015년 「高麗末·朝鮮初 開城府의 位相」 『동방학지』 170

------- 2015년 「고려 초 지방제도 개편과 主縣·屬縣制度의 성립」 『한국문화』 72, 서울대학

------- 2021년 「고려왕조의 수도 개경의 특징과 위상」 『서울학연구』 83

박지영 2019년 「고려궁성 출토 명문·기호 청자 고찰」 『文化財』 84

朴晋勳 1998년 「高麗末 改革派士大夫의 奴婢辨正策」 『학림』 19

------- 2008년 「高麗時代 사람들의 改名」 『동방학지』 141

------- 2012년 「문화콘텐츠로서 國譯高麗史의 電算化方案」 『石堂論叢』 54

------- 2015년 「高麗前期 國王殯殿의 설치와 의례」『한국중세사연구』 43

------- 2016년 「高麗時代 官人層의 葬禮期間 分析」『역사교육논집』 59

------- 2018년a 「고려후기 田民辨正과 조선초기 奴婢政策의 의의와 한계」『역사비평』 122

------- 2018년b 「고려후기 홍건적의 침입과 安祐의 군사 활동」『사학연구』 130

------- 2021년 「고려시대 개경민의 주거 문제와 생활 공간」『서울학연구』 83

박찬흥 2017년 「莊義寺의 創建背景과 長春郞·罷郞說話」『서울과 역사』 96

朴菖熙 1969년 「李奎報의 東明王篇 詩」『역사교육』 11·12合

------- 1973년 「高麗의 兩班功蔭田柴法의 解釋에 대한 再檢討」『韓國文化研究院論叢』 22

朴天植 1979년 「戊辰回軍功臣의 册封顚末과 그 性格」『全北史學』 3

------- 1988년 「三韓壁上功臣研究」『全羅文化論叢』 2, 全北大學

------- 1989년 「高麗 配享功臣의 制度的 性格과 그 特性」『全羅文化論叢』 3

朴漢男 1993년 『高麗의 對金外交政策 研究』, 成均館大學 博士學位論文

------- 1997년 「14世紀 崔瀣의 東人之文四六의 編纂과 그 意味」『大東文化研究』 32

朴漢卨 1973년a 「後百濟의 金剛에 대하여」『大丘史學』 18

------- 1973년b 「高麗太祖 世系의 錯譜에 關하여」『史叢』 17·18合

------- 1977년 「高麗 王室의 基源」『사총』 21·23合

------- 1985년a 「羅州道行臺考」『江原史學』 1

------- 1985년b 『高麗 建國의 研究』, 고려대학 박사학위논문

------- 1993년 「高麗의 建國과 豪族」『韓國史』 12, 국사편찬위원회

朴現圭 1991년 「李齊賢과 元文士들과의 交游攷」『嶠南漢文學』 3

------- 1993년 「高麗僧 式無外의 文學 歷程」『한국학보』 72

------- 1995년 「위그로족 귀화인 偰遜 문집인 近思齋逸藁의 발굴과 분석」『대동한문학』 7

------- 2002년 「중국국가도서관본 '보한집'과 고려 이장용 跋文」『한민족어문학』 40

------- 2004년 「最近에 發掘된 中國所藏의 海東에 關聯된 金石文」『中國學論叢』 17

------- 2012년 「蘇州 소재 高麗亭館 고찰」『중국사연구』 80

------- 2020년 「金나라 張氏 墓誌石 補釋」『인문과학논총』 39-2, 순천향대학

朴亨杓 1969년 「麗蒙聯合軍의 東征과 그 顚末」『사학연구』 21

朴洪甲 2012년 『朝鮮朝 士族社會의 展開』, 一志社

朴興秀 1980년 『度量衡과 國樂論叢』, 朴興洙敎授華甲紀念論文集刊行會

------- 1999년 『韓·中度量衡制度史』, 성균관대학 출판부

方東仁 1982년 「雙城摠管府考」『관동사학』 1

------- 1984년 「東寧府置廢小考」『관동사학』 2

裵圭範 2015년 「中國 漢籍의 高麗 전래 과정 고찰」『대동한문학』 43

裵象鉉 1995년 「高麗時代 僧徒와 그 유형」『창원사학』 2

------- 1997년 「고려국신조대장교정별록과 수기」『민족문화논총』 17

------- 1998년 『高麗後期寺院田硏究』, 國學資料院

------- 2003년 「고려시기 晋州牧 지역의 寺院과 佛典의 조성」『대구사학』 72

------- 2005년 「三別抄의 南海抗爭」『역사와 경계』 57

裵淑姬 2008년 「元代 科擧制와 高麗進士의 應擧 및 投官格」『동양사학연구』 104

------- 2010년 「宋代 東亞海域上 漂流民의 發生과 送還」『중국사연구』 65

------- 2012년 「元나라의 耽羅統治와 移住, 그리고 자취」『중국사연구』 76

裵宰勳 2008년 「片雲和尙浮圖를 통해 본 實相山門과 甄萱政權」『백제연구』 50

------- 2016년 「고려의 팔관회 설행과 민간」『영남학』 31, 경북대학

배종민 2009년 「月南寺와 崔氏武人政權」『호남문화연구』 46

배종열 2017년 「武臣執權期 高麗·宋 朝貢貿易 衰退와 民間貿易의 擴大」, 연세대학 석사학위논문

裵宗鎬 1982년 「性理學의 受容과 그 意義」『한국사론』 18

裵賢淑 1982년 「高麗朝 寺刹文庫에 대하여」『규장각』 6

白剛寧 1996년 「高麗初 惠宗과 定宗의 王位繼承」『진단학보』 82

백승호 2006년 「高麗 商人들의 對宋貿易活動」『역사학연구』 27, 호남사학회

백옥경 2008년 「麗末鮮初 偰長壽의 政治活動과 現實認識」『조선시대사학보』 46

------- 2009년 「朝鮮前期에 活動한 中國人 移住民에 대한 考察」『한국문화연구』 16

白仁鎬 2003년 『고려후기 부원세력 연구』, 세종출판사

百濟硏究所 2000년 『後百濟와 甄萱』, 서경문화사

백종오 2002년 「경기지역 고려성곽 연구」『사학지』 35

------- 2013년 「고려후기 천룡산성의 현황과 성격」『선사와 고대』 39

邊東明 1995년 『高麗後期性理學受容硏究』, 일조각

------- 2002년 「高麗後期의 法相宗」『한국중세사연구』 12

------- 2002년 『韓國中世의 地域社會硏究』, 학연문화사

------- 2008년 「朝鮮時期의 麗川船所遺跡, 順天船所」『海洋文化硏究』 1

------- 2010년 『麗水海洋史論』, 全南大學出版部

------- 2013년 『韓國 傳統時期의 山神·城隍神과 地域社會』, 全南大學出版部

------- 2015년 「後百濟의 海上活動과 對外關係」『韓國古代史探究』 19

------- 2016년 「新羅末·高麗初의 順天 豪族 朴英規」『역사학연구』 62

------- 2016년 「高麗 顯宗과 泗水縣·泗州」『역사학연구』 64

------- 2018년 「高麗 宣宗代 羅州 西城門 안 石燈의 건립」『역사학연구』 72

邊銀淑 2000년 「고려 충렬왕대의 정치세력의 형성배경」『명지사론』 11·12합

邊太燮 1971년 『高麗政治制度史研究』, 일조각

------- 1973년 「高麗의 式目都監」 『역사교육』 15

------- 1981년 「高麗初期의 政治制度」 『韓㳽劤博士停年紀念史學論叢』, 知識產業社

------- 1982년 『高麗史의 研究』, 三英社

------- 1983년 「高麗의 文翰官」 『金哲埈華甲紀念史學論叢』, 지식산업사

------- 1993년 「中央의 統治機構」 『韓國史』 13, 국사편찬위원회

邊太燮 編 1986년 『高麗史의 諸問題』, 三英社

扶餘郡 2005년 『夫餘無量寺舊址』

北韓研究所 2003년 『北韓總覽』 1993～2002年

佛敎文化研究所 1983년 『韓國天台思想研究』, 동국대학 출판부

佛敎文化財研究所 2012년 『동학사 대웅전 삼세불상』

------- 2021년 『한국의 사찰문화재』

ㅅ

司空영애 2019년 「高麗時代 花卉文化와 花器」 『韓國中世 考古學會 春季學術大會 資料集』, 韓國
    中世考古學會 發表要旨

寺刹文化研究院 編 1992년 『北韓의 寺刹研究』

社會科學院 考古學研究所 2009년a 『고려의 성곽』, 진인진

-------- 2009년b 『고려 건축』, 진인진

-------- 2009년c 『고려의 무덤』, 진인진

-------- 2009년d 『고려의 유물』, 진인진

-------- 2009년e 『고구려와 고려 및 이조 도자기가마터와 유물』, 진인진

社會科學院 言語學研究所 2002년 이래 『고장이름사전』, 科學百科事典出版社

尙州博物館 編 2008년 『尙州 옛 상주를 담다』

서경문화재연구원 2022년 『용인 서리 고려백자요지 4차 발굴조사 약시보고서』

徐景洙 1987년 『한국밀교사상연구』, 동국대학 출판부

徐今錫 2012년 「高麗의 曆法推移를 통해 본 高麗史曆志序文의 檢討」 『歷史學研究』 47

------- 2015년 「궁예의 국도선정과 국호·연호 제정의 성격」 『한국중세사연구』 42

------- 2015년 「고려시대 子平四柱學의 유입」 『역사학보』 225

------- 2016년 「고려시대 八關會 設行 月·日에 대한 검토」 『한국중세사연구』 45

------- 2018년a 「고려 초 光州 地名의 출현 시기와 정치적 배경」 『역사학연구』 69

------- 2018년b 「交食推步法 假令의 甲子年 曆元 제정을 통해 본 조선 초기 역법편찬의 함의」

『한국사학보』 71

------- 2019년 『時間의 歷史』, 고려시대 달력을 복원하다, 혜안

徐今錫·金炳仁 2014년a 「步氣朔術의 分析을 통해 본 高麗前期의 曆法」『한국중세사연구』 38

------- 2014년b 「高麗中期의 金의 重修大明曆의 步氣朔術檢討」『역사학연구』 53

------- 2014년c 「역사적 추이를 통해 본 고려시대 臘日에 대한 검토」『한국사학보』 56

徐炳國 1973년 「高麗 宋 遼의 三角貿易考」『백산학보』 15

------- 1990년 「朝鮮前期 對女眞關係史」『국사관논총』 14

서병패 2008년 「安東普光寺 木造觀音菩薩坐像 腹藏典籍研究」『聖寶』 10(『安東普光寺木造觀音菩薩坐像』, 불교문화재연구소, 2009)

서상호 2015년 「德壽1784織物馬牌의 正體와 明符驗」『東垣學術論文集』 16

徐聖鎬 1999년 「고려 태조대 대거란정책의 추이와 성격」『역사와 현실』 34

------- 2000년 「고려시기 개경의 시장과 주거」『역사와 현실』 38

徐守鏞 編 1997년 『龍頭山龍壽寺』, 동방미디어

서울대학 도서관 1966년 『貴重展示圖書目錄』, 서울대학출판부

서울대학출판부 2000년 『북한의 문화재와 문화유적』

서울학연구소 편 2020년 「동북아 역사도시연구 심포지움」, 발표초록

서은미 2009년 「·禪苑淸規’와 淸規의 일본 전래」『역사와 세계』 36

徐恩惠 2017년 「麗·蒙間의 推移와 高麗의 曆法運用」『한국사론』 63

------- 2017년 「고려·조선의 국제관계에서 역서가 가지는 의미와 그 변화」『역사비평』 121

徐周錫 編 1995년 『安東의 墳墓』, 동방미디어

서치상 2018년 「여말선초 목조건축 부재 묵서명에 관한 연구」『건축역사연구』 27-3

설동일 2006년 『해양기상학』, 다솜출판사

釋宗眞 編 2013년 『原典會編禪門拈頌集』, 東國大學 出版部

설배환 2013년 「몽골제국에서 詔令의 對民傳達」『고문서연구』 43

成均館大學校 博物館 2005년 『高麗時代金石文拓本展』

成昊慶 2006년 『高麗時代 詩歌研究』, 태학사

世宗大王記念事業會 1999년 『國譯書雲觀志』

---------- 2001년 『한국고전용어사전』

世宗文化財研究院 編 2015년 『高麗時代 歷年代 資料集』 銘文瓦, 학연문화사

蘇淳圭 2020년 「高麗時代 徭貢의 實體와 貢納制의 運營樣相」『한국중세사연구』 61

蘇在英 2004년 「燕行의 山河와 燕行使의 歷史認識」『동양학』 35

孫承喆 編 1998년 『朝鮮·琉球關係史料集成』, 국사편찬위원회

손영종 1987년 「대령강반의 옛 장성에 대하여」『역사과학』 1987-2

孫弘烈 1977년 「高麗 漕運考」 『史叢』 21·22合

孫煥一 2017년 「南明泉和尙頌證歌에 나타난 金屬活字本의 特徵」 『문화사학』 48

松廣寺 聖寶博物館 2001년 『송광사 소장 원대 티베트문서 규명 국제학술대회』, 발표초록

------- 2004년 『松廣寺聖寶博物館佛書展示圖錄』

宋基豪 1995년 『渤海政治史硏究』, 일조각

宋芳松 1989년 「한국고대음악의 일본전파」 『국사관논총』 1

------- 1994년 「고려 唐樂의 音樂史學史的 조명」 『이기백고희기념논총』

송병우 등 2012년 「高麗前期 對遼外交文書의 核心語 硏究」 『石堂論叢』 54

宋容德 2005년 「高麗前期 國境地域의 州鎭城編制」 『한국사론』 51

宋龍準·李致洙 等編 2004年 『宋詩史』, 譯樂

宋寅州 1997년 「高麗 二軍의 成立時期와 性格에 대한 再檢討」 『한국중세사연구』 4

------- 1998년 「恭愍王代 軍制改革의 實態와 그 限界」 『한국중세사연구』 5

------- 2002년 「‘고려도경’에 서술된 軍制關聯 記事의 검토」 『한국중세사연구』 12

------- 2007년 『高麗時代 親衛軍 硏究』, 일조각

宋日基 2004년 「光州紫雲寺木彫阿彌陀佛坐像의 腹藏典籍考」 『서지학보』 28

------- 2008년 「王龍寺院 三尊佛像의 腹藏典籍에 관한 硏究」 『한국문헌정보학회지』 42-2

------- 2011년 「고려재조대장경의 조성과정 연구」 『서지학연구』 49

------- 2015년 「四法語의 편찬과 유통」 『서지학연구』 63

宋春永 1971년 「高麗 御史臺에 관한 一硏究」 『大丘史學』 3

       1988년 「高麗時代의 譯學敎育」 『大丘史學』 35

------- 1994년 「地方의 敎育機關」 『한국사』 17, 국사편찬위원회

------- 1996년 「元 干涉期의 自然科學」 『국사관논총』 71

------- 1997년 『高麗時代의 雜學敎育硏究』, 螢雪出版社

송하진 1992년 「國語學 資料로서의 "三國史記" 地理志의 性格」 『湖南文化硏究』 21

修德寺 2003년 『修德寺大雄殿』[2]

수미야 바아타르 1992년 『中世韓蒙關係史』, 단국대학출판부

--------------- 2015년 「고려 출신의 몽골 巫女들」 『東아시아 古代學』 38

수원대학 박물관 2021년 『강도궁궐 학술포럼』, 발표초록집

市村 康 著, 任大熙 譯 2005년 『송대에 있어서의 양자법』, 서경문화사

신선혜 2017년 「"三國遺事"의 佛敎金石文 引用事例와 引用方式」 『한국사학보』 69

愼成宰 2005년 「궁예정권의 나주진출과 수군활동」 『軍史』 57

---

[2] 이는 「故小川敬吉氏蒐集資料」, 1937(京都大學 建築學敎室 所藏)을 飜譯한 것이다.

------- 2007년 「泰封과 後百濟의 德津浦海戰」『군사』 62

------- 2010년a 「泰封의 水軍戰略과 水軍運用」『역사와 경계』 75

------- 2010년b 「弓裔와 王建과 羅州」『한국사연구』 151

------- 2011년 「일리천전투와 고려태조 왕건의 전략전술」『한국고대사연구』 61

------- 2012년 「궁예정권의 철원천도와 전쟁사적인 의미」『한국사연구』 158

------- 2013년 「後百濟의 水軍活動과 戰略戰術」『한국중세사연구』 36

------- 2016년 『後三國時代의 水軍史』, 혜안

------- 2017년 「고려 태조대의 名將 忠節公 庾黔弼」『군사』 102

------- 2018년 『후삼국 통일전쟁사 연구』, 혜안

------- 2019년 「王建의 水軍活動과 皐夷島」『한국중세사연구』 57

신수정 2015년 「高麗初期 內議省의 成立과 運營」『사학연구』 117

辛承云 1995년 「東人之文五七殘本解題」『季刊書誌學報』 16

申安湜 2002년 『高麗 武人政權과 地方社會』, 경인문화사

------- 2004년 「高麗前期의 北方政策과 城郭體制」『역사교육』 89

------- 2008년 「고려시대 兩界의 성곽과 그 특징」『군사』 66

------- 2016년 「고려후기의 영토분쟁」『군사』 99

------- 2017년 「고려초기의 영토의식과 국경 분쟁」『군사』 105

------- 2021년 「고려 개경의 경제 공간과 교통로」『서울학연구』 83

申榮勳 1962년 「蛟龍山城」『고고미술』 3-11(28)

申榮勳 編 1964년 『韓國古建築上樑記文集』(『考古美術資料』 5), 考古美術同人會

신용철 2018년 「월남사지 진각국사 원소탑비의 특징과 양식고찰」『미술사학연구』 297

申銀濟 2009년 「14세기 전반 원의 정국동향과 고려의 정치도감」『한국중세사연구』 26

------- 2012년 「國譯高麗史의 挑戰 그리고 限界」『石堂論叢』 54

------- 2012년 「馬島 1·2號船出水 木簡·竹札에 記載된 穀物의 性格과 地代收取」『역사와 경계』 84

------- 2015년 「신돈 집권기 전민추정도감의 설치와 그 성격」『역사와 경계』 95

------- 2015년 「장곡사 금동약사여래좌상의 복장 발원문과 발원자들」『미술사연구』 29

------- 2016년 「高麗後期 腹藏記錄物의 內容과 發願者」『한국중세사연구』 45

------- 2019년 「14世紀前半 高麗 寫經發願文의 內容과 特徵」『한국중세사연구』 59

申採湜 1981년 『宋代官僚制研究』, 삼영사

------- 1985년 「宋代官人의 高麗觀」『변태섭화갑기념사학논총』

------- 2010년 『宋代皇帝權研究』, 韓國學術情報

申千湜 1983년a 『高麗 教育制度史 研究』, 螢雪出版社

------- 1983년b 「高麗時代의 武科와 武學」『軍史』 7

------- 1998년 「李齊賢의 學問과 思想」『明知史論』 9

辛琸根 1991년 「腹藏物의 收藏經緯와 保存方案」『1302年 阿彌陀佛腹藏物의 調査研究』, 溫陽民俗
　　博物館

申泰光 2002년 「北宋 變法期의 對高麗政策」『동국사학』 37

申虎雄 1995년 『高麗法制史研究』, 국학자료원

申虎澈 1982년 「弓裔의 政治的 性格」『한국학보』 29

------- 1993년 『後百濟의 甄萱政權研究』, 일조각

------- 1994년 「高麗顯宗代의 淨兜寺五層石塔造成形止記의 註解」『李基白紀念韓國史學論叢』 上

------- 1995년 「신라말 고려초 歸附豪族의 정치적 성격」『충북사학』 8

------- 2002년 『後三國時代의 豪族研究』, 개신

申虎澈 等編 2016년 『羅末麗初 申崇謙의 研究』, 경인문화사

沈奉謹 1993년 「馬山 合浦城址」『부산여대사학』 10·11合

심영환 2018년 「고려사의 北方語 성씨 石林에 대하여」『태동고전연구』 40

沈喁俊 1985년 『日本傳存 韓國逸書研究』, 일지사

------- 1988년 『日本訪書志』, 한국정신문화연구원

沈載錫 1992년 「‘龍飛御天歌’에 보이는 高麗末 李成桂家」『外大史學』 4 : 『‘龍飛御天歌’에 보이
　　는 高麗末 李成桂家 研究』, 미주, 2015.

------- 2002년 『高麗國王册封研究』, 혜안

심재연 2019년 「일제강점기 태봉국 철원성 조사와 봉선사지」『문화재』 52-1

沈正輔 1994년 「고려말 조선초의 하삼도 읍성 축조기사 검토」『석당논총』 20

------- 1995년 『韓國 邑城의 研究』, 學研文化社

심종훈·이나경 2007년 「김해 고읍성 축성과 시기」『한국성곽학보』 11

　　　○

安啓賢 1956년 「八關會考」『東國史學』 4

------- 1960년 「麗·元關係에서 본 高麗佛教」『황의돈선생고희기념사학논총』

------- 1994년 「燃燈會攷」『韓國佛教思想史』 下, 東方佛教史研究所

安東金氏大宗會 編 2012년 『忠烈公金方慶論文集』

安秉佑 1990년 「高麗前期 地方官衙 公廨田의 설치와 운영」『李載龒還曆紀念韓國史學論叢』, 한울사

안병희 1986년 「이두문헌 吏文에 대하여」『배달말』 11, 배달말학회

안성현 2012년 「고려후기 경남지역 성곽연구」『한국중세사연구』 34

安城市 1999년 『安城 望伊山城』, 2차 발굴 조사보고서

------- 2009년 『高麗太祖 眞殿寺院 奉業寺』

安永根 1992년 「羅末麗初 淸州地方의 動向」 『朴永錫敎授華甲記念韓國史學論叢』

安英淑 等 1999년 「高麗時代의 年曆表 作成」 『天文學論叢』 14

------- 2004년 「韓國의 標準年曆 DB시스템 構築」 『韓國科學史學會誌』 26-1

------- 2009년 『高麗時代年曆表』, 韓國學術情報

------- 2011년 「韓國 曆書 데이터베이스 構築 및 內容」 『天文學論叢』 26

안영숙 2007년 『칠정산외편의 일식과 월식 계산방법 고찰』, 한국학술정보

안재원 2016년 「교황 요한 22세가 보낸 편지에 나오는 Regi Corum은 고려의 충숙왕인가?」 『교회
    사학』 13, 수원교회사연구소

安酒煐 2020년 「이의방의 집권과 정국 운영」 『역사교육』 156

------- 2021년 「고려 공민왕·우왕 시기 중방의 정치적 활용」 『사총』 103

安智源 1997년 「高麗時代 제석신앙의 樣相과 그 變化」 『국사관논총』 78

------- 1999년 「高麗時代 國家佛敎儀禮의 硏究」, 서울大學 博士學位論文

------- 2005년 『고려의 불교의례와 문화』, 서울대학 출판부

楊秀芝 1995년 「琉球王國의 대외관계에 대한 일고찰」 『한일관계사연구』 3

梁時恩 2021년 「고려시대 전기 서북한지역의 관방체계」 『한국중세사연구』 64

梁元錫 1960년 「麗末의 流民問題」 『이병도박사화갑기념논총』

梁銀容 1990년 「寶雲義通祖師와 고려불교」 『류병덕화갑기념논총』

------- 1994년 「道敎思想」 『韓國史』 16, 국사편찬위원회

------- 1992년 「고려태조친제 개태사화법회소의 연구」 『伽山李智冠華甲紀念論叢: 韓國佛敎文化
    思想史』, 가산불교문화진흥회

梁義淑 1993년 「高麗의 禿魯花에 대한 硏究」 『南都泳古稀紀念 歷史學論叢』, 民族文化社

양정석 2004년 『黃龍寺의 造營과 王權』, 서경문화사

양종국 2007년 「宋王朝 建國期 陳橋驛政變과 天命思想」 『湖西史學』 48

梁柱東 1963년 『麗謠箋注』 4版, 을유문화사

梁泰鎭 1984년 「錄券에 관한 書誌的 考察」 『국회도서관보』 21-1(170)

------- 1995년 『北韓의 文化遺蹟 巡禮』, 白山出版社

------- 2008년 『우리 嶺土와 地名』, 이회

梁洪鎭 1999년 「高麗時代 年曆表의 作成」 『천문학논총』 14

------- 2014년 『디지털 天象列次分野之圖』, 慶北大學 出版部

梁洪鎭 等 1998년 「高麗時代의 黑點과 오로라 記錄에서 보이는 太陽活動週期」 『천문학논총』 14

어강석 2017년 「고려말 문인들의 포은에 대한 인식」 『포은학연구』 20, 포은학회

嚴耕欽 2004년 「鄭夢周와 權近의 使行詩에 表現된 國際關係」 『한국중세사연구』 16

嚴基杓 2003년 『석조부도』, 학연문화사

------- 2015년 「水原 彰聖寺址의 史蹟과 考證」 『文化史學』 43

------- 2015년 「高麗·朝鮮時代 分舍利 浮屠의 建立 記錄과 樣相 그리고 造成 背景」 『불교미술사학』 20

------- 2015년 「驪州 高達寺址의 浮屠와 塔碑에 대한 고찰」 『동악미술사학』 18

------- 2016년 「강진 백련사의 석조미술과 원묘국사의 부도와 탑비」 『호남문화연구』 60

------- 2018년 「漆谷 僊鳳寺址의 史蹟과 原位置에 대한 試論」 『文化史學』 60, 한국문화사학회

에노모토[榎本涉] 2016년 「宋日·元日 間 海上船路와 高麗島嶼地域」 『해양문화재』 9, 국립해양
　　문화재연구소

에드워드 슐츠 2014년 『무신과 문신』, 글항아리

麗元關係史研究會 2008년 『譯註元高麗紀事』, 선인

延世大學 國學研究院 2001년 『고려-조선전기 중인연구』, 신서원

------- 2005년 『중세사회의 변화와 조선 건국』, 혜안

延世大學 博物館 1991년 『고려시대 질그릇』

------- 2002년 『고려·조선시대 질그릇과 사기그릇』

延世大學 中央圖書館編 2007년 『閔泳奎先生寄贈貴重古書特別展』

閻守誠 著·任大熙 譯 2012년 『唐玄宗』, 서경문화사

廉永夏 1988년 「韓國梵鐘目錄」 『梵鐘』 11, 한국범종연구회

------- 1988년 『韓國鐘研究』 증보판, 한국정신문화연구원

염정섭 2014년 「高麗의 中國農書·曆書·擇日書의 導入과 逐日吉凶橫看木板」 『한국중세사연구』 38

嶺南大學校 民族文化研究所 編 2013년 『高麗時代 律令의 復元과 整理』, 경인문화사

嶺南文化財研究院 2005년 『2004年度文化財試掘調查報告書』, 大邱申崇謙將軍遺蹟整備敷地內遺蹟
　　文化財試掘調查

藥城同友會 1995년 『崇善寺址地表調查報告書』

吳基丞 2016년 「몽골제국의 동방 경영과 요동 고려인 세력」 『中央史論』 43

------- 2018년 「원대 요동 麗元 접경에서의 요양행성 역할 고찰」 『역사와 현실』 107

------- 2018년 「13~14세기 요동 고려인 세력과 고려왕실의 충돌」 『한국사연구』 181

吳 星 1981년 「高麗 光宗代의 科擧合格者」 『高麗光宗의 研究』, 일조각

吳世昌 1928년 『槿域書畫徵』, 啓明俱樂部(影印本, 普文書店, 1975)[3]

吳世昌 編, 河永輝 譯, 2009년 『槿墨』, 성균관대학 출판부

오수연 2013년 「羅末麗初 趙胖의 對明外交活動」 『한국인물사연구』 20

吳英善 1995년 「崔氏執權期 政權의 基盤과 政治運營」 『역사와 현실』 17

---

3) 이의 번역으로 東洋古典學會, 『國譯槿域書畫徵』, 時空社, 1998이 있다.

오용섭 2005년 「揚印節目으로 본 世祖年間의 大藏經印出」『서지학연구』30

\------- 2016년 「淸刊行의 高麗本 金剛般若波羅密經」『서지학연구』68

오일순 2000년 『高麗時代 役制와 身分變動』, 혜안

오지연 2008년 「법화영험전의 신앙 유형 고찰」『천태학연구』11

吳致勳 2016년 「高麗前期의 職役繼承과 田柴科의 構造」『역사민속학』51

\------- 2018년a 「고려 전시과의 운영과 영업전·구분전」『사학연구』131

\------- 2018년b 「고려 전시과의 전개와 지급기준의 변화」『한국사학보』73

\------- 2019년a 「고려시대 山林政策에 대한 기초적 검토」『사학연구』133

\------- 2019년b 「고려 전시과에서 柴地의 의미와 활용」『국학연구』38

\------- 2020년 「高麗時代의 稅金減免 語彙의 用例와 意味」『한국중세사연구』63

\------- 2022년 「고려전기 군인전의 성립과 대거란 전쟁의 영향」『한국중세사연구』68

吳恒寧 1999년 「麗末鮮初 史官 自薦制의 成立과 運營」『역사와 현실』30

\------- 1999년 「朝鮮初期 高麗史의 改修에 관한 史學史的인 檢討」『泰東古典研究』16

吳洪晳 1984년 「帆船航海時代의 濟·京海路」『南都泳博士華甲紀念史學論叢』, 太學社

오희은 2016년 「고려시대 연고지 유배형의 성격과 전개」『한국사론』62, 서울대학

옥나영 2016년 「紫雲寺 木造阿彌陀佛坐像의 腹藏 如意寶印大隨求陀羅尼梵字軍陀羅相의 제작 배경」『이화사학연구』53

옥영정 2012년 「국내 현존 宋·元本의 조사와 書誌的 분석」『서지학연구』52

溫陽民俗博物館 1991년 『1302年 阿彌陀佛腹藏遺物의 調査報告』

外交通商部 2009년 『21世紀 創造的 實用外交와 徐熙』(發表要旨)

龍仁市 2001년 『龍仁의 墳墓文化』

우동선 1994년 「문제의 소제, 關野 貞의 한국 고건축 조사와 보존에 대한 연구」『한국근대미술사학』11

우성훈 2013년 「개경 나성 축성의 도시사적 의의에 관한 검토」『대한건축학회논문집』29-2

\------- 2013년 「고려 성종대 개경의 변화와 도성구조에 관한 검토」『대한건축학회논문집』29-5

우성훈·이상해 2006년 「고려정궁 내부 배치의 복원연구」『건축사연구』15-3

우에하라[上原 靜] 2015년 「오키나와 諸島에 있어서 高麗系 기와 연구의 現狀과 課題」『海洋交流의 考古學』(발표초록), 九州考古學會

雲門寺 編 2018년 『雲門寺誌』, 聖寶博物館

蔚山大谷博物館 2014년 『蔚山, 靑磁·粉靑沙器 그리고 白磁를 굽다』

圓覺寺 編 2017년 『원각사의 불교문헌』

元昌愛 1984년 「高麗中·後期 監務 增置와 地方制度의 變遷」『청계사학』1

魏恩淑 1985년 「羅末麗初 農業生産力 發展과 그 主導勢力」『釜大史學』9

------- 1990년 「高麗時代 農業技術과 生産力 研究」『국사관논총』 17

------- 1992년 「高麗後期 織物業과 木綿의 傳來」『한국중세사연구회 발표요지』

------- 1994년 「高麗後期 私的大土地所有와 經營形態」『한국중세사연구』 1

------- 1997년 「元干涉期 對元貿易」『지역과 역사』 4

------- 1998년 『高麗後期의 農業經濟研究』, 혜안

------- 2000년 「元朝正本農桑輯要의 農業觀과 刊行主體의 性格」『한국중세사연구』 8

------- 2012년 「深源寺所藏 13世紀 吉凶逐月橫看高麗木板의 農曆」『민족문화논총』 52

------- 2014년 「고려시대 土牛儀禮의 법제화와 그 성격」『역사와 경계』 90

------- 2015년 「13세기 ‘吉凶逐月橫看 高麗木板’을 통해서 본 고려의 擇日문화」『민족문화논총』 59

------- 2019년 「고려 중·후기 채소생산과 발전」『민족문화논총』 69

俞景老 1999년 『韓國天文學史 研究』, 綠豆(韓國天文學史編纂委員會 編)

俞景老 篇 1986년 『高麗史曆志·授時曆捷法立成』 韓國科學技術史資料大系(天文學篇2), 驪江出版社

------- 1986년 『國朝曆象考·書雲觀志』 韓國科學技術史資料大系(天文學篇8), 여강출판사

柳麻理 1995년 「1323년 4월作 觀經十六觀變相圖」『文化財』 28

------- 2000년 「觀經序分變相圖의 研究」『문화재』 33

柳富鉉 2005년 「分司大藏都監版 ‘宗鏡錄’의 底本考」『서지학연구』 30

------- 2012년 「고려대장경 경판의 分司大藏都監 간기에 대한 연구」『서지학연구』 51

유원재 1979년 「三國史記의 僞靺鞨考」『사학연구』 29

유인선 2003년 『베트남의 역사』, 이산

柳在春 1996년 「‘세종실록’지리지 성곽기록에 대한 검토」『사학연구』 50

------- 2003년 『韓國中世築城史 研究』, 경인문화사

劉中玉 2008년 「萬卷堂, 濟美基德堂考辨」『전북사학』 32

尹京鎭 1996년 「고려 태조대 군현제 개편의 성격」『역사와 현실』 22

------- 1999년 「고려 戶長의 기능과 外官의 성격」『국사관논총』 87

------- 2000년 「高麗 郡縣制의 構造와 運營」 서울大學 博士學位論文

------- 2000년 「古文書 자료를 통해 본 高麗의 地方行政體系」『韓國文化』 25, 서울대학

------- 2001년a 「慶州戶長先生案舊案의 분석」『新羅文化』 19

------- 2001년b 「高麗 郡縣制의 運營原理와 主縣-屬縣 領屬關係의 性格」『한국중세사연구』 10

------- 2001년c 「羅末麗初 城主의 存在樣態와 高麗의 對城主政策」『역사와 현실』 40

------- 2001년d 「高麗 성종 14년의 郡縣制 改編에 대한 연구」『한국문화』 27

------- 2002년 「고려 성종 11년의 읍호 개정에 대한 연구」『역사와 현실』 45

------- 2003년a 「高麗前期 界首官의 設定原理와 構成變化」『진단학보』 96

------- 2003년b 「고려후기 先生案 자료를 통해 본 외관제의 변화」『국사관논총』 101

------- 2004년 「고려전기 계수관의 運營體系와 機能」『동방학지』 126

------- 2005년 「고려 계수관의 제도적 연원과 성립과정」『한국문화』 36

------- 2006년a 「고려초기 10道制의 시행과 운영체계」『진단학보』 101

------- 2006년b 「고려전기 道의 다원적 편성과 5道의 성립」『동방학지』 135

------- 2007년a 「'高麗史'刑法志 公牒相通式 外官條의 分析」『역사문화연구』 27, 外國語大學

------- 2007년b 「高麗末 朝鮮初 僑郡의 設置와 再編」『한국문화』 40

------- 2008년a 「고려말 조선초 서해·남해안 僑郡 사례의 분석」『한국사학보』 31

------- 2008년b 「高麗 肅宗~毅宗代 太后貫鄕 昇格의 意味」『국학연구』, 확인요망

------- 2008년c 「'고려사'지리지 大京畿 기사의 비판적 검토」『역사와 현실』 69

------- 2009년a 「高麗武臣執權期의 功臣貫鄕의 昇格과 그 向方」『사회적 네트워크와 공간』, 太學社

------- 2009년b 「고려시대 西京畿의 形成과 再編」『동방학지』 148

------- 2010년a 「高麗 太祖代의 鎭設置에 대한 再檢討」『한국사학보』 40

------- 2010년b 「高麗後期 北界州鎭의 海島入保와 出陸僑寓」『진단학보』 109

------- 2010년c 「'高麗史'食貨志 外官祿 規定의 기준 시점과 성립 배경」『역사와 현실』 78

------- 2010년d 「고려 태조-광종대 북방 개척과 州鎭 설치」『규장각』 37

------- 2011년a 「고려전기 東界 북부지역 州鎭의 설치과정」『한국중세사연구』 31

------- 2011년b 「고려 현종말~문종초 北界 州鎭의 설치와 長城 축조」『군사』 79

------- 2012년 『高麗史地理志의 分析과 補正』, 여유당

------- 2013년a 「高麗 按察使의 淵源과 五道按察使의 成立」『한국문화』 61

------- 2013년b 「高麗 對蒙抗爭期 南道地域의 海島入保와 界首官」『군사』 89

------- 2014년a 「고려시대 按察使의 기능에 대한 재검토『한국문화』 65

------- 2014년b 「高麗의 建國과 高句麗繼承 意識『한국문화』 68

------- 2014년c 「고려 대몽항쟁기 分司南海大藏都監의 운영체계와 설치 배경」『역사와 실학』 53

------- 2015년a 「高麗 對蒙戰爭期 海島官聯 戰鬪에 대한 再檢討」『군사』 95

------- 2015년b 「고려후기 東北面의 지방제도 변화」『한국문화』 72

------- 2016년 「고려의 三韓一統意識과 開國認識」『한국문화』 74, 서울대학

------- 2016년 「고려 동북 9성의 범위와 公嶮鎭 立碑 문제」『역사와 실학』 61

------- 2018년 「고려 현종대 開京 羅城 축조에 대한 재검토」『한국문화』 84, 서울대학

------- 2018년 「신라말 고려초 京山府 연혁과 碧珍郡」『역사문화연구』 66, 한국외국어대학

------- 2020년 「新羅末 高麗初 高鬱府·興禮府의 運營과 州改編」『역사문화연구』 74

------- 2020년 「고려의 동북 9성 개척에 대한 몇 가지 고찰」『軍史』 114

尹國一 1978년 「高麗史의 編纂과 그 內容에 대하여」『歷史科學』 1978-2

尹紀嬅 2004년 「元干涉期 元皇室의 願堂이 된 高麗寺院」『대동문화연구』 46

尹武炳 1953년 「高麗北界地理考」上, 下『역사학보』 4, 5

------- 1956년 「所謂赤縣에 대해」『李丙燾華甲紀念論叢』, 일조각

尹斗守 1990년 「禑·昌非王說의 研究」『考古歷史學志』 5·6合

尹炳泰 1969年 『韓國古書年表資料』, 國會圖書館

------- 1973年 「高麗金屬活字本淸凉苔順宗心要法門과 中奉大夫崇福使別不花」『국회도서관보』 10-4

尹絲淳 1984년 「朱子 以前의 性理學 導入 問題」『최충연구논총』

윤성재 2015년 「고려시대 분묘출토 청동수저」『역사와 실학』 56

尹誠孝 2013년 「白頭山의 歷史時代 噴火記錄에 대한 火山學的인 解釋」『Journal Korean Earth
    Science Society』 34-6

윤승희 2021년 『여말선초 對明 外交儀禮 연구』, 숙명여자대학 박사학위논문

尹汝德 2012년 「尹瓘 九城의 位置에 대한 文獻 再考察」『백산학보』 92

尹榮玉 1979년 「蒙古影響時代의 高麗詩歌」『동양문화』 19

------- 1979년 『高麗詩歌研究』, 영남대학 민족문화연구소(E-Book, 한국학술정보, 2002)

尹英仁 2002년 「서구학계 조공제도 이론의 중국 중심적 문화론 비판」『아세아연구』 45

------- 2007년 「10~13세기 동북아시아 多元的 國際秩序에서의 册封과 盟約」『동양사학연구』 101

-------(피터윤) 2005년 「몽골 이전 동아시아의 다원적 국제관계」『만주연구』 3

尹容鎭 1963년 「塋原寺址와 出土遺物」『고고미술』 4-6(35)

尹龍爀 1982년 「高麗의 海島入保策과 蒙古의 戰略變化」『역사교육』 32

------- 1986년 「高麗時代 中料量의 時期別 對備」『公州師範大論文集』 24

------- 1991년 『高麗對蒙抗爭史研究』, 일지사

------- 1994년 「고려 삼별초의 제주 항전」『濟州道研究』 11

------- 1997년 「地方制度上으로 본 洪州의 歷史的 特性」『洪州文化』 13

------- 2000년 『高麗 三別抄의 對蒙抗爭』, 일지사

------- 2002년 「高麗時代 江都의 開發과 都市整備」『歷史와 歷史敎育』 7

------- 2007년 「14世紀初 東아시아 交易의 諸問題」『新安船과 동아시아 陶瓷交易』, 國立海陽遺
    物展示館

------- 2007년 「羅末麗初 洪州의 登場과 運州城主의 兢俊」『한국중세사연구』 22

------- 2008년 「여원연합군의 일본 침입과 고려 軍船」『軍史』 69

------- 2008년 「對外關係」『새로운 한국사 길잡이』上, 한국사연구회

------- 2009년 「三別抄와 麗日關係」『몽골의 高麗·日本侵攻과 韓日關係』, 경인문화사

------- 2009년 『忠淸歷史文化의 研究』, 서경문화사

------- 2010년 「高麗時代 西海沿岸海路의 客館과 安興亭」『역사와 경계』 74

-------- 2011년 『여몽전쟁과 강화도성 연구』, 혜안

-------- 2013년 「고려말 보령지역의 왜구와 金成雨」 『역사와 담론』 66

-------- 2014년 『삼별초』, 혜안

-------- 2015년 『한국 해양사 연구』, 주류성

-------- 2016년 『忠南 內浦의 歷史와 바다』, 서경문화사

-------- 2016년 「泰安船과 馬島3號船의 沈沒年代」 『한국중세사연구』 44

-------- 2016년 「제주 삼별초와 몽골·동아시아 세계」 『탐라문화』 52, 제주대학

-------- 2016년 「여몽전쟁기 경상도에서의 산성·해도 입보」 『군사』 100

-------- 2018년 「고려시대의 홍주성과 홍주읍성」 『충청학과 충청문화』 24

尹龍爀 等編 1994년 『燕岐大捷研究』, 공주대학 박물관

尹銀淑 2007년 「나가추의 활동과 14세기 말 동아시아 政勢」 『明清史研究』 28

-------- 2014년 「元末明初 劉益의 明朝 투항과 高麗의 對明使行의 성격」 『역사학보』 221

-------- 2016년 「元末 토곤 테무르 카안의 耽羅宮殿」 『탐라문화』 53, 제주대학

-------- 2016년 「大元帝國 末期 奇皇后의 內禪試圖」 『몽골학』 47

-------- 2018년 「元末 토곤 테무르 카안의 통치와 至正更化」 『역사문화연구』 65

-------- 2018년 「元末 토곤 테무르 카안의 宰相政治와 黨爭」 『중앙아시아연구』 23-2

尹以欽 等編 2002년 『고려시대의 종교문학』, 서울大學 出版部

尹忠南 等編 2005년 『하버드 燕京圖書館 韓國貴重本 解題』, 경인문화사

尹漢澤 1994년 「高麗前期 慶源 李氏家의 科田支配」 『歷史研究』 1, 여강출판사

-------- 2011년 『高麗의 兩班과 兩班田研究』, 경인문화사

尹薰杓 2016년 「고려말 이성계의 군사활동과 조선 건국주도세력의 결집 양상」 『韓國史學史學報』 33

尹熙勉 1985년 「‘高麗史’ 刑法志 小考」 『東亞研究』 6

윤희봉 2019년 「高麗時代 寺址出土品을 통해 바라본 清州의 金屬工藝」 『韓國中世考古學會 春季學術大會 資料集』, 韓國中世考古學會 發表要旨

李康來 1989년 「‘三國史記’ 分註의 性格」 『全南史學』 3

-------- 2000년 「‘三國史記’·‘三國遺事’의 王曆」 『한국사학보』 21

-------- 2011년 『‘삼국사기’ 인식론』, 일지사

李康沃 1987년 「高麗國祖神話高麗世系에 대한 考察」 『한국학보』 48

이강욱 2014년 「高麗末 麗·明 關係의 動向과 水軍整備」 『군사』 90

李康漢 2007년 『13~14世紀 高麗-元 交易의 展開와 性格』, 서울대학 박사학위논문

-------- 2009년a 「恭愍王代 官制改編의 內容 및 意味」 『역사학보』 201

-------- 2009년b 「공민왕 5년 反元改革의 재검토」 『대동문화연구』 65

------- 2012년 「1293~1303년 高麗 서해안 水驛의 置廢와 그 의미」『한국중세사연구』33

------- 2012년 「1308~1310년 高麗內의 牧·府新設의 內容과 意味」『한국사연구』158

------- 2013년 『고려와 원제국의 교역의 역사』, 창비

------- 2015년a 「高麗後期 外官의 新設·昇格 및 權威提高」『한국사연구』171

------- 2015년b 「원제국인들의 방문 양상과 고려인들의 인식 변화」『한국사중세사연구』43

------- 2016년 「고려후기 萬戶府의 지역단위적 성격 검토」『역사와 현실』100

------- 2016년 「고려 후기 軍制의 변화상 연구」『한국문화』75, 서울대학

李玠奭 2004년 「高麗史元宗·忠烈王·忠宣王世家 중 元朝關係記事의 註釋研究」『東洋史學研究』88

------- 2010년a 「麗蒙兄弟盟約과 初期 麗蒙關係의 性格」『대구사학』101

------- 2010년b 「元宮廷의 高麗出身宦官과 麗·元關係」『동양사학연구』113

------- 2013년 『高麗-大元關係研究』, 지식산업사

李京錄 2008년 「高麗初期의 求療制度의 形成」『대동문화연구』61

------- 2010년 『고려시대 의료의 형성과 발전』, 혜안

李景植 2012년 『高麗時期土地制度研究』, 지식산업사

李慶株 2016년 「考古資料로 살펴본 元과 耽羅」『耽羅文化』52

李慶喜 1993년 「高麗末 倭寇의 침입과 對倭政策의 一斷面」『부산여대사학』10·11合

------- 1998년 「고려후기 대일무역사 연구동향과 과제」『白楊史學』15, 신라대학

李啓杓 1987년 「辛旽의 華嚴信仰과 恭愍王」『全南史學』1

李謹明 2001년 「南宋時代 福建民의 海上 貿易活動과 그 성격」『역사문화연구』14

李謹明 等 2010년 『宋元時代의 高麗史資料』1, 2, 신서원

李起男 1971년 「忠宣王의 改革과 詞林院의 設置」『역사학보』52

李基東 1978년 「羅末麗初 近侍機構와 文翰機構의 擴張」『역사학보』77

------- 1989년 「黃海를 통한 古代 韓中關係史의 展開」『진단학보』68

------- 1991년 「9~10世紀에 있어서 黃海를 舞臺로 한 韓·中·日 三國의 海上活動」『진단학보』
    71·72合

------- 1992년 「金寬毅」『한국사시민강좌』10

------- 1997년 「羅末麗初 南中國 여러 나라와의 交涉」『역사학보』155

李基白 1968년 『高麗兵制史研究』, 일조각

------- 1972년 「高麗史解題」『高麗史』(影印本), 연세대 동방학연구소

------- 1974년 『新羅政治社會史研究』, 일조각

------- 1975년 「貴族的 政治機構의 成立」『한국사』5

------- 1978년 「黃龍寺와 그 創建」『新羅時代의 國家佛教와 儒教』, 韓國研究院

------- 1987년 『韓國上代古文書資料集成』, 一志社

李基白 編 1981년 『高麗光宗硏究』, 일조각

李基白·金龍善 2011년 『高麗史兵志譯注』, 일조각

이기원 등 2016년 「高麗時代 金石文에 나타난 年號와 曆日記錄 分析」『천문학논총』 31-1

李蘭暎 2003년 『高麗鏡硏究』, 신유

李南珪 等編 2015년 『高麗時代 歷年代 資料集』, 世宗文化財硏究院

李楠福 2004년 『高麗後期 新興士族의 硏究』, 景仁文化社

李能和 1918年 『朝鮮佛敎通史』, 新文館 ; 서울大學 出版部, 1968[4)]

李道學 2015년 「後百濟와 吳越國 交流에서의 新知見」『백제문화』 53

------- 2020년 「高麗太祖의 '莊義寺齋文'과 三角山」『韓國學論叢』 54

李東馥 1986년 『東北亞細亞史硏究』, 일조각

李東洲 1974년 『日本 속의 韓畵』, 서문당

李東洲 編 1981년 『高麗佛畵』, 중앙일보사

李東熙 1989년 「邑誌先生案을 통해 본 全羅道地方의 監司 및 茂長·興德縣監의 名單」『全羅文化
論叢』 3, 全南大學

李命美 2014년 「공민왕대 후반 친명정책의 한 배경」『사학연구』 113

------- 2015년 「高麗末 政治·權力構造의 한 側面」『동국사학』 58

------- 2015년 「고려-몽골 간 使臣들의 활동 양상과 그 배경」『한국중세사연구』 43

------- 2016년 『13~14세기 고려·몽골 관계 연구』, 혜안

------- 2016년 「司法問題를 통해서 본 몽골 복속기의 고려국왕의 위상」『사학연구』 121

------- 2016년 「몽골황제권의 작용과 고려국왕의 사법적 위상 변화」『동국사학』 60

------- 2017년 「聖旨를 통해서 바라 본 여말선초의 정치·외교 환경」『역사비평』 121

------- 2020년 「고려시대 불교 관련 金石文 撰述의 양상과 고려사회의 성격」『한국중세사연구』 60

李文基 1996년 「新羅 南山新城 築城役의 徒上人分析」『尹容鎭敎授停年退任紀念論叢』

------- 2005년 「崔致遠撰 9세기 후반 佛國寺 官聯資料의 檢討」『신라문화』 26

------- 2015년 『新羅下代 政治와 社會 硏究』, 學硏文化社

李美淑 2001년 「高麗時代 醫官의 임무와 사회적 지위」『호서사학』 31

------- 2009년 「고려시대의 역관 연구」『韓國思想과 文化』 46

------- 2016년 「고려시대의 서관」『한국사상과 문화』 83, 한국사상문화학회

李美智 2018년 『태평한 변방』, 경인문화사

이민기 2017년 「高麗時代 法駕鹵簿의 構成과 運用」『한국중세사연구』 48

------- 2018년 「高麗時代 象輅의 運用과 意味」『한국중세사연구』 54

---

4) 이의 역주로 『譯注朝鮮佛敎通史』, 東國大學出版部, 2010이 있다.

이민홍 2005년 「中國 諡法의 受容과 韓國 歷代 帝王의 諡號」『漢文學報』 12

이바른 2015년 「거란의 '高麗使臣儀禮' 구성과 의미」『역사와 현실』 98

------- 2017년 「고려 예종대의 胡宗旦의 행적과 평가」『한국민족문화』 64

------- 2021년 「高麗後期·朝鮮初期의 外國人에 대한 賜鄕과 投化姓氏의 考察」『역사와 현실』 122

------- 2022년 「고려전기 醫官 양성과 宋 醫職의 변용」『한국중세사연구』 70

李範稷 1991년 『韓國中世禮思想研究』, 일조각

李炳魯 1999년 「日本側의 史料로 본 10世紀의 韓日關係」『대구사학』 57

李丙燾 1948년 『高麗時代의 研究』, 乙酉文化社

------- 1959년 『韓國史』 古代編, 을유문화사

------- 1961년 『韓國史』 中世編, 을유문화사

李丙燾 譯注 1977년 『국역삼국사기』, 을유문화사

李炳赫 1989년 『高麗末 性理學 受容期의 漢詩 研究』, 태학사

李秉烋 1984년 『朝鮮前期畿湖士林派研究』, 일조각

李秉烋·朱雄英 1990년 「麗末鮮初의 興學運動」『역사교육논집』 13·14합

李秉烋 編 1991년 「지역갈등의 역사」『지역감정연구』, 학민사

李炳熙 1999년 「高麗時期 伽藍構成과 佛教信仰」『文化史學』 11·12·23合

------- 2009년 『高麗時期 寺院經濟 研究』, 경인문화사

------- 2015년 「高麗時期 術僧의 活動과 그 意味」『석당논총』 62

------- 2018년 「高麗時期 遷都論의 提起와 生態環境」『역사교육』 148

李炳熙 等編 2019년 『高麗時期 家門 研究』, 韓國教員大學 出版部

李相國 2004년a 「高麗初期役分田의 分給形態」『史林』 24

------- 2004년b 『高麗의 職役田研究』, 成均館大學 博士學位論文

------- 2019년 「高麗時代 生産과 納稅의 對象」『한국중세 토기제도사 연구의 제문제』, 한국중
세사학회 발표요지

李相揆·李正玉 注解 2013년 『注解樂學拾零』, 國立國樂院

李相揆 等譯 2014년 『女眞語와 文字』, 도서출판경진(金啓琮 等, 『女眞言語文字研究』)

李相伯 1936년 이래 「李朝建國의 研究」『진단학보』 4, 5, 7 : 1947年 『李朝建國의 研究』, 乙酉
文化社

李相瑄 1994년 「寺院의 經濟活動」『韓國史』 16, 국사편찬위원회

李相玉 1973년 「"高麗史"에 나타난 蒙古人」『사총』 17·18合

李相勳 2012년 「高麗末 倭寇討伐의 戰略과 戰術」『軍史研究』 134, 陸軍軍史研究所

李錫麟 1980년 「고려시대 유학진흥과 서적편찬」『호서사학』 8·9합

李錫炫 2005년 「宋·高麗의 外交交涉과 認識, 對應」『중국사연구』 39

李成珪 2000년 「高麗와 元의 官僚였던 李穀의 年譜稿」『東아시아 歷史의 還流』, 知識産業社

------- 2000년 「中華帝國의 膨脹과 縮小」『역사학보』186

李星培 1994년 「高麗末 李嵒의 書藝世界」『美術資料』53

------- 2008년 「高麗末 李嵒의 書藝와 松雪體」『湖西史學』49

李昭咏 2022년 「고려말 朴蒧의 생애와 군사·정치 활동」『한국중세사연구』69

李樹健 1975년 「土姓研究」『東洋文化』16, 영남대학

------- 1980년 『嶺南士林派의 形成』, 영남대학교 민족문화연구소

------- 1981년a 「高麗後期 土姓研究」『동양문화』20·21合

------- 1981년b 『慶北地方古文書集成』, 嶺南大學 出版部

------- 1984년 『韓國中世社會史研究』, 일조각

李淑京 1989년 「李齊賢勢力의 形成과 그 役割」『한국사연구』64

이순우 2002년 「천수사 삼층석탑의 정체에 대한 몇 가지 의문」『제자리를 떠난 문화재에 관한 조사보고서』1, 하늘채

李純根 1983년 「高麗初 鄕吏制의 成立과 失恃」『金哲俊華甲紀念史學論叢』, 지식산업사

李崇寧 1979년 「濟州島柑橘攷」『學術院論文集』人文社會科學18

이승민 2013년 「10~12세기 賀生辰使 派遣과 高麗-契丹關係」『역사와 현실』89

------- 2017년a 「高麗國喪에 대한 契丹·金·宋의 弔問使行樣相과 多層的國際關係」『한국중세사연구』48

------- 2017년b 「10世紀 國際情勢와 高麗의 外交姿勢」『한국중세사연구』51

------- 2018년 『高麗時代 國喪儀禮와 弔問使行의 研究』, 가톨릭대학 박사학위논문

이승수 2015년 「1386년 鄭夢周의 南京 使行, 路程과 詩境」『민족문화』46

이승수 20년 「燕行路 중의 東八站考」『한국언어문화』48

이승수 20년 「고려말 對明使行의 遼東半島 경로 고찰」『한문학보』20

李丞宰 1992년 『高麗時代의 吏讀』, 國語學會

李承漢 1988년 「高麗 忠宣王의 瀋陽王 被封과 在元 政治活動」『전남사학』2

이승혜 2017년 「韓國 腹藏의 密敎 尊像 安立儀禮적 성격 고찰」『美術史論壇』45, 한국미술사연구소

李詩燦 2009년 「宋元時期 高麗의 고려의 서적 수입과 그 역사적 의미」『동방한문학』39

李 領 2008년 「쓰시마 쯔쯔 다구쓰다마 신사 소재 고려의 금고와 왜구」『한국중세사연구』25

------- 2017년 「禑王 3年 鄭夢周 日本 使行의 시대적 배경」『일본역사연구』46

------- 2020년 『왜구, 고려로 번진 일본의 내란』, 보고사

李泳南 2020년 「의서로 본 고려시대의 瘡瘇 의료방안」『한국중세사연구』60

李永樂 1971년 「太安二年銘 高麗銅鍾과 小鍾 1口」『고고미술』109

李永子 1979년 「天頙의 湖山錄」『한국불교학』 4

------- 1988년 『韓國天台思想의 展開』, 민족사

------- 2001년 『천태불교학』, 불지사

李泳鎬 2021년 「新羅王京에서 高麗의 地方都市로, 慶州」『대구사학』 143

이영희 2008년 「高麗時代 在銘佛具와 匠人」『美術史 資料와 解釋』, 일지사

李龍範 1955년 「麗丹貿易考」『東國史學』 3

------- 1962년 「奇皇后의 冊立과 元代의 資政院」『역사학보』 17·18合

------- 1964년 「元代喇嘛教의 高麗傳來」『불교학보』 2

------- 1966년 「麗代의 僞曆에 對하여」『진단학보』 29·30合

------- 1974년 「고려와 발해」『韓國史』 4, 국사편찬위원회

------- 1977년 「胡僧 襪囉의 高麗往復」『역사학보』 75·76合

------- 1988년 『中世 滿洲·蒙古史의 研究』, 동화출판사

이용태 1980년 「우리나라 중세 역사책들에 보이는 金星에 대한 관측기록」『역사과학』 3

李佑成 1961년 「麗代의 百姓考」『역사학보』 14

------- 1962년 「閑人·白丁의 新解釋」『역사학보』 19(以上『韓國中世社會研究』, 일조각, 1991)

------- 1974년 『高麗社會諸階層의 研究』, 성균관대학 박사학위논문

------- 1982년 『한국의 역사상』, 창작과비평사

李愚喆 1958년 「高麗時代의 宦官에 대하여」『사학연구』 1

이 욱 1999년 『조선시대 재난과 국가의례』, 創批

李源福 2015년 「恭愍王 傳稱作들에 대한 고찰」『東岳美術史學』 17

李潤和 譯 2006년 『史學名著講義』(錢穆 著, 臺北), 新書苑

李殷晟 1978년 『韓國의 冊曆』: 現代科學新書94, 電波科學社

------- 1980년 「韓國의 日食記錄의 科學的 處理」『韓國科學史學會誌』 2

------- 1983년 『日交陰陽曆』, 世宗大王記念事業會

------- 1985년 『曆法의 原理分析』, 正音社

------- 1986년 「天象列次分野之圖의 分析」『世宗學研究』 1

李殷昌 1962년 「長谷寺의 金銅藥師坐像 腹藏佛經」『고고미술』 3-11(28)

------- 1963년 「德山 伽倻寺址의 石造遺物」『고고미술』 4-7(36)

李殷希 1988년 「高麗忠烈王代의 寫經研究」『문화재』 20

李殷希 等 2005년 「敬天寺 10層石塔의 復原에 관한 考察」『문화재』 35

李益柱 1988년 「高麗 忠烈王代의 政治狀況과 政治勢力의 性格」『한국사론』 18

------- 1992년 「忠宣王卽位年 改革政治의 性格」『역사와 현실』 7

------- 2008년a 「'牧隱詩藁'를 통해 본 高麗末 李穡의 日常」『한국사학보』 32

------- 2008년b「고려 우왕대 李穡의 정치적 위상」『역사와 현실』32

------- 2009년a「高麗-몽골 關係史 硏究 視角의 檢討」『한국중세사연구』27

------- 2013년『이색의 삶과 생각』, 일조각

------- 2015년「1356년 恭愍王의 反元政治 再論」『역사학보』225

------- 2016년「1219년 고려-몽골 兄弟盟約의 再論」『동방학지』175

李仁淑 2004년「통일신라~조선전기 평기와 제작기법의 변천」『한국고고학보』54

李仁榮 1993년『淸芬室書目』3(金成俊 編,『鶴山李仁榮全集』3, 국학자료원, 1998 소수)

李仁在 1992년「"通度寺誌"寺之四方山川神補篇의 分析」『역사와 현실』8

------- 2005년「禪師 兢讓의 生涯와 大藏經」『한국사연구』131

이일갑 2018년「기장 교리토성 성격에 대한 검토」『석당논총』70

이 재 2019년「非武裝地帶의 文化遺蹟 懸案과 保全方案」『문화재』52-1

------- 2019년「철원도성 연구의 현단계」(泰封學會,『泰封 鐵圓 都城 硏究』, 주류성출판사, 2019)

李在範 1997년「高麗太祖의 訓要十條에 대한 再檢討」『成大史林』12·13

------- 2005년「弓裔政權의 鐵圓定都 時期와 專制的 國家經營」『사학연구』80

------- 2007년『後三國時代의 弓裔政權硏究』, 혜안

------- 2010년『高麗 建國期의 社會動向硏究』, 경인문화사

------- 2016년「고려초기의 高僧碑에 관한 일고찰」『인문과학』62, 성균관대학

李在洙 2015년「永川 金剛城과 皇甫能長」『역사교육논집』57

李載昌 1966년「麗末鮮初의 對日關係와 高麗大藏經」『불교학보』3·4합

李 政 1996년『韓國佛敎寺刹事典』, 佛敎時代社

李正圭 1996년『韓國法制史』, 國學資料院

李貞基 2012년『高麗時期의 兩界統治體制의 硏究』, 淑明女子大學 博士學位論文

李貞蘭 2005년「整治都監活動에서 드러난 가속의 개인과 그 活動方式」『한국사학보』21

------- 2012년「高麗史 辛禑傳의 編纂方式과 資料的 性格」『한국사학보』48

------- 2013년「高麗史와 高麗史節要의 修史方式의 比較」『한국사학보』52

------- 2015년「여·몽전쟁기 변경민의 몽골 체험과 고려 조정의 대응」『한국사학보』61

李正守 2002년「中世 日本에서의 高麗銅錢 流通」『한국사중세사연구』12

李貞信 1984년「弓裔政權의 成立과 變遷」『鄭在覺博士古稀記念東洋學論集』, 高麗苑

------- 1997년『高麗 武臣政權期 農民·賤民抗爭 硏究』, 고려대학 민족문화연구소

------- 2004년『高麗時代의 政治變動과 對外政策』, 경인문화사

------- 2007년「고려시대 기와생산체제와 그 변화」『한국사학보』27

------- 2008년「高麗時代 慶州民의 抗爭과 祭事」『신라문화』32

------- 2013년 『高麗時代의 特殊行政區域인 所의 研究』, 혜안

------- 2015년 「고려·몽골관계의 새로운 접근을 위한 시론」 『한국사학보』 61

------- 2017년 「고려 후기 입성론과 국왕의 역할」 『한국사연구』 179

------- 2019년 「고려시대 금속수공업과 匠人」 『한국중세고고학』 5

------- 2021년 「고려시대 제철수공업의 운영형태와 철소」 『한국중세고고학』 9

李貞信 等 2009년 『10~18世紀 北方民族과 征服王朝 研究』, 동북아역사재단

李正浩 2007년 「高麗前期 自然災害의 發生과 勸農政策」 『역사와 경계』 62

------- 2009년 『高麗時代의 農業生産과 勸農政策』, 경인문화사

------- 2010년 「麗末鮮初의 自然災害 發生과 고려·조선 정부의 대책」 『한국사학보』 40

------- 2016년 「高麗前期 異變現象 기록을 통해본 災異觀과 위기인식」 『역사와 담론』 80

------- 2017년 「高麗時代 農業史의 研究方式에 대한 검토」 『역사와 역사교육』 33, 웅진사학회

李貞薰 1999년 「高麗前期 三省制와 政事堂」 『한국사연구』 104

------- 2002년 「고려시대 支配體制의 변화와 中國律의 수용」 『한국사론』 33

------- 2007년a 『高麗前期 政治制度의 研究』, 혜안

------- 2007년b 「高麗前期의 內侍와 國政運營」 『韓國史研究』 139

------- 2010년 「고려전기 무산계의 실제 운영」 『역사와 현실』 76

------- 2013년 「元干涉期 商議官職의 設置와 變化」 『한국사연구』 163

------- 2015년 「원간섭기 국정운영과 都評議使司」 『한국사학보』 59

------- 2015년 「원간섭기 초반 親朝와 監國」 『한국사연구』 171

------- 2016년 「충렬왕대 文散階의 복원과 운영」 『歷史와 實學』 59

------- 2016년 「고려후기 致仕制 운영의 변화 양상과 원인」 『한국사학보』 65

------- 2020년 「高麗前期 武臣의 入仕路와 選拔條件」 『사학연구』 140

李貞姬 1997년 「고려전기의 對遼貿易」 『지역과 역사』 4

------- 2013년 「고려시대 戶令의 내용과 성격」 『지역과 역사』 32

------- 2017년 「고려시대 暇寧令과 급가제도」 『지역과 역사』 41

李貞熙 1984년 「高麗時代 徭役의 運營과 그 失態」 『釜大史學』 8

李鍾明 1968년 「高麗에 來投한 渤海人考」 『백산학보』 4

李鍾文 1998년 「'補閑集' 所載 尹彥頤逸話에 대한 原典批評論的考察」 『漢文學研究』 13, 啓明漢文學會

李鍾玟 2008년 「麗末鮮初 硬質白磁로의 移行過程研究」 『호서사학』 50

------- 2016년 「중국 출토 고려청자의 유형과 의미」 『미술사연구』 31

李宗峯 1991년 「高麗刻本 '元朝正本農桑輯要'의 偰長壽 '書農桑輯要後'의 검토」 『韓國中世史研究會報』 1

------- 2001년 『韓國中世 度量衡制의 研究』, 혜안

------- 2003년 「羅末麗初 梁州의 動向과 金仁訓」『지역과 역사』 13

------- 2004년 「高麗時代 釜山地域의 對外交流」『鄕土釜山』 20

------- 2016년 『韓國의 度量衡史』, 소명출판

이종서 2015년 「고려후기 孼子의 지위 향상과 그 역사적 배경」『역사와 현실』 97

------- 2018년 「고려시대 성씨 확산의 동인과 성씨의 기능」『역사와 현실』 108

------- 2019년 「고려말의 신분 질서와 정도전의 왕조 교체 세력합류」『역사와 현실』 112

이종수 2016년 「13세기 탐라와 원제국의 음식문화 변동 분석」『아세아연구』 163, 고려대학

李鍾旭 1981년 「高麗初 940年代의 王位繼承戰과 그 政治的 性格」『高麗光宗의 研究』, 일조각

李鍾恒 1960년 「傳仁興寺址 三層廢塔 移基에 關한 報告」『慶北大學校論文集』 4

李埈赫 2010년 「高麗時代 船舶의 變化와 그 意味」, 부산대학 석사학위논문

李仲杓 2009년 『阿含의 中道體系』, 불광출판사

李重孝 1990년 「高麗時代의 國子監試」『전남사학』 4

------- 2015년 「고려시대 八關會를 통한 국제교류」『남도문화연구』 29, 순천대학

李智冠 1992년 『伽倻山海印寺誌』, 伽山文庫 999

------- 1993년 『韓國佛敎所依經典研究』, 架山佛敎文化研究院出版部(寶蓮閣)

------- 1998년 『伽山佛敎大辭林』, 伽山佛敎文化研究院

------- 2004년 『校勘譯注歷代高僧碑文』 高麗編, 再版1刷, 伽山佛敎文化研究院

李志淑 2002년 「高麗後期 官人에 대한 刑罰」, 경북대학 석사학위논문

이지영 2016년 「高麗世系의 서사 구성방식과 그 의미」『東아시아 古代學』 44, 東아시아 古代學會

李知訓 2015년 「朝鮮初期 循資制의 運營과 整備」, 고려대학 석사학위논문

李鎭漢 1999년a 「高麗時代의 東宮三師·三少의 除授와 祿俸」『민족문화』 22

------- 1999년b 『高麗前期 官職과 祿俸의 관계 연구』, 일지사

------- 1999년c 「高麗前期 樞密의 班次와 祿俸」『한국학보』 96

------- 2000년 「高麗時代의 東宮三品職의 除授와 祿俸」『진단학보』 89

------- 2002년 「高麗時代 守令職의 除授 資格」『사총』 55

------- 2006년 「成化安東權氏世譜에 기재된 高麗後期의 官職」『한국사학보』 22

------- 2010년a 「高麗 武臣正權期 宋商의 往來」『민족문화』 36

------- 2010년b 「고려시대의 무역」(崔光植 等編『한국무역의 역사』, 청아출판사 소수)

------- 2011년 『高麗時代 宋商往來 研究』, 경인문화사

------- 2012년 「高麗 太祖代 對中國 海上航路와 外交·貿易」『한국중세사연구』 33

------- 2013년 「高麗前期 致仕制의 運營과 官人의 引年致仕」『민족문화연구』 58

------- 2014년a 「高麗前期 宰相의 懲罰과 人事」『역사학연구』 53

------- 2014년b 『고려시대의 무역과 바다』, 경인문화사

------- 2014년c 「高麗時代 海上交流와 海禁」 『동양사학연구』 127

------- 2015년 「高麗時代 外國人의 居留와 投化」 『한국중세사연구』 42

------- 2017년 「高麗時代 農法의 변화와 投化人의 土地 開墾」 『역사학보』 234

------- 2018년 「‘三國遺事’의 高麗 睿宗代 佛牙 將來記錄과 그 將來者에 대하여」 『민족문화연구』 79

------- 2019년a 「조선시대 史書의 權漢功에 대한 敍述과 一齋先生實紀의 편찬」 『한국사학보』 74

------- 2019년b 「高麗末·朝鮮初 權漢功에 대한 世評의 變化」 『민족문화연구』 85, 고려대학

李鎭漢 等編 2008년 『譯註元高麗紀事』, 선인

------- 2013년 『破閑集譯注』, 경인문화사

------- 2016년 이래 『高麗圖經譯注』(『한국사학보』 65, 以來)

李 燦 1991년 『韓國의 古地圖』, 범우사

李暢燮 2014년 「對宋 외교 활동에 참여한 高麗 水軍」 『史叢』 83, 고려대학

------- 2019년 「高麗 元宗代의 水軍 再整備」 『한국중세사연구』 57

李喆洙 1996년 「淨兜寺石塔造成記의 吏讀에 대하여」 『韓國學硏究』 6·7合, 인하대학

------- 1997년 「長成白巖寺帖文의 吏讀에 대해」 『韓國學硏究』 8

李春植 2002년 『中華思想의 硏究』, 신서원

이케다 요시후미[池田榮史] 2012년 「長崎縣 松浦市 鷹島海底遺跡의 水中考古學 調查」 『生産과 流通』, 嶺南考古學會

李泰鎭 1972년a 「醴泉 開心寺石塔記의 分析」 『역사학보』 53·54合(『韓國社會史硏究』, 1986 所收)

------- 1972년b 「高麗 宰府의 成立」 『역사학보』 56

------- 1977년 「金致陽亂의 性格」 『한국사연구』 17

------- 1986년 『韓國社會史硏究』, 지식산업사

------- 1988년 「高麗後期의 人口增加 要因生成과 鄕藥醫術 發達」 『한국사론』 19

------- 1994년 「前近代 韓·中 交易史의 虛와 實」 『진단학보』 78

------- 1996년a 「小氷期(1500~1750)의 天變災異 硏究와 朝鮮王朝實錄」 『역사학보』 149

------- 1996년b 「14세기 동아시아 국제정세와 牧隱 李穡의 외교적 역할」 『牧隱李穡의 生涯와 思想』, 일조각

------- 1997년 「고려~조선 중기 天災地變과 天觀의 변천」 『韓國思想史方法論』, 小花

------- 1999년 「鄕藥集成方 編纂의 政治思想的 背景과 意義」 『진단학보』 87

------- 2002년 『의술과 인구, 그리고 농업기술』, 태학사

------- 2009년 「고려시대 향읍공동체의 제의적 놀이」 『한국사시민강좌』 45

李泰浩 1994년 「高麗佛畫의 製作技法에 대한 고찰」 『美術資料』 53

李海濬 1990년 「新安 島嶼地方의 歷史文化的 性格」 『島嶼文化』 7

-------- 2012년 「壯節公申崇謙의 願刹과 朝鮮時代의 墳庵」『壯節公申崇謙將軍의 活動과 春川遺蹟
　　　地의 再照明』

李賢惠 2003년 「羅末麗初 晋州地域의 豪族과 그 動向」『역사교육논집』 30

이현숙 2019년 「'향약구급방'으로 본 고려시대 의안」『역사와 현실』 112

李錫炫 2011년 「北宋代使行旅程行路考」『동양사학연구』 114

李鉉淙 1964년 『朝鮮前期 對日交涉史研究』, 한국연구원

-------- 1977년 「高麗와 日本과의 關係」『동양학』 7, 단국대학

李亨求 2003년 『江華島』, 대원사

李亨雨 1993년 「高昌地方을 둘러싼 麗·濟兩國의 角逐樣相」『嶺南史學』 1

-------- 1999년 『高麗 禑王代의 政治的推移와 政治勢力 研究』, 고려대학 박사학위논문

-------- 2012년 「13세기 고려 지식인 李承休의 對元認識」『한국중세사연구』 34

이현정 2011년 「高麗時代의 毬庭에 관한 研究」『역사학보』 212

이혜림 2019년 「고려후기 마애불에 대한 고찰: 조성시기와 특징을 중심으로」『미술사학연구』 301

李惠玉 1985년 「高麗時代의 守令制度研究」『梨大史苑』 21

-------- 1993년 「고려전기의 軍役制」『국사관논총』 46

李浩官 1997년 『韓國의 金屬工藝』, 文藝出版社

-------- 2002년 「淸州思惱寺 靑銅遺物銘文 小考」『韓國의 美術文化史論叢』, 학연문화사

李弘稙 1958년 「桐華寺 金堂庵 西塔 舍利莊嚴」『亞細亞研究』 1-2

-------- 1964년 「高麗堂塔造成緣由記」『고고미술』 5-6·7合(47·48合)

李孝珩 2000년 「高麗時代 渤海遺民 後裔의 社會的 地位」『백산학보』 55

-------- 2002年 「高麗史所載 渤海關係記事의 檢討」『地域과 歷史』 11

-------- 2004년 「渤海遺民史研究」, 부산대학 박사학위논문

李勛相 1985년 「高麗中期 鄕吏制度의 變化에 대한 一考察」『동아연구』 6

李熙德 1984년 『高麗儒教政治思想의 研究』, 일조각

李義仁 2016년 『高麗의 江華都城』, 혜안

-------- 2019년 「高麗 江都의 建設과 空間構成」『한국중세사연구』 59

印　鏡 2000년 『蒙山德異와 高麗後期 禪思想 研究』, 불일출판사

仁川廣域市立博物館 2003년 『江華의 高麗古墳』

仁川廣域市 甕津郡 2013년 『白翎·大靑島 對中國等 觀光客誘致 歷史發掘·考證研究』

一　波 1925년 「高麗寺」『佛敎』 9

林敬熙 2003년 「高麗前期 女眞人에 대한 將軍과 鄕職 授與」, 高麗大學 碩士學位論文

-------- 2010년 「馬島 2號船에서 發掘된 木簡의 判讀과 分流」『木簡과 文字』 6

林敬熙 等 2008년 「泰安의 靑瓷運搬船에서 出土된 高麗木簡의 現況과 內容」『목간과 문자』 1

-------- 2010년 「泰安의 馬島水中에서 出土된 木簡의 判讀과 內容」『목간과 문자』 5

林基中 編 2001년 『燕行錄全集』, 東國大學出版社

林基榮 2009년 『海印寺 寺刊板殿 所藏 木板 研究』, 경북대학 박사학위논문

-------- 2014년 「高麗時代 密敎文獻의 刊行 및 特徵」『서지학연구』 58

任大熙·梁永祐 譯 1999년 『몽골세계제국』, 신서원

林炳泰 1987년 「陶彈에 대하여」『최영희화갑기념사학논총』, 탐구당

林相先 1999년 『渤海의 支配勢力硏究』, 신서원

-------- 2013년 「渤海人의 契丹內地로의 강제 遷徙와 居住地 檢討」『고구려발해연구』 47

임용한 2002년 『朝鮮前期 守令制와 地方統治』, 혜안

林玲愛 1999년 「元祐五年銘 原州立石寺 磨崖坐佛像 小考」『講座美術史』 12

林允卿 1983년 「崔忠獻政權의 成立과 그 性格」『梨大史苑』 20

임종태 2014년 「保寧 聖住寺址의 伽藍變遷 硏究」『선사와 고대』 42

임지원 2015년 「高麗 太祖代 高僧碑 건립의 정치적 의미」『대구사학』 119

林亨秀 2017년a 「高麗前期 女眞에 대한 武散階 授與의 樣相과 特徵」『한국중세사연구』 51

-------- 2017년b 『高麗後期 怯薛制 運營의 硏究』, 고려대학 박사학위논문

-------- 2018년 「高麗末期 伴儻의 起源과 性格」『역사교육』 145

-------- 2018년 「13~14世紀 高麗官人層의 元都宿衛와 그 展開樣相」『역사와 담론』 86

-------- 2020년 「高麗 忠烈王代 鷹坊의 構造와 機能에 대한 再檢討」『역사와 담론』 93

임혜경 2012년 「義天의 新編諸宗敎藏總錄編纂과 그 意義」『한국사론』 58

ㅈ

張 佳, 서대원 역 2015년 「衣冠과 認定」『민족문화연구』 69, 고려대학

張慶姬 2013년 『高麗王陵』, 潒貂

張南原 2007년 「중국 元代유적 출토 고려청자의 제작시기 검토」『湖西史學』 48

-------- 2009년 「10~12세기 고려와 요·금 도자의 교류」『미술사학』 23, 한국미술사교육학회

장도연 2015년 『고려 조선 국도풍수론과 정치이념』, 신구문화사

張東翼 1978년 「高麗後期 銓注權의 行方」『대구사학』 15·16합

-------- 1979년 「高麗前期의 兼職制에 對하여」『대구사학』 17

-------- 1981년a 「慧諶의 大禪師告身에 대한 檢討」『한국사연구』 34

-------- 1981년b 「高麗墓誌4例의 檢討」『대구사학』 19

-------- 1982년a 「金傳의 册尙父誥에 대한 檢討」『역사교육논집』 33

-------- 1982년b 「安東地方에 傳來된 高麗古文書 7例의 檢討」『慶北大論文集』 3

------- 1983년 「高麗後期의 守令任命實態」 『慶北大論文集』 36

------- 1984년 「1633年 京畿水使 崔震立의 解由文書에 대한 檢討」 『대구사학』 26

------- 1985년 「麗末鮮初 田畓·奴婢關係의 古文書 硏究」 『嶺南史學』 1, 嶺南大學

------- 1986년 「高麗前期의 選軍」 『高麗史의 諸問題』, 三英社

------- 1991년 「危素의 神光·普光寺 碑文에 대한 檢討」 『경북대학논문집』 51

------- 1994년 『高麗後期外交史硏究』, 일조각

------- 1997년a 「宋代의 明州 地方志에 수록된 高麗關係記事의 硏究」 『역사교육논집』 22

------- 1997년b 『元代麗史資料集錄』, 서울大學 出版部

------- 1999년a 「新資料를 통해 본 忠宣王의 在元活動」 『역사교육논집』 23·24合

------- 1999년b 「蒙古에 投降한 洪福源·多丘 父子」 『역사비평』 48

------- 2000년 『宋代麗史資料集錄』, 서울대학출판부

------- 2001년a 「元史에 收錄된 高麗關係記事의 語彙集成」 『역사교육논집』 26

------- 2001년b 「宋會要輯稿에 수록된 고려관계기사의 연구」 『韓國中世社會의 諸問題』, 한국중
세사학회

------- 2002년a 「遼史에 收錄된 高麗關係記事의 語彙集成」 『역사교육논집』 28

------- 2002년b 『聾啞堂 朴弘長의 生涯와 壬亂救國活動』, 경북대학 퇴계연구소

------- 2003년 「日本의 日記資料에 수록된 高麗王朝 關係 記事의 硏究」 『退溪學과 韓國文化』 33,
경북대학

------- 2004년a 『日本古中世高麗資料硏究』, 서울大學 出版部

------- 2004년b 「金史에 收錄된 高麗關係記事의 語彙集成」 『역사교육논집』 33

------- 2005년a 「現存 永樂大典에 수록되어 있는 韓半島關係의 記事」 『安東史學』 9·10合

------- 2005년b 「1575年 日本使臣團에 관련된 古文書資料의 檢討」 『역사교육논집』 35

------- 2007년a 「金方慶의 生涯와 行蹟」 『退溪學과 韓國文化』 40

------- 2007년b 「高麗時代의 對外交涉과 海防」(東北亞歷史財團, 『韓中日의 海洋認識과 海禁』)

------- 2008년 「高麗時代의 假子」 『한국중세사연구』 25

------- 2009년a 『高麗時代對外關係史綜合年表』, 동북아역사재단

------- 2009년b 「高麗時代의 景靈殿」 『역사교육논집』 43

------- 2010년a 「高麗史의 編纂過程에서의 事實의 改書」 『퇴계학과 한국문화』 46

------- 2010년b 「14世紀 高麗와 日本의 接觸과 交流」 『대구사학』 100

------- 2011년a 「宋·元版의 資料에 收錄되어 있는 高麗王朝 關聯記事의 硏究」 『역사교육논집』 46

------- 2011년b 「李齊賢, 權漢功 그리고 朱德潤」 『퇴계학과 한국문화』 49

------- 2011년c 「權漢功의 生涯와 行蹟」 『대구사학』 104

------- 2012년a 「高麗初期의 官階에 대한 새로운 接近」 『역사교육논집』 47

-------- 2012년b 「高麗初期의 曆日」『한국중세사연구』 33

-------- 2013년a 「13世紀全般 崔氏政權期의 宰相」『역사교육논집』 51

-------- 2013년b 「記錄에 남겨진 宰相 金方慶」『한국중세사연구』 37

-------- 2014년a 「高麗史에서의 朔日」『역사교육논집』 52

-------- 2014년b 「佛典의 流通을 통해 본 高麗時代의 韓·日關係」『석당논총』 58

-------- 2014년c 『高麗史世家初期篇補遺』 1·2, 景仁文化社

-------- 2015년a 「末松保和教授의 高麗時代史研究와 그 成果」『한국사연구』 169

-------- 2015년b 「高麗史의 編纂過程에서 發生한 誤謬의 諸樣相」『역사교육논집』 56

-------- 2015년c 「高麗時代에 이루어졌던 對外政策의 諸類型」『한국중세사연구』 42

-------- 2016년a 「高麗史에 인용된 原典의 句節」『역사교육논집』 57

-------- 2016년b 『高麗史 研究의 基礎』, 경인문화사

-------- 2016년c 「缺失된 忠肅王 後三年 記事의 復原을 위한 試圖」『역사교육논집』 61

-------- 2016년d 「高麗後期의 政治, 社會 그리고 咸安」(咸安文化院,『咸安의 人物과 歷史』Ⅵ)

-------- 2017년 「'新編高麗史全文'의 편찬을 위한 방안」『역사교육논집』 65

-------- 2018년a 「高麗時代 對外關係와 外交史總論」(동북아역사재단,『韓國의 對外關係와 外交史』)

-------- 2018년b 「高麗와 몽골帝國의 文物交流」(한국중세사학회,『高麗王朝와 21世紀 KOREA 未來遺産』, 경인문화사)

-------- 2019년 「眞覺國師 圓炤塔碑의 陰記에 수록된 諸官人『眞覺國師와 覺眞國師의 生涯와 思想』, 民族文化研究院

장상렬 1988년 「高麗王宮-滿月臺 建築에 쓴 測度基準」『考古民俗論文集』 11

張순휘 著, 오항녕 譯 2015년『역사문헌교독법』, 한국고전번역원

張愛順 等 2006년『高麗大藏經의 研究』, 東國大學出版部

張玲玉 2019년 「補閑集에 나타난 崔滋의 四六文 批評」『대동문화연구』 107

장영희 2009년 「高麗世系, 編年通錄의 敍事性 研究」『漢文學報』 21

張日圭 2015년 「羅末麗初 西海航路와 平澤」『신라사학보』 34

張忠植 1982년『高麗華嚴版畫의 世界』, 亞細亞文化社

-------- 1983년 「韓國寫經目錄」『불교미술』 7

-------- 1992년 「高麗金字大藏經의 考察」『枷山李智冠禪師華甲紀念論叢』下, 枷山佛教文化振興會

-------- 1997년a 「海印寺 金字無生戒法과 義相의 一乘發願文」『海印寺 金銅毗盧遮那佛腹藏遺物의 研究』, 聖寶文化財研究院

-------- 1997년b 「直指寺 金字大藏經의 考察」『韓國佛教의 座標』(綠圓禪師古稀紀念學術論叢), 金泉郡

-------- 1997년c 『韓國의 佛教美術』, 民族社

-------- 2005년 「元에 差出된 高麗寫經僧 作品의 추정」『미술사연구』 246, 257

-------- 2008년 『韓國寫經研究』, 東國大學出版部

전경숙 2002년 「高麗初의 徇軍部」『한국중세사연구』 12

-------- 2021년 「개경민 불교신앙생활과 불교시설」『서울학연구』 83

全基雄 1985년 「高麗 光宗代의 文臣官僚層과 後生讒賊」『釜大史學』 9

-------- 1987년 「羅末麗初의 地方社會와 知州諸軍事」『慶南史學』 4

-------- 1993년 「高麗初期의 新羅系勢力과 그 動向」『釜大史學』 17

-------- 1996년 『羅末麗初의 政治社會와 文人知識人層』, 혜안

-------- 1997년 「나말여초의 對日關係史 研究」『한국민족문화』 9

-------- 2010년a 「三國遺事所載 眞聖女王居陀知條 說話의 檢討」『韓國民族文化 』 38

-------- 2010년b 『新羅의 滅亡과 景文王家』, 혜안

全德在 2017년 「후삼국시대 신라의 동향과 멸망에 대한 일고찰」『신라문화제학술논문집』, 慶州市

-------- 2014년 「統一新羅의 鄕에 대한 考察」『역사와 현실』 94

-------- 2020년a 「"삼국사기" 궁예·견훤열전의 원전과 편찬」『역사와 경계』 116

-------- 2020년b 「古代·高麗初 蔚山地域의 變動과 蔚州의 成立」『대구사학』 141

전룡철 1980년 「高麗의 首都 開城城에 대한 研究」『역사과학』 2,3

전민숙 2018년 「高麗時代 平壤 栗里寺址 五層石塔에 관한 연구」『미술사학연구』 298

全永燮 2003년 「唐代 庶人·百姓의 用例와 身分的 性格」『부대사학』 27

-------- 2004년 「唐前期 外來人의 生活과 律令」『中國史研究』 31, 32

-------- 2007년 「高麗時代 身分制에 대한 再檢討」『민족문화논총』 37

-------- 2009년 「10~13세기 동아시아 교역시스템의 추이와 海商政策」『역사와 세계』 36

全暎俊 2005년a 「高麗時代 寺院佛事와 助力者」『역사민속학』 20

-------- 2005년b 「麗末鮮初 供役僧의 寺院造營 活動」『全南史學』 24

-------- 2005년c 「高麗後期 供役僧과 寺院의 造營組織」『한국사학보』 20

-------- 2013년 「13세기 元 牧畜文化의 流入에 따른 濟州社會의 變化」『濟州島研究』 15

전용문 외 2019년a 「제주도 화산활동에 관한 역사기록의 이해」『지질학회지』 55-2

-------- 2019년b 「제주도 북서부 비양도 화산체의 지질과 화산활동」『지질학회지』 55-3

全勇勳 2014년 「高麗時代의 曆法과 曆書」『한국중세사연구』 39

全州文化遺産研究院 2015년 『吳越과 後百濟』 (發表抄錄)

全州府 1943년 『全州府史』, 朝光印刷社(『韓國地理風俗誌叢書』 92~93, 景仁文化社, 1989 소수)

全海宗 1970년 『韓中關係史研究』, 일조각

-------- 1974년 「對宋外交의 性格」『한국사』 4

------- 1978년 「麗·元 貿易의 性格」『동양사학연구』 12·13합

------- 1989년 「高麗와 宋과의 交流」『국사관논총』 8

------- 1989년 「三國時代 및 統一新羅時代의 韓中交流」『진단학보』 68

正覺(文相連) 2002년 「佛敎祭禮의 意味와 行法」『韓國佛敎學』 31

鄭景柱 1990년 「拙翁 崔澱 文學의 역사적 성격」『韓國文學論叢』 11, 韓國文學會

鄭景鉉 1990년 「高麗太祖의 一利川戰役」『한국사연구』 68

鄭 光 1995년 『譯註老乞大』, 解題, 太學社

------- 2014년 『朝鮮時代의 外國語 敎育』, 金英社(『李朝時代の外國語敎育』, 臨川書店, 2014年)

鄭求福 1981년 「李齊賢의 歷史意識」『진단학보』 51

------- 1993년 「高麗初期의 '三國史' 編撰에 대한 一考」『국사관논총』 45

------- 1994년 「高麗의 避諱法에 관한 硏究」『李基白古稀紀念韓國史學論叢』 上, 일조각

------- 1999년 『韓國中世史學史』 1, 集文堂

鄭東樂 2010년 『新羅下代 禪僧의 現實認識과 對應』, 영남대학 박사학위논문

鄭東薰 2009년 「高麗-明의 外交文書書式과 往來方式의 成立과 背景」, 서울대학 석사학위논문

------- 2013년 「明代前期 外國使節의 身分證明方式과 國家間體系」『明淸史硏究』 40

------- 2015년 「高麗時代 使臣迎接儀禮의 變動과 國家位相」『역사와 현실』 98

------- 2016년 「高麗時代 外交文書의 硏究」, 서울大學 博士學位論文

------- 2016년a 「高麗-南宋 外交關係에서 商人의 役割」『東西人文學』 51, 啓明大學

------- 2016년b 「高麗 恭愍王代 對中國 使臣 人選의 特徵」『동국사학』 60

------- 2017년a 「高麗 元宗·忠烈王代의 親朝外交」『한국사연구』 177

------- 2017년b 「蒙古帝國의 崩壞와 高麗-明의 遺産相續紛爭」『역사비평』 121

------- 2017년c 「册과 誥命-高麗時代 國王册封文書-」『사학연구』 126

------- 2017년d 「10世紀의 동아시아 國際秩序와 外交文書의 書式」『한국중세사연구』 49

------- 2017년e 「洪武帝의 명령이 고려에 전달되는 경로」『동양사학연구』 139

------- 2018년a 「高麗-契丹 關係에서 三層位의 疏通構造」『역사와 현실』 107

------- 2018년b 「高麗-契丹-金 關係에서 朝貢의 意味」『진단학보』 131

------- 2018년c 「1140年 外交文書로 본 高麗-金 意思疏通의 構造」『동방학지』 182

------- 2019년a 「高麗 元宗·忠烈王代의 對蒙古 使臣 人選의 特徵」『한국중세사연구』 57

------- 2019년b 「明初 外交制度의 成立과 起源」『역사와 현실』 113

------- 2019년 「고려 사신의 몽골 站赤 이용」『사학연구』 134

------- 2020년 「高宗代의 高麗-蒙古 關係에서 朝貢의 意味」『한국중세사연구』 61

鄭杜熙 1977년a 「朝鮮初期 三功臣 硏究」『역사학보』 75·76合

------- 1977년b 「高麗末期의 添設職」『진단학보』 44

-------- 1990년 「高麗末 新興武人勢力의 成長과 添設職의 設置」『李在龒還曆紀念史學論叢』, 한울사

정룡해 1988년 「高麗石塔의 變遷에 관한 研究」『考古民俗論文集』 11

鄭萬祚 2012년 「牧隱 李穡의 歷史的 位相과 嶺南의 餘脈」『민족문화논총』 50

鄭炳三 2010년 「白花道場發願文略解의 저술과 유통」『한국사연구』 151

-------- 2015년 「기록과 유물로 본 정암사의 창건과 전승」『사학연구』 118

-------- 2015년 「고려시대 팔관회 행사와 팔관재 신앙」『불교학보』 71

-------- 2017년 「고려후기 불교 조영물의 발원 내용에 나타난 불교신앙의 경향」『사학연구』 128

鄭墡謨 2008년 「蘇軾文學初期受容樣相考」『東方漢文學』 36

-------- 2019년 「李子淵의 北宋使行考」『大東文化研究』 106

-------- 2021년 「金富軾의 北宋使行과 '奉使語錄'」『대동문화연구』 114

鄭善溶 2002년 「趙冲의 對蒙交涉과 그 政治的 意味」『진단학보』 93

-------- 2009년 「高麗太祖의 親新羅政策樹立과 그 性格」『한국중세사연구』 27

정선종 2001년 「長生寺 鍾銘 校勘」『불교문화연구』 8

정성권 2012년 「開泰寺 石造三尊佛立像의 造成背景 再考」『백산학보』 92

鄭守一 2001년 『고대문명교류사』, 사계절출판사

-------- 2002년 『문명교류사연구』, 사계절출판사

鄭良謨 1963년 「畵靑磁至正二年詩銘甁」『고고미술』 4-9(38)

-------- 1992년 『崔淳雨全集』 1〜5, 學古齋

鄭良謨 等編 1992년 『高麗陶瓷銘文』, 국립중앙박물관

鄭演植 2011년 「王建誕生의 落星說話와 開城天文臺」『한국중세사연구』 30

-------- 2012년a 「作帝建說話의 새로운 解釋」『한국사연구』 158

-------- 2012년b 「居陀知說話의 새로운 解釋」『동방학지』 160

정영현 2016년 「倭寇 阿只拔都의 名稱과 高麗民의 視覺」『한국민족문화』 58, 부산대학

鄭永鎬 1962년a 「在銘高麗鈑子飯子의 新例」『고고미술』 3-1(18)

-------- 1962년b 「固城 玉泉寺의 在銘飯子와 銀絲香爐」『고고미술』 3-8(25)

-------- 1962년c 「彦陽 大谷里寺址의 調査」『고고미술』 3-9(26)

-------- 1963년a 「金海郡 甘露里의 寺址」『고고미술』 4-2(31)

-------- 1963년b 「密陽 萬魚寺 三層石塔」『고고미술』 4-9(38)

-------- 1969년 「新羅 師子山 興寧寺址 研究」『백산학보』 7

-------- 1982년 「太平興國銘 磨崖半跏像」『史學志』 16, 檀國大學

-------- 1985년 「高麗時代의 磨崖佛」『考古美術』 166·167合

-------- 1990년 「日本對馬島의 韓國佛像新例」『역사교육논집』 13·14합

-------- 1998년 『韓國의 石造美術』, 서울대학 출판부

鄭永鎬 等編 2013년 『朝鮮金石學草稿』, 又玄高裕燮全集10, 悅話堂

鄭玉子 1981년 「麗末朱子性理學의 導入에 대한 試稿」『진단학보』 51

鄭枏根 2007년 「고려 역로망 운영에 대한 元의 개입과 그 의미」『역사와 현실』 64

------- 2008년 『高麗·朝鮮初期의 驛路網과 驛制研究』, 서울대학 박사학위논문

------- 2009년 「後三國時期 高麗의 州·府分布와 그 設置意味」『역사와 현실』 73

------- 2015년 「고려~조선시대 낙동강 상류 지역의 越境地 분석」『한국문화』 71

------- 2016년 「고려시대 鄕·部曲의 재검토」『사학연구』 124

------- 2017년 「忠淸道 越境地分析에 기초한 高麗·朝鮮時代 下三道 월경지의 類型分流」『역사와 담론』 84

------- 2019년 「12~15세기 지방제도 개편의 전개와 그 역사적 의미」『한국중세사연구』 57

鄭龍範 1993년 「高麗前期選軍制의 運營과 變質」『釜大史學』 17

------- 1997년 「高麗時代 中國錢의 流通과 鑄錢策」『지역과 역사』 4

------- 2014년 『高麗 前·中期 流通經濟의 研究』, 부산대학 박사학위논문

鄭容秀 2014년 「唐賢詩範의 發掘과 그 資料的 價値」『石堂論叢』 58

鄭容淑 1988년 『高麗王室族內婚研究』, 새문사

------- 1990년 「元公主出身 王妃의 勢力基盤」『한국중세사연구회 발표요지』

------- 1992년 『高麗時代의 后妃』, 民音社

鄭于澤 1991년 「慈恩寺華藏院의 地藏十王圖」『미술사연구』 5, 弘益大學

------- 1994년 「來迎寺 阿彌陀淨土圖」『불교미술』 12

------- 2000년 「銀河寺舊藏 龍船接引圖」『考古歷史學志』 16

정운채 1994년 「樂章歌詞의 雙花店과 時用鄕樂譜의 雙花曲과의 관계 및 그 문학사적 의미」『人文科學論叢』, 건국대학 출판부

鄭恩雨 2010년 「高靈의 美術과 開浦洞 磨崖菩薩坐像」『高靈文化史大系』 4

------- 2011년 「1383년명 은제아미타여래삼존좌상 발원문의 검토와 의의」『이화여자사학연구』 43

------- 2013년 「高麗 靑銅王建像의 彫刻的 特徵과 意義」『한국중세사연구』 37

------- 2015년 「장곡사 금동약사여래좌상과 복장유물의 내력과 특징」『미술사연구』 29

鄭恩雨·김지현 2012년 「아산 오봉사 삼층석탑과 명문분석」『미술사학연구』 273

정은우·신은제 2017년 『고려의 성물, 불복장』, 경인문화사

-------- 2019년 「일본 大谷大學 소장 고려대장경 인경본 연구」『문화재』 86

鄭恩雨 等編 2017년 『高麗의 聖物, 佛腹藏』, 경인문화사

鄭殷禎 2009년 『高麗時代 開京의 都市變化와 京畿制의 推移』, 부산대학 박사학위논문

------- 2016년 「고려말 東北面 경계의 공간분절과 多層的 권력」『지역과 역사』 39

------- 2017년 「14世紀 元明交替期의 胡·漢共存과 開京의 望闕禮 空間」『한국중세사연구』 49

------- 2018년 『高麗 開京·京畿 研究』, 혜안

------- 2021년 「고려 중·후기 慶州 直轄邑의 도시 중심성」 『한국중세사연구』 65

정의도 2009년 「宋·遼·金·元墓 匙箸 및 鐵鋏 出土傾向」 『文物研究』 15, 동아시아문물연구학술
　　 재단

丁仲煥 1963년 「高麗王室의 先代世系說話에 대하여」 『東亞論叢』 1, 東亞大學

정진희 2012년 「高麗 熾盛光如來 信仰 考察」 『정신문화연구』 36-3

------- 2015년 「羅末麗初 熾盛光如來 信仰과 圖像의 傳來」 『한국고대사탐구』 20

정찬영 1983년 「熙川에서 새로 발견된 西門洞 遺跡」 『역사과학』 1983-4(108)

------- 1989년 「滿月臺 遺蹟에 대하여」 『朝鮮考古研究』 1989-1(70)

정천구 등 2009년 『禪門拈頌·拈頌說話』, 육일문화사

鄭清柱 1993년 「王建의 成長과 勢力形性」 『전남사학』 7

------- 1996년 『新羅末高麗初의 豪族研究』, 일조각

------- 2015년 「新羅末·高麗初 海上勢力의 擡頭와 그 歷史的 意味」 『역사학연구』 59

鄭駜謨 1989년 「高麗再雕大藏經目錄考」 『도서관학』 17

-------- 1990년 『高麗佛典目錄研究』, 亞細亞文化社

鄭學洙 2006년 「高麗 開京의 範圍와 空間構造」 『역사와 현실』 59

------- 2008년 『高麗前期의 京畿制研究』, 建國大學 博士學位論文

鄭學洙 等編 2020년 『江華墩臺』, 仁川文化遺産center

정해은 2006년 『고려시대의 군사전략』, 국방부 군사편찬연구소

鄭孝雲 1986년 「新羅 中古時代의 王權과 改元에 관한 研究」 『고고역사학지』 2

------- 2011년 「古代 韓·日의 年號使用에 관한 研究」 『일어일문학』 51

鄭希仙 1990년 「高麗 忠肅王代의 政治勢力의 性格」 『사학연구』 42

濟州大學 博物館 1997년 『法華寺址』

濟州道 1993년 『尊者庵址』, 發掘調查中間報告書

------- 1996년 『尊者庵址』, 發掘調查報告書

趙啓纘 1984년 「高麗 武臣執權期의 對金關係考」 『동아대학 대학원논문집』 8

曺圭泰 1995년 「崔氏武人政權과 敎定都監 體制」 『高麗武人政權研究』, 서강대학 출판부

趙東元 2000년 『增補韓國金石文大系』, 圓光大學出版部

趙東一 1997년 「東國通鑑과 大越史記全書의 역사인식 비교」 『趙東杰先生停年紀念韓國史學史研究』,
　　 나남출판

趙明基 1962년 「高麗紺紙銀字寫經」 『고고미술』 3-1(18)

------- 1983년 「佛敎典籍의 交流」 『민족문화논총』 4

------- 1985년 『曉城先生八十頌壽高麗佛籍集佚』, 동국대학 출판부

趙明濟 2003년 「高麗末 士大夫의 儒佛一致論과 그 意義」『민족문화논총』 27

------- 2004년 「日本國學院大學 考古學資料館에 所藏된 高麗墓誌銘」『한국중세사연구』 16

------- 2015년 『禪門拈頌集』, 도서출판경진

------- 2018년 「辛旽의 佛教政策과 佛教界의 動向」『한국중세사연구』 53

趙明濟 等編 2007년 『曹溪山松廣寺史庫 人物部』, 혜안

曺凡煥 2008년 『麗末鮮初 禪宗山門 開創 研究』, 경인문화사

趙秉舜 2006년 『高麗本新刊類編歷舉三場文選對策研究』, 韓國書誌學會

趙福鉉 2011년 「12世紀初 國際情勢와 麗·金間의 戰爭과 外交」『동북아역사논총』 34

조선과학백과사전출판사 2003년 『조선향토대백과』(平和問題研究所 2003년 이래 發行)

조선기술발전사편찬위원회 1994년 『조선기술발전사』 3, 과학백과사전종합출판사

조선유적유물도감편찬위원회 2000년 『북한의 문화재와 문화유적』, 서울대학 출판부

曹成鉉 1996년 「青銅銀入絲貞祐六年社福寺資福寺銘香塊」『湖巖美術館研究論文集』 1

曺永祿 1990년 「鮮初의 朝鮮出身 明使考」『국사관논총』 14

------- 1994년 「中國 九華山 化城寺와 杭州高麗寺」『金甲青華甲紀念論叢』

------- 1999년 「唐末五代 閩越 雪峰門徒의 吳越進出과 東國僧 靈照」『역사학보』 162

曺永祿 編 1997년 『한중 문화교류와 남방해로』, 국학자료원

趙榮濟 1982년 「高麗初期의 鄕吏制度에 대한 一考察」『부산사학』 6

趙旭鎭 2021년 「高麗前期 太廟의 構成과 廟制變化의 意味」『한국중세사연구』 66

趙源昌 2015년 「中國 喇嘛搭의 性格과 麻谷寺 5層石塔의 系統」『文化史學』 44

------- 2017년 「天安地域 高麗寺址 現況과 向後課題」『한국중세사연구』 48

趙仁成 2007년 『泰封의 弓裔政權』, 푸른역사

趙鍾業 編 1996년 『韓國詩總編』, 太學社

조현식 2013년 「고려 공예문화의 한중교류」『東方學』 29

曺炯鎭 2016년 「白雲和尙抄錄佛祖直指心體要節 復原을 위한 印出 實驗 研究」『서지학연구』 68

趙興國 2008년 「조선왕조 건국 전후 태국과의 교류에 대한 역사적 고찰」『대동문화연구』 62

조희승 19182년 「고려의 격구와 타구」『역사과학』 1982-4

좌용주·이종익 2003년 「白頭山의 火山噴出에 대한 研究」『지질학회지』 39-3

주경미 2008년 「李成桂發願 佛舍利莊嚴具의 研究」『미술사학연구』 257

朱榮民 2005년 「高麗時代 支配層의 墳墓研究」『지역과 역사』 17

------- 2013년 『고려시대 지방 분묘의 특징과 변화』, 혜안

------- 2015년 「鄭晏家의 南海 佛事 經營」『古文化』 85

------- 2015년 「고려분묘출토 청동식기의 고찰」『역사교육논집』 57

周采赫 1974년 「高麗內地의 達魯花赤 置廢에 관한 小考」『청대사림』 1

------- 1981년 「洪福源一家와 麗·元關係」『사학연구』 24

------- 1986년 『元朝 官人層 硏究』, 정음사

------- 1988년 「元 萬卷堂의 설치와 高麗 儒者」『손보기정년기념한국사학논총』

------- 1989년 「몽골-고려사 연구의 재검토」『국사관논총』 8

------- 1995년 「이지르부카 瀋王」『황원구교수정년기념논총』

------- 2009년 『몽·려전쟁기의 살리타이와 洪福源』, 慧眼

------- 2011년 『몽·려 활겨레 문화론』, 혜안

중앙문화재연구원 2013년 『한국중세고고학자료집성』, 중앙문화재연구원

中央僧伽大學 2000년 『麟角寺普覺國師碑帖』

池榮在 1980년 「益齋長短句의 成立」『中國文學報』 4

------- 1987년 「益齋 西蜀行 詩의 硏究」『東洋學』 17

------- 1988년 「益齋 江南行 詩의 硏究」『중국문학보』 6

------- 1993년 「益齋 西蕃行 詩의 硏究」『중국문학보』 7

------- 2003년 『西征錄을 찾아서』, 푸른역사

池田榮史 2008년 「고려·조선과 류큐의 물질문화교류」『대구사학』 91

陳高華 1991년 「元朝與高麗的海上交通」『진단학보』 71·72合

震檀學會 1959년 『韓國史年表』, 乙酉文化社

陳得芝 2009년 「쿠빌라이의 고려정책과 元-高麗 관계의 전환점」『13~14세기 동아시아와 高麗』, 동북아역사재단, 발표초록

진복규 2008년 「羅末麗初의 碑額書風」『미술사학보』 30

秦星圭 1982년 「圓鑑錄을 통해서 본 圓鑑國師 沖止의 國家觀」『역사학보』 94·95합

------- 2011년 「高麗後期 寫經發願文의 意義」『白山學報』 91

------- 2012년 「朴忠佐墓誌銘에 대하여」『백산학보』 94

秦星圭 編 1988년 『圓鑑國師集』, 아시아문화사

陳政煥 2014년 「新羅下代~高麗前期 佛敎石造美術 發願者와 匠人의 變化」『新羅史學報』 32

------- 2015년 「高敞 禪雲寺 兜率庵 磨崖佛의 編年과 造成背景」『東岳美術史學』 17

秦弘燮 1962년 「洪武二十三年의 馬符」『考古美術』 3-6(通卷23)

------- 1974년 『韓國美術全集』, 金屬工藝, 동화출판사

------- 1985년 『韓國의 佛像』, 一志社

------- 1992년 『韓國美術史資料集成』 1 : 삼국·고려시대, 一志社

ㅊ

車勇杰 1979년 「城制考」『사학연구』 29, 30

------- 2009년 「고려시대 성곽연구의 현황과 과제」『한국성곽학보』 16

車勇杰 등 1997년 『上黨山城』, 忠北大學 湖西文化研究所

車長燮 2007년 「朝鮮時代의 史書에 미친 "帝王韻紀"의 正統論」『朝鮮史研究』 16

蔡尙植 1982년 「淨土寺址 法鏡大師碑陰記의 分析」『한국사연구』 36

------- 1991년 『高麗後期佛敎史硏究』, 일조각

------- 1997년 「麗·蒙의 日本征伐과 관련된 外交文書의 推移」『한국민족문화』 9

------- 2008년 「高靈의 盤龍寺와 體元의 華嚴思想」『高靈文化史大系』 2, 경북대학

------- 2014년 「수선사의 『宗鏡撮要』 간행과 사상적 의의」『한국민족문화』 50

------- 2015년 「義天의 불교통합 시도와 그 추이」『한국민족문화』 57

------- 2017년 『一然, 그의 생애와 사상』, 혜안

蔡雄錫 1983년 「高麗시대의 歸鄕刑과 充常戶刑」『한국사론』 9

------- 1988년 「高麗前期 貨幣流通의 基盤」『한국문화』 9

------- 1992년 「고려 중·후기 無賴와 豪俠의 형태와 그 성격」『역사와 현실』 8

------- 1995년 「明宗代의 權力構造와 政治運營」『역사와 현실』 17

------- 2000년 『高麗時代의 國家와 地方社會』, 서울大學 出版部

------- 2003년 「元干涉期 性理學者들의 華夷觀과 國家觀」『역사와 현실』 49

------- 2006년a 「'牧隱詩藁'를 통해서 본 李穡의 人間關係網」『역사와 현실』 62

------- 2006년b 「11世紀後半~12世紀前半 東北아시아의 國際情勢와 高麗」『戰爭과 東北亞의 國際秩序』, 一潮閣

------- 2009년a 「'高麗史'刑法志 所在 判에 대한 考察」『동방학지』 148

------- 2009년b 『高麗史刑法志譯註』, 신서원

------- 2011년 「高麗 中·後期의 耆老會와 開京士大夫의 社會」『역사와 현실』 79

------- 2012년 「大安 2年銘 長生寺金鍾」『韓國金石文集成』 35

------- 2012년 「高麗末 權近의 流配, 從便生活과 交遊」『역사와 현실』 84

------- 2015년 「高麗時代의 杖流刑과 黥配刑」『한국문화』 70

------- 2016년 「고려전기 사회적 분업 편성의 다원성과 신분·계층질서」『한국중세사연구』 45

------- 2017년 「고려 최씨집권기의 輔政과 정치운영」『한국문화』 79, 서울대학

------- 2019년 「高麗後期 詞訟의 氾濫과 國家의 對策」『한국사연구』 187

------- 2020년 「高麗時代의 詞訟認識과 運營」『한국중세사연구』 63

------- 2021년 『고려중기 정치사의 재조명』, 일조각

蔡雄錫 編 2013년 『韓國金石文集成』, 한국국학진흥원

------- 2019년a 『고려의 중앙과 지방의 네트워크』, 혜안

------- 2019년b 『고려의 다양한 삶의 양식과 통합 조절』, 혜안

------- 2019년c 『고려의 국제적 개방성과 자기인식의 토대』, 혜안

蔡義順 譯 1975년 『동방견문록』, 동서문화사

千惠鳳 1969년 「足利學校의 韓國古典에 대하여」 『서지학』 2

------- 1977년 「浮石寺의 三本華嚴經板」 『佛敎美術』 3, 동국대학 박물관

------- 1985년 「對馬島主宗家文庫藏 韓國古籍」 『불교미술』 8

------- 1988년 「고려주자판 남명천화상송증도가의 중조본에 대하여」 『한국문헌정보학회지』 15

------- 1990년 『韓國典籍印刷史』, 汎友社

------- 1991년a 『韓國書誌學研究』, 삼성출판사

------- 1991년b 「瀋王王璋 發願의 金字大藏 3種」 『서지학보』 1

------- 2000년 「高麗 典籍의 集散에 관한 硏究」 『고려시대사연구』 Ⅱ, 한국정신문화연구원

千惠鳳 等編 1985년 『國寶』 12, 藝耕産業社

------- 1988년 『祇林寺毘盧舍那佛腹藏典籍調査報告書』, 문화재관리국

鐵圓郡 2006년 『태봉국 역사문화 유적』, 한림대학 산학협력단

淸州古印刷博物館 2010년 『高麗大藏經, 千年의 念願』

村井章介 2009년 「몽골내습과 異文化 접촉」 『몽골의 고려·일본 침공과 한일관계』, 경인문화사

崔光植 等編 2010년 『한국무역의 역사』, 청아출판사

崔圭成 1981년 「高麗初期 女眞問題의 發生과 北方經營」 『백산학보』 26

------- 1993년 「徇軍部考」 『祥明史學』 1

崔南善 1973년 『六堂崔南善全集』, 玄岩社(影印本, 역락, 2003)

崔德煥 2012년 「993年 高麗-契丹間의 葛藤 및 女眞問題」 『역사와 현실』 85

崔東寧 2019년 「고려시대 交州道의 형성과 변천」 『강원사학』 32

------- 2020년 「고려 충선왕대 지방제도의 개편」 『역사와 담론』 95

崔凡述 1970년 「海印寺寺刊鏤板目錄」 『東方學志』 11

崔法慧 1987년 『高麗版 重添足本禪苑淸規』, 民族社

崔秉洙 2007년 「歷史環境과 歷史人物, 그리고 歷史意味」 『湖西史學』 48

崔柄憲 1978년 「新羅末 金海地方의 豪族勢力과 禪宗」 『한국사론』 4, 서울대학

------- 1988년 「高麗建國와 風水地理說」 『한국사론』 18, 국사편찬위원회

------- 1991년 「義天의 渡宋活動과 高麗·宋의 佛敎交流」 『진단학보』 71·72합

------- 1992년 「義天과 宋의 天台宗」 『李智冠華甲紀念論叢』

최봉준 2013년 『14世紀 高麗 性理學者의 歷史認識과 文明論』, 연세대학 박사학위논문

최선일·김형우 2011년 『강화 사찰 문헌자료의 조사연구』, 인천학연구원

崔善柱 2000년 「高麗初期 灌燭寺 石造菩薩立像에 대한 研究」『美術史研究』14

崔聖樂 2012년 「珍島龍藏城의 發掘成果와 三別抄」『木浦圈 多島海와 琉球列島의 島嶼海洋文化』, 민속원

崔成旭 2020년 「高麗末 鄭地의 對倭寇 平定戰略」『한국중세사연구』63

崔聖銀 1983년 「14世紀의 紀年銘菩薩像에 대하여」『美術資料』32

-------- 2002년 「羅末麗初 中部地域의 石佛彫刻에 대한 考察」『역사와 현실』44

-------- 2003년 「高麗時代 佛敎彫刻의 對宋關係」『美術史學研究』237

-------- 2008년 「13세기 고려 목조아미타불상과 복장묵서명」『한국사학보』30

-------- 2013년 『高麗時代 佛敎彫刻의 研究』, 일조각

-------- 2008년 「13세기 고려 목조아미타불상과 복장묵서명」『한국사학보』30

崔韶子 1987년 『東西文化交流史研究』, 삼영사

崔淳雨 1954년 『高麗靑磁』, 乙酉文化社

-------- 1962년 「巴里의 高麗鐘」『고고미술』3-7(24)

-------- 1964년a 「麻田影堂舊本 李穡肖像」『고고미술』5-5(46)

-------- 1964년b 「太一殿銘 李朝白磁象嵌」『고고미술』5-9(50)

崔承熙 1981년 『韓國古文書研究』, 지식산업사(改定版 1989)

최신호 1981년 「櫟翁稗說의 장르문제」『진단학보』51

최애리 2017년 「新編諸宗敎藏總錄 所收 圓覺經註釋書 分析」『서지학연구』72

崔鈗植 2005년 「聖과 俗의 대립: 조선 초기의 유불논쟁」『정치사상연구』11-1, 한국정치사상학회

-------- 2010년 「海南 大興寺所藏 塔山寺銅鐘 銘文의 재검토」『목간과 문자』6

-------- 2013년 「高麗時代 高僧의 僧碑와 門徒」『한국중세사연구』35

-------- 2015년 「長谷寺 金銅藥師如來坐像의 信仰內容과 製作主體」『미술사연구』29

-------- 2016년 「고려시대 院館 사찰의 출현과 변천과정」『梨花史學研究』52

-------- 2019년 「진도 용장성 출토 명문와 및 청동합 명문의 내용을 통해 본 용장성내 사찰의 역사적 성격」『도서문화』53

崔然柱 2005년a 「江華京板高麗大藏經刻成人과 都監의 運營形態」『역사와 경계』57

-------- 2005년b 「修禪社와 江華京板"高麗大藏經"의 造成」『대구사학』81

-------- 2006년 『高麗大藏經研究』, 경인문화사

-------- 2009년 「高麗後期 慶尙道地方의 書籍刊行體系와 運營形態」『石堂論叢』45

-------- 2010년 「符仁寺藏高麗大藏經의 呼稱과 造成」『한국중세사연구』28

-------- 2013년 「刻成人을 통해 본 高麗國新造大藏別錄의 彫成」『동아시아불교문화』15

-------- 2015년 「高麗時代 金剛般若波羅密經의 彫成現況과 書誌的 性格」『석당논총』61

-------- 2018년 「高麗大藏經 彫成과 鄭晏의 役割」『석당논총』64

------- 2018년 「13세기 중엽 儒佛知識人 鄭晏의 활동과 현실인식」『석당논총』 65

------- 2019년 「海印寺大藏經板 印出本의 동아시아 유통」『석당논총』 66

崔英成 1991년 「高麗中期 北宋性理學의 受容과 그 樣相」『대동문화연구』 31

崔永好 1990년 「高麗末 慶尙道地方의 木綿 보급과 그 주도세력」『考古歷史學志』 5·6合

------- 1993년 「武人政權期 崔氏家 家奴와 高麗大藏經 板刻事業」『부산여대사학』 10·11合

------- 2001년 「高麗時代 寺院手工業의 發展基盤과 그 運營」『국사관논총』 95

------- 2002년a 「13세기 강화경판고려대장경의 각성사업과 海印寺」『한국중세사연구』 13

------- 2002년b 「13세기 중엽 智異山의 安養結社」『고고역사학지』 17·18합

------- 2004년 「13세기 중엽 趙文柱의 활동과 정치적 성향」『한국중세사연구』 16

------- 2005년 「高麗時代의 墓誌銘과 高麗史列傳의 敍述形態」『한국중세사연구』 19

------- 2007년 「高麗時代 宋나라와의 海洋交流」『역사와 경계』 63

------- 2008년 『江華經板 '高麗大藏經'의 板刻事業硏究』, 경인문화사

------- 2009년 『江華經板 '高麗大藏經'의 造成機構와 板刻空間』, 세종출판사

------- 2012년 「海印寺에 소장된 江華京板 '高麗大藏經'의 外藏 연구」『石堂論叢』 53

------- 2014년a 「海印寺에 所藏된 '唐賢詩範'의 歷史·文化的 性格」『석당논총』 60

------- 2014년b 「해인사 소장 江華京板高麗大藏經의 일제강점기 補刻板 조성현황과 성격」『한국중세사연구』 40

------- 2014년c 「松隱 朴翊의 인적 연계망과 사상」『문물연구』 26

------- 2015년a 「해인사 所藏 江華京板 '高麗大藏經'의 보존배경」『한국중세사연구』 42

------- 2015년b 「1214년에 조성된 해인사 소장 '金剛般若波羅蜜經'의 역사·문화적 성격」『석당논총』 61

------- 2016년 「해인사에 소장된 鄭晏 조성경판의 역사·문화적 성격」『석당논총』 65

------- 2018년 「13세기 중엽 開寧分司大藏都監의 運營體系」『한국중세사연구』 53

崔泳喜 1962년 「서울대학 圖書館所藏 傳恭愍王筆 天山大獵圖」『고고미술』 3-8(25)

崔允精 2010년 「元代의 東北支配와 遼陽行省」『동양사학연구』 110

------- 2011년 「몽골의 요동·고려 경략 재검토」『역사학보』 209

------- 2013년 「부마국왕과 국왕승상」『대구사학』 111

------- 2014년 「원대 요양행성 宰相考」『대구사학』 116

------- 2015년 「14世紀初 元政局과 高麗」『역사학보』 226

------- 2016년 「13세기 麗元 관계와 洪茶丘-東寧府 置廢」『중국사연구』 105

------- 2017년 「고려·원 관계 초기 원 使臣의 來往과 외교 관계의 변화」『인문학연구』 35, 경희대학

------- 2018년 「1356년 공민왕의 '反元改革' 재론」『大丘史學』 130

------- 2021년 「13세기 몽골-고려 관계의 재론」『대구사학』142

崔蒕奎 2017년 「고려 문종 16년 京畿改編의 性格과 開城府의 位相」『한국중세사연구』51

------- 2020년 「고려시대 監務의 운영과 그 특징」『역사와 현실』118

崔應天 1988년a 「高麗時代 靑銅金鼓의 연구」『불교미술』9

------- 1988년b 「‘東文選’과 高麗時代의 工藝」『강좌미술사』1

------- 1992년 「日本에 있는 韓國梵鐘」『강좌미술사』4

------- 1999년a 「癸未銘 梵鐘의 特徵과 編年」『丹豪文化研究』4, 龍仁大學

------- 1999년b 「思惱寺 遺物의 性格과 意義」『高麗工藝展』, 국립청주박물관

------- 2003년 『韓國의 金屬工藝』, 솔

------- 2004년a 「高麗時代 金屬工藝의 匠人」『미술사학연구』241

------- 2004년b 「고려후기의 금속공예」『강좌미술사』22

------- 2018년 「‘고려도경’에 보이는 고려시대 공예의 양상과 특징」『한국중세사연구』55

崔壹聖 1985년 「高麗의 萬戶」『청대사림』4·5합

崔在錫 1993년 『統一新羅·渤海와 日本의 關係』, 일지사

崔貞煥 1991년 『高麗·朝鮮時代의 祿俸制研究』, 慶北大學出版部

------- 2006년 『譯註高麗史百官志』, 경인문화사

崔鍾奭 2006년 「高麗前期 築城의 特徵과 治所城의 形成」『진단학보』102

------- 2008년 「고려초기의 官階 수여양상과 광종대 문산계 도입의 배경」『역사와 현실』67

------- 2010년 「1356~1369년 고려-몽골관계의 성격」『역사교육』116

------- 2012년 「고려사세가편목설정의 문화사적 함의의 탐색」『한국사연구』159

------- 2014년 『韓國中世의 邑治와 城』, 신구문화사

------- 2015년 「베트남 外王內帝 체제와의 비교를 통해 본 고려전기 이중 체제의 양상」『진단학보』125

------- 2015년 「고려말기·조선초기 迎詔儀禮에 관한 새로운 이해 모색」『민족문화연구』69

------- 2019년 「고려후기 拜表禮의 창출·존속과 몽골 임팩트」『한국문화』86, 서울대학

최혜숙 2004년 『高麗時代의 南京研究』, 景仁文化社

최희렴 1982년 「홍화진성의 위치와 축조형식 및 시기에 대한 연구」, 『역사과학』1982-2

------- 1983년 「천리장성의 축성경위와 그 위치에 대하여」, 『역사과학』1983-4

------- 1986년 「천리장성의 축성상 특징과 그 군사적 거점인 진성에 대하여」1, 2, 『역사과학』1986-3, 4

崔弘基 1994년 『韓國戶籍制度史 研究』, 서울대학출판사

秋萬鎬 1988년 「羅末麗初의 桐裏山門」『先覺國師道詵의 新研究』, 靈巖郡

秋明燁 2001년 「11世紀後半~12世紀初의 女眞征伐問題와 政局動向」『한국사론』45

-------- 2002년 「高麗前期의 蕃認識과 東·西蕃의 形成」『역사와 현실』 43

春川博物館 2002년 『國立春川博物館』

忠北大學 中原文化研究所 2001년 『淸原 壤城山城』

忠淸大學 博物館 2006년 『忠州崇善寺址發掘調査報告書』, 試掘 및 1~4次

忠淸北道 1978년 『彌勒里 寺址』, 一次發掘 調査報告書

-------- 1986년 『淸州 興德寺址』, 調査報告書

忠淸北道 文化財硏究院 2011년 『忠州邑城 學術調査報告書』

ㅋ

카와니시 유야(川西裕也) 2019년 「고려 공민왕대 발급 鄭光道敎書의 재검토」『사림』 70

ㅌ

탁경백 2020년 「하남 동사지 삼층석탑의 구조와 특성 연구」『한국중세고고학』 8

泰封學會 編 2019년 『泰封 鐵圓 都城 硏究』, 주류성출판사

土地博物館 2005년 『開城工業地區 1段階 文化遺跡 報告書』

ㅍ

平山申氏表忠齋宗中 編 2006년 『大丘表忠祠事蹟』, 譜文社

圃隱學會 編 2011년 『圃隱先生遺蹟大觀』, 民俗院

ㅎ

河宇鳳 1994년 「朝鮮前期의 對琉球關係」『국사관논총』 59

河日植 1997년 「海印寺田券과 妙吉祥塔記」『역사와 현실』 24

-------- 1999년 「高麗初期 地方社會의 州官과 官班」『역사와 현실』 34

하종목 2000년 「朝鮮初期의 寺院經濟」『대구사학』 60

河泰奎 2016년 「고려시대 全羅道의 운영구조와 성격」『역사학연구』 63

河炫綱 1967년 「高麗 西京考」『歷史學報』 35·36合

-------- 1988년 『韓國中世史의 硏究』, 일조각

韓國國學振興院 2002년 이래 『韓國金石文集成』

한국도서관학연구회 1976년 『韓國古印刷史』

韓國文集編纂委員會 編 1993년 이래 『韓國歷代文集叢書』, 경인문화사

韓國文化財保護協會 編 1996년 『文化財大觀』, 大學堂

韓國佛教大辭典編纂委員會 編 1993년 『韓國佛教大辭典』, 明文堂

韓國佛教全書編纂委員會 編 1982년 『韓國佛教全書』, 東國大學出版部

韓國佛教會 編譯 1996년 『日蓮聖人御書全集』 上, 下, 和光出版社

韓國史研究會 編 2003년 『韓國史의 國際環境과 民族文化』, 경인문화사

韓國歷史研究會 編 1996년 『譯註羅末麗初金石文』, 혜안

------- 2002년 『高麗의 皇都開京』, 창작과 비평사

------- 2021년 『朝鮮時代의 開城遊覽記』, 혜안

韓國精神文化研究院 1980년 『佛教史料叢書』

------- 1989년 『國譯大覺國師文集』

한국종교사연구회 편 1998년 『성황당과 성황제』, 민속원

韓國中世史學會 2012년 『中國에서 바라본 제1차 麗·遼戰爭과 徐熙』 (발표요지)

------- 2018년 『高麗王朝와 21世紀 KOREA 未來遺産』, 경인문화사

韓國學文獻研究所 編 1977년 이래 『韓國寺誌叢書』, 亞細亞文化社

------- 1977년 『萬德寺誌』, 亞細亞文化社

------- 1977년 『乾鳳寺本末事蹟』·『楡岾寺本末寺誌』, 亞細亞文化社

------- 2003년 『海東金屬文字』, 亞細亞文化社

韓國學中央研究院 編 2007년a 『13-14세기 동아시아의 법과 사회』

------- 2007년b 『藏書閣所藏拓本資料集』 V

韓圭哲 1984년 「高麗에 來投·來往한 契丹人」『한국사연구』 47

------- 1994년 『渤海의 對外關係史』, 신서원

------- 1995년 「渤海復興國 後渤海研究」『국사관논총』 62

------- 1996년 「渤海國의 住民構成」『한국사학보』 1

------- 1997년 「渤海遺民의 高麗投化」『부산사학』 33

韓圭哲 等 2007년 『渤海의 五京과 領域變遷』, 동북아역사재단

한글학회 편 1970년 『韓國地名總攬』, 선일인쇄사

韓基汶 1990년a 「高麗時代 寺院寶의 設置와 運營」『역사교육논집』 13·14합

------- 1990년b 「高麗時代 官人의 願堂」『대구사학』 39·40합

------- 1999년 「祖堂集과 新羅·高麗 高僧의 行蹟」『한국중세사연구』 6

------- 2008년 「고려시대 개경 봉은사의 창건과 태조진전」『한국사학보』 33

------- 2010년 「고려전기 부인사의 위상과 初雕大藏經板 소장 배경」 『한국중세사연구』 28

------- 2010년 「고려시대 승려 출가 양상과 사상적 배경」 『한국사학보』 40

------- 2010년 「고려시대 사원의 정기 행사와 교역장」 『대구사학』 100

------- 2010년 「불교를 통해 본 통일신라·고려 왕조의 연속성」 『한국중세사연구』 29

------- 2011년 「고려시대 봉암사와 희양산파의 추이」 『불교연구』 34

------- 2011년 「고려시대 資福寺의 성립과 존재 양상」 『민족문화논총』 49

------- 2012년 「고려시대 鄭襲明 묘지명 검토」 『木簡과 文字』 9

------- 2013년 「高麗時期 天台宗 南崇山門의 成立과 思想的 傾向」 『역사교육논집』 50

------- 2013년 「高麗時代 寺院 轉藏儀禮의 成立과 性格」 『한국중세사연구』 35

------- 2014년 「고려시대 內願堂의 기능과 위상」 『한국중세사연구』 38

------- 2014년 「高麗와 遼 文化交流의 樣相과 性格」 『대구사학』 115

------- 2015년 「고려시대 사원의 출판 인쇄 배경과 성격」 『石堂論叢』 61

------- 2015년 「고려시대 州縣 資福寺와 香徒의 역할」 『東國史學』 59

------- 2016년 「고려시대 安東府의 성립과 太師廟의 기능」 『역사교육논집』 61

------- 2017년 「고려시대 華嚴宗과 龍壽寺」 『국학연구』 34, 한국국학진흥원

------- 2017년 『고려시대 상주계수관 연구』, 경인문화사

------- 2018년 「高麗時代 慶州의 景觀構成과 位相」 『대구사학』 132

韓甫植 1987년 『韓國曆年大典』, 嶺南大學出版部(개정판, 2003년)

韓普光·林鍾旭 編 2011년 『중국역대불교인명사전』, 이회문화사

한상준 2011년 「무위사 선각대사편광탑비를 중심으로 사진탁본기법을 이용한 금석문판독」 『문화재』 44-2

漢城博物館 2018년 『영국사와 도봉서원』

韓盛旭 2008년 「日本 京都出土 高麗靑瓷의 現況과 性格」 『한국중세사연구』 25

------- 2018년 「京畿의 名品生產과 消費」(한국중세사학회, 『高麗王朝와 21世紀 KOREA 未來遺産』, 경인문화사)

------- 2022년 『天下第一高麗靑瓷』, 학연문화사

韓永愚 1969년 「麗末鮮初의 閑良과 그 地位」 『한국사연구』 4

------- 1973년 『鄭道傳思想의 研究』, 서울大學 出版部

------- 1981년 『朝鮮前期史學史研究』, 서울大學 出版部

韓容根 1999년 『高麗律』, 서경문화사

韓㳓劤 1961년 「麗末鮮初 巡軍研究」 『진단학보』 22

------- 1966년 「勳官 檢校考」 『진단학보』 29·30合

한일관계사학회 편 1998년 『한일양국의 상호인식』, 국학자료원

韓政洙 2006년 「高麗後期 天災地變과 王權」『역사교육』 99

------- 2006년 「고려시대 개경의 祀典 정비와 제사 공간」『역사와 현실』 60

------- 2007년 「여말선초 地方知識人의 時間 理解」『한국사상과 문화』 38

------- 2007년 『한국 중세 유교정치사상과 농업』, 혜안

------- 2009년 「高麗中期 知識人層의 時間理解」『한국사상과 문화』 47

------- 2010년 「高麗初의 國際關係와 年號紀年에 대한 再檢討」『역사학보』 208

------- 2010년 「高麗前期 册曆 및 曆法의 利用과 意味」『사학연구』 100

------- 2012년a 「高麗時代 太祖 追慕儀의 樣相과 崇拜」『사학연구』 107

------- 2012년b 「高麗末 國王 잔치의 樣相 및 王權」『역사교육』 122

------- 2012년 「고려-송-거란 관계의 정립 및 변화에 따른 紀年의 양상」『한국사상사학』 41

------- 2013년a 「高麗前期 定期的 國王行事의 內容과 意味」『역사와 현실』 87

------- 2013년b 「고려시대 國王 菩薩戒와 6월 15일 受戒의 의미」『역사학보』 220

------- 2015년 「高麗太祖代의 對外 交涉과 外交儀禮」『한국사연구』 170

------- 2017년 「10〜12世紀初 國際秩序와 高麗의 年號紀年」『한국중세사연구』 49

韓政洙 編 2010년 『月令과 國家』, 民俗苑

韓禎訓 2002년 「高麗前期 驛道의 形成과 機能」『한국중세사연구』 12

------- 2004년 「고려시대 조운제와 마산 석두창」『한국중세사연구』 17

------- 2009년a 「高麗初期 60浦制의 實施와 意味」『지역과 역사』 25

------- 2009년b 『高麗時代의 交通과 租稅運送體系의 硏究』, 부산대학 박사학위논문

------- 2010년 「高麗後期 漕倉制의 運營과 變化」『동방학지』 51

------- 2011년a 「12·13세기 전라도지역 私船의 해운활동」『한국중세사연구』 31

------- 2011년b 「高麗前期의 兩界의 交通路와 運送圈域」『한국사연구』 141

------- 2013년 『고려시대 교통운수사 연구』, 혜안

------- 2013년 『고려시대 교통과 조세운송체계 연구』, 경인문화사

------- 2019년 「高麗時代 全羅道 漕運·漕倉의 現況과 特徵」『한국중세사연구』 56

한지선 2017년 「元末 海運과 江蘇·浙江 沿海의 覇權」『역사와 세계』 51

韓忠熙 2005년 『朝鮮初期 官衙硏究』, 사람

韓惠先 2007년 「始興 芳山洞 陶器窯址의 運營時期」『호서사학』 48

------- 2009년 『高麗陶瓷新論』, 學研文化社

------- 2019년 『고려 도기 연구』, 역락

海印寺 聖寶博物館 2015년 『해인사 고문헌 조사보고』

------- 2017년 『해인사 원당암 아미타불복장유물 특별전』

許 璧 1986년 「四庫全書考」『동방학지』 53

허순산 1984년 「금강산에서 발견된 금동부처와 천에 대하여」『역사과학』 1984-3

許　永 1924년 『昇平續誌』, 順天鄕校

許仁旭 2003년 「高麗世系에 나타난 新羅系說話와 編年通錄』의 編纂意圖」『史叢』 56

------- 2008년a 「高麗의 歷史繼承에 대한 거란의 認識變化와 領土問題」『한국중세사연구』 24

------- 2008년b 「高麗 成宗代 契丹의 1次侵入과 境界設定」『全北史學』 33

------- 2013년 「高麗 光宗代 後周와의 外交研究」『전북사학』 43

------- 2014년 「고려 초 남중국 국가와의 교류」『국학연구』 243

------- 2014년 「'三國遺事' 皇龍寺九層塔條의 編年 검토」『사학연구』 113

------- 2015년a 「13세기초 몽골의 位階 지배 시도와 麗蒙관계의 시작」『한국사학보』 61

------- 2015년b 「高麗 明宗 3年의 金甫當亂 研究」『한국중세사연구』 43

------- 2017년a 「湖南邑誌의 高麗時代 按廉使 名單 檢討」『국학연구』 32

------- 2017년b 「慶尙道營主題名記의 高麗時代 按察使 名單」『전북사학』 50

------- 2020년 「유목사회의 특성과 고려-거란 전쟁」『한국중세사연구』 60

------- 2021년 「高麗時代 西海道按察使 名單의 복원」『한국중세사연구』 64

허종구 1991年 「고려시기의 사원농장에 대하여」『경제연구』 73(1991-4)

許興植 1981년 『高麗科擧制度史研究』, 일조각

------- 1986년 『高麗佛敎史研究』, 일조각

------- 1991년 「指空의 無生界牒과 無生界經」『계간서지학보』 4

------- 1993년 「眞覺國師 慧諶의 原碑와 解析의 補完」『한국학』 16-1, 한국학중앙연구원

------- 1994년 『韓國中世佛敎史研究』, 일조각

------- 1994년 「東人之文五七의 殘卷과 高麗史의 補完」『서지학보』 13

------- 1995년 「蒙山德異의 著述과 生涯」『계간서지학보』 15

------- 1997년a 「海印寺 金銅毗盧遮那佛 腹藏과 覺慶戒牒의 奉安背景」『海印寺 金銅毗盧遮那佛 腹藏遺物의 研究』, 聖寶文化財研究院

------- 1997년b 『高麗로 옮긴 印度의 등불』, 일조각

------- 2003년 「開京 山川壇廟의 神靈과 八仙宮」『민족문화논총』 27

------- 2004년 『고려의 문화전통과 사회사상』, 집문당

------- 2005년 『高麗의 科擧制度』, 일조각

------- 2008년 『고려에 남긴 휴휴암의 불빛』, 創批

------- 2009년 『고려의 동아시아 시문학』, 民族社

------- 2015년 「唐賢詩範의 編者와 全唐詩와의 차이점」『역사학연구』 58

------- 2020년 『韓國金石學槪論』, 여경출판사

許興植 編 1984년 『韓國金石全文』, 亞細亞文化社

許興植 等編 1999년 『高麗의 佛腹藏과 染織』, 계몽사

慧　源 編 2011년 『禪語辭典』, 운주사

扈承喜 1995년 「十抄詩一考」 『서지학보』 15

호암갤러리 1993년 『高麗, 영원한 美』 高麗佛畫特別展, 三星文化財團

湖巖美術館 1995년 『大高麗國寶展』, 三星文化財團

-------- 1996년 『朝鮮前期國寶展』, 三星文化財團

洪琦杓 2005년 『高麗前期 詔書 硏究』, 성균관대학 박사학위논문

洪大韓 2015년 「高麗 石塔의 建立背景과 製作技法 硏究」 『文化史學』 43

洪㫤湖 2021년 「고려·몽골 전쟁기 防護別監의 運營과 內陸入保의 補完」 『한국사연구』 193

-------- 2022년 「고려 무신집권기 '復政于王' 명분의 등장과 都房의 변화」 『민족문화연구』 94

洪思俊 1978년 「朝鮮初葉의 鍾形과 銘文」 『고고미술』 138·139合

洪淳鐸 1976년 「松廣寺圓悟國師奴婢帖」 『湖南文化研究』 8

洪承基 1983년 『高麗貴族社會와 奴婢』, 一潮閣

-------- 2001년a 『高麗社會經濟史研究』, 일조각

-------- 2001년b 『高麗政治史研究』, 일조각

-------- 2001년c 『高麗社會史研究』, 일조각

-------- 2001년d 『韓國史學論』, 일조각

洪承基 編 1995년 『高麗武人政權研究』, 西江大學 出版部

---------- 1996년 『高麗太祖의 國家京營』, 서울大學 出版部

洪淵津 1993년 「高麗前期 道制의 成立과 그 性格」 『釜大史學』 17

洪榮義 1990년 「恭愍王初期 改革政治와 政治勢力의 推移」 『史學研究』 42

-------- 1992년 「高麗後期 富戶層의 存在形態」 『許善道停年紀念 韓國史學論叢』, 일조각

-------- 1997년 「高麗後期 大藏都監刊 鄕藥救急方의 刊行經緯와 資料性格」 『韓國史學史研究』, 나남
　　　출판사

-------- 2000년 「高麗前期 開京의 五部坊里 區劃과 領域」 『역사와 현실』 38

-------- 2005년 『高麗末 政治史 研究』, 혜안

-------- 2011년 「麗末鮮初 開城府의 位相과 判事의 役割」 『한국사논총』 35

-------- 2013년 「고려시대 개경의 사찰과 남겨진유물」 『북한의 문화유산』, 경인문화사

-------- 2015년 「高麗時代 銘文기와의 發掘成果와 課題」 『한국중세사연구』 41

-------- 2016년a 「高麗末 李成桂의 婚姻關係와 經濟的 基盤」 『한국학논총』 45

-------- 2016년b 「高麗 金屬製 佛具類 銘文에 보이는 京外匠人의 製作活動」 『한국중세사연구』 46

-------- 2018년 「경기지역의 고려시대 명문기와 현황과 과제」 『한국중세고고학』 4

-------- 2019년 「조선시대 高麗 王陵의 현황과 保存, 管理 實態」 『한국중세고고학』 5

------- 2020년a 「高麗後期 物價變化의 要因과 그 對策」『韓國學論叢』 54

------- 2020년b 「恭愍王代 後半의 政局運營과 辛旽의 執政」『한국중세사연구』 62

------- 2020년c 「高麗後期 物價 變化의 要因과 그 대책」『한국학논총』 54

------- 2020년d 「고려시대 토목공사에서의 기와의 생산과 수급」『한국중세고고학』 7

------- 2021년 「개성 일대의 고려 유적 발굴조사 현황과 연구 성과」『서울학연구』 83

------- 2022년 「고려시대 남경 경영의 배경과 공간 영역」『한국중세사연구』 68

홍영호 2016년 「고려시대 東界 지역의 戌 조사 연구」『군사』 99

洪元基 1992년 「高麗 軍班氏族制說의 學說的 意義와 寒溪」『군사』 24

------- 1993년 「高麗 京軍內 上層軍人의 檢討」『동방학지』 77·78·79合

------- 2001년 『高麗前期의 軍制研究』, 혜안

洪潤植 1980년 『韓國佛畫의 研究』, 원광대학출판국

------- 1984년 『高麗佛畫의 研究』, 同和出版公社

------- 1988년 「‘高麗史’世家篇 佛敎記事의 歷史的 意味」『한국사연구』 60

------- 1994년 「佛敎行事의 盛行」『韓國史』 16, 국사편찬위원회

------- 1995년 『韓國佛畫 畫記集』 1, 가람사연구소

洪昌佑 2022년 「‘삼국사기’의 후고구려 인식」『한국중세사연구』 68

黃寬重 1986년 「高麗與金·宋的關係」『아시아문화』 1, 한림대학

------- 1991년 「宋·麗貿易與文物交流」『진단학보』 71·72합

洪思俊 1963년 「棠下題名記慶尙道按察使題名記」『고고미술』 4-1(30)

黃秉晟 1998년 『高麗 武人政權期 研究』, 新書苑

------- 2008년 『고려 무인정권기 문사 연구』, 경인문화사

黃善榮 1986년 「高麗始定田柴科의 再檢討」『부산사학』 10

------- 1988년 『高麗初期의 王權研究』, 東亞大學出版部

------- 2002년 『羅末麗初의 政治制度史研究』, 國學資料院

黃壽永 1961년a 「高麗佛畫-阿彌陀像과 觀經變相」『考古美術』 2-5(通卷10)

------- 1961년b 「在日高麗靑銅銀入絲香垸의 新例」『고고미술』 2-7(12)

------- 1962년a 「高麗 靑銅舍利塔과 靑瓷壺」『고고미술』 3-1(18)

------- 1962년b 「高麗在銘 舍利塔」『고고미술』 3-2·3合(19·20合)

------- 1962년c 「高麗大德九年銘靑銅判子」『고고미술』 3-7(24)

------- 1963년 「고려청동은입사향완의 연구」『불교학보』 11

------- 1964년a 「高麗紺紙金泥法華塔, 京都東寺所藏」『고고미술』 5-8(49)

------- 1964년b 「高麗正豊銘金鼓」『고고미술』 5-8(49)

------- 1964년c 「高麗梵鐘의 新例五」『고고미술』 5-9(50)

-------- 1968년 「崇巖寺聖住寺事蹟」『고고미술』 9-9

-------- 1973년 『韓國佛像의 研究』, 三和出版社

-------- 1974년 「高麗國王發願의 金·銀字大藏」『고고미술』 125

-------- 1975년 「安城 靑源寺의 高麗寫經」『東洋學』 5

-------- 1978년 『韓國金石遺文』, 一志社

-------- 1988년 「高麗寫經의 研究」『고고미술』 180

-------- 1989년 『韓國의 佛像』, 文藝出版社

-------- 1972년 「新羅 黃龍寺九層塔趾」『고고미술』 116

-------- 1983년 「寫經의 歷史」『불교미술』 7, 동국대학

-------- 1994년 「高麗 興王寺趾의 調査」『韓國佛敎思想史』 下, 東方佛敎史硏究所

-------- 1999년 『黃壽永全集』, 혜안

黃壽永 編 1985년 『曉城先生八旬頌壽高麗佛籍集佚』, 동국대학 출판부

황선홍 1980년 「1364년 원나라의 침략과 그에 반대한 고려인민의 투쟁」『역사과학』 1

黃純艶 2012년 「南宋과 金의 朝貢體系 중의 高麗」『진단학보』 114

黃時鑒 1997년 「宋·高麗·蒙古關係史에 관한 일고찰」『동방학지』 95

黃愛平 1994년 「四庫全書的編纂與淸代乾隆朝的文化政策」『가라문화』 11

黃雲龍 1980년 「高麗恭愍王代의 對元·明關係」『동국사학』 14

-------- 1989년 『高麗 閔族 硏究』, 東亞大學 出版部

黃仁奎 2007년 「高麗後期 敎宗僧의 中國遊歷과 佛敎界의 動向」『불교연구』 27

黃鍾東 1967년 「蒲鮮萬奴의 國號에 대하여」『啓明史學』 1

황희경 2001년 「高麗 長吏의 職制와 그 變遷」『전북사학』 24

電算資料[data base]

國家記錄遺産 www.memorykore.go.kr

文化財廳 www.cha.go.kr

Main Page   www.khistory.org/hjy/index.do(李鎭漢敎授의 資料)

海印寺 八萬大藏經 www.i80000.or.kr

中國語

ㄱ

賈敬顏 1993年 「明朝蒙古人的歷史」『內蒙古社會科學』, 文史哲版, 1993-3

------- 2001年 『五代宋金元人邊疆行記十三種疏證稿』, 中華書局

賈敬顏·朱風和 1990年 『蒙古譯語·女眞譯語匯編』, 天津古籍出版社

賈玉英 2006年 「略論唐宋地方監察體制變革」『宋史研究論文集』11, 蘭州大學出版社

葛全勝 2010年 『中國歷朝氣候變化』, 科學出版社

江 靜 2002年 「元代中日通商考略」『中日關系史料與研究』1, 北京圖書館出版社

江靜·張新明 2016年 『中國正史日本傳考注』宋元卷, 上海交通大學出版社

姜吉仲 1989年 『高麗與宋遼金關係之研究』, 文化大學 博士學位論文

------- 2004年 『高麗與宋金外交貿易關係史論』, 文津出版社, 臺北

江林昌 2000年 「商頌與商湯之亳」『歷史研究』2000-5

姜亮夫 1976年 『歷代人物年里碑傳綜表』, 中華書局

姜一涵 1981年 『元代奎章閣及奎章人物』, 聯經出版事業公司

江天健 2002年 「宋代地方官廨的修建」『宋史研究集』31, 宋史座談會

江曉原 1998年 『天學志』(『中華文化通志』7, 061, 上海人民出版社)

蓋之庸 2002年 『內蒙古遼代石刻研究』, 內蒙古大學出版社

蹇 雪 2018年 「宋朝對高麗漂流人救助研究」『河北北方學院學報(社會科學版)』2018-2, 河北北方學院

景 愛 1987年 『金代官印集』, 文物出版社

------- 1990年 「遼代女眞人與高麗的關係」『北方文物』1990-3(總23期)

------- 1991年 「金中都與金上京比較研究」『中國歷史地理論叢』2,

景蜀慧 2007年 『魏晋詩人與政治』, 中華書局

桂栖鵬 1995年 「元代科舉中的高麗進士」(『韓國研究』, 韓國研究叢書2, 杭州大學出版社)

------- 2001年 『元代進士研究』, 蘭州大學出版社

高宏義 2004年 「宋史高麗傳史源考」『宋史研究論叢』6

高國藩 2015年 『中國巫術通史』, 鳳凰出版社

高紀春 1998年 「宋史天文志抉疑」『宋史研究論叢』3, 河北大學出版社

------- 1998年 「宋史五行志校勘拾遺」『宋史研究論叢』3

------- 2000年 「宋史天文志·五行志校讀札記之二」『宋史研究論叢』4

高文德 1979年 『蒙古世系』, 社會科學出版社

高福順·王惠 2001年 「遼代生女眞與高麗的隸屬關係」『東北亞問題研究』, 吉林文史出版社

高英民 等 2008年 『古代貨幣』, 文物出版社

高世寶 2012年 『蒙元時代的蒙古族文學家』, 蘭州大學出版社

高榮盛 1998年 『元代海外貿易研究』, 四川人民出版社

高體乾 等編 1987年 『中國兵書集成』, 解放軍出版社

顧 平 2011年 『中國古代宮廷畫院考略』, 北京工藝美術出版社

古 風 等編 2009年 『閩刻珍本叢刊』, 人民出版社

孔德明 1996年 『中國古代服飾·用具·職官』, 北京廣播學院出版社

龔勝生 2015年 「南宋時期疾疫地理研究」『中國歷史地理論叢』 30-1

龔勝生 等 2015年 「元朝疾疫地理研究」『中國歷史地理論叢』 30-2

龔延明 1991年 「宋代官吏的管理制度」『歷史研究』 1991-6

-------- 1998年 「中國歷代職官別名研究」『歷史研究』 1998-6

-------- 2006年 「宋代武官階類別及其演變」『宋史研究論文集』 11, 蘭州大學出版社

郭東旭 1998年 「論宋代赦降制度」『宋史研究論叢』 3

-------- 2008年 『宋代法律與社會』, 人民出版社

郭伯恭 1962年 『永樂大典考』, 臺灣商務印書館

郭世榮 2009年 『中國數學典籍在朝鮮半島的流傳與影響』, 山東教育出版社

郭毅生 1980年 「元代前遼陽行省驛道考略」『北方論叢』 1980-2

郭殿勇 2007年 『蒙元時期的內蒙古』, 內蒙古大學出版社

郭 超 2016年 『元都的區劃與復原』, 中華書局

郭海文 2014年 「大唐宮尼研究」『唐史論叢』 18

關履權 1987年 『宋代廣州的海外貿易』, 廣東人民出版社

關樹東 2004年 「遼朝州縣制度中的道·路問題探研」『宋史研究論文集』 10, 蘭州大學出版社

丘光明 1993年 『中國度量衡』, 新貨出版社

-------- 1996年 『中國古代度量衡』, 商務印書館

丘光明 編 1992年 「隋唐的尺度」(『中國歷代度量衡考』, 科學出版社)

丘光明 等編 2001年 『中國科學技術史』 度量衡卷, 科學出版社

邱居里 2014年 『元代文獻探研』, 北京師範大學出版社

邱復興 2004年 『孫子兵學大典』, 北京大學出版社

邱樹森 1983年 「元代戶口問題芻議」『元史論叢』 2

-------- 2002年 『安懽貼睦爾評傳』, 澳業周刊出版[5]

-------- 2006年 「蒙古國時期的回回人」(劉時遠 等編 『天驕偉業』, 社會科學文獻出版社)

邱樹森 等編 2002年 『元史辭典』, 山東教育出版社

邱云飛 2008年 『中國灾害通史』 宋代卷, 鄭州大學出版社

------- 2009年 『中國灾害通史』 明代卷, 鄭州大學出版社

邱仲麟 2014年 「燕地雨無正」 『明清論叢』 13(朱誠如 等編)

邱軼皓 2016年 「大德二年伊利汗國遣使元朝考」 『歷史語言研究所集刊』 87-1

------- 2019年 『蒙古帝國視野下的元史與東西文化交流』, 上海古籍出版社

國家圖書館 編 2005年 『文淵閣四庫全書補遺』 集部明代卷, 北京圖書館出版社

國家圖書館分館 編 2003年 『稀見明史史籍輯存』, 線裝書局

國家圖書館 善本金石組 編 1999年 『歷代石刻史料彙編』, 北京圖書館出版社

國家地震局 蘭州地震研究所 編 1989年 『甘肅省地震資料匯編』, 地震資料出版社

鞠德源 1989年 『萬年曆譜』, 山西人民出版社

國立故宮博物院 編 1971年 『故宮圖像選萃』

國立奉天圖書館 1934年(康德1) 『遼陵石刻集錄』 上, 下 : 『石刻史料新編』 4輯, 3册 소수

國立中央圖書館 1965年 『明人傳記資料索引』, 文史哲出版社

屈萬里 1975年 「元祐六年宋朝向高麗訪求佚書問題」 『東洋學』 5, 檀國大學, 漢城

屈文軍 2017年 『元史研究』, 中國社會科學出版社

奇文瑛 2011年 『明代衛所歸附人研究』, 中央民族大學出版社

綦 岩 2014年 「金代始祖函普研究」(景愛 等編, 『地域性遼金史研究』 1, 中國社會科學出版社)

吉本道雅 2012年 「遼史地理志東京遼陽府小考」(遼寧省遼金契丹女眞史研究會, 『遼金史與考古』 上, 遼寧教育出版社)

金健人 編 2001年 『中韓海上交往史探源』, 學苑出版社

------- 2007年 『中韓古代海上交流』, 遼寧民族出版社

金東昭 等編 1992年 『女眞語·滿洲語』, 新世界出版

金承炫 1986年 『元代北許南吳理學思想研究』, 輔仁大學 博士學位論文

金渭顯 1980年 『契丹的東北政策』, 華世出版社

------- 2010年 「遼史本紀高麗關係記事考異」 『宋史研究論叢』 11

------- 2012年 「遼代自然災害與蟲害」(遼寧省遼金契丹女眞史研究會 編, 『遼金史與考古』 上, 遼寧教育出版社)

金浩東 2013年 「蒙古帝國與大元」 『清華元史』 2, 商務印書館(『역사학보』 169, 飜譯)

---

5) 安懽貼睦爾[安懽帖睦爾, 陶于帖木兒, Togon Temur]는 몽골제국의 황제인 惠宗[順帝]이며 奇皇后의 夫君이다.

　　　　　　ㄴ

駱承政 編 2006年『中國歷史大洪水調查資料匯編』, 中國書店

駱兆平 編 1981年 以來『天一閣藏明代方志選刊』, 上海古籍出版社

南京大學 元史研究室 1984年『元史論集』, 人民出版社

內蒙古文物考古研究所 2015年「內蒙古巴林左旗遼上京宮城城墻 …」『考古』2015-12

內蒙古騰格里文化傳播有限公司 2007年『蒙古族服飾圖鑒』, 內蒙古人民出版社

內蒙古社會科學研究院圖書館 編 2010年『蒙古考察報告』, 遠方出版社

寧志新 1996年「兩唐書職官志招討使考」『歷史研究』1996-2

寧夏文物考古研究所 編 2009年『開城安西王址戡探』, 科學出版社

盧明輝 1994年『東北亞研究』III, 北方民族史研究3, 中州古籍出版社

勞延煊 1986年「論元代高麗奴隷與媵妾」(『慶祝李濟先生七十歲論文集』)

凌純聲 1951年「元代在緬設置緬中行省考」『大陸雜誌』2-1

　　　　　　ㄷ

段玉明 2004年「唐宋相國寺兩考」『宋史研究論叢』6

達力扎布 2003年『明淸蒙古史論稿』, 民族出版社

達林太 1990年『蒙古兵學研究』, 軍事科學出版社

潭其驤 等編 1988年『中國歷史地圖集』, 東北卷, 中央民族學院出版社

潭 冰 2013年『古今曆術考』, 三聯書店

黨寶海 2006年『蒙元驛站交通研究』, 崑崙出版社

-------- 2008年「蒙元史上的脫脫禾孫」『元史及民族与邊疆研究集刊』20

-------- 2013年「十六方元朝驛站官印集釋」『元史及民族與邊疆研究集刊』25

唐長孺 1986年『山居存稿』, 中華書局

-------- 2011年『唐書兵志箋正』, 中華書局

戴建國 2000年『宋代法制初探』, 黑龍江人民出版社

-------- 2007年「宋代籍帳制度探析」『歷史研究』2007-3

大陸雜誌社 編 1980年『元明史研究論集』, 大陸雜誌社

戴葆庭 編 1990年『戴葆庭集拓中外錢幣珍品』下, 中華書局

屠 寄 1934年『蒙兀兒Mongol史記』, 鼎文書局

陶 敏 等編 2012年『全唐五代筆記』, 三秦出版社

陶玉坤 1999年「遼宋對峙中的使節往還」『內蒙古大學報』, 人文社會科學版31

-------- 2004年「也論遼宋間的兩屬地」『宋史研究論叢』6

陶晋生 2008年 『宋遼關係史研究』, 中華書局(『宋遼關係史研究』, 聯經出版事業公司, 1984)

-------- 2013年 『宋遼金史論叢』, 聯經出版事業公司

都興智 2004年 『遼金史研究』, 人民出版社

陶希聖 編校 1973年 『中國政治制度史』, 啓業書局

凍國東 1989年 『唐代的商品經濟與經營管理』, 武漢大學出版社

董國堯 1997年 『北方民族文化論稿』, 紅葉文化事業

董新林 2009年 「北宋金元墓葬壁飾所見二十四孝故事與高麗」 『華夏考古』 2009-2

董作賓 1971年 『中國年曆簡譜』, 藝文印書館

董學增 1984年 「中書門下之印小考」 『文物』 1984-9

杜潔祥 等編 1980年 『中國佛寺史志彙刊』, 明文書局

杜宏剛 等編 2004年 『韓國文集中的蒙元史料』, 廣西師範大學出版社6)

杜文玉 2014年 「論唐代尙書省左右丞的監察與句檢職能」 『唐史論叢』 17

鄧瑞全 等編 2008年 以來 『元代別集叢刊』, 吉林出版集團

鄧澤宗 1990年 『李靖兵法輯本注譯』, 解放軍出版社

ㄹ

羅福頤 1979年 「北元官印考」 『故宮博物院院刊』 1979-1

-------- 1981年 『古璽匯編』, 文物出版社

-------- 1981年 『古璽印概論』, 文物出版社

羅福頤 編 1935年 『遼文續拾』, 出版社 不明7)

羅永生 1992年 「唐前期三省地位的變化」 『歷史研究』 1992-2

-------- 2005年 『三省制新探』, 中華書局

羅維明 2003年 『中古墓誌詞語研究』, 暨南大學出版社

羅 瑋 2017年 「元軍'翼'制初探」(余太山 等編, 『絲瓷之路-古代中外關係史研究-』 Ⅵ 所收)

羅振玉 1969年 『羅雪堂先生全集』, 文華出版公司

羅賢佑 1991年 「論元代畏兀兒人桑哥與偰哲篤的理財活動」 『民族研究』 1991

-------- 1993年 「畏兀兒文化與蒙古汗國」 『中央民族學院學報』 1993-5 ; 『天驕偉業』, 社會科學文獻出版社, 2006

欒貴明 編 1996年 『永樂大全索引』, 作家出版社

---

6) 이는 『高麗名賢集』에 수록된 것과 같은 高麗人의 文集을 적절히 절단하여 影印한 책이다.

7) 이는 주로 『고려사』에 수록된 契丹의 각종 外交文書를 拔萃한 후, 金石文의 資料를 추가한 것이다.

藍吉富 編 1990年 『禪宗全書』, 文殊文化有限公司

賴瑞和 2008年 「論唐代的檢校郎官」『唐史論叢』 10, 三秦出版社

-------- 2011年 「唐史臣劉知幾的官與職」『唐史論叢』 13

-------- 2012年 「爲何唐代使職皆無官品」『唐史論叢』 14, 陝西師範大學出版社

-------- 2012年 「唐代'使職'侵奪職事官職權說質疑」『唐史論叢』 15

-------- 2014年 「唐職官書不載許多使職, 前因與後果」『唐史論叢』 19

-------- 2015年 「從使職角度論唐代宰相的權力與下場」『唐史論叢』 20

賴永海 等編 2010年 『中國佛教史』, 江蘇人民出版社

Louis Hambis[韓百詩] 著, 張國驥 譯 2005年 『元史諸王表箋證』, 湖南大學出版社

----------------[韓百詩] 譯注, 耿昇 譯 2002年 『伯朗嘉賓蒙古行紀·魯布魯克東行紀』, 中華書局

          ㅁ

馬　娟 2002年 「元代色目·高麗通婚舉例」『寧夏社會科學』 2002-5

-------- 2006年 「元代畏吾兒人阿里海牙史事探析」『元史及民族与邊疆研究集刊』 18

-------- 2014年 「百年元代色目人研究述評」『元史及民族與邊疆研究集刊』 27

萬　明 2011年 『明代中外關係史論稿』, 中國社會科學出版社

孟古托力 1995年 「女眞·金朝與高麗關係的幾個問題考論」(鮑海春 『金史研究論叢』, 哈爾濱出版社)

孟廣耀 1994年 『東北亞研究』 Ⅱ, Ⅲ, 北方民族史研究2, 中州古籍出版社

孟　憲 2007年 「唐代府兵番上新解」『歷史研究』 2007-2

冒志祥 2012年 『宋朝的對外交往格局』, 廣陵書社

毛海明 2015年 「元史涉海傳記系列研究」『元史及民族與邊疆研究集刊』 29

-------- 2017年 「元史成宗紀至元三十一年史事箋證」『元史及民族與邊疆研究集刊』 32

蒙古民族通史編委會 1993年 『蒙古民族通史』 1-4, 內蒙古大學出版社

蒙思明 1980年 『元代社會階級制度』, 新華書店

苗書梅 2008年 「朝見與朝辭」(朱瑞熙 等編, 『宋史研究論集』, 上海人民出版社)

武玉環 2000年 「遼代斡魯朵探析」『歷史研究』 2000-2

-------- 2002年 『遼制研究』, 吉林大學出版社

繆荃孫, 『藕香零拾』 1~31, 出版社 不明, 1910年 以來

默書民 2002年 「大蒙古國驛傳研究二題」『元史給民族史研究集刊』 15

-------- 2010年 「遼陽行省的站道研究」『中國社會科學院歷史研究所學刊』 6

文殊文化有限公司 編 1990年 『禪宗全書』

文　欣 2007年 「唐代差科簿制作過程」『歷史研究』 2007-2

閔祥鵬 2008年 『中國灾害通史』 隋唐五代卷, 鄭州大學出版社

ㅂ

薄樹人 2003年 『薄樹人文集』, 中國科學技術大學出版社

薄音湖 1987年 「關于北元汗系」『宋遼金元史』 1987-4, 中國人民大學書報資料中心

薄音湖 等編 2010年 『蒙古史事典』 古代卷, 內蒙古大學出版部

朴眞奭 1995年 『東夏史研究』, 延邊大學出版社

潘瑞國 2009年 「松漠紀聞若干問題探討」『中國邊疆民族研究』 2, 中央民族學出版社

方齡貴 1984年 「關于元宣光年號的考證」『蒙古史研究論文集』, 中國社會科學出版社 : 『元史論集』,
        人民出版社

-------- 2004年 「蒙古語中漢語借詞釋例1」『雲南師範大學學報』 36-3

方時銘·方小芬 1987年 『中國史曆日和中西曆日對照表』, 上海辭書出版社

方震華 2017年 「復仇大義與南宋後期對外政策的轉變」『歷史語言研究所集刊』 86-2, 中央研究院

白 鋼 2007年 『中國政治制度史』, 社會科學文獻出版社

白玉林 等編 2006年 『五代史解讀』, 華齡出版社

伯戴克 著, 張云 譯 2002年 『元代西藏史研究』, 雲南人民出版社

伯希和 著, 馮承鈞 譯 1994年 『蒙古與教廷』, 中華書局

樊文禮 2006年 「唐代羈縻府州的類別劃分及其與藩屬國的區別」『唐史論叢』 8

-------- 2010年 「唐代羈縻府州的南北差異」『唐史論叢』 12

范家偉 2016年 「元代三皇廟與宋金元醫學發展」『漢學研究』 34-3

范立舟 2013年 『白蓮教與宋代下層社會』, 中國社會科學出版社

寶音德力根 2000年 「15世紀中葉前的北元可汗世系及政局」『蒙古史研究』 6, 內蒙古大學出版社

傅嘉儀 等編 1995年 『金石文字類編』, 上海書畫出版社

傅樂淑 1983年 「元代宦禍考」『元史論叢』 2

傅樂煥 1984年 『遼史叢考』, 中華書局

傅璇琮 等編 1998年 『全宋詩』, 北京大學出版社

-------- 2013年 『中國古籍總目索引』, 中華書局

傅 申 2018年 『元代皇室書畫收藏史略』, 上海書畫出版社(國立故宮博物院, 1980)

傅振倫 1987年 「遼代雕印的佛經佛像」『遼金史論集』 1, 上海古籍出版社(陳述 等編)

符海朝 2007年 『元代漢人世侯群體研究』, 河北大學出版社

傅熹年 等編 1989年 『中國美術全集』 6, 繪畫編, 元代繪畫, 文物出版社

北京圖書館 編 2000年? 『北京圖書館藏珍本年譜叢刊』, 北京圖書館出版社

北京圖書館 古籍出版編輯組 編 1988年 『北京圖書館古籍珍本叢刊』，書目文獻出版社

北京圖書館 金石組 編 1987年 『房山石經題記匯編』，新華書店

北京師範大學 古籍與傳統文化研究院 編 2009年 『中國傳統文化與元代文獻國際學術研討會會議論文集』，中華書局

北京遼金城垣博物館 編 2005年 『北京遼金文物研究』，北京燕山出版社

北京天文臺 編 1988年 『中國古代天象記錄總集』，江蘇科學技術出版社

佛光大藏經編修委員會 編 1994年 『佛光大藏經』 禪藏，佛光出版社

佛教書局 編 1978年 『佛教大藏經』

馮修清 1992年 「蒙元帝國在高麗的流放地」 『內蒙古社會科學』 1992-3

ヘ

謝　觀 等編 1994年 『中國醫學大辭典』，遼寧科學技術出版社

史金波 2018年 「西夏, 高麗與宋遼金關係比較芻議」 『史學集刊』 2018-3期, 吉林大學

查屏球 2003年 「新補全唐詩102首」 『文史』 62(2003-1)

謝毓壽 1983年 『中國地震歷史資料彙編』，科學出版社

史　睿 2007年 「唐代前期銓選制度的演進」 『歷史研究』 2007-2

謝元魯 1992年 『唐代中央政權決策研究』，文津出版社, 臺北

-------- 2010年 「唐代諸王和公主出閤制度考辨」 『唐史論叢』 12

史衛民 1996年 『元代社會生活史』，中華社會科學出版社

史爲樂 等編 2005年 『中國歷史地名大辭典』，中國社會科學出版社

史仲文 等編 2011年 『中國全史』，中國書籍出版社

史志宏 1980年 「高麗史中關于斡都里的記載」 『北京大學學報』 1980-6

四川大學圖書館 編 1993年 『中國野史集成』，巴蜀書社

山東省地震史料編輯室 編 1983年 『山東省地震史料匯編』，地震出版社

尙民杰 2013年 「唐宮人·宮尼墓相關問題探討」 『唐史論叢』 16

上海古籍出版社 編 1992年 『佛教要籍選刊』

-------- 1992年 『中國佛教叢書』

-------- 1992年 『禪宗語錄輯要』

-------- 2001年 『宋元筆記小說大觀』，

徐　健 2016年 「馬可波羅行紀與高麗史料對勘三則」 『元史及民族與邊疆研究集刊』 31

徐大剛 等編 2004年 『宋集珍本叢刊』，線裝書局

徐樂帥 2008年 「中古時期封贈制度的形成」 『唐史論叢』 10

書目文獻出版社 編 1991年 『欽定四庫全書考證』

徐中舒 等編 2010年 『漢語大字典』, 四川出版集團

徐 蜀 等編 1996年 『宋遼金元正史訂補文獻彙編』, 北京圖書館出版社

釋明俊 編 1980年 『禪門逸書』 初編6, 明文書局

席澤宗 2002年 『古新星新表與科學史探索』, 陝西師範大學出版社

石 濤 2010年 『北宋時期自然災害與政府管理體系研究』, 社會科學出版社

石曉軍 1985年 「宋代從日本進口的主要商品及其用途」(中國中日關係史研究會, 『從徐福到黃遵憲』,
　　　 時事出版社)

薛國屛 2010年 『中國古今地名對照表』, 上海辭書出版社

薛瑞兆 2014年 『金代藝文敍錄』, 中華書局

陝西省古籍整理辦公室 編 1993年 『昭陵碑石』, 三秦出版社

聶崇岐 1980年 『宋史叢考』, 中華書局

成文出版社 『中國方志叢刊』, 臺灣, (刊行年度 不明)

盛 博 2008年 『宋元古地圖集成』, 星球地圖出版社

蕭啓慶 1983年a 「元統元年進士錄校注」 『食貨』 月刊 13-1·2, 3·4

-------- 1983年b 『元代史新探』, 新文豐出版公司

-------- 1986年 「元代科舉與菁年流動」 『漢學研究』 5-1

-------- 1988年 「元代蒙古人漢學再探」(『陶希聖先生九秩論文集』 下)

-------- 1987年 「元至正十一年進士題名記校補」 『食貨』 月刊16-7·8

-------- 2001年 『蒙元的歷史與文化』, 學生書局

-------- 2007年 『內北國而外中國:蒙元史研究』 上·下, 中華書局

-------- 2004年 「元季色目士人的社會網絡」 『宋史研究集』 34 : 『元代的族群文化與科舉』, 聯經, 2008

-------- 2010年 『元朝四事新證』, 蘭州大學出版社

-------- 2012年 『九州四海風雅同』, 中央研究院

-------- 2012年 『元代進士輯考』, 中央研究院

蕭啓慶 編 2001年 『蒙元的歷史與文化』, 學生書局

邵循正 1984年 「成吉思汗生年問題」 『元史論集』, 人民出版社

蘇淵雷·高振農 編 1992年 『佛教要籍選刊』, 上海古籍出版社

蘇 航 2010年 「唐後期河東北部的鐵勒勢力」 『唐研究』 16, 北京大學

續修四庫全書編纂委員會 編 1995年以來 『續修四庫全書』 1323, 上海古籍出版社

孫國棟 1978年 『唐代中央重要文官遷轉途徑研究』, 上海古籍出版社

孫克寬 1968年 『元代漢文化之活動』, 中華書局

孫金銘 1970年 『中國兵制史』 修正版, 國防研究院 出版部

孫　勐 2012年 『北京考古史』 元代卷, 上海古籍出版社

孫玉亮 2010年 『史林遺痕』, 蘭州大學出版社

孫　昊 2014年 『遼代女眞族群與社會研究』, 蘭州大學出版社

孫洪升 2001年 『唐宋茶業經濟』, 東方歷史學術文庫

宋德金 2005年 『遼金論考』, 湖北教育出版社

宋正海 等編 1992年 『中國古代重大自然災害和異常年表總集』, 廣東教育出版社

宋　晞 1968年 「明州在宋麗貿易史上的地位」 『新亞學術年刊』 10

------- 1989年 「宋商在宋麗貿易中的貢獻」 『宋史研究論叢』 2

------- 1979年 以來 『宋史研究論叢』 1～5 中國文化研究所, 中國文化大學出版部

修曉波 2013年 『元代的色目商人』, 廣東人民出版社

沈　鵬 等編 2006年 『中國美術全集』 57, 書法篆刻編, 宋金元書法, 人民美術出版社

隋樹森 編 1964年 『全元散曲』, 中華書局

修曉波 1993年 「關于木華黎家族世系的幾個問題」 『蒙古史研究』 4, 內蒙古大學出版社

宿曉娟 2010年 「至正條格補證十六則」 『元史及民族與邊疆研究集刊』 22

習忠民 1999年 『宋代臺諫制度研究』, 巴蜀書社出版

柴　平 1994年 「耶律大石北奔年代考」 『歷史研究』 1994-6

申萬里 2008年 「元代的粉壁及社會職能」 『中國史研究』 2008-1(117)

-------- 2012年 『理想, 尊嚴與生存掙扎』, 中華書局8)

新文豐出版公司 編 1977年 『石刻史料新編』

-------- 1979年 『石刻史料新編』 2輯

-------- 1986年 『石刻史料新編』 3輯

-------- 2006年 『石刻史料新編』 4輯

辛卓如 2007年 「高麗宮廷中的蒙古貴族婦女」 『元史及民族與邊疆研究集刊』 19

新興書局 編 1973年 『筆記小說大觀』

沈令昕 1982年 「上海市靑浦縣元代任氏墓葬記述」 『文物』 1982-7

沈善洪 編 1995年 『高麗寺與高麗王子』, 杭州大學出版社

沈小仙 等 2007年 「唐宋白麻規制及相關術語考述」 『歷史研究』 2007-6

瀋陽市文物考古研究所 編 2011年 『瀋陽碑志』, 遼海出版社

沈　融 2015年 『中國古兵器集成』, 上海古籍出版社

沈仁國 2002年 「元丁卯科進士考」 『元史及民族史研究集刊』 15

-------- 2008年 「嘉定錢大昕全集元進士考點校補正」 『元史及民族与邊疆研究集刊』 20

---

8) 여기에서 掙扎(쟁찰)은 支撐(지탱)이라는 의미를 지니고 있다.

-------- 2016年 『元朝進士集證』, 中華書局

沈宗憲 2005年 「宋代官方的祈禱」 『宋史研究集』 35, 宋史座談會

ㅇ

阿木爾巴圖 編 1997年 『蒙古族美術研究』, 遼寧民族出版社

安國樓 2003年 「試論宋代對羈縻州的官封」 『宋史研究論叢』 5

艾 萌 2013年 「宋元時期生券軍與熟券軍考」 『河南科技大學學報』, 社會科學版, 2013-1

愛新覺羅 烏拉熙春 2002年 『女眞語言文字新研究』, 明善堂

-------- 2012年 「蕭撻凜與國舅夷离畢帳」(遼寧省遼金契丹女眞史研究會 編, 『遼金史與考古』 上, 遼寧教育出版社)

艾 冲 2011年 「唐代江南地區諸都督府建制的演變」 『唐史論叢』 13

-------- 2012年 「論何唐代鐵勒回紇部的三次內遷」 『唐史論叢』 14

楊家駱 1973年 『叢書大辭典』, (出版社 不明)

楊家駱 等編 1973年 『遼史彙編』, 鼎文書局

楊家駱·趙振續 2006年 『遼史長箋』, 新文豊出版社9)

楊建峰 2011年 『中國人物畫全集』, 外文出版社

楊 芹 2014年 『宋代制誥文書研究』, 上海古籍出版社

楊 訥 1983年 「元代的白蓮教」 『元史論叢』 2

楊 訥 等編 2005年 『文淵閣四庫全書補遺』 集部, 明代卷, 第1冊, 北京圖書館出版社.10)

楊 鐮 2005年 『元代文學編年史』, 山西教育出版社

楊 鐮 等編 2013年 『全元詩』, 中華書局(68冊)

楊昭全 1988年 「元與高麗兩國人民的往來和文化交流」 『中朝關係史論文集』

楊富學 譯 2008年 「元代西夏僧沙羅巴事輯」 『隴右文博』 27(2008-1), 甘肅省博物館

楊循吉 等編 1985年 『遼海叢書』, 遼沈書社

楊 暘 1993年 『明代東北史綱』, 臺灣 學生書局

楊 暘 等編 2008年 『明代東北疆域研究』, 吉林人民出版社

楊渭生 1997年 『宋麗關係史研究』, 杭州大學出版社

-------- 2003年 「禪宗東傳與智宗·坦然」 『宋史研究論叢』 5

---

9) 이는 宋代의 대표적인 典籍을 바탕으로 『요사』의 未備點을 보완한 훌륭한 業績이지만, 거란과 긴밀한 관계에 있었던 高麗時代의 각종 資料를 이용하지 않은 한계가 있다.

10) 이는 7部의 『四庫全書』 중의 제4부인 『文津閣四庫全書』(國家圖書館의 所藏)를 통해 보완한 것이다.

楊渭生 等編 1999年 『十至十四世紀中韓關係史料滙編』, 學苑出版社

楊 蕤 2009年 『西夏地理研究』, 人民出版社

楊一凡 編 2013年 『皇明制書』, 社會科學文獻出版社

楊正泰 1994年 『明代驛站考』, 上海古籍出版社(增訂版, 2006)

楊志玖 1985年 『元史三論』, 人民出版社

-------- 1991年 「元代的吉普賽人」 『歷史研究』 1991-3

楊倩描 2011年 「宋代檢校官的源流及其嬗變」 『宋史研究論叢』 12

楊倩描 等編 2015年 『宋代人物辭典』, 河北大學出版社

楊效俊 2012年 「隋唐舍利塔銘的內容與風格研究」 『唐史論叢』 14

楊曉春 2001年 「明朝揚州高麗軍職世家與元初高麗降民」 『元史及民族史研究集刊』 14

-------- 2006年 「至正十二年城隍廟記碑陰官員題名的初步分析」 『元史及民族與邊疆研究集刊』 18

-------- 2007年 「13～14世紀遼陽·瀋陽地區高麗移民研究」 『中國邊疆史地研究』 2007-1

-------- 2011年 「明初與高麗·朝鮮有關遼東流人的交涉問題」 『Journal of Korean Culutre』 16

楊希義 2008年 「唐代君臣朝參制度初探」 『唐史論叢』 10

嚴耕望 2006年 『嚴耕望史學論文選集』, 中華書局

黎 傑 1962年 『元史』, 九思出版有限公司

余大鈞 1984年 「論耶律楚材對恢復發展中原文化的貢獻」 『蒙古史研究論文集』 2

-------- 1987年 「耶律大石創建西遼帝國過程及紀年新探」 『遼金史論集』 1, 上海 古籍出版社

-------- 2016年 『元代人名大辭典』, 內蒙古人民出版社

呂薇分 等編 2012年 『張可久詩集校注』, 浙江古籍出版社

余來明 2011年 「元代進士生平補證」 『元史及民族與邊疆研究集刊』 23

余三樂 1996年 「明洪武朝與高麗關係簡論」 『亞細亞文化研究』 1, 民族出版社

余太山 等編 2017年 『絲瓷之路-古代中外關係史研究-』 Ⅵ, 商務印書館

亦鄰眞 1983年 「元代硬譯公牘文體」 『元史論叢』 1, 中華書局

呂宗力 等編 2015年 『中國歷代官制大辭典』 修訂版, 商務印書館

域外漢籍珍本文庫編纂出版委員會 2012年 『高麗大藏經初刊本輯刊』, 西南師範大學出版社[11]

燕永成 2017年 「宋代修史機構的變動及其修史成效」 『史學史研究』 165(2017-1), 北京師範大學

閻鳳梧 編 1997年 『全遼金詩』, 山西古籍出版社

-------- 2002年 『全遼金文』, 山西書籍出版社

閻萬章 1989年 「論遼金元史的幼與紝」 『遼金史論集』 4, 上海古籍出版社(陳述 等編)[12]

---

11) 이 冊子는 符仁寺大藏經의 版本을 소장하고 있는 韓·日 兩國 所藏者의 허락을 받지 아니하고 刊行된 것인데, 事前에 이의 刊行을 준비하였던 當事者의 적절한 解明이 있어야 할 것이다.

葉拉太 2012年『吐蕃地名研究』, 人民出版社

葉新民 1992年「頭輦哥事迹考略」『內蒙古大學學報』, 人文·社會科學篇, 1992-4

葉新民 等編 2003年『元上都研究文集』, 中央民族大學出版社

葉泉宏 1998年『明代前期中韓國交研究』, 臺灣商務印書館

葉鴻灑 2004年「北宋的蟲災與處理政策演變之探索」『宋史研究集』 34, 宋史座談會

倪其心 1987年『校勘學大綱』, 北京大學出版社[13]

商務印書館 編 1937年『禪宗集成』

吳 鋼 等編 1991年『全唐文補遺』, 三秦出版社

烏 蘭 2013年「王國維的元朝秘史校勘和蒙元史研究」『清華元史』 2, 商務印書館

吳麗娛 2009年「下情上達 : 兩種狀的應用與唐朝的信息傳遞」『唐史論叢』 11

吳大敏 編 2004年『唐碑俗字錄』, 三秦出版社

烏力吉 2013年『遼代墓葬文化藝術中的捺鉢文化研究』, 文化藝術出版社

吳文治 等編 1998年『宋詩話全編』, 江蘇古籍出版社

-------- 2006年『遼金元詩話全編』, 鳳凰出版社

吳小如 等編 1992年『漢魏六朝詩鑒賞辭典』, 上海辭書出版社

吳小紅 2011年「元史正誤二則」『元史及民族與邊疆研究集刊』 23

-------- 2006年「泰定元年進士張觀·至正十一年進士何淑事跡補證」『元史及民族與邊疆研究集刊』 18

吳守賢 2000年『司馬遷與中國天學天文學』, 陝西人民教育出版社

烏云高娃 2007年「元代蒙古字學對朝鮮半島的影響」『元史及民族與邊疆研究集刊』 19

-------- 2009年「元世祖忽必烈兩次征日本及高麗的態度」『역사와 세계』 36

-------- 2012年『元朝與高麗關係研究』, 蘭州大學出版社

吳質生 1927年『萬壽山名勝蔽實錄』, 贊興印書局

吳志堅 2008年「析津志輯佚句讀訂誤九則」『元史及民族與邊疆研究集刊』 20

吳哲夫 1976年『四庫全書薈要纂修考』, 國立古宮博物院

吳 晗 1965年『朱元璋傳』, 三聯書店出版

吳鴻淸 等編 2002年『中國古代璽印大典』, 中央廣播電視大學出版社

吳曉萍 2006年『宋代外交制度研究』, 安徽人民出版社

翁連溪 等編 2005年『中國古籍善本總目』, 線裝書局

王可夫 等編 1991年『中華通史大曆典』, 四川民族出版社

王建軍 2002年「忽必烈的文治思路与元代蒙古國子監」『元史給民族史研究集刊』 15

12) 여기에서 幼字는 幼와 糺의 反切[반절, 反切注音, 翻]이다.
13) 이의 번역으로 橋本秀美 等譯, 『校勘論講義』, アルヒーフ, 2003이 있다.

-------- 2003年 『元代國子監研究』, 澳業周刊出版有限公司

王慶生 2013年 『金代文學編年史』, 中華書局

汪經鐸 2003年 『兩宋貨幣史』上, 社會科學文獻出版社

王國維 1983年 「太史公行年考」『觀堂集林』卷11, 中華書局, 2004 :『王國維遺書』2, 上海古籍書店.

-------- 1983年 『庚申之間讀書記』(『王國維遺書』 5 所收)

王國維 校注 2001年 『聖武親征錄』, 內蒙古文化出版社

王蘭蘭 2018年 「唐代佛教內道場考補」『中國歷史地理論叢』33-4(總129)

王菱菱 2004年 「對宋會要輯稿幾則史料年號錯誤的訂正」『宋史研究論叢』6

王德毅 1979年 『元人傳記資料索引』, 新文豐出版公司(中華書局 1987)

-------- 1988年 「徐兢宣和奉使高麗圖經的史料價值」(『陶希聖先生九秩論文集』下)

-------- 1991年 「宋麗國交與北宋儒者的高麗觀」『中國歷史學會史學集刊』23

-------- 1992年 「王應麟玉海之研究」『國際宋史研討會論文選集』, 華北大學出版社

-------- 2000年 『明人別號・字・號索引』, 新文豐出版公司, 臺北

王綿厚 1981年 「張成墓碑与元代水達達路」『社會科學輯刊』1981-3

王明蓀 2005年 『遼金元史論文稿』, 槐下書肆

王民信 2010年 『遼史研究論文集』, 臺大出版中心

-------- 2010年 『高麗史研究論文集』, 臺大出版中心

王立人 等編 2011年 以來 『無錫文庫』, 鳳凰出版社

王茂華 2004年 「宋蒙戰爭中的南宋降將考」『宋史研究論叢』6

王文顏 1997年 『佛典疑僞經研究與考錄』, 文津出版社, 臺北

王民信 1983年 「蒙古入侵高麗與蒙麗聯軍征日」『中韓關係史論文集』

-------- 1985年 「高麗忠宣王, 王璋」『石堂論叢』10

王培華 2010年 『元代北方灾荒與救濟』, 北京師範大學出版社

汪伯琴 1975年 「宋史全文在宋代史籍中之價值」『大陸雜誌』51-6

王伯敏 編 1978年 『古肖形印臆釋』, 上海書畫出版社

王伯敏 等編 2013年 『中國繪畫史圖鑑』, 浙江人民美術出版社

王范之 1981年 『呂氏春秋選注』, 中華書局

王瑞來 2010年 『宋季三朝政要箋證』, 中華書局

王善軍 2004年 「遼代的皇族」『宋史研究論文集』10, 蘭州大學出版社

-------- 2008年 『世家大族與遼代社會』, 人民出版社

王雪農 等編 2006年 『中國錢幣大辭典』考古資料編, 中華書局

汪聖鐸 2003年 「宋代寓于寺院的帝后神御」『宋史研究論叢』5

王 頌 2008年 『宋代華嚴思想研究』, 宗教文化出版社

王受寬 1995年 『諡法研究』, 上海古籍出版社

王水照 編 2012年 『宋刊孤本三蘇·溫公·山谷集』, 影印本, 國家圖書館出版社

王崇時 1987年 「關于金代曷懶路的幾個問題」 『遼金史論集』 2, 書目文獻出版社(陳述 等編)

-------- 1991年 「元代入居中國的高麗人」 『東北師範大學報』 1991-6

王承禮·李亞泉 1993年 「高麗義天大師著述中的遼人文獻」 『社會科學戰線』 1993-2

-------- 2001年 「從高麗義天大師的著述考察遼和高麗的佛教文化交流」 『遼金史論集』 6, 社會科學文獻出版社(張暢 等編)

王愼榮 等編 1991年 『元史探源』, 吉林文出版社

王愼榮·趙鳴岐 1990年 『東夏史』, 天津古籍出版社

王新英 編 2012年 『全金石刻文輯稿』, 吉林文史出版社

王雙懷 等編 2006年 『中華日曆通典』, 吉林文化出版社

王顏·任斌杰 2009年 「唐代府州司馬考論」 『唐史論叢』 11

王力軍 2011年 『宋代明州與高麗』, 科學出版社

王　榮 1962年 「元明火銃的裝置復原」 『文物』, 1962-3

王　鍈 2008年 『宋元明市語匯釋』 修訂增補本, 中華書局

王永平 1995年 「論唐代宣徽使」 『中國史研究』 1995-1

王久宇·金寶麗 2008年 『金源文化史稿』, 黑龍江美術出版社

王　瑜 2007年 『中國古代北方民族與蒙古族服飾』, 北京圖書館出版社

王育民 1992年 「元代人口考實」 『歷史研究』 1992-5

王應偉 1998年 『中國古曆通解』, 遼寧教育出版社

王　儀 1970年 『蒙古元与高麗及日本的關係』, 商務印書館

王　頲 2005年 「天魔舞的傳播及淵源」 『蒙古史研究』 8, 內蒙古大學出版社

-------- 2008年 「服從質孫-元代只孫服與詐馬筵新考」 『歐亞學研究』 ?

王兆春 2007年 『中國古代軍事工程技術史』 宋元明清, 山西教育出版社

王曾瑜 2004年 「關于金朝翰林待制以下帶同知制誥銜的考辨」 『宋史研究論叢』 6

王輯五 1975年 『中國日本交通史』, 臺北 商務印書館

王風翔 2009年 「晚唐五代李茂貞假子考論」 『唐史論叢』 11

王學奇 等編 2011年 『元曲選校注』, 河北教育出版社

汪　楷 等編 2011年 『隴西金石錄』, 甘肅人民出版社[14]

王慧杰 2016年 『宋朝遣遼使臣群體研究』, 社會科學文獻出版社

---

14) 2000년대 이래 大陸에서 간행된 金石文에 관한 수많은 자료집은 동일한 자료가 重復, 三復으로 揭載된 것이 많을 뿐만 아니라 判讀의 내용에 차이가 있어 이의 引用에는 면밀한 考證이 요청된다.

王紅梅 2015年 『元代畏兀兒歷史與文化研究』, 甘肅教育出版社

王會安 等編 1983年 『中國地震歷史資料匯編』, 科學出版社

王曉龍 2008年 『宋代提點刑獄司制度研究』, 人民出版社

王孝通 1974年 『中國商業史』, 臺北 商務印書館

王曉欣 2009年 「元代新附軍問題再探」『南開學報』 2009-2

遼寧省博物館 編 2017年 『古代遼寧』, 文物 出版社

遼寧省遼金契丹女眞史研究會 編 2012年 『遼金史與考古』 上, 遼寧教育出版社

姚大力 1983年 「乃顏之亂雜考」『元史及北方民族史研究集刊』 7期

------- 1984年 「元遼陽行省各族的分布」『元史及北方民族史研究集刊』 8期

------- 2005年 『天馬南牧』, 長春出版社

------- 2011年 『蒙元制度與政治文化』, 北京大學出版社

姚大力 等編 2011年 以來 『清華元史』 1~3, 商務印書館

姚從吾 1960年 「元好文癸巳上耶律楚材書的…五十四人行事考」『文史哲學報』 19

牛貴琥 2011年 『金代文學編年史』, 安徽大學出版社

于德源 2004年 『北京歷史災荒·災害紀年』, 學苑出版社

于 磊 2016年 「元史日本傳會注」『元史及民族與邊疆研究集刊』 31

虞雲國 2009年 『宋代臺諫制度研究』, 上海書店出版社

牛潤珍 2017年 「金代修史機構與史注纂輯」『史學史研究』 165(2017-1), 北京師範大學

熊燕軍 2013年 「戰略錯位宋蒙襄樊之戰」『宋史研究論叢』 14

袁 剛 1994年 『隋唐中樞體制的發展演變』, 文津出版社, 臺北

袁國藩 2004年 『元代蒙古文化論叢』, 商務印書館, 臺灣15)

袁 冀 1974年 『元史研究論集』, 商務印書館

------- 2005年 「元代宮廷大宴考」『蒙古史研究』 8, 內蒙古大學出版社 : 『元史探微』, 2009

------- 2009年 『元史探微』, 文史哲出版社

袁傳璋 2005年 『太史公生平著作考論』, 安徽人民出版社

遠 泉 2013年 「政治動因的蒙古衣冠」『邊疆考古研究』 12

魏 堅 2005年 「元上都城址的考古學研究」『蒙古史研究』 8

------- 2008年 『元上都』 上·下, 中國大百科全書出版社

魏光興 等編 2000年 『山東省自然災害史』, 地震出版社

魏道儒 2013年 『中華佛教史』 宋元明清佛教史卷, 山西教育出版社

魏耕原 等編 2012年 『先秦兩漢魏晋南北朝詩歌鑒賞辭典』, 商務印書館

---

15) 袁國藩은 다음의 袁冀의 別名인데(袁冀→袁國藩→袁冀로 改名), 그의 冊子는 重復된 내용이 있다.

韋　兵 2014年 「多極朝貢體制背景下的時空秩序釐定」 『宋史研究論文集』 2014, 中國社會科學出版社

魏永吉 1985年 『元·日關係史の研究』, 教育出版センター

魏隱儒 等 1984年 『古籍版本鑑定叢談』, 印刷工業出版社

魏志江 1996年 「遼史高麗傳考證」 『文獻季刊』 1996-2

魏華仙 2008年 「兩宋都城節日商品市場」(朱瑞熙 等編, 『宋史研究論集』, 上海人民出版社)

劉　江 2005年 『中國印章藝術史』, 西泠印社出版社, 杭州

俞　鋼 2013年 『唐代制度文化研究論集』, 上海古籍出版社

劉巨成 等編 1989年 『中國古錢譜』, 文物出版社

劉　建 2004年 『五體漢字彙編』, 文物出版社

劉　謙 1989年 『明遼東鎭長城及防禦考』, 文物出版社

劉君燦 1988年 『中國天文學史新探』, 明文書局

劉均仁 1980年 『中國歷代地名大辭典』, 凌雲書房(日本)

劉琴麗 2006年 『唐代武官選任制度初探』, 社會科學文獻出版社

劉　寧 2009年 『遼金歷史與考古』 1·2, 出版社

劉多靑·賈修蓮 2007年 「宋蒙戰爭中的蒙方招降政策」 『宋史研究論叢』 8

俞鹿年 2011年 『中國政治制度通史』 5, 隋唐五代, 社會科學文化出版社

劉明罡 2015年 「北宋嘉祐二年幽州大地震再考」 『宋史研究論叢』 16

劉美云 2006年 『十至十三世紀北方遊牧民族探析』, 中國文聯出版社

劉伯驥 1971年 『宋代政敎史』, 中華書局(2015年 再版)

劉復生 2008年 「宋代羈縻州虛像及其制度問題」(朱瑞熙 等編, 『宋史研究論集』, 上海人民出版社)

劉鳳翥·唐彩蘭 等編 2009年 『遼上京地區出土的遼代石刻彙輯』, 社會科學文獻出版社

劉思怡 2012年 「唐代宗室食實封問題研究」 『陝西師範大學學報』, 哲學社會科學版, 2012-3

-------- 2013年 「唐朝宗室入仕情況研究」 『唐史論叢』 16

劉小南 等編 2009年 『宋史研究論文集』, 雲南大學出版社

------- 2017年 『過程·空間, 宋代政治史』, 北京大學 出版社

劉迎勝 2013年 「元典章吏部官制資品考」 『元史及民族與邊疆研究集刊』 25 : 『蒙元史考論』, 2014

-------- 2014年 「元史太宗紀太宗三年以後記事箋證」 『元史及民族與邊疆研究集刊』 27

-------- 2014年 『蒙元史考論』, 蘭州大學出版社

劉迎勝·金銀美 2015年 「下層民衆眼中的蒙·宋與高麗」 『元史及民族與邊疆研究集刊』 29

劉　旭 2004年 『中國古代火藥·火器史』, 大象出版社

劉一平 編 1996年 『北京大學圖書館藏珍本小說叢刊』, 書目文獻出版社

劉長東 2005年 『宋代佛敎政策論稿』, 巴蜀書社

劉中玉 2008年 「萬卷堂, 濟美基德堂考辨」 『全北史學』 32

劉俊勇 2003年 『大連考古研究』, 哈爾濱出版社

劉俊喜 2001年 「遼代朔州高氏的兩方墓志」『遼金史論集』6

劉次沅 2006年 『中國歷史日食典』, 世界圖書出版

劉菁華 等編 2005年 『明實錄朝鮮資料輯錄』, 巴蜀書社

劉秋霖 等編 2003年 『中國古代兵器圖說』, 天津古籍出版社

劉浦江 1999年 『遼金史論』, 遼寧大學出版社

-------- 2001年 「遼朝國號考釋」『歷史研究』2001-6

-------- 2007年 「契丹名, 字研究」『唐代史研究』10

-------- 2017年 『宋遼金史論集』, 中華書局

劉浦江 編 2003年 『二十世紀遼金史論著目錄』, 上海辭書出版社

游　彪 2001年 『宋代蔭補制度研究』, 中國社會科學出版社

-------- 2004年 「宋代官貝致仕蔭補制度」『宋史研究論文集』10, 蘭州大學出版社

劉　涵 1984年 「蒙古前期的斷事官·必闍赤 …」『元史及北方民族史研究集刊』4 :『元史論集』, 南京大學

劉海洋 等編 2017年 『契丹歷史編年』, 科學出版社

-------- 2017年 『渤海歷史編年』, 科學出版社

劉恒武 2009年 『寧波古代對外文化交流』, 海洋出版社

劉　曉 2006年 『元史研究』, 福建人民出版社

劉曉·陳高華 2002年 「畏兀兒文化與蒙古汗國」『文史』2002-1, 中華書局 :『天驕偉業』, 社會科學文獻出版社, 2006

劉後濱 2001年 「唐代中書門下體制下的三省機構與職權」『歷史研究』2001-2

-------- 2004年 『唐代中書門下體制研究』, 齊魯書社

陸　藝 2000年 「14世紀中國東南沿海伊斯蘭墓碑石研究札記」『海交史研究』2000-2

陸峻岭 1979年 『元人文集分類篇目索引』, 中華書局

尹銀淑 2010年 「乃顏之亂的性格」『宋史研究論叢』11

殷蒙霞 等編 2003年 『使朝鮮錄』, 北京圖書館出版社

殷善培 2008年a 『讖緯思想研究』 中國學術思想研究輯刊 初編21, 花木蘭文化出版社

-------- 2008年b 『讖緯中的宇宙秩序』 中國學術思想研究輯刊 初編22, 花木蘭文化出版社

李健才 1987年 「金代東北的交通路線」『遼金史論集』2, 書目文獻出版社(陳述 等編)

李桂芝 2011年 『遼金科舉研究』, 中央民族大學出版社

李谷城 2013年 『遼代南京留守研究』, 中國社會科學出版社

李國強 譯 2005年 「敦煌曆日探研」『出土文獻研究』7, 上海古籍出版社

李國玲 1994年 『宋人傳記資料索引』補編, 四川大學出版部

李 軍 2014年 「自然災害的政治應對」『唐史論叢』18

李瑾明 2007年 「南宋時期荒政的運用和地方社會」『宋史研究論叢』8

李 岵 2014年 「遼天祚帝逃離夾山地望考」『元史及民族與邊疆研究集刊』28

李鳴飛 2008年 「試論元武宗朝尚書省改革的措施及其影響」『中國邊疆民族研究』1, 中國民族大學出
　　　版社

-------- 2014年 『金·元散官制度研究』, 蘭州大學出版社

伊葆力 等編 2001年 『金源印符輯存』, 哈爾濱出版社

李瑞良 2000年 『中國古代圖書流通史』, 上海人民出版社

李錫厚 1984年 「虜廷雜記與契丹史學」『史學史究』1984-4

李錫厚 等編 2005年 『遼西夏金史研究』, 福建人民出版社

李小紅 2012年 『宋代社會中的巫覡研究』, 光明日報出版社

李修生 等編 1999年 以來 『全元文』: 江蘇古籍出版社(61책) ; 鳳凰出版社, 2004

李崇智 2001年 『中國年號考』, 中華書局

李新峰 2003年 「明前期赴朝鮮使臣叢考」『明清論叢』4, 紫禁城出版社(朱誠如 等編)

-------- 2008年 「弇山堂別集, 詔令雜考二, 繫年析疑」『明清論叢』8(朱誠如 等編)

李玉君 2016年 『金代宗室研究』, 科學出版社

李勇先 2000年 『宋代添差官制度研究』, 天地出版社

李勇先 等編 2007年 『宋元地理史料匯編』, 四川大學出版社

李雲龍 2018年 「宋代例册考」『歷史文化社會論講座紀要』15, 京都大學大學院, 人間·環境學研究科

李雲泉 2004年 『朝貢制度研究』, 新華出版社

李 衛 2009年 『遼金錢幣』, 紫禁城出版社

李裕民 2004年 「宋代冗官問題新論」『宋史研究論文集』10 : 『宋史考論』, 科學出版社, 2009

李逸友 1987年 「金西北路三方銅印考釋」『遼金史論集』1, 書目文獻出版社(陳述 等編)

-------- 1988年 「遼李知順墓誌銘跋」『內蒙古文物考古』, 內蒙古自治區考古學會

李宗侗 等 校註 1956年 『資治通鑑今註』1~15,, 臺灣 商務印書館

李全德 2009年 『唐宋變革期樞密院研究』, 國家圖書館出版社

李之勤 2008年 「元熊梵祥析津志天下站名校正稿」『元史及民族与邊疆研究集刊』20

李晉華 編 1932年 『明代勅撰攷』, 燕京大學圖書館

李天垠 2015年a 「關于元代畫家朱德潤研究的新發現」(張露, 『宋元繪畫研究』, 故宮出版社 所收)

-------- 2015年b 『元代宮廷之旅』沿着畫朱德潤的足迹, 故宮出版社

李天鳴 1988年 『宋元戰史』, 食貨出版社

李治安 1996年 「成吉思汗生年問題補正」『歷史研究』1996-1 : 『天驕偉業』社會科學文獻出版社, 2006

-------- 2000年 『行省制度研究』, 南開大學出版社

-------- 2003年 『元代政治制度研究』, 人民出版社

-------- 2007年 『元代分封制度研究』 增訂本, 中華書局

李治亭 編 2003年 『東北通史』, 中州古籍出版社

李波·孟慶楠 2005年 『中國氣象災害大典』 遼寧卷, 氣象出版社

李學勤 等編 1996年 『四庫大辭典』, 吉林大學出版社

李學智 1959年 「元代設於遼東行省之開元路」 『大陸雜誌』 18-2·3·4

李　紅 等編 1999年 『中國繪畫全集』, 文物出版社

李華瑞 2006年 「宋史論贊評析」 『宋史研究論文集』 11 : 『宋夏史研究』, 天津古籍出版社, 2006

-------- 2012年 「宋代文獻記錄的自然災害」 『宋史研究論文集』 2012, 河南大學出版社

李　輝 2014年 『宋·金交聘制度研究』, 上海古籍出版社

印軼皓 2011年 『蒙古帝國視野的元史與東西文化交流』, 上海古籍出版社

任　鵠 2015年 『遼史百官志考訂』, 中華書局

任繼愈 等編 1992年 『中國佛教叢書』 禪宗編, 江蘇古籍出版社

-------- 1998年 『中國國家圖書館古籍珍品圖錄』, 北京圖書館出版社

-------- 1999年 『中華大典』 醫藥衛生典, 巴蜀書社

-------- 2002年 『佛教大辭典』, 江蘇古籍出版社

林道心 主編 2003年 『中國古代萬年曆』, 河北人民出版社

任萬平 1994年 「金代官印制度初論」 『遼金史論集』 8, 吉林文史出版社(于志耿 等編)

任愛君 2012年 『遼朝史稿』, 甘肅民族出版社

任榮貴 等編 2007年 『中國古代邊疆史』, 黑龍江教育出版社

林汀水 1991年 「遼東灣海岸線的變遷」 『中國歷史地理論叢』 2,

林天蔚·黃約瑟 1987年 『古代中韓日關係研究』, University of Hong Kong

任致遠 1932年 『吳王張士誠載記』, 泰東圖書局(上海)

任七英 2003年 『唐玄宗·肅宗之際的中樞政局』, 社會科學文獻出版社

　　　　ㅈ

張嘉鳳 20120年 「隋唐醫籍中的小兒病因觀試探」 『臺大文史哲學報』 77

張建松 2010年 「天朝與朝天」 『元史及民族與邊疆研究集刊』 22

張建中 2001年 「洪武十七年高麗使臣行賄事件芻議」 『元史及民族史研究集刊』 14

張建偉·白雪 2014年 「元代真定史氏之婚姻及其家族文化傾向」 『元史及民族與邊疆研究集刊』 27

張　杰 2004年 「朱元璋設置鐵嶺衛于鴨綠江東始末」 『遼寧大學學報』 2004年 1期

張耕云 2006年 「唐代杖刑考述」 『唐史論叢』 8

張宏儒·沈志華 編 1991年 『文白對照全譯資治通鑑』, 改革出版社

張國慶 2006年 『遼代社會史研究』, 中國社會科學出版社

------- 2012年 「遼代的水患及相關問題研究」(遼寧省遼金契丹女眞史研究會 編, 『遼金史與考古』 上, 遼寧敎育出版社)

張國驥 譯 2005年 『'元史'諸王表箋證』, 湖南大學出版社[16]

張國靜 2008年 「論唐代起居舍人與起居郎」 『唐史論叢』 10

張君弘 編 2013年 『遼陽明代墓誌』, 遼陽大學出版社

張金龍 1995年 「領軍將軍與北魏政治」 『中國史研究』, 1995-1

------- 2014年 「隋朝的領左右備身府與驍果制度」 『首都師範大學學報』, 社會科學版, 2013-4

張金銑 2001年 『元代地方行政制度研究』, 安徽大學出版部

張金吾 1999年 『金文最』, 中華書店

張岱玉 2010年 「元朝公主忙哥台世系, 爵號考」 『元史及民族與邊疆研究集刊』 22

------- 2010年 「元代蒙古地區行中書省研究」 『蒙古史研究』 10, 內蒙古大學出版社

------- 2011年 「元史諸王表金印獸紐欄梁王」 『元史及民族與邊疆研究集刊』 23

------- 2014年 「元朝窩闊台系諸王爵邑考」 『元史及民族與邊疆研究集刊』 28

------- 2017年 「元朝末代中書右丞相也速行迹及其與時局關係探求」 『元史及民族與邊疆研究集刊』 32

張德二 編 2004年 『中國三千年氣象記錄總集』, 鳳凰出版社

張東翼 2007年 「1269年大蒙古國中書省牒與日本方面的反應」 『元史及民族與邊疆研究集刊』 19(『史學雜誌』 114-8轉載)

張 露 2015年 『宋元繪畫研究』, 故宮出版社

張亮采 1958年 『補遼史交聘表』, 中華書局

張明華 2007年 『新五代史研究』, 中國社會科學出版社

張米菴 1921年 『歷代書畵舫』, 上海錦文堂

張邦煒·杜桂英 2006年 「五代北宋前期都部署問題探討」 『宋史研究論文集』 11, 蘭州大學出版社

張培瑜 2008年 『中國古代曆法』, 中國科學技術出版社

張 帆 1997年 『元代宰相制度研究』, 北京大學出版社

------- 2002年 「元朝詔勅制度研究」 『國學研究』 10

------- 2008年 「評韓國學中央研究院至正條格校注本」 『文史』 2008-1

章炳麟[章太炎] 1967年 『國故論衡』, 廣文書局(覆刻, 朝華出版社, 2017)

張西霞·葛昊福 2016年 「1324~1332年陝西行省特大寒災探求」 『元史及民族與邊疆研究集刊』 31

張秀華 2001年 『蒙古族生活掠影』, 瀋陽出版社

---

16) 이 책은 프랑스 학자인 Louis Hambis[韓百詩]의 著作을 飜譯한 것이라고 한다.

張　昇 2005年 『‘永樂大典’研究資料輯刊』，北京圖書館出版社

莊新興 編 1998年 『古鉥印精品集成』，上海古籍出版社

章　深 2002年 「元代外貿政策與廣州的海外貿易」『元史及民族史研究集刊』15

張迎勝 2003年 『元代回族文學家』，人民出版社

張　英 2001年 「金代喪俗考」『遼金史論集』6，社會科學文獻出版社(張暢 等編)

張　云 2003年 『元朝中央政府治藏制度研究』，黑龍江教育出版社

張云箏 2012年 『宋代外交思想研究』，中國社會科學出版社

張衛東 2010年 「試論唐代後期支郡刺史的地位」『唐史論叢』12

庄威鳳 2009年 『中國古代天象記錄的研究與應用』，中國科學技術出版社

張照東 2006年 『宋元山東區域經濟研究』，齊魯書社

章荑蓀 編 1958年 『遼金元詩選』，古典文學出版社

張全明 2012年 「論北宋時期地震的時空分布及其特點與影響」『宋史研究論文集』2012，河南大學出版社

張志勇 2010年 『遼金時期懿州歷史與文化之研究』，長江出版社

張沛之 2009年 『元代色目人家族及其文化傾向研究』，天津古籍出版社

張泰湘・魏國忠・吳文銜 2003年 「試論乃顏之亂」『民族研究』2003-2期

張澤咸 1991年 「唐朝與邊境諸族的互市貿易」『國際隋唐五代史研討會發表抄錄』

張興唐 1983年 「元初對高麗經略」『中韓文化論集』．

程天芹 2011年 「宋代官貝貶責後常任官職述略」『宋史研究論叢』12

齊　光 1988年 『孫・吳兵法注釋』，北京古籍出版社．

田建平 2003年 『元代出版史』，河北人民出版社

田志光 2013年 『北宋宰輔』，人民出版社

-------- 2014年 「宋代樞密學士職權演變考論」『宋史研究論文集』，中國社會科學出版社

田　虎 1990年 『元史譯文証補校注』，河北人民出版社

丁崑健 1980年 「元代征東行省之研究」『史學彙刊』10

鄭廣銘 1992年 「試破宋太宗即位大赦詔書之謎」『歷史研究』1992-2

鄭樑生 編 1987年 『明代倭寇史料』，文史哲出版社

鄭培凱 編 2007年 『校注本中國歷代茶書匯編』，商務印書館

鄭紹宗 1998年 「考古學上所見之元中都旺兀察都行宮」『文物春秋』1998-3

鄭葉凡・烏云高娃 2016年 「高麗文臣李齊賢元代江南之行」『元史及民族與邊疆研究集刊』31

程衛國 等編 2018年 『明玉珍傳』，團結出版社

鄭恩淮 1987年 「應縣木塔發現契丹藏」『遼金史論集』2，書目文獻出版社(陳述 等編)

定宜庄 等 2004年 『遼東移民中的旗人社會』，上海科學院出版社

程兆奇 等編 1987年 『六部成語注解』, 浙江古籍出版社

鄭顯文 2004年 『唐代律令制研究』, 北京大學出版社

程喜霖 2000年 『唐代過所研究』, 中華書局

諸葛憶兵 2000年 『宋代宰輔制度研究』, 中國社會科出版社

齊　偉 2017年 『遼代漢官集團的婚姻與政治』, 科學出版社

趙　建 2008年 『中國歷代敍法題跋精粹』, 重慶出版社

趙錦炎 2002年 『古代璽印』, 文物出版社

------- 2007年 『吳越歷史與考古論叢』, 文物出版社

曹金華 1989年 「有關劉秀度田中民變事件鎮壓方式問題」 『揚州大學學報』, 人文社會科學, 1989-2

趙文坦·邢同衛 2010年 「山東諸城博物館藏監軍印考辨」 『蒙古史研究』 10

照那斯圖·薛磊[설뇌] 2011年 『元國書官印匯釋』, 遼寧民族出版社

趙冬梅 2009年 「試述北宋前期士大夫對待災害信息的態度」(劉小南 等編, 『宋史研究論文集』, 雲南大
　　　學出版社)

------- 2010年 『文武之間, 北宋武選官研究』, 北京大學出版社

烏力吉圖 譯 2014年 『蒙古黃史』, 內蒙古大學出版社

曹滿之 等編 1989年 『唐律疏議譯注』, 吉林人民出版社

趙文坦·邢同衛 2010年 「山東諸城博物館藏監軍印考辨」 『蒙古史研究』 10

趙成山 1994年 「羅振玉收藏整理古代文獻圖籍述略」 『文獻』 1994-3

趙成秦 2006年 「略論唐代官制中的守·行·兼制度」 『唐史論叢』 8

曹永年 1997年 「也先與大元」 『蒙古史研究』 5, 內蒙古大學出版社：『明代蒙古史叢考』, 2012

------- 2012年 『明代蒙古史叢考』, 上海古籍出版社

趙瑩波·孟海霞 2015年 「綱首與宋日, 宋麗交往」 『元史及民族與邊疆研究集刊』 29

趙　益 2012年 「天地瑞祥志若干中天問題的再探討」 『南京大學報』 49-3

趙一兵 2010年 「大元故銀青光祿大夫司徒汪公神道墓誌箋證」 『元史及民族與邊疆研究集刊』 22

趙　晶 2015年 「唐令復原所據史料檢證」 『歷史語言研究所集刊』 86-2

趙傳仁 等編 2007年 『中國書名釋義大辭典』, 山東友誼出版社

趙志成 2015年 「元代畫家趙雍的生卒及相關問題」(張露, 『宋元繪畫研究』, 故宮出版社 所收)

趙現海 2010年 「洪武初年明朝, 北元, 高麗關係與地緣政治格局」 『明清論叢』 10(朱誠如 等編)

趙孝剛 2013年 「瀋陽城區的元代墓葬」 『邊疆考古研究』 13

宗　典 1959年 「元任元發墓誌的發現」 『文物』 1959-11

左　鵬 2004年 「宋元時期的瘴疾與文和變遷」 『中國社會科學』 2004-1

周　佳 2017年 「宋代官印行用考」 『東方學報』 京都92冊

周家法 等編 2005年 『軍事大辭海』, 長城出版社(熊武一 等編 2000年 『軍事大辭海』, 長城出版社)

周康燮 1975年『元代社會經濟史論集』，崇文書店

周寧着 編 2004年『歷史的沈船』，學園出版社

周德良 2008年『白虎通讖緯思想之歷史研究』中國學術思想研究輯刊 初編23，花木蘭文化出版社

周良霄・顧菊英 1993年『元代史』，上海人民出版社

周立志 2010年「宋信從至高宗朝與高麗關係的幾点思考」『宋史研究論叢』11

周立志 2013年「宋・金交聘的新文獻使金復命表研究」『北方文物』2013-1

周藍 等編 2015年『遼代文物精華』，故宮出版社

周文軍 2017年『元史研究』，中國社會科學出版社

周文鎔 1934年『歷代日食考』，商務印書店

朱士嘉 1963年『宋元方志傳記索引』，中華書局

周紹良 等編 2000年『全唐文新編』，吉林文史出版社

周少川 2001年『元代史學思想研究』，社會科學文獻出版社

周松 2008年『明初河陰周邊邊政研究』，甘肅人民出版社

朱易安 等編 2003年 以來『全宋筆記』，大象出版社

朱埔 等輯 1989年『武經七書彙解』，中州古籍出版社

周玉茹 2008年「唐代內尼稽考」『佛學研究』2008-1?

朱子方 1987年「遼代佛學著譯考」『遼金史論集』2，書目文獻出版社(陳述 等編)

周鼎 2014年「唐代陪位出身考」『唐史論叢』18

周倜 1998年『中國墨迹經典大全』，京華出版社

周清樹 1983年「元人文集版本目錄」『南京大學學報叢刊』1983

朱翠翠 2014年「必闍赤研究述評」『元史及民族與邊疆研究集刊』27

周致元 2010年「明代的蝗灾與治蝗」『明清論叢』10(朱誠如 等編)

周勛初 等編 2014年『全唐五代詩』，陝西人民出版社

中國古代書畫鑑定組 編 2014年『中國繪畫全集』，文物出版社

中國國家圖書館善本金石組 編 2003年『遼金元石刻文獻全編』，北京圖書館出版社

中國國家博物館 編 2009年『文物宋元史』，中華書局

中國歷史博物館 編 2002年『契丹王朝』，中國藏學出版社

中國軍事史編寫組 編 1986年『武經七書注釋』，解放軍出版社

中國兵書集成委員會 編 1998年『中國兵書集成』，遼瀋出版社

中華書局 編 1956年『二十五史補編』

曾小華 1992年「論宋代的資格法」『歷史研究』1992-6

曾良 2007年『隋唐出土墓誌文字研究及整理』，齊魯書社

曾棗莊 等編 1987年 以來『全宋文』，巴蜀書店(50冊)；2006年以來, 上海辭書出版社(310冊).

陳高華　1980年「北宋時期前往高麗貿易的泉州舶商」『海交史研究』2:1980-2

------- 1982年『元大都』, 北京出版社

------- 1986年「略論楊璉眞加和楊暗普父子」『西北民族研究』 1986-1(『元史研究論稿』, 中華書局)

------- 1989年「舍兒別與舍兒別赤的再探討」『歷史研究』 1989-2

------- 1991年『元史研究論考』, 中華書局

------- 1991年「元朝與高麗的海上交通」『震檀學報』 71·72合

------- 1994年「元代飲茶習俗」『歷史研究』 1994-

------- 2005年『元史研究新論』, 上海社會科學院出版社

------- 2005年『陳高華文集』, 上海辭書出版社

------- 2010年『元朝史事新證』, 蘭州大學出版社

------- 2015年「再說元大都的皇家佛寺」『清華元史』 3, 商務印書館

陳高華 編　2004年『元代畫家史料匯編』, 杭州出版社

-------- 2009年『元代文化史』, 廣東教育出版社

陳高華·史衛民　2010年『元代大都·上都研究』, 中國人民大學出版社

------- 2011年『中國政治制度通史』8, 元代, 社會科學文化出版社

陳高華·吳泰　1981年『宋元時期的海外貿易』, 天津 人民出版社

陳廣恩　2012年「元安西王忙哥刺死因之謎」『歷史文獻與傳統文化』 16, 暨南大學出版社

陳國本　2007年『通鑑大辭典』, 江蘇教育出版社

秦大樹　2004年『宋元明考古』, 文物出版社

陳德藝 編　1982年『古今人物別名索引』, 長春市 古籍書店

陳得芝　1984年「元察罕腦兒行宮今地考」『元史論集』, 人民出版社 :『蒙元史研究叢考』, 人民出版社

------- 2005年『蒙元史研究叢考』, 人民出版社

------- 2012年「忽必烈的高麗政策與元麗關係的轉折点」『元史及民族與邊疆研究集刊』 24

------- 2012年『蒙元史研究導論』, 南京大學出版社

------- 2013年『蒙元史與中華多元文化論集』, 上海古籍出版社

陳　來　2011年『中國儒學史』 宋元卷, 北京大學出版社

陳明光　2012年「論五代時期臣屬貢獻與財政性」『唐史論叢』 14

陳邦賢　1954年『中國醫學史』3版, 上海, 商務印書館

陳秉才 等編　1996年『北京大學圖書館藏稿本叢書』, 天津古籍出版社

陳翔華　1998年「中國古代小說東傳韓國及其影響」『文獻』 1998-3

陳尙君　2005年『舊五代史新輯會證』, 復旦大學出版社

陳　篠 等編　2018年「元中都考古調查與復原試探」『中國歷史地理論叢』 33-4(總129)

陳秀芬　2016年「食物·妖術與蠱毒」『漢學研究』 34-3

陳　述 1960年 『金史拾補五種』, 科學出版社

------- 1982年 『全遼文』, 中華書局

------- 1989年 「遼史避諱表」『遼金史論集』4, 上海古籍出版社(中國遼金史學會)

------- 2018年 『遼史補注』, 中華書局

陳　述 等編 2009年 『遼會要』, 上海古籍出版社

陳梧桐 2015年 「藍玉黨案再考」『明清論叢』15(朱誠如 等編)

陳　垣 1934年 『元西域人華化考』(再版, 上海古籍出版社, 2000年)

------- 1958年 『增補二十史朔閏表』, 藝文印書館 : 『二十史朔閏表改訂版』, 中文出版社

------- 1962年 『史諱舉例』, 中華書局(科學出版社, 2004年 復刊)

陳偉慶 2009年 「試析元朝宦官的幾個問題」『元史及民族與邊疆研究集刊』21

陳俊強 2014年 「唐代前期流放官人的研究」『中國古代法律文獻研究』8, 社會科學文獻出版社

陳遵嬀 1984年 『中國天文學史』, 明文書局

陳　振 2016年 『宋史』, 上海人民出版社

陳　波 2011年 「元代海運與濱海豪族」『清華元史』1, 商務印書館

------- 2014年 「元史訂補二題」『元史及民族與邊疆研究集刊』27

陳翰伯 等編 2001年 『漢語大詞典』, 漢語大詞典出版社

陳　昊 2007年 「曆日還是具注曆日」『歷史研究』2007-2

陳　昕 等編 1998年 『中華文化通志』, 上海人民出版社

ㅊ

昌彼得·王德毅 編 1986年 以來 『宋人傳記資料索引』, 臺北 鼎文書局

蔡家藝 2018年 『西北邊疆民族史地論集』, 中國社會科學出版社

蔡美彪 2012年 『遼金元史考索』, 中華書局

蔡氏文化傳播頻道 年度不明 『歷代蔡氏墓志銘匯編』

蔡智慧 2018年 「唐前期の羈縻支配の一類型」『歷史文化社會論講座紀要』15, 京都大學大學院, 人間·環境學研究科

肖建新 2006年 「宋代的監察機制」『宋史研究論文集』11, 蘭州大學出版社

焦　杰 2015年 「佛教信仰與唐代女性生活形態再探」『唐史論叢』20

肖立軍 2010年 『明代城鎮管兵制與地方秩序』, 天津古籍出版社

叢佩遠 1983年 「元代遼陽行省境內的契丹·高麗·色目與蒙古」『史學集刊』1983-1期

------- 1993年 「元初乃顏哈丹之亂」『社會科學戰線』1993-3期

崔允精 2004年 「元代救荒書與救荒政策」『元史論叢』9

-------- 2014年 「再論蒙古對遼東和高麗的戰爭」『元史及民族與邊疆研究集刊』 26(『역사학보』 209
翻譯)

祝尙書 2008年 『宋代科擧與文學』, 中華書局

漆 俠 等編 2010年 『遼宋西夏金代通史』, 人民出版社

　　　ㅍ

巴景侃 2006年 『遼代樂舞』, 萬卷出版公司

巴蜀書店 編 1993年 『中國野史集成』

彭善國 2004年 「遼代契丹貴族喪葬習俗的考古學觀察」『邊疆考古研究』 2

-------- 2014年 「中國出土高麗青瓷述論」『邊疆考古研究』 14

------- 2015年 「中國出土の高麗青瓷」『韓國陶磁研究報告』 8, 大阪市立東洋陶磁美術館

彭友良 1984年 「宋代福建海商在外各國的頻繁活動」『海交史研究』 6

包遵彭 1980年 『包遵彭文存』, 文史哲出版社

鮑志成 1994年 「高麗寺寺址和沿革考述」『韓國研究』, 韓國研究叢書1, 杭州大學出版社

鮑海春 等編 1995年 『金史研究論叢』, 哈爾濱出版社

馮家昇 1959年 『遼史證誤三種』, 中華書局

馮季昌 1980年? 「明代遼東都司及其衛所建置考辯」『歷史地理』 14

馮繼欽 1978年 「遼代長白山三十部女眞新探」『遼金史論集』 3, 書目文獻出版社

馮承鈞 譯 1994年 『蒙古與教廷』, 中華書局

-------- 2004年 『東蒙古遼代舊城探考記』, 中華書局

馮承鈞 譯, 黨寶海 新注 1999年 『馬可波羅行紀』, 河北人民出版社

馮永謙 2012年 「遼史地理志東京道建置釐正」(遼寧省遼金契丹女眞史研究會 編, 『遼金史與考古』 上,
遼寧教育出版社)

夏國强 2015年 『漢書律曆志研究』, 古典文獻研究輯刊20-12, 花木蘭文化出版社

　　　ㅎ

何光岳 2004年 『東胡源流史』, 江西教育出版社

何 慕 2014年 「遼史·金史中的老人星」『宋史研究論叢』 15

河北省文物研究所 2001年 『宣化遼墓』 上, 下, 文物出版社[17]

---

17) 이는 河北省 張家口市 宣化省 서쪽 3km에 위치한 遼代의 壁畫가 있는 古墳群의 寫眞이 添附된 연구서이다.

賀樹德 1987年 『北京地區地震史料』, 紫禁城出版社

何汝泉 2018年 『唐史論集』, 科學出版社

何右森 1980年 「元代學術之地理分布」『新亞學報』2

夏宇旭 2014年 『金代契丹人研究』, 中國社會科學出版社

夏征農 等編 2009年 『辭海』 6版, 上海辭書出版社

何燦浩 2004年 「吳越國方鎮體制的解體與集權政治」『歷史研究』 2004-3

何忠禮 1994年 「宋代官吏的俸祿」『歷史研究』 1994-3

------- 2006年 『科擧與宋代社會』, 商務印書館

郝時遠 1987年 「金元之際的蒙古與高麗」(『中國民族史研究』, 中國社會科學出版社) : 『天驕偉業』, 社
　　會科學文獻出版社, 2006

郝時遠 等編 2006年 『天驕偉業』, 社會科學文獻出版社

韓　剛 2007年 『北宋翰林圖畫院制度淵源考論』, 河北教育出版社

韓格平 2016年 『元代古籍集成』 2, 北京師範大學出版社

韓桂華 等編 2004年 『宋遼金元史』, 行政院國家科學委員會

韓光輝 等 2007年 「宋遼金元建制城市的出現與城市體系的形成」『歷史研究』 2007-4

韓世明・都興智 2005年 『金史之食貨志與百官志校注』, 中國社會科學出版社

韓秀利 2009年 「談元代藏書家及藏書文化」『東方人文學誌』 8～1

韓儒林 1986年 『元朝史』, 人民出版社

------- 2012年 『蒙元史與內陸亞洲史研究』, 蘭州大學出版社

韓儒林 編 1985年 『元史』 中國大百科全書・中國歷史, 中國大百科全書出版社

韓　毅 2004年 「再現的文明, 石刻文獻與宋代天文學」『宋史研究論叢』 6

------- 2008年 「疫病流行的時空分布及其對宋代社會的影響」(『宋史研究論集』, 上海人民出版社)

韓毅・劉紅 2009年 「淳化三年開封大疫與北宋政府的應對」(劉小南 等編, 『宋史研究論文集』, 雲南大
　　學出版社)

向　南 1995年 『遼代石刻文編』, 河北教育出版社

向　南 等編 2010年 『遼代石刻文』 續編, 遼寧人民出版社

杭素婧 2014年 「元史列女傳史源探析」『元史及民族與邊疆研究集刊』 28

杭州市文物考古所 2008年 『南宋恭聖仁烈皇后宅遺址』, 文物出版社

許　明 2002年 『中國佛教經論序跋記集』, 上海古籍出版社

許嘉璐 等編 2010年 以來 『今注本二十四史』, 巴蜀書社

許惠利 1987年 「北京智化寺發現元代藏經」『文獻』 1987-8?

邢　鐵 2003年 「唐宋時期庶生子的分家權益」『宋史研究論叢』 5

邢景旺 2005年 「遼孟初墓志考」(北京遼金城垣博物館 編, 『北京遼金文物研究』, 北京燕山出版社)

胡寶華 2005年 『唐代監察制度研究』, 商務印書館

胡小鵬 1999年 『元代西北歷史與民族研究』, 甘肅文化出版社

胡 適 1944年 「兩漢人臨文不諱考」 『圖書季刊』 新5-1(『胡適全集』 13, 安徽教育出版社, 2003)

洪金富 1977年 「元代漢人與非漢人通婚問題初探」 『食貨』 6

------- 2003年 『校點元代臺憲文書匯編』, 中央研究院 歷史語言研究所

------- 2004年 『遼宋夏金元五朝日曆』, 中央研究院 歷史語言研究所

虹寶音 2011年 『古代蒙古貨幣研究』, 遼寧民族出版社

洪修平 2013年 『中華佛教史』 隋唐五代佛教史卷, 山西教育出版社

洪學東・陳得芝 2015年 「元史卷四世祖本紀會注考證」 『元史及民族與邊疆研究集刊』 29

和付强 2009年 『中國灾害通史』 元代卷, 鄭州大學出版社

華人德 等編 2003年 『中國歷代人物圖像集』, 上海古籍出版社

黃公偉 1971年 『宋明清理學體系論史』, 裕文印刷廠

黃寬重 196-年 「宋元襄樊之戰」 『大陸雜誌』 43-4

------- 1985年 『南宋史研究集』, 臺北 新文豊出版公司

------- 2002年 『南宋地方武力』, 東大圖書公司

------- 2005年 「墓誌資料的史料價值與限制」 『宋史研究集』 35, 宋史座談會

黃能福・陳娟娟 1998年 『服飾志』(『中華文化通志』 9, 087, 上海人民出版社 所收)

黃 惇 2002年 『中國書法史』 元明卷, 江蘇教育出版社

黃繁光 2009年 「蝗災對宋代社會的影響」(劉小南 等編, 『宋史研究論文集』, 雲南大學出版社)

黃時鑒 1981年 「木華黎國王麾下諸軍考」 『元史論叢』 1, 中華書局 ：『天驕偉業』, 社會科學文獻出版
　　　　社, 2006

------- 1986年 『元朝史話』, 北京出版社

------- 1992年 『廟學典禮』, 江蘇古籍出版社.[18]

------- 2001年 「元古昌偰氏入東遺事」(蕭啓慶 編, 『蒙元的歷史與文化』 下, 學生書局)

黃時鑒 編 1988年 『元代法律資料輯存』, 浙江古籍出版社

黃雲眉 1979年 『明史考證』, 中華書局

黃震云 1999年 『遼代文史新探』, 中國社會科學出版社

黃爲放 編 2017年 『契丹歷史編年』, 科學出版社

黃有福・陳景富, 1993年 『中朝佛教文化交流史』, 中國社會科學出版社[19]

黃任恒 1925年 『遼痕五種』 (遼代年表, 補遼史藝文志, 遼代文學考, 遼代金石錄, 遼藝文補).

---

18) 이에 「元統元年進士錄」이 수록되어 있다.

19) 이의 번역으로 權五哲, 『韓·中佛教文化交流史』, 까치, 1995가 있다.

黃兆强 2000年 『清人元史學探研』, 稻鄉出版社

黃淸連 1976年 「元代諸色戶計的經濟地位」 『食貨』 6-3

-------- 1977年 『元代戶計制度研究』, 友坤有限公司

黑龍江省文物考古研究所編 2009年 『渤海上京城』, 文物出版社

喜 蕾 2000年 「北元昭宗愛猷識里達臘生年考辨」 『內蒙古大學學報』 人文社會科學版, 32(2000-4)

-------- 2001年 「安西王阿難達對高麗政治勢力的利用」 『西北民族研究』 2001-1

-------- 2003年 『元代高麗貢女制度研究』, 民族出版社

姬沈育 2008年 『一代文宗, 虞集』, 中國社會出版社

電算資料[data base]

中國國家博物館 www.chnmuseum.cn

浙江大學圖書館古籍碑帖研究與保護中心, 中國歷代墓誌數據庫

日本語

「

加唐興三郞 2005年 『日本陰陽曆日對照表』, 株式會社ニットー

家藤友康 編 2000年 『日本史文獻解題事典』, 吉川弘文館(第3版, 2019)

---------- 2001年 『日本史總合年表』, 吉川弘文館(第25版, 2019)

加藤裕人 2017年 「恭愍王の王の歷史」(須川英德, 『韓國·朝鮮への新視座』, 勉誠出版, 2017)

嘉木揚 凱朝 2004年 『モンゴル佛敎の研究』, 法藏社

榎本 涉 2001年a 「宋代の日本商人の再檢討」 『史學雜誌』 110-2

---------- 2001年 「順帝朝前半期における日元交通」 『日本歷史』 640

---------- 2001年 「日本遠征以後における元朝の倭船對策」 『日本史研究』 470

---------- 2002年a 「元末內亂期の日元交通」 『東洋學報』 84-1, 東洋學會

---------- 2002年b 「日本史研究における南宋·元代」 『史滴』 23

---------- 2006年 「初期日元貿易と人的交流」(宋代史研究會 編, 『宋代の長江流域』, 汲古書院, 2006)

---------- 2007年 『東アジア海域と日中交流』, 吉川弘文館

---------- 2007年 『僧侶と海商たちの東シナ海』, 講談社(文庫版)

---------- 2008年 「日中禪僧の交流」 『水墨畵·墨蹟の魅力』 正木美術館編, 吉川弘文館

---------- 2008年 「·喫茶養生記'の時代中國文物·文化」(茶道資料館 編, 『鎌倉時代の喫茶文化』)

--------- 2009年 「日本の墨蹟史料から見た南宋期の海上貿易」『大阪市立大學東洋史論叢特輯號』

--------- 2013年 『南宋・元代日中渡航僧傳記集成』, 勉誠出版

--------- 2014年 「宋・元交替と日本」『日本歴史』7, 岩波書店

--------- 2015年 「十三世紀の東とアジア政勢と高麗・大越・日本」(『日・越交流における歴史・社會・文化の 諸問題』, 國際日本文化研究センター)

榎本 渉 ------年 「宋代市舶司貿易にたずさわる人々」(歴史學研究會編, 『港町に生きる』, 青木書店)

家本誠一 2017年 『中國古代醫學大系』, 靜風社

榎本淳一 1991年 「小右記に見える渡海制について」(山中 裕, 『攝關時代と古記錄について』, 吉川弘文館)

--------- 1998年 「唐代の朝貢と貿易」『古代文化』50

--------- 2001年 「蕃國から異國へ」『日本史研究』464(2001-?)

--------- 2008年 『唐王朝と古代日本』, 吉川弘文館

--------- 2012年 「隋唐朝の朝貢體制の構造と展開」『唐代史研究』15

--------- 2013年 「日本古代における佛典の將來について」『日本史研究』615(2013-11)

榎 一雄 1994年 『榎一雄著作集』, 汲古書院

角谷常子 編 2019年 『古代東アジの文字文化と社會』, 臨川書店

葛城末治 1935年 『朝鮮金石攷』, 大阪書店(覆刊, 亞細亞文化社, 1978)

岡 教邃 1926年 「朝鮮華藏寺の梵莢と印度指空三藏」『宗教研究』3-5

岡崎讓治 1974年 「對馬・壹岐の金工品」『佛教藝術』95

岡木 眞 2007年 「外交文書よりみた十四世紀後期高麗の對日本交涉」(佐藤 信, 『前近代の日本列島と朝鮮半島』, 山川出版社).

岡本敬二 1953年 「元の怯怜口と膝臣」『東洋史學論集』, 東京教育大學

--------- 1968年 「元代の奴隷制について」『東京大學文學部紀要』史學研究 66

岡本敬二 編 1964年 『通制條格の研究譯註』, 國書刊行會

岡本隆司 2017年 『中國の誕生』, 名古屋大學出版會

岡部和雄 等編 2006年 『中國佛教研究入門』, 大藏出版株式會社

江上 綏 1984年 「延暦寺藏紺紙銀字法華經の莊嚴畫」『美術研究』327

江上波夫・三宅俊成 編 1981年 『オロン・スム』, 元代オングート部族の都城址と瓦塼, 開明書院

岡西爲人 1977年 『本草概說』, 創元社

岡 元司 2012年 『宋代沿海地域社會史研究』, 汲古書院

橿原考古學研究所 編 2009年 『中國拓本資料目錄』2

--------- 2010年 『中國拓本資料目錄』3

江原正昭 1963年 「高麗に州縣郡に關する一考察」『朝鮮學報』28

岡田武彦・荒木見悟 編 1972年『和刻影印近世漢籍叢刊』, 中文出版社

岡田　譲 1954年「文獻上より見た高麗螺鈿」『美術研究』175

--------- 1978年『東洋漆藝史の研究』, 中央公論美術出版

岡田英弘 1959年「元の藩王と遼陽行省」『朝鮮學報』14

--------- 2010年『モンゴル帝國から大淸帝國へ』, 藤原書店

江田俊雄 1933年「高麗版白雲和尙語錄に就いて」『宗敎研究』10(『朝鮮佛敎史の研究』, 國書刊行會,
　　　 1978 소수)

岡田　登 2006年『中國火藥史』, 汲古書院

岡田芳朗 等編 2014年『暦の大事典』, 朝倉書店

岡田英弘 1959年「元の藩王と遼陽行省」『朝鮮學報』14

--------- 1985年「元の順帝と濟州道」『アジア文化研究論叢』1, 國際基督大學

岡田哲明 2004年「北宋奢侈禁令考」『史泉』100

岡田淸子 1981年「墓誌の日付・干支」『太安萬侶墓』, 橿原考古學研究所

江川式部 2005年「唐代における賜酺と賜宴」『唐代史研究』8

筥崎宮 編 1970年『筥崎宮史料』, 筥崎宮

見城光威 1999年「北宋の戶部について」『集刊東洋學』82, 中國文史哲研究會

--------- 2001年「宋初の三司について」『集刊東洋學』86

鎌田茂雄 等編 1998年『大藏經全解說大事典』, 雄山閣

--------- 等編 2002年『一切經解說辭典』, 大東出版社

京都國立博物館 編 1964年『守屋孝藏氏蒐集古經圖錄』, 便利堂

--------- 1981年『高山寺展』, 朝日新聞社

--------- 1985年『大德寺名寶展』, 日本經濟新聞社

--------- 1986年 以來『京都寺社調査報告』1～21, 同朋舍

--------- 1990年『知恩院の佛敎美術』

--------- 2000年『京都寺社調査報告』21

--------- 2004年『古寫經』, 展示圖錄

--------- 2009年『日蓮と法華の名寶』, 展示圖錄

--------- 2015年『佛法東漸』, 展示圖錄

京都橘女子大學 文化財學科 編 2003年『文化財學槪論』, 京都橘女子大學

京都記念會 編 1961年『京都の國寶』, 便利堂

京都大學 文學部 圖書室 編 1959年『今西文庫目錄』

京都大學 文學研究科 編 2005年『遼文化・慶陵一帶調査報告書』, 21世紀COEプログラム

--------- 2006年『遼文化・遼寧省調査報告書』, 21世紀COEプログラム

京都大學文學部國語學研究室 編,『前間恭作著作集』, 1974

京都大學 人文科學研究所 1995年『宋會要輯稿編年索引』, 同朋舍

---------- 1974年『宋元學案, 宋元學案補遺人名字號別名索引』, 衣川強

京都府教育委員會 1997年『鹿王院文書目錄』

京都府文化財保護基金 1986年『京都の美術工藝』京都市內編, 上, 下, 日本寫眞印刷株式會社

鏡島元隆 1972年『譯註禪苑清規』, 曹洞宗宗務廳

京都女子大學 東洋史研究室 編 2003年『東アジア海洋域圏の史的研究』, 京都女子大學

京都帝國大學 文學部 國史研究室 編 1933年『京都帝國大學國史研究室藏史料集』

鏡山 猛 1933年「元寇役恩賞地の配分に就いて」『史淵』6

---------- 1938年「日唐交通と新羅神の信仰」『史淵』18, 19

經濟雜誌社 1898年 以來『群書類從』1〜25輯

---------- 1902年 以來『續群書類從』1〜33輯, 補遺1・2

(市島謙吉 1906年 以來『續々群書類從』1〜16輯)

堺市博物館 編 1985年『堺の佛像佛畫』

古賀昭岑 1974〜79年「北朝の行臺について」『九州大學東洋史論集』3・5・7

古賀英彦 1991年『禪語辭典』, 思文閣出版

考古學會 編 1923年『朝鮮鐘寫眞集』再版, 聚精堂

---------- 1926年『造像銘記』, 杏林舍

高橋健自 等 1927年『滿鮮考古行脚』, 雄山閣

高橋季男 編 2009年『中國石刻關係圖書目錄稿』1949〜2007年, 汲古書院

高橋公明 1982年「外交文書, 書・咨について」『年報中世史研究』7

---------- 1982年「外交儀禮よりみた室町時代の日朝關係」『史學雜誌』91-8

---------- 1987年「朝鮮外交秩序と東アジア海域の交流」『歷史學研究』573

---------- 1987年「中世東アジア海域における海民と交流」『名古屋大學文學部研究論集』史學33

高橋隆博 1989年「高麗螺鈿についての二,三の問題」(『封建社會と近代』津田秀夫古稀記念論集, 同朋舍)

---------- 1994年「朝鮮半島漆藝史の基礎的研究」『靑丘學術論集』4

高橋文治 等編 2007年『烏臺筆補の研究』, 汲古書院

高橋芳郎 2002年『宋代中國の法制と社會』, 汲古書院

高橋秀樹 2015年 以來『新訂吾妻鏡』, 和泉書店

高橋典幸 編 2014年『戰爭と平和』, 竹林舍

高橋昌明 2016年『東アジア武人政權の比較史的研究』, 校倉書房

高橋昌巳 等編 2018年『傳統木造建築事典』, 井上書院

高橋　徹 1995年「南北朝將軍號と唐代武散階」『山形大學史學論集』15

高橋琢二 1958年「元末張士誠政權の興亡」『史學』31

高橋學而 1998年「遼寧省本溪市出土金總領提控所印について」『古代文化』50-4

--------- 2017年「中國北方草原に於ける遼代の城郭都市の構造について」『七隈史學』19, 福岡大學 歷史學科

高橋弘臣 1991年「金末行省の性格と實態」『社會文化史學』27

--------- 2006年『元朝貨幣政策成立過程の研究』, 東洋書院

高楠順次郎 編 1929年『昭和法寶總目錄』：『南禪寺經藏一切經目錄』, 大正一切經刊行會, 1979 再刊.

古瀨奈津子 2016年」『東アジアの禮・儀式と支配構造』, 吉川弘文館

高木　理 2011年「高麗末期の東北邊境地域における水田稻作の展開と李成桂家門」『史觀』165

--------- 2012年「朝鮮太祖・李成桂の勢力基盤として東北境界地域」『史滴』33

高山寺典籍文書綜合調查團 編. 1973～1981年『高山寺經藏典籍文書目錄』1～4, 東京大學出版會

古松崇志 1999年「唐代後半の進奉と財政」『古代文化』51

--------- 2007年「契丹・宋間の澶淵體制における國境」『史林』90-1

--------- 2007年『10～14世紀ユーラシア東方の國家と社會』, 京都大學 博士學位論文

--------- 2010年「契丹・宋間における外交文書としての牒」『東方學報』85, 京都

--------- 2014年「契丹・宋間の國信使と儀禮」『東洋史研究』73-2

古松崇志 編 2019年『金・女眞の歷史とユーラシア東方』, 勉誠出版

高信幸男 2002年『難讀稀姓事典』3版, 日本加除出版株式會社

高雄義堅 1975年『宋代の佛教史研究』, 百華院

古垣光一 1997年「宋代の殿試について」『吉田寅先生古稀記念アジア史論集』

高田時雄 2010年「避諱と字音」『東方學報』85, 京都

高田十郎 1931年「朝鮮鐘」『史迹と美術』1-6

古畑　徹 1989年「唐會要の諸テキストについて」『東方學』78

--------- 1995年「渤海使の文化使節的側面の再檢討」『東北史論集』6, 東北大學

高井康典行 1994年「遼の燕雲十六州支配と藩鎭體制」『早稻田大學大學院文學研究科紀要』別冊21, 哲學・史學編

--------- 1999年「遼の斡魯朶の存在形態」『內陸アジア史研究』14

--------- 2004年「十一世紀における女眞の動向」『アジア遊學』70

--------- 2007年「遼代の遼西路について」(福田退職記念論集刊行會 編, 『古代東アジアの社會と文化』)

--------- 2013年「景宗・聖宗期の政局と遼代科擧制度の確立」『史觀』168

--------- 2015年「遼代の遊幸と外交」(宋代史研究會 編, 『中國傳統社會への視覺』, 汲古書院)

---------- 2016年 『渤海と藩鎭』 -遼代地方統治構造-, 汲古書院

---------- 2019年 「契丹の東北經略と移動宮廷」(古松崇志, 『金・女眞の歴史とユーラシア東方』, 勉誠出版)

高津純也 2007年 「尙書諸篇の成立に關する一考察」『史學雜誌』 116-11

高津孝 等 2013年 「日本現在碇石石材調査報告」『鹿大史學』 60, 鹿兒島大學

谷 健次 1939年 『新生蒙古の首都』, 秀文閣書房 ; 『滿蒙地理歴史風俗誌總書』 191, 景仁文化社 所收.

谷口やすよ 1978年 「漢代の皇后權」『史學雜誌』 87-11

谷垣伊太雄 2009年 『太平記論考』, 和泉書院

谷田淑子 2016年 「渤海使の帶びる渤海官職の再檢討」(古瀨奈津子, 『東アジアの禮・儀式と支配構造』)

工藤敬一 2000年 『北條時宗とその時代』, 平凡社

筑紫 豊 1963年 「文永の神風と敵國降伏の宸翰について」, 研究餘錄(『日本歴史』 186 : 1963-1)

瓜生 翠 2018年 「朝鮮世祖代における典籍の輸入」『佛教史學研究』 61-1

菅沼貞風 1892年 『大日本商業史』, 東京 八尾書店

菅野銀八 1922年 「海印寺大藏經板に就て」『史林』 7-3

關野 貞 1904年 『韓國建築調査報告』, 東京大學工科大學

---------- 1941年 『韓國の建築と藝術』, 岩波書店(改訂版, 2005年)

關 周一 2002年 『中世日朝海域史の研究』, 吉川弘文館

---------- 2008年 「中世の日朝交流境界意識」『交通史研究』 67

---------- 2011年 「アジアから見た日本の境界」(竹田和夫 編, 『古代・中世の境界意識と文化交流』)

---------- 2015年 『中世の唐物と傳來技術』, 吉川弘文館

關 周一 等編 2017年 『日朝關係史』, 吉川弘文館

廣島縣立美術館 編 1997年 『平家納經と嚴島の美術』, 便利堂

廣瀬憲雄 2011年 『東アジアの國際秩序と古代日本』, 吉川弘文館

---------- 2018年 『古代日本と東部ユーラシアの國際關係』, 勉誠出版

廣山堯道 等 2003年 『古代日本の塩』, 雄山閣

光森正士 1999年 『佛教美術の研究』, 同朋舍

轟 博之 2013年 『朝鮮王朝の街道』, 古今書院

橋本萬平 1962年 「尺寸分で示す時刻表現表」『科學史研究』 61

橋本 繁 2016年 「沈沒船木簡からみる高麗の社會と文化」(小倉慈司, 『古代東アジアと文字文化』, 同成社)

橋本 雄 2002年 「肥後菊池氏の對外交流と禪宗・港町」『禪文化研究所紀要』 26

---------- 2005년 『中世日本の國際關係』, 吉川弘文館

---------- 2011年 「日本と中國の境界」(竹田和夫 編, 『古代・中世の境界意識と文化交流』, 勉誠出版)

--------- 2012年『僞りの外交使節』, 吉川弘文館

橋本義彦 1976年『平安貴族社會の研究』, 吉川弘文館

--------- 編 1991年『古文書の語る日本史』2, 築摩書房

橋本增吉 1943年『支那古代曆法史研究』, 東洋文庫

久野　健 1986年『佛像集成』, 日本の佛像, 學生社

久野俊言 等編 2004年『僞文書學入門』, 柏書房

龜井高孝 2019年『世界史年表』, 吉川弘文館

龜井明德 1986年『日本遺物陶磁史の研究』, 同朋舍出版

--------- 1995年「日宋貿易關係の展開」(朝尾直弘 等編,『日本通史』, 岩波書店)

九州國立博物館 編 2017年『對馬』, 遺寶にみえる交流の足跡

--------- 2019年『大宰府學研究』

九州史學研究會 編 2018年『アジアなかの博多灣と箱崎』, 勉誠出版

九州歷史資料館 編 1983年『大宰府古文化論叢』, 吉川弘文館

--------- 2018年『大宰府への道』

久志卓眞 1941年『圖說朝鮮美術史』, 文明商店

--------- 1978年『朝鮮の陶瓷』, 雄山閣(改訂版)

溝川晃司 2003年「文永の役・神風發生の有無について」『法政史學』60

國民精神文化研究所 1935年『國民精神文化文獻』2 :『元寇史料集』1, 2, 審美書院

國史大辭典編纂委員會 1991年『國史大辭典』, 吉川弘文館

國書刊行會 1906年 以來『續々群書類從』1～16輯

--------- 1911年『把古帖』

國際關係共同研究所 編 1982年『現代北朝鮮地名辭典』, 國書刊行會

國際佛敎學大學院 編 2014年『東アジア佛敎寫本研究』, 報告書

菊竹淳一 1974年「對馬・壹岐の朝鮮系彫刻」『佛敎藝術』95

--------- 1983年「高麗時代來迎美術の一遺例」『大和文華』72

--------- 1987年「高麗時代觀音畵像の表現」(『東アジアの考古と歷史』上, 同朋舍)

--------- 1988年「高麗佛考」『九州文化研究所紀要』33

--------- 1988年「高麗時代の涅槃變相圖」『大和文華』80

--------- 1996年「高麗時代の毘盧舍那佛畵像」『大和文華』95

--------- 2005年「高麗時代の裸形男子倚像」『デアルテ』21, 九州藝術學會

菊竹淳一 等 1994年「高麗時代佛敎繪畫の總合的研究」『靑丘學術論集』4

菊竹淳一 等編 1990年『古代の高麗と日本』, 學生社

--------- 2000年『高麗時代の佛畫』, 時空社

菊竹淳一・吉田宏志 等編 1981年『高麗佛畫』，朝日新聞社

菊池紳一 等編 2015年『吾妻鏡地名寺社等總覽』，勉誠出版

菊池英夫 1988年「邊境都市としての燕雲十六州研究序說」(『中世都市の歷史的研究』，刀水書房)

菊池俊彦 編 2010年『北東アジアの歷史と文化』，北海道大學出版會

菊池俊彦・中村和之 編 2008年『中世の北東アジアとアイヌ』，高志書院

堀井佳代子 2019年『平安前期對外姿勢の研究』，臨川書店

堀池春峰 1960年「室町時代における藥師・長谷兩寺再興と高麗船」『大和文化研究』5-9

---------- 1960年「中世・日鮮交涉と高麗版藏經」『史林』43-6

---------- 1980年『南都佛教史の研究』，法藏館

堀川康史 2015年「今川了俊の探題解任と九州情勢」『史學雜誌』125-12

宮崎聖明 2004年「元豊官制の改革施行過程について」『史朋』37，北海道大學

---------- 2008年「北宋徽宗朝の官制改革について」『史朋』41

---------- 2010年『宋代官僚制度の研究』，北海道大學出版會

宮崎市定 1946年『科擧』，秋田屋

宮 紀子 2003年「モンゴルが遺した飜譯言語」『內陸アジア言語の研究』18

------- 2006年「農桑輯要からみた大元ウルスの勸農政策」『人文學報』93

------- 2006年『モンゴル時代の出版文化』，名古屋大學出版會

------- 2008年a「對馬宗家舊藏の元刊本事林廣記について」『東洋史研究』67～1：『モンゴル時代の知の東西』上

------- 2008年b「叡山文庫所藏の事林廣記寫本について」『史林』91～3：『モンゴル時代の知の東西』上

------- 2014年「江戶時代出土した博多聖福寺の銀錠について」『東方學研究論集』：『モンゴル時代の知の東西』上

------- 2016年「元典章が語るフレグ・ウルフの重大事變」『東方學報』京都 91冊：『モンゴル時代の知の東西』下

------- 2018年『モンゴル時代の知の東西』上・下，名古屋大學出版會

宮內省圖書寮 編 1930年『圖書寮漢籍善本目錄』，文求堂

宮內廳書陵部 編 1950, 1951年『圖書寮典籍解題』歷史篇，續歷史篇，養德社

---------- 1995年 以來『圖書寮叢刊』

---------- 1991年『渡宋記』，便利堂宮內廳 書陵部 圖書寮 編 1944年『後醍醐實錄』(影印本 2009年 ゆまに書房)

宮田 等 編 1990年『玄界灘の島〃』：海と列島文化3，小學館

宮澤知之 1981年「元朝の商業政策」『史林』64-2

--------- 1998年 『宋代中國の國家と經濟』, 創文社

宮脇純子 2018年 『モンゴルの歴史』, 刀手書房

--------- 2019年 『世界史のなかの蒙古襲來』, 扶桑社[教養書]

權藤成卿 1984年 『日本震災凶饉攷』, 有明書房

鬼頭淸明 1976년 『日本古代國家の形成と東アジア』, 校倉書房

貴志正造 2011年 『全譯吾妻鏡』, 新人物往來社

近藤　剛 2008年 「嘉祿・安貞期の日本・高麗交渉について」『朝鮮學報』207

--------- 2010年 「平戸記所載泰和六年二月付高麗國金州防禦使牒狀について」『古文書研究』70

--------- 2011年a 「高麗前期の官僚李文鐸の墓誌を通じてみた高麗・金關係…」『教育研究』24, 中央大學

--------- 2011年b 「‘朝野群載’所收高麗國禮賓省牒狀について」『中央史學』34

--------- 2015年 「12世紀前後における對馬島と日本・高麗」『島と港の歷史學』, 中央大學出版部

--------- 2018年a 「‘勘仲記’弘安十年七月十三日條所載‘對馬守源光經解’について」(加藤謙吉 編, 『日本古代の氏族と政治・宗教』 下, 熊山閣)

--------- 2018年b 「日本と高麗の交流」(田中史生 編, 『日本古代と興亡の東アジア』, 竹林舍)

--------- 2019年 『日本高麗關係史』, 八木書店

近藤圭造 編 1930年 以來 『續史料集覽』 1〜10, 近藤出版部(臨川書店, 1984 復刻)

近藤瓶城 編 1900年 以來 『史籍集覽』, 近藤出版部

--------- 1900年 以來 『改定史籍集覽』, 近藤活版所(臨川書店, 1984 復刻)

近藤成一 1982年 「鎌倉時代の守護」『歷史公論』81

--------- 2003年 『モンゴルの襲來』, 日本の時代史9, 吉川弘文館

近藤一成 2001年 「文人官僚蘇軾の對高麗政策」『史滴』23

--------- 2009年 『宋代中國科學社會の研究』, 汲古書院

近藤一成 -----年 「黃震墓誌と王應麟墓道の語ること」『史滴』30

近藤淸石 1974年 『大內氏實錄』(1995 再版)

根本　誠 1966年 「文永役までの日蒙外交」『軍事史學』5

金岡秀郎 2012年 『モンゴルを知るための65章』, 明石書店

金山正好 編 1981年 『增山寺三大藏經目錄解說』, 增山寺史料編纂所

金子彦二郎 1943年 『平安時代文學白氏文集―句題和歌・千載佳句研究篇一』, 培風館

今西　龍 1911年 「朝鮮佛教史關係典籍解題」『佛教史學』1〜3

--------- 1970年 以來 「河合弘民博士蒐集書籍目錄」『朝鮮學報』54〜64

--------- 1934年 『百濟史研究』, 近澤書店(國書刊行會, 1970, 覆刻)

--------- 1970年 『高麗史研究』, 國書刊行會

---------- 1974年 『高麗及李朝史研究』, 國書刊行會

錦仁·小川豊生 等編 2003年 『僞書の生成』, 森話社

金子修一 1978年 「中國古代における皇帝祭祀の一考察」『史學雜誌』 87-2

---------- 1979年 「魏晋より隋唐に至る郊祀·宗廟の制度について」『史學雜誌』 88-10

---------- 2001年 『隋唐の國際秩序と東アジア』, 名著刊行會

---------- 2001年 『古代中國と皇帝祭祀』, 汲古書院

---------- 2019年 『古代東アジア世界史論考』, 八木書店[20]

金子由紀 2002年 「北宋の大朝會儀禮」『上智史學』 47

金井德行 2015年 「宋代の祈雨·祈晴」『立正大學東洋史論集』 19

今枝愛眞·村井章介 1976年 「日明交渉史の序幕」『東京大學史料編纂所報』 11

今泉牧子 2005年 「宋代の縣令の一側面」『東洋學報』 87-1

今川文雄 198-年 『訓讀明月記』, 河出書房新社

---------- 1986年 『明月記抄』, 河出書房新社

今村 鞆 1930年 『朝鮮漫錄』, 南山吟社

金澤文庫 編 1952年 以來 『金澤文庫古文書』 1〜12

金澤 陽 2001年 「宋·元時代東シナ海航路について」『青山考古』 18

岐阜縣立博物館 1977年 『眞言密教の文化財』

旗田 巍 1969年 『日本人の朝鮮觀』, 勁草書房

---------- 1972年 『韓國中世社會史研究』, 法政大學出版部

---------- 1983年 『朝鮮と日本人』, 勁草書房

---------- 編 1969年 『日本と朝鮮』, 勁草書房

氣賀澤保規 1999年 『府兵制の研究』, 同朋舍

氣賀澤保規 編 1996年 『中國佛教石經の研究』, 京都大學 學術出版會

---------- 2017年 『新編唐代墓誌所在總合目錄』, 明治大學 東アジア石刻文物研究所

磯貝富士男 2002年 『中世の農業と氣候』, 吉川弘文館

吉良文男 2002年 「高麗靑磁への一視点」(東洋陶磁學會 編, 『東洋陶磁史』 所收)

吉良文男 等 2005年 『貿易陶磁研究』 25[21]

吉尾 寬 2006年 「台灣海流考」『海南史學』 44

---------- 2011年 「風をつかみ海流にのりの又のこえる」(『海域世界の環境と文化』 →下記書籍)

吉尾 寬 編 2011年 『海域世界の環境と文化』, 東アジア海域叢書4, 汲古書院

---

20) 이는 『隋唐の國際秩序と東アジア』 의 改訂, 增補版이다.

21) 이 論文集은 高麗陶磁에 대한 特輯號이다.

吉本道雅 1996年 『史記を探る』, 東方選書

--------- 2005年 『中國先秦史の研究』, 京都大學學術出版會

--------- 2011年 「遼史世表疏證」 『京都大學文學部紀要』 50

--------- 2013年 『　　』, 研究成果報告書

--------- 2016年 『出土文獻に基づく左傳學の再構築』, 研究成果報告書

吉本智慧子 2017年 「遼史契丹言語文字研究」 『立命館文學』 653(2017-9)[22]

吉成直樹・福寛美 2006年 『琉球王國と倭寇』, 森話社

吉野富雄 1954年 「高麗の螺鈿器」 『美術研究』 175

--------- 1975年 「毛利家の高麗時代螺鈿經箱」 『畫説』 1975年 7月號

吉野正敏 等編 1995年 『歴史と氣候』, 講座文明と環境6, 朝倉書店

吉野正史 2009年 「元朝にとってのナヤン乃顏・カダアン哈丹の亂」 『史觀』 161[23]

--------- 2014年 「耶律・蕭と移剌・石抹の間」 『東方學』 127

--------- 2018年 「巡幸と界壕」 『歴史學研究』 972(2018-7)

吉原弘道 1999年 『靑方文書の研究』, 九州大學

吉田　剛 1999年 「晉水淨源と宋代華嚴」 『禪學研究』 77

吉田光邦 1979年 「宋元の軍事技術」 (藪内　清 編, 『宋元時代の科學技術史』, 京都大學)

吉田宏志 1979年 「至元二十三年銘高麗阿彌陀如來像をめぐって」 『月刊文化財』 186

吉田順一 2011年 「モンゴル秘史研究の新たな展開にむけて」 (早稻田大學 モンゴル史研究所 編,
　　『モンゴル史研究』, 明石書店)

吉田正高 2007年 「金剛院所藏資料の整理・保存」 (海老澤衷 等編, 『海のクロスロード對馬』, 雄山閣)

吉田　忠 等譯 (Joseph Needham 著) 1976年 『中國の科學と問名』, 思索社

吉田惠二 2018年 『文房具が語る古代東アジア』, 同成社

吉池孝一 2019年 「女眞語と女眞文字」 (古松崇志, 『金・女眞の歴史とユーラシア東方』, 勉誠出版)

吉川英夫 1965年 『日本音樂の歴史』, 創元社

吉川眞司 2013年 「アジア史から見た女眞海賊事件」 (『日本の歴史』 16, 朝日新聞出版)

吉川眞司 等編 2017年 『日本的視空觀の形成』, 思文閣出版

金　慶浩 2013年 「韓國の木簡研究の現況」 (藤田承久 編, 『東アジアの資料學と情報傳達』, 汲古書院)

金　光哲 1999年 『中近世における朝鮮觀の創出』, 校舍書房

金　文京 2003年 「李齊賢在元事跡考」 『朝鮮儒林文化の形成と展開に關する綜合的研究』, 京都府立
　　大學 文學部

---

22) 吉本智慧子 教授는 愛新覺羅 烏拉熙春(吉本道雅 教授의 闇夫人)의 改名이다.

23) 여기에서 添字는 필자가 추기하였다.

---------- 2007年 「高麗の文人官僚李齊賢の元朝における活動」(『中國東アジア外交交流史の研究』, 京都大學 學術出版會)

---------- 2016年 「明代王府刊本傳入朝鮮考-以朝鮮本重刊釋迦佛十地修行記爲例」(發表抄錄)

金 文京 等編 2002年, 『老乞大』, 東洋文庫699, 平凡社

金英摺 1993年 「圓山里靑磁窯址を通じて見たわが國初期磁器發展相について」(在日本朝鮮社會科學者協會 歷史部會, 『高句麗・渤海と古代日本』, 雄山閣出版)

金日宇・文素然 著, 石田徹 譯 2015年 『韓國濟州島と遊牧騎馬研究』, 明石書店

金 正柱 1964年 『畿內の緣故遺蹟』, 韓國資料研究所

-------- 編 1961年 以來 『韓來文化の後榮』 上・中・下, 韓國資料研究所

金鍾國 1962年 「高麗時代の鄕吏について」 『朝鮮學報』 25

金漢植 1977年 「朝鮮朝における韓國人の對明觀に關する一考察」 『廣島大紀要』 37

　　　　　ㄴ

奈良國立文化財研究所 編 1986年 以來 『興福寺文書目錄』 1, 2, 3

---------- 1978年 『日本古代の墓誌』 銘文編, 同朋舍

奈良國立博物館 編 1970年 『佛敎美術名品展』

---------- 1996年 『東アジアの佛たち』

---------- 1997年 『奈良國立博物館の名寶』

---------- 2014年 『大德寺傳來五百羅漢圖』

那波利貞 1955年 「唐代に於ける國忌行香に就いて」 『史窓』 8

南 基鶴 1996年 『蒙古襲來と鎌倉幕府』, 臨川書店

---------- 1997年 「蒙古襲來と高麗の日本認識」(大山敎授退官記念會編, 『日本國家の史的特質』, 思文閣出版)

楠山春樹 1987年 「呂氏春秋の形成」 『早稻田大學大學院文學研究科紀要』 33, 哲學・史學編

南條郁子 譯 2001年 『曆の歷史』, 創元社

內藤乾吉 1940年 「六部成語註解に就いて」 『東洋史研究』 5-5

---------- 1962年 『六部成語註解』, 大安

內藤雋輔 1961年 『朝鮮史研究』, 東洋史研究會

內藤浩之 1988年 「高麗時代菩薩形像の形式研究」 『鹿島美術研究』 年報15, 別册

內務省地理局 編纂 1973年 『新訂補正三綜政覽』, 藝林舍

內山之也 2013年 『漢籍解題事典』, 明治書院

內外書籍株式會社 1931年 以來 『新校群書類從』 1～24輯

內田正男 1986年 『時と暦』, 雄山閣

---------- 1994年 『日本暦日原典』, 雄山閣出版

能田忠亮・藪內 淸 1947年 『漢書律暦志の研究』, 全國書房

ㄷ

多度神社 1937年 『多度寶鑑』

多田高信・田中善隆 1972年 『阿波の佛畫』, 株式會社出版

檀上 寬 2001年 「元末の海運と劉仁本」『史窓』58, 京都女子大學

---------- 2003年 「方國珍海上勢力と元末明初の江浙沿海地域社會」(『東アゾア海洋域圈の史的研究』, 京都女子大學)

---------- 2006年 「元明時代の海禁と沿海地域社會に關する綜合的研究」, 研究報告書, 京都女子大學

丹羽友三郎 1976年 「元朝の諸監についての一研究」『法制史研究』20

唐代史研究會 編 1979年 『隋唐帝國と東アジア世界』, 汲古書院

大谷光男 1976年 『古代の暦日』, 雄山閣出版

---------- 1977年 「高麗史の日食記事について」『東洋學術研究』16-1, 2

---------- 1991年 「高麗朝および高麗史の暦日について」『朝鮮學報』141

---------- 1992年 「日本古代の具注暦と大唐陰陽書」『集刊』22, 二松學舍大學

---------- 1992年 「大唐陰陽書と日本の具注暦」『朴永錫敎授華甲論叢』下, 탐구당

大谷大學圖書館 編 1988年 『神田鬯盦博士寄贈圖書善本書影』, 大谷大學

---------- 1997年 『大谷大學所藏佛敎關係善本稀覯書展觀目錄』, 大谷大學

---------- 1998年 『大谷大學圖書館所藏貴重書善本圖錄』 佛書編, 大谷大學

大貫俊夫 等譯 2018年 『中世共同體論』, 柏書房

大橋由紀夫 1994年 「隋唐時代の補間法の算術的起源」『科學史研究』189

---------- 1995年 「大衍暦の補間法について」『科學史研究』195

大島立子 1990年 「元代の女壻について」『史論』43

---------- 2002年 「元朝福建地方の行省」『愛大史學』11

---------- 2005年 「元朝政權のよる漢文化の受容」『愛大史學』14

---------- 2009年 「元代における子供とおとな」『愛大史學』18

---------- 2009年 「新出至正條格の紹介」(大島立子 編, 『前近代の中國法と社會』, 東洋文庫)

大道弘雄 1910, 1911年 「朝鮮鐘考」『考古學雜誌』1-2, 5

大分縣敎育委員會 編 1981年 『大分縣史料』, 大分縣中世文書研究會

大山喬平 1974年 『鎌倉幕府』, 小學館

--------- 1984年 「中世の日本と東アジア」『講座日本歴史』3

大藪正哉 1984年 「元代の法制と民衆」『アジア諸民族における社會と文化』

臺信祐爾 1983年 「慶闇寺所藏至正二十七年銘白紙金字金剛般若波羅蜜經について」『大和文華』72

大岩木幸次 2007年 『金代字書の研究』, 東北大學出版社

大野修作 2001年 『書論と中國文學』, 研文出版

大屋德城 1923年 『寧樂刊經史』, 內外出版株式會社

--------- 1926年 「朝鮮海印寺經板攷」『東洋學報』15-3

--------- 1930年 『鮮支巡禮行』, 東方文獻刊行會

--------- 1935年 「元延祐高麗刻本六祖大師法寶壇經に就いて」『禪學研究』23

--------- 1936年 『影印高山寺本新編諸宗教藏總錄』, 便利堂

--------- 1937年 『高麗續藏經雕造攷』, 便利堂

--------- 1938年 「龍谷本龍龕手鑑の雕造年代に就いて」『稻葉博士還曆記念滿鮮史論叢』

--------- 1939年 「高麗藏の舊雕本と新雕本の交涉に關する實證的研究」『支那佛教史學』3-1

--------- 1939年 「寧樂佛教と高麗朝の佛教」『季刊宗教研究』4

--------- 1940年 「佛教典籍上における高麗義天の事業並に其價値」『季刊宗教研究』4, 日本宗教學會

--------- 1942年 「高麗朝の舊槧」『積翠先生華甲記念論纂』

對外關係史綜合年表編輯委員會 編 1998年 『對外關係史綜合年表』, 吉川弘文館

大隅晶子 1990年 「明代洪武帝の海禁政策と海外貿易」(『明代史論叢』上)

大隅和雄 2012年 『愚官抄』全現代語譯, 講談社(文庫本)

デイヴィッド・E・ダンカン著, 松浦俊輔譯 1994年 『曆をつくった人々』, 河出書房新社

デイビッ・ドロビンソン 2007年 「モンゴル帝國の崩壊と高麗恭愍王の外交政策」(『外交交流史』)

大藏經學術用語研究會 編 2002年 『佛典入門事典』, 同朋社

大藏會 編 1981年 『大藏會展觀目錄』, 文華堂書店

大田由紀夫 1995年 「12-15世紀初頭東アジアにおける銅錢の流布」『社會經濟史學』61-2

大庭康時 1999年 「集散地遺跡としての博多」『日本史研究』448

--------- 2001年 「博多綱首の時代」『歷史學研究』756

--------- 2006年 「博多の都市空間と中國人居住區」; 歷史學研究會 編, 『港町のトポグラフィー』, 青木書店

大庭康時 等編 2004年 『港灣都市と對外貿易』, 新人物往來社

--------- 2008年 『中世都市·博多を掘る』, 海島社[教養書]

大正大學 綜合佛教研究所 編 2005年 『靈通寺跡』, 大正大學出版會

大庭 脩 2003年 『唐告身と日本古代の位階制』, 皇學館出版部

大曾根章介 等編 2000年 『鴨長明全集』, 貴重本刊行會

大津市教育委員會 1998年 『大津の文化財』，日本寫眞印刷株式會社

大津　透 等編 2014年 『日本歴史』7，中世2，岩波書店

大村拓生 1996年 「日記の記録過程と料紙の利用方法」『中世文書論の視座』，東京堂出版

大塚紀弘 2017年 『日宋貿易と佛教文化』，吉川弘文館

大塚　鑑 1966年 「鮮籍備考」『朝鮮學報』37・38合

---------- 1968年 「鮮籍備忘-養安院書目-」『朝鮮學報』48

大澤正昭 1193年 『陳旉農書の研究』，農山漁村文化協會

---------- 2005年 『唐宋時代の家族・婚姻・女性』，明石書店

大坂金太郎 1971年 「朝鮮古書探求回想錄」『朝鮮學報』58

大阪大學　日本史研究所 編 1998年 『古代中世の社會と國家』，淸文堂

大阪府立圖書館 編 1933年 『近畿善本圖錄』，便利堂

---------- 1936年 『富岡文庫善本書影』

大阪市立東洋陶磁美術館 2002年 『心のやきもの李朝』

----------2014年 『東洋陶磁の美』

大阪市博物館協會 編 2015年 『東アジア海域と高麗青磁』

大阪歴史博物館 編 2006年 『中國鏡・朝鮮鏡』

大和文華館 編 1978年 『高麗佛畫特別展圖錄』

德永健太郎 2007年 「對馬中世文書の現在と豆酘つつ關聯史料」(海老澤衷 等編，『海のクロスロード　對馬』，雄山閣)

德永洋介 2004年 「耶律鑄夫妻墓誌銘錄文と訓讀」『13・14世紀東アジア史料通信』1

德田明本 1972年 「朝鮮版事鈔詳集記について」『金澤文庫研究』18-6

德川美術館 編 1976年 『名品圖錄』

桃木至朗 編 2008年 『海域アジア史研究入門』，岩波書店

渡邊健哉 1999年 「元代の大都南城について」『集刊東洋學』82

---------- 2006年 「近年の元代科學研究について」『集刊東洋學』96(學界展望)

---------- 2017年 『元大都形成史の研究』，東北大學出版部

渡邊　久 1992年 「轉運使から監司へ」『東洋史苑』38

渡邊隆男 2001年 『書跡名品叢刊』，二玄社

---------- 2017年 『大書源』，二玄社

渡邊　□ 1932年 「陳鑑如筆李齊賢肖像」『美術研究』1932年 1號

渡邊美樹 2014年 「契丹の西方政策と宋政勢」『史艸』55，日本女子大學

---------- 2017年 「契丹の燕雲十六州領有と山後遊牧民」『史艸』58

渡邊敏夫 1979年 『日本・朝鮮・中國，日食・月食寶典』，雄山閣出版

渡邊　誠 1997年 「蒙古襲來の考古學」『名古屋大學古川綜合研究資料館報告』 13

--------- 2007年 「平安貴族の對外意識と異國牒狀問題」『歷史學研究』 823(2007-1)

--------- 2009年 「年紀制と中國海商」『歷史學研究』 856

--------- 2012年 『平安時代貿易管理制度の研究』, 思文閣出版

--------- 2017年 「9〜11世紀海商と古代國家」(鈴木靖民 等編, 『日本古代交流使入門』, 勉誠出版)

渡邊信一郎 1996年 『天空の玉座』, 柏書房[24]

渡邊一郎 2003年 『伊能忠敬測量隊』, 小學館[教養書]

道上峰史 2003年 「元朝翰林國史院考」(明代史研究會, 『明代史研究會創立三十年記念論集』, 汲古書院, 2003)

都市史學會 編 2018年 『日本都市史・建築史事典』, 丸善

稻葉岩吉 1928年 「重廣會史の印文に就て」『史學』 7-3

--------- 1932年 「契丹の橫宣・橫賜の名稱」『史林』 17-1

--------- 1932年 「高麗宣光版禪林寶訓書後」『靑丘學叢』 8

--------- 1933年 「申叔舟の畵記, 安平大君の什藏並に安堅について」『美術研究』 19

--------- 1934年 「日麗關係」『岩波講座 日本歷史』 4

--------- 1936年 『釋椋』, 朝鮮印刷株式會社

稻葉一郎 1991年 「歷年圖と通志」『史林』 74-4

--------- 2006年 『中國史學史の研究』, 京都大學出版會

稻葉正就 1964年 「元の帝師に關する研究」『大谷大學研究年報』 17

桃裕　行 1990年 『曆法の研究』 上, 思文閣出版

嶋田英誠 等編 2000年 『世界美術大全集』 東洋編6, 南宋・金, 小學館

島田正郎 1978年 『遼朝官制の研究』, 創文社

--------- 1979年 『遼朝史の研究』, 創文社

--------- 1993年 『契丹國』, 東方書店(2014年 再刊)

島田貞彦 1931年 「岩間氏發見の元張百戶墓碑に就いて」『歷史と地理』 28-5

都出比呂志 1983年 「古代水田の二たつの型」『展望ラシアの考古學』, 新潮社

都　賢喆 2018年 「高麗末における明・日本との詩文交流の意義」『東方學報』 京都93册

讀書新聞社 編 2008年 『朝鮮王朝の繪畵と日本』

禿氏祐祥 1928年 「父母恩重經の異本に就て」『宗教研究』 5-4, 宗教研究會

--------- 1939年 「高麗時代の寫經に就て」『寶雲』 25, 寶雲刊行所

東京古典會 編 1952年 『宋版說文正字』 影印本

---

24) 이의 번역으로 문정희・任大熙, 『天空의 玉座』, 신서원이 있다.

東京國立博物館 編 1982年『寄贈小倉コレクション目錄』, 便利堂

---------- 1999年『法隆寺獻納寶物銘文集成』, 吉川弘文館

東京大藏會 編 1940年『第貳拾六回大藏會展觀目錄』(靑山會館), 大塚巧藝社

---------- 1942年『第貳拾八回大藏會展觀目錄』(東洋文庫), 大塚巧藝社

東京大學 史料編纂所 編 1901年 以來『大日本古文書』, 東京大學出版會

---------- 1922年 以來『大日本史料』, 東京大學出版會

---------- 192 3年 以來『史料綜覽』, 東京大學出版會

---------- 1959年 以來『大日本古記錄』, 岩波書店

---------- 1981年『前近代對外關係史の綜合的研究』, 調査報告書

---------- 2014年『描かれた倭寇』, 吉川弘文館

東京大學 日本史學研究室 編 2013年『中世政治社會論叢』(『日本史學研究室紀要』 別冊)

東大寺圖書館 1959年『義天版華嚴經隨疏演義鈔目錄』

東大寺圖書館 編 1968年『東大寺藏國寶重文善本聚英』, 東大寺圖書館

東大寺教學部 編 1994年『東大寺諸尊像の修理』, 毎日新聞社

東亞考古學會 編 1941年『上都』

東洋文庫 編 2007年『宋會要輯稿食貨篇社會經濟用語集成』

---------- 2015年『東インド會社とアジアの海賊』, 勉誠出版

東洋陶磁學會 編 2002年『東洋陶磁史』

東 英壽 2000年「歐陽脩散文の特色-五代史記と舊五代史の文章表現の比較を通」して『鹿大史學』48

---------- 2002年「吉州學記より見た歐陽脩の文章修改について」『鹿大史學』49

杜石然 等著, 川原秀城 等譯, 1997年『中國科學技術史』 下, 東京大學出版會

藤間生大 1966年『東アジア世界の形成』, 春秋社

藤間治郎 1918年『朝鮮錢史』, 京城日報社

藤島建樹 1967年「元朝宣政院考」『大谷學報』46-4

---------- 1970年「元の順帝とその時代」『大谷學報』49-4

---------- 1973年「元朝における權臣と宣政院」『大谷學報』52-4

藤島亥治郎 1930年a「朝鮮建築史論」4,『建築雜誌』 第44輯 第535號, 1930-7

---------- 1930年b「朝鮮建築史論」5,『建築雜誌』 第44輯 第536號, 1930-8

---------- 1934年「浮石寺の美術」『中央美術』7

藤木久志 編 2007年『日本中世氣象災害史年表稿』, 高志書院

藤木久志 等編 2002年『人類にとって戦いとは』4, 攻撃と防衛の軌跡, 東洋書林

藤本 猛 2007年「北宋末の宣和殿」『東方學報』81

藤本眞帆 2003年「湖林博物館所藏‘橡紙金泥大方廣圓覺修多羅了義經について’」『美術史研究』19

藤本幸夫 1971年 「河合文書の研究」『朝鮮學報』60

--------- 1976年 「東京教育大學藏朝鮮本について」『朝鮮學報』81

--------- 1996年 「高麗大藏經と契丹大藏經について」(氣賀澤保規,『中國佛教石經の研究』, 京都大學學術出版會)

--------- 2000年 「對馬豊慶龍院藏朝鮮傳來藥師如來坐像胎藏朝鮮…」『朝鮮學報』176・177合

--------- 2006年 『現存日本朝鮮本研究』集部, 京都大學 學術出版會

--------- 2018年 『現存日本朝鮮本研究』史部, 東國大學出版部, 漢城ソウル

藤本幸夫 編 2015年 『龍龕手鏡研究』, 麗澤大學出版會

藤本孝一 2009年 『中世史料學論叢』, 思文閣出版

藤野月子 2016年 「遼と近隣諸國との公主降嫁による外交について」『九州大學東洋史論集』44

藤野 彪・牧野修二 2012年 『元朝史論集』, 汲古書院

藤原崇人 2000年 「金代節度・防禦使考」『大谷大學史學論究』6

--------- 2012年 「契丹後期の王權と菩薩戒」(森部 豊,『アジアにおける文化システムの…』, 關西大學出版部)

--------- 2015年 『契丹佛教史の研究』, 法藏館

藤田亮策 1958年 「朝鮮の年號と紀年」『東洋學報』41-2・3 :『朝鮮學論考』

--------- 1959年 「高麗鐘の銘文」『朝鮮學報』14 :『朝鮮學論考』

--------- 1961年 「銀象嵌香爐の一例」『大和文化研究』6-3

--------- 1963年 『朝鮮學論考』, 笠井出版印刷社

--------- 1991年 「海印寺雜板考」『朝鮮學報』138・139

藤田亮策 編 1941年 『白神壽吉氏考古品圖錄』, 桑名文星堂

--------- 編 1944年 『杉原長太郎氏蒐集品圖錄』: 朝鮮考古圖錄2, 桑名文星堂

藤田明良 1992年 「日本中世史における近年の東アジア海域研究について」『朝鮮史研究會會報』106

--------- 1997年 「蘭秀山の亂」『歴史學研究』698

--------- 2007年 「文獻資料から見た日本海交流と女眞」『北東アジア交流史研究』, 塙書房

--------- 2008年 「東アジア世界のなかの太平記」(市澤哲 編,『太平記を讀む』14, 吉川弘文館)

藤田豊八 1932年 「宋代輸入の日本貨につきて」(『東西交渉史の研究』南海篇, 岡書院)

藤井惠介 2005年 『關野貞アジア踏査』, 東京大學出版會

羅福頤 編, 北川博邦 譯 1983年 『圖說中國の古印』, 雄山閣

F. A. Larson 著, 高山洋吉 譯 1939年 『蒙古風俗誌』, 改造社 ;『滿蒙地理歴史風俗誌總書』191, 景仁文化社 所收.

ㄹ

ラシート 著 19--年『集史』,

礪波　護 1986年『唐代政治社會史研究』, 同朋舍

--------- 2011年『唐宋の變革と官僚制』, 中央公論新社

--------- 2016年『隋唐佛教文物史論考』, 法藏館

礪波　護 編 1993年『中國中世の文物』, 京都大學　人文科學研究所

--------- 1999年『中國歷代王朝の都市管理に關する總合的研究』, 京都大學 文學研究科(研究報告書)

礪波護・杉山正明 等編 2006年『中國歷史研究入門』, 名古屋大學出版會

鈴木 開 2019年「1621年の進香使李必榮一行の遭難」『明大アジア史論集』23 吏文謄錄 조사요망

鈴木　敬 1988年『中國繪畫史』, 吉川弘文館(2011年 改裝編)

鈴木敬三 1969年「蒙古襲來繪詞覺書」(『岩橋小彌太郎博士頌壽記念日本史籍論集』, 吉川弘文館)

鈴木英明 編 2019年『東アジア海域から眺望する世界史』, 明石書店

鈴木靖民 1975年「菅原道眞と寬平の遺唐使」(『菅原道眞と太宰府天滿宮』, 太宰府天滿宮文化研究所)

--------- 1985年『古代對外關係史の研究』, 吉川弘文館

--------- 2017年『高麗・宋元・日本』, 勉誠出版

鈴木靖民 等編 2011年『古代東アジアの道路と交通』, 勉誠出版

--------- 2017年『日本古代交流使入門』, 勉誠出版

鈴木哲雄 編 1975年『中國禪宗人名索引』, 附景德傳燈錄人名索引, 其弘堂書店

鈴木　村? 2000年「五胡十六國時代に諸史料の紀年矛盾とその成因」『史料批判研究』4

鹿兒島縣史料編纂所 編 1982年 以來『鹿兒島縣史料』

鹿王院文書研究會 2000年『鹿王院文書の研究』, 思文閣出版

綠川　亨 1978年『大和古寺大觀』2：當麻寺, 岩波書店

瀨奈津子 編 2016年『東アジアの禮・儀式と支配構造』, 吉川弘文館

瀧野義幸 2013年「水中考古學における物理探査手法」『考古學ジャーナル』641

瀧川政次郎 1931年『律令研究』, 刀江書院

--------- 1940年「宋元驛制紀事」『各班研究報告』7, 建國大學研究院

--------- 1958年「過所考」『日本歷史』118～120

瀧澤武雄 編 1986年『早稻田大學藏資料影印叢書』國書篇16, 早稻田大學出版部

瀧澤秀樹 2005年『中國朝鮮族への旅』, 御茶の水書房

賴富本宏 等編 1994年『寫經の鑑賞基礎知識』, 至文堂.

瀨野馬雄 1927年『朝鮮史大系』, 朝鮮史學會

--------- 1936年『瀨野馬雄遺稿』, 朝鮮印刷株式會社, 京城

瀨野精一郎 1975年『鎭西御家人の研究』, 吉川弘文館

----------- 2010年 『松浦黨研究と軌跡』, 靑史出版

瀬野精一郎 編 1975, 1976年 『靑方文書』 1, 2, 續群書類從完成會

---------- 1980年 以來 『南北朝遺文』 九州編, 東京堂出版

瀬野精一郎 等編 1996年 以來 『松浦黨關係史料集』 1～4, 續群書類從完成會

廖溫仁 1932年 『支那中世醫學史』, カニヤ書店

瀬之口傳九郎 1926年 「朝鮮鍾のゆくゑ二則」 『考古學雜誌』 16-7

---------- 1926年 「日向伊東子爵藏朝鮮鐘に就て」 『考古學雜誌』 16-9

柳田聖山 1953年 「"祖堂集"の資料價值」 『禪學研究』 44

柳田聖山・椎名宏雄 等編 1999年 以來 『禪學典籍叢刊』, 臨川書店

□

馬場久幸 2009年 「高麗版大藏經と藏經道場」 『印度學佛敎學研究』 57-2

---------- 2009年 「大谷大學所藏高麗大藏經について」 『印度學佛敎學研究』 58-1

---------- 2013年 「北野社一切經の底本とその傳來についての考察」 『洛中周邊地域の歷史的變容に
    關する總合的研究』

---------- 2016年 『日韓交流と高麗版大藏經』, 法藏館

馬場　基 2018年 『日本古代木簡論』, 吉川弘文館

馬場萬夫 2005年 『日記解題辭典』, 東京堂出版

馬田行啓 1944年 『日蓮聖人の宗敎及び哲學』, 明治書院

末木文美士 2001年 以來 『現代語譯碧巖錄』, 岩波書店

末木文美士 等編 2014年 『佛敎の事典』, 朝倉書店

末松保和 1965, 1966年 『靑丘史草』 1, 2, 笠井出版社

---------- 1974年 『高麗及李朝史研究』, 國書刊行會

---------- 1995年 「朝鮮史の研究と私」 『日本歷史』 560

---------- 1996年 「高麗朝史と朝鮮朝史」 『末松保和朝鮮史著作集』 5, 吉川弘文館

---------- 1996年 「釋均如の著書四種の跋と奧書」 『末松保和朝鮮史著作集』 6, 吉川弘文館

末松保和・湯山 明 1085年 「演福寺鐘銘について」 『東洋學報』 66

網干善敎 2006年 『壁畫古墳の研究』, 學生社

網野善彦 1973年 「鎌倉幕府の海賊禁壓について」 『日本歷史』 299

---------- 1974年 『蒙古襲來』, 小學館

---------- 編 1992年 『東シナ海と西海文化』, 小學館

望月信成 1936年 『佛敎考古學講座』, 雄山閣

望月信亨 1958年『望月佛教大辭典』，世界聖典刊行會

梅原末治 1925年『増補鑑鏡の研究』，臨川書店

--------- 1955年「朝鮮鐘雑記」『朝鮮學報』7

梅原　郁 2006年『宋代司法制度研究』，創文社

--------- 2009年「日本と中國の出土錢」『東方學』108

梅原　郁 ---―年「宋錢の裏表」『古文化研究』8.

梅原　郁 等編 1972年『遼金元人傳記索引』，京都大學　人文科學研究所

--------- 1978年『續資治通鑑長編人名索引』，同朋舍

毎日新聞社 編 1973年 以來『重要文化財』30冊，別卷2冊

孟　東燮 2002年「德異本'六祖壇經'の研究」『禪學研究』81

明代史研究會 編 2003年『明代史研究會創立三十年記念論集』，汲古書院

名和敏光 編 2019年『東アジア思想文化の基層構造・術數』，汲古書院

毛利英介 2004年「1074年から76年におけるキタイ・宋間の地界交渉發生…」『東洋史研究』61-4

--------- 2007年『遼代國際關係史研究』，京都大學　博士學位論文

--------- 2009年「十一世紀後半における北宋の國際地位について」(宋代史研究會 編,『宋代中國の
　　　相對化』，汲古書院)

--------- 2015年「國信使の成立について」『アジア史學論集』9

--------- 2016年「大定和義期における金・南宋間の國書について」『東洋史研究』75-3

--------- 201-年「契丹令史蔡志順」『　　　』

目加田誠 1983年『唐詩選』，明治書院(31版)

木宮泰彦 1965年『日本古印刷文化史』，富山房

木崎愛吉 1922年「伊東子爵家の朝鮮鐘」『考古學雜誌』12-9

木元寛明 2019年『氣象と戰術』，サイエンス新書

牧野修二 1966年a「元朝中書省の成立」『東洋史研究』25-3

--------- 1966年b「元代昇官規定についての一考察」『東方學』32

--------- 1979年『元代勾當官の體系的研究』，大明堂

--------- 2012年『元朝史論集』，汲古書院

牧田諦亮 編 1955年『策彦入明の研究』上，法藏館

木村龍治 2014年『氣象・天氣の新事實』，新星出版社

木村　劭 2003年『海から見た日本の防禦』，PHP研究所

木村　淳 等編 2018年『海洋考古學入門』，東海大學出版部

木村英一 1940年「五行思想の成立と其背景」『支那學』10-1

--------- 2002年「六波羅探題の成立と公家政權」『ヒストリア』178

---------- 2016年 『鎌倉時代公武關係と六波羅探題』, 清文堂

木下禮仁 1993年 『日本書紀と古代朝鮮』, 塙高書房

妙心寺 編 1977年 『妙心寺の名寶』, 便利堂

武谷水城 1916年 「元寇殲滅地と筑前今津」『歷史地理』 28-5, 6

武內康則 2012年 『契丹語の研究』, 京都大學 博士學位論文

武邑尙邦 1987年 『佛敎思想辭典』, 敎育新潮社

武者金吉 編 2012年 『日本地震史料』, 明石書店

武田幸男 1965年 「新羅の骨品體制社會」『歷史學研究』 299

---------- 1966年 「高麗時代の官階」『朝鮮學報』 41

---------- 1967年 「高麗朝における功蔭田柴法の意義」(『前近代アジアの法と社會』, 山川出版社)

---------- 2006年 「高麗の雜所・雜尺に關する考察」『朝鮮學報』 199・200合

武田幸男 編 1997年 『朝鮮社會の史的展開と東アジア』, 山川出版社

---------- 2005年 『高麗史日本傳』, 岩波書店(文庫本33-487-1,2)

武田和昭 1989年 「香川・與田寺地藏曼荼羅圖について」『密敎文化』 164

---------- 1990年 「岐阜阿名院藏の觀音地藏菩薩併立圖」『MUSEUM』 346, 東京國立博物館

---------- 1997年 「中國・四國地方の高麗・李朝佛畫の研究」『靑丘學術論集』 11

武田和哉 1994年 「遼朝の蕭姓と國舅族の構造」『立命館文學』 537

---------- 2005年 「蕭孝恭墓誌よりみた契丹國の姓と婚姻」『內陸アジア史研究』 20

---------- 2010年 「契丹國の成立と中華文化圈の擴大」(菊池俊彦 編, 『北東アジアの歷史と文化』, 北海道大學出版會, 第2章)

武田和哉 編 2006年 『草原の王朝・契丹國の遺跡と文物』, 勉誠出版

文部省宗敎局 編 1936, 1938年 『國寶略說』

文化財保護委員會 編 1964年 『燒失文化財』 美術工藝編, 便利堂

尾崎 康 2001年 「宋元版について」『漢籍整理と研究』 10

尾上八郎 等 1956年 『書道全集』, 平凡社

米原正義 2014年 『大內義隆』, 戎光祥出版株式會社

尾形 勇 1967年 「漢代における臣某形式」『史學雜誌』 76-8

---------- 1979年 『中國古代の家と國家』, 岩波書店

ㅂ

朴 永海 1978年 「11世紀末～12世紀初女眞の侵入を沮止するための高麗…」『朝鮮學術通報』 15(『歷史科學』, 1977 所收)

朴　鎔辰　2016年「元代科註妙法蓮華經の刊行と流通」『印度學・佛教學研究』64-2

朴銀卿　1992년「尾道市光明寺所藏地藏十王圖」『デアルテ』8，九州藝術學會

飯島忠夫　1939年『天文曆法と陰陽五行說』，飯島忠夫著作集4，第一書房

飯山知保　2020년「碑文の製作/再解釋/僞造からみた12世紀から21世紀の中國華北社會」『東洋文化研究』22，學習院大學

芳賀矢一　編　1976年『攷證今昔物語集』，富山房

防長史談會　編　1932年『忌宮神社文書』，防長古文書1-1

百橋明穗　1980年「高麗の彌勒下生經變相圖について」『大和文華』66

百橋明穗　等編　1997年『世界美術大全集』東洋編4，隋・唐，小學館

白石典之　編　2015年『チンギスカンとその時代』，勉誠出版

白石晶子　1964年「三佛齊の宋に對する朝貢貿易について」『お茶の水史學』7

柏原孝久　2002年『蒙古地誌』總論，クルス出版

白鳥庫吉　1928年「高麗の喇嘛僧吃折思八八哈思の名義に就いて」『史學雜誌』39-5

----------　1929年「高麗史に見えたる蒙古語の解釋」『東洋學報』18-2

----------　1970年『白鳥庫吉全集』1～3冊，岩波書店

邊士名朝有　1992年『歷代寶案の基礎的研究』，校倉書房

兵庫縣埋藏錢調査會　1996年『日本出土錢總攬』，成友印刷株式會社

保科富士男　1989年「古代日本の對外關係における贈進物の名稱」『白山史學』25

福　寬美　2006年「'おもろさうし'にみられる北方的文化要素」發表要旨，琉球大學

福島　重　2012年「元代における上都の佛教」『大谷大學史學論究』17

福島　惠　2017年『東部ユーラシアのソグド人』，汲古書院

服部英雄　2014年『蒙古襲來』，山川出版社

福田退職記念論集刊行會　編　2007年『古代東アジアの社會と文化』，汲古書院

福田豊彦　等編　2015年『鎌倉の時代』，山川出版社

福井重雅　1967年「儒教成立史上の二三の問題」『史學雜誌』76-1

福井縣　編　1989年『福井縣史』資料編14

本田　治　2003年「宋代の溜池灌漑について」『中國水利史研究』31

蜂安純夫　2011年『中世災害・戰亂の社會史』，吉川弘文館

富谷　至　2010年『文書行政の漢帝國』，名古屋大學出版會

----------　2016年『漢唐法制史研究』，創文社

富谷　至　編　2008年『東アジアの死刑』，京都大學出版會

副島種經　1966～1971年『新訂本光國師日記』，續群書類從完成會

夫馬　進　編『中國東アジア外交交流史の研究』，京都大學學術出版會

傅　芸子 1941年『正倉院考古記』，文求堂

富田孔明 1989年「五代の樞密使」『龍曲史壇』95

--------- 1991, 1993年「宋二府の沿革に關する考察」『東洋史苑』39, 40・41合

北野天滿宮史料刊行會 編 1978年『北野天滿宮史料』古文書

北原糸子 2007年『日本災害史』，吉川弘文館

北原糸子 等編 2012年『日本歷史災害事典』，吉川弘文館

北川鐵三 校注 1966年『島津史料集』，戰國史料叢書6，人物往來社

北村　高 1984年「元代トルコ系色目人康里㠖㠖について」『龍谷史壇』85

--------- 1985年「高麗王王璋の崇佛」『東洋史苑』24・25合

北村明美 2019年「高麗前期の收取體系」『大阪市立大學東洋史論叢』19

北村秀人 1964年「高麗における征東行省いついて」『朝鮮學報』32

--------- 1965年「高麗末於における立省問題いついて」『北海道大文學部紀要』14-1

--------- 1973年「高麗時代の藩王についての一考察」『人文研究』24～1

--------- 1985年「高麗時代の渤海系民大氏について」『三上次男博士喜壽記念論文集』

北村哲郎 編 1986年『國寶大辭典』4，工藝・考古，講談社

北村澤吉 1941年『五山文學史稿』，富山房

佛教史學會 編 2017年『佛教史研究ハンドブッグ』，法藏館

佛書刊行會 編 19--年『日本佛教全書』，(覆刻本，名著普及會，1980)

備田路美 編 2019年『アジア佛教美術論集東アジア』Ⅱ，隋・唐，中央公論美術出版

濱崎設夫 譯, Jean Paul Roux 著, 2009年『王，神話と象徵』，法政大學出版局

濱名優美 等譯, Jean Yves Grenier 編, 2017年『アナール 1929～2010』Ⅴ，歷史の對象と方法.
　　藤原書店

濱田耕作 編 1930年『考古圖錄』，京都帝國大學 文學部

濱田耕策 1996年「末松保和先生と高麗・朝鮮史の研究」『末松保和朝鮮史著作集』5，吉川弘文館

--------- 1997年「末松保和先生の朝鮮學文獻研究」『朝鮮史と史料』(『末松保和朝鮮史著作集』6)

--------- 1997年「渤海國王の卽位と唐の册封」『史淵』135

--------- 2005年「百濟紀年考」『史淵』141：『朝鮮古代史料研究』，吉川弘文館，2013

--------- 2019年「高麗開城の演福寺鐘の漢字銘文注解」『朝鮮學報』251, 252

濱中　昇 1979年「高麗史食貨志外官祿條の批判」『朝鮮歷史論集』上，龍溪書舍

--------- 1984年「‘世宗實錄’地理志氏族の基礎的考察」『東洋史研究』43-2

--------- 1986年『朝鮮古代の經濟と社會』，法政大學 出版局

--------- 1987年「高麗時代の姓氏の記錄，古籍について」『朝鮮學報』100

--------- 1996年「高麗末期倭寇集團の民族構成」『歷史學研究』685

--------- 2007年 「初期高麗國家と邑司」『朝鮮史研究會論文集』45

へ

寺本建三 1991年 「射覆考」『史迹美術』61-4(614號)

司法省 刑事局 編 2004年 『日本飢饉事』覆刻本, 海路書院

四日市康博 2001年 「鷹島海底遺跡に見る元寇研究の可能性」『史滴』23

--------- 2006年 「元朝南海交易經營考」『九州大學東洋史論集』34

四日市康博 等編 2008年 『モノから見た海域アジア史』, 九州大學出版會[教養書]

史蹟現地講演會 編 1915年 『元寇史蹟の新研究』, 丸善株式會社

寺地 遵 1999年 「方國珍政權の性格」『史學研究』223

斯波義信 1979年 『宋代商業史研究』, 風間書房

--------- 2012年 『中國社會經濟史用語解』, 東洋文庫

山口縣文書館 編 1973年 以來『山口縣史料』, 山口縣文書館

山口 修 1961年 「蒙古襲來繪詞小考」『和田博士古稀記念東洋史論叢』, 講談社

--------- 1961年 「文永・弘安の役の經過について」『日本歷史』152

--------- 1961年 「元寇の研究」『東洋學報』43-4

山口 洋 1993年 「中國古代における踰年改元について」『中央大學大學院研究年報』22

山口えり 2018年 「日本古代の國家と災害認識」(新川登龜男 編,『日本古代史の方法と意義』, 勉誠出版)

山口謠司 2019年 『唐代通行'尙書'の研究』, 勉誠出版

山崎覺士 2008年 「貿易と都市-宋代市舶寺と明州」『東方學』116

--------- 2010年 『中國五代國家論』, 思文閣出版

--------- 2019年 『濱海之都・宋海港都市研究』, 汲古書院

山崎雅稔 2016年 「後百濟甄萱政權の對日外交」『國學院雜誌』117-3

--------- 2017年 「後百濟・高麗と日本をめぐる交流」(鈴木靖民,『日本古代交流使入門』, 勉誠出版)

山内 讓 1998年 『中世の港と海賊』, 法政大學 出版局

山内之也 2013年 『漢籍解題事典』, 明治書院

山内晋次 1988年 「古代における渡海禁制の再檢討」『待兼山論叢』 史學篇22

--------- 1990年 「古代における朝鮮半島漂流民の送還をめぐって」『歷史科學』122, 大阪歷史科學會

--------- 1996年 「東アジア海域における海商と國家」『歷史學研究』681

--------- 1996年 「9世紀東アジアにおける民衆の移動と交流」『歷史評論』555

--------- 1998年 「航海と祈りの諸相」『古代文化』9

--------- 2001年 「平安期日本の對外交流と中國海商」『日本史研究』464

--------- 2003年 『奈良平安期の日本とアジア』, 吉川弘文館

--------- 2011年 「前近代東アジア海域における航海信仰」(吉尾寛 編, 『海域世界の環境と文化』, 東アジア海域叢書4, 汲古書院)

--------- 2014年 「東アジア海域論」『岩波講座日本歴史』 20, 岩波書店

山内弘一 1985年 「北宋時代の神御殿と景靈宮」『東方學』 70

--------- 1990年 「北宋時代の太廟」『上智史學』 35

山本光朗 2000年 「趙良弼について」一『北海史論』 20

--------- 2001年 「元使趙良弼について」『史流』 40

山本信吉 1974年 「對馬の經典と文書」『佛教藝術』 95

--------- 2004年 『古典籍が語る』, 八木書店

山本隆義 1955年 「元代における翰林學士院について」『東洋學』 11

山森青硯 1969年 「前田家と朝鮮本」『書誌學』 復刊15

山腰敏寬 編 2012年 以來『中國歷史公文書讀解辭典』, 汲古書院

山田慶兒 編 1978年 『中國の科學と科學者』, 京都大學 人文科學研究所

山田尋通 等編 1985年 『日本紀略人名索引』, 政治經濟史學會

山田安榮 1891年 『伏敵編』, 『伏敵編』 附錄, 靖方溯源, 東京築地活版製作所

山田安榮 等編 1906年 『玉葉』, 東京活版株式會社

山中 裕 2012年 『御堂關白記』 全註釋, 思文閣出版

山下有美 1999年 「日本古代國家における一切經と對外認識」『歷史評論』 586

森 公章 2001年 「劉琨と陳詠-來日松商人の樣態」『白山史學』 38

--------- 2008年a 「刀伊の入寇と西國武者の展開」『東洋大學文學部紀要』 62

--------- 2008年b 「古代日麗關係の形成と展開」『海南史學』 46

--------- 2015年 「朱仁聰と周文裔・周良史」『東洋大學文學部紀要』 史學科篇40

--------- 2016年 「平安中・後期も對外關係とその展開過程」『東洋大學文學部紀要』 史學科篇41

--------- 2018年 「伊勢平氏と日・宋貿易」(新川登龜男 編, 『日本古代史の方法と意義』, 勉誠出版)

森 克己 1959年 「日・宋・高麗との私獻貿易」『朝鮮學報』 14

--------- 1965年 「日宋麗交涉と倭寇の發生」『石田博士頌壽記念東洋史論叢』, 共立社

--------- 1975年 『日宋貿易の研究』, 國書刊行會

--------- 1975年 『續日宋貿易の研究』, 國書刊行會

--------- 1975年 『續續日宋貿易の研究』, 國書刊行會

--------- 1976年 『史苑逍遙』, 國書刊行會

森克己・沼田次郎 編 1978年 『體系日本史叢書』 5, 對外關係史, 山川出版社

森 達也 2015年 『中國の青瓷研究』, 汲古書院

三島　格 1980年 「琉球の高麗瓦など」(『古文化論攷』, 鐵山猛先生古稀記念論文集刊行會)

森鹿　三 1940年 「漢・唐一里の長さ」『東洋史研究』5-6：『東洋學研究』, 歷史地理篇, 同朋社, 1970[25]

三木　榮 1955年 『朝鮮醫學史及疾病史』, 學術圖書刊行會

--------- 1963年 『朝鮮醫學史』, 堺, 三木醫院

--------- 1973年 『朝鮮醫書誌』, 學術圖書刊行會

三保忠夫 2016年 『鷹書の研究』, 和泉書院

森本公誠 1994年 「眞言院四天王像內發見蒙古軍擊退願文…」『東大寺諸尊像の修理』, 每日新聞社

森本朝子 1993年 「長崎縣鷹島海底出土の元寇關聯の磁器についての一考察」『はかた』2

--------- 等 2000年 「博多出土の高麗・朝鮮陶磁の分類試案」『はかた』8

森本和夫 2003年 以來 『正法眼藏讀解』, 筑摩書房

森部　豊 2018年 「黑龍江省・吉林省における契丹・金時代の遺跡の現狀と調査」『關西大學東西學術研究所紀要』51

森部　豊 編 2012年 『アジアにおける文化システムの展開と交流』, 關西大學出版部

杉山信三 1943年 『朝鮮の石塔』, 彰國社

--------- 1986年 「五台山建築行記」『古代文化』38

--------- 1996年 『韓國古建築の保存』, 京都 韓國古建築保存刊行會

杉山信三, 『高麗末朝鮮初の木造建築に關する研究』(油印本, 時期不明)[26]

杉山正明 1995年 『クビライの挑戰』, 朝日新聞社

--------- 1996年 『耶律楚材とその時代』, 白帝社

--------- 1996年 『モンゴル帝國の興亡』下, 講談社

--------- 1997年 『世界の歷史』9, 大モンゴルの時代, 中央公論社

--------- 1998年 『遊牧民から見た世界史』, 日本經濟新聞社

--------- 2002年 『逆說のユーラシア史』, 日本經濟新聞社

--------- 2004年 『モンゴ帝國と大元ウルス』, 京都大學學術出版會

--------- 2008年 『モンゴ帝國と長いその後』, 講談社

杉山正明・村井章介 2001年 「世界史のなかでモンゴル襲來を讀む」『歷史評論』619

三上次男 1940年 「高麗仁宗朝に於ける麗宋關係」(『池內博士還曆記念東洋史論叢』, 座右寶刊行會)

--------- 1973年 『金代政治・社會研究』, 中央公論美術出版

--------- 1990年 『高句麗と渤海』, 吉川弘文館

---

25) 여기에서 漢의 1里는 투르스키탄地域의 實相을 參照하여 420m에, 唐의 1里는 玄奘의 『大唐西域記』에 의거하여 440m에 가깝다고 한다.

26) 이 油印本이 『韓國古建築の保存』의 底本인 개편된 것 같다.

三上喜孝 -----年 『唐代史研究』 9

---------- 2013年 『日本古代の文字と地方社會』, 吉川弘文館

森 雅秀 2019年 『チベット密教佛圖典』, 春秋社(附圖, HM, 78, チ10)

森安孝夫 1999年 『モンゴル國現存遺蹟·碑文調査』, 朋友書店

森田 勉 1985年 「北部九州出土の高麗陶磁器」 『貿易陶磁研究』 5

森田龍僊 1934年 『釋摩訶衍論之研究』

森田憲司 2004年 『元代知識人と地域社會』, 汲古書院

---------- 2007年 「系譜史料としての新出土墓誌臨海出土墓誌群を材料として」 『奈良史學』 24

三宅俊彦 2005年 『中國の埋められた錢貨』, 同成社

森平雅彦 2003年 「朱子學東傳の國際的背景」 『アジア遊學』 50

---------- 2006年 「晦軒實記刊行始末初探」 『年報朝鮮學』 9

---------- 2006年 「朱子學の高麗傳來と對元關係1」 『史淵』 143

---------- 2008年 「日麗貿易」(大庭康時 等編, 2008年 『中世都市博多を掘る』, 海島社)

---------- 2010年 「全羅道沿海おけるの宋使船と航路」(九州大學, 『創立八十五周年記念論文集』, 2010)

---------- 2011年 「朱子學の高麗傳來と對元關係2」 『史淵』 148

---------- 2013年a 『モンゴル覇權下の高麗』, 名古屋大學出版會

---------- 2013年b 『中近世の朝鮮半島と海域交流 』, 汲古書院

---------- 2013年 「高麗·朝鮮時代における對日據點の變遷」 『東洋文化研究所紀要』 164, 東京大學

---------- 2016年 「モンゴルの日本侵攻と高麗における軍需調達問題」 『年報朝鮮學』 18

森平雅彦 等 2001年 以來 「櫟翁稗說譯註」 『年譜朝鮮學』 14 以來

---------- 等編 2011年 『東アジア世界の交流と變容』, 九州大學出版會

三浦雄城 2020年 「後漢官學における讖緯と章句」 『中國—社會と文化』 35

三浦周行 1922年 『日本史の研究』 1, 岩波書店(1981年 再刊)

---------- 1982年 『日本史の研究』 新輯1, 日本史の研究5, 岩波書店

三品彰英 1974年 『三國遺事考證』 上·中·下, 塙書房

森 茂曉 1991年 『鎌倉時代の朝幕關係』, 思文閣

---------- 2007年 『南北朝の動亂』, 吉川弘文館

三好祥子 譯, 王森 著 2016年 『チベット佛教發展史論』, 科學出版(附圖, HM, 78, チ9)

三好筆太 編 1937年 『多度神宮寺伽藍緣起竝資財帳』, 多度神社

上谷浩一 2008年 「董卓事蹟考」 『東方學』 106

桑野榮治 2001年 「對日外交文書にみえる高麗の對外認識」 『韓國文化』 255

---------- 2001年 「朝鮮初期の大明遙拜儀禮」 『久留米大學比較文化年報』 10, 久留米大學比較文化研究科(文ひ55-8)

--------- 2004年 「高麗末期の儀禮と國際環境」『久留米大學文學部紀要』, 國際文化學科編21

--------- 2015年 『李成桂』, 山川出版社

桑原騭藏 1935年 『蒲壽庚の事蹟』, 岩波書店

上原　靜 2002年 「沖繩諸島における高麗瓦系譜」『南方文化』24, 沖繩國際大學南道文化研究所

--------- 2009年 「高麗瓦と琉球史」(天野哲也 等編, 『中世東アジアの周緣世界』, 同成社)

--------- 2015年 「沖繩諸島における高麗系瓦研究の現狀と課題」『海洋交流の考古學』, 九州考古學會

相原俊二 1967, 1968年 「呂氏春秋の時令說」『史學雜誌』76-12, 77-1

上田純一 2000年 『九州中世禪宗史の研究』, 文獻出版

上田　穰 1942年 「具注曆斷簡」『科學史研究』3

相田二郎 1958年 『蒙古襲來の研究』, 吉川弘文館

--------- 1982年 『蒙古襲來の研究』增補版, 吉川弘文館

上田正昭 2011年 『雨森芳洲』, ミネヴァ書房

上田淸彦 譯 2017年 『古代文明に刻まれた宇宙』, 靑土社[27]

上條彰次 1994年 『千載和歌集』, 和泉書院

上村觀光 編 1905年 以來 『五山文學全集』, 六條活版製造所

上村觀光 1912年 『五山詩僧傳』, 民友社

上橫手雅敬 1975年 「鎌倉幕府と公家政權」『岩波講座日本歷史』5, 中世1

西谷 正 1981年 「高麗·朝鮮兩王朝と琉球の交流」『九州文化研究所紀要』26

--------- 1985年 「新安海底發見の木簡について」『九州文化研究所紀要』30

--------- 1986年 「新安海底發見の木簡について」續『九州文化研究所紀要』31

西谷地晴美 2012年 『日本中世の氣候變動と土地所有』, 倉書房

西嶋定生·李成市 編 2000年 『古代東アジア海世界と日本』, 岩波書店

書論研究會 1992年 『書論』28, 王羲之特輯

書物同好會 編 1978年 『書物同好會會報』, 龍溪書舍

西尾尙也 2000年 「金の外交使節とその人選」『史泉』91, 關西大學

西尾賢隆 1985年 「元朝における中峰明本とその道俗」『禪學研究』64

--------- 1999年 『中世の日中交流と禪宗』, 吉川弘文館

--------- 2001年 「墨蹟にみる日中の交流」『京都產業大學日本文化研究所紀要』6

西山美香 等 2009年 『日本と宋元の邂逅』, 勉誠出版

西上　實 1978年 「朱德潤と瀋王」『美術史』104

---

27) 이 책은 Guilio Magli, Archaeoastronmy : Introduction to the Science of Star and Stons, 2015를 번역한 것이다.

---------　1983年　「地藏本願經變相圖」『學叢』5，京都國立博物館

西野幸雄　1988年　「高麗朝における北方兩界地域について」『專修史學』20

西川　寧·長澤規矩也　編　1975年　『和刻本書畫集成』，汲古書院

西村光央　2004年　『古代量制の數量的基礎』，ウインかもがわ.

西村陽子　2016年　「唐後半華北諸藩鎭の鐵勒集團」『東洋史研究』74-4

西村元照　編　2009年　『遼寧省』，

西村眞琴　等編　1983年　『日本凶荒史考』，有朋書店

西脇常記　2006年　「宗鑑撰釋門正統について」『中國思想史研究』28

石見淸裕　1966年　「交雜の禁止-唐代朝貢使節入京途上規定-」(中央大學　東洋史研究室　編，『アジアにおける制度と社會』)

---------　1998年　『唐の北方問題と國際秩序』，汲古書院

---------　2008年　『唐代の國際關係』，山川出版社

---------　2014年　「羈縻支配期の唐と鐵勒僕固部」『東方學』127

---------　2015年　「唐代墓誌の古典引用をめぐって」『中國古典研究』57

---------　2017年　「中國石刻墓誌の史料的性格·意義·問題點」『歷史學研究』964(2017-11)

石上英一　1982年　「日本古代10世紀の外交」『日本古代史講座』7，學生社

石原道博　1951年　「元代日本觀の一側面」(『和田博士還曆記念東洋史學論叢』)

---------　1964年　『倭寇』，吉川弘文館

---------　1973年　「倭寇の戰術について」『海事史研究』20

---------　1974年　「同名異書續異稱日本傳五種」(『對外關係と政治文化』，吉川弘文館)

石田幹之助　1917, 1918年　「文永役に蒙古軍の使用せる鐵炮に就いて」『東洋學報』7, 8

石井修道　1995年　「百丈淸規の研究」『駒澤大學禪研究所年報』6

石井正敏　1977年　「文永八年來日の高麗使について」『東京大學史料編纂所報』12

---------　2000年　「日本·高麗關係に關する一考察」『アジア史における法と國家』，中央大學

---------　2003年　『東アジア世界と古代の日本』，山川出版社

---------　2007年　「小右記所載內藏石女等申にみえる文高麗の兵船について」『朝鮮學報』198

---------　2009年　「異國牒狀記の基礎的研究」『中央大學文學部紀要』，史學54

---------　2010年　「貞治六年の高麗使と高麗牒狀について」『中央大學文學部紀要』，史學55

---------　2011年　「文永八年の三別抄牒狀について」『中央大學文學部紀要』，史學56

---------　2013年　『鎌倉武家外交の誕生』，NHK出版

---------　2014年　「至元三年·同十二年の日本國王宛クビライ…」『中央大學文學部紀要』史學59(以上의 大多數는『石井正敏著作集』3，高麗·宋元と日本，勉誠出版，2017에 收錄되어 있다).

石田　肇　1988年　「園城寺朝鮮鐘と崇福寺鐘銘」『史迹と美術』587

石川力山 1973年 「元亨釋書考」『佛教學研究會年報』 7，駒澤大學 大學院

石川九楊 2017年 『中國書史』，石川九楊著作集別集Ⅱ，ミネルヴア書房

石川順一 2013年 以來 『論語集注』 (東洋文庫)，平凡社

石　曉軍 2006年 「隋唐時代における對外使節の假官と借位」『東洋史研究』 65-1

\--------- 2019年 『隋唐外務官僚の研究』，東方書店

船田善之 19991年 「元朝治下の色目人について」『史學雜誌』 108-9

\--------- 2006年 「老乞大中のモンゴル語と關聯する語句に對解釋について」『内陸アジア史研究』 21

\--------- 2009年 「日本宛外交文書からみた大モンゴル國の文書形式の展開」『史淵』 146

\--------- 2011年 「モンゴル語直譯體の漢語への影響」『歴史學研究』 875

\--------- 2014年 「モンゴル帝國期の河北投化領研究」『中國史學』 24

膳　智之 2004年 「呂氏春秋に看る農業經營規模について」『專修史學』 36

成家御郎 2006年 『中國古代の天文と暦』，大東文化大學 人文科學研究所

星　斌夫 1961年 「元代海運運營の實態」『歴史の研究』 7

\--------- 1973年a 「元代の膠萊河と阿八赤新開河」『山形大學紀要』 人文科學7-4

\--------- 1973年b 「元史・明史海運志譯注」『山形大學紀要』 人文科學7-4

\--------- 1979年 「膠萊新河考」『東方學』 58

成田健太郎 2016年 『中國中古書學理論』，京都大學學術出版會

細野　渉 1988年 「高麗時代の開城」『朝鮮學報』 166

細井浩志 2002年 「日本紀略後篇の史料的構造と新國史の編纂過程について」『史學雜誌』 111-1

\--------- 2007年 『古代の天文異變と史書』，吉川弘文館

\--------- 2013年 「唐・日本における進朔に關する研究」(研究報告書)

笹川祥生 1997年 「北條九代記の今」『軍記物語の窓』 1，和泉書院)

笹川種郎 編 1978年 『增補史料大成』，臨川書店

小見山春生 1983年 「高麗前期兵馬使機構に關する一考察」『朝鮮史研究會論文集』 20

所　功 1989年 『年號の歴史-元號制度史的』，雄山閣

篠崎敦史 2014年 「刀伊の襲來からみた日本と高麗の關係」『日本歴史』 789(2014-2)

\--------- 2015年 「高麗文宗の醫師要請事件と日本」『ヒストリア』 248

小嶋芳孝 2014年? 「齋藤優の渤海遺蹟發掘寫眞」(藤井一二 編，『北東アジアの交流…』，校書房)

小島小五郎 1954年 「儀式と公家日記との關係」『史學研究』 55，廣島史學會

小島鉦作 1968年 「對外關係上の筑前宗像社」『森克己博士還暦記念論文集』，塙書房

小島憲之 1991～1994年 『田氏家集注』，和泉書院

小島惠昭 1982年 「蓬戸山房文庫所藏古寫古版經目錄」『東海佛教』 27

小島浩之 2014年 「唐代後半期の官僚人事と八儁」『明大アジア史論集』 18

小林一岳 2009年 『元寇と南北朝の動亂』, 吉川弘文館

小林宣彦 2019年 『律令國家の祭祀と災異』, 吉川弘文館

小林椿壽 2001年 『東アジアの天文・曆學に關する多角的研究』, 大東文化大學 東洋研究所

蘇峰先生古稀祝賀記念刊行會 編 1932年 『成簣堂善本書目』, 民友社

小山富士夫 等編 1955年 『世界陶磁全集』, 河出書房

小西四郎 等編 1988年 『日本史資料總覽』, 新人物往來社

小松久男 編 2005年 『中央ユーラシア史ほ知る事典』, 平凡社

---------- 2018年 『中央ユーラシア史研究入門』, 山川出版社

小松原濤 1962年 『陳元贇の研究』, 龍船堂

小岩井弘光 1998年 『宋代兵制史の研究』, 汲古書院

小野達哉 1998年 「兩制制度の成立」 『東洋史研究』 57-1

---------- 2007年 「唐代後期における宣と制敕の關係」 『史林』 90-4

小野木聰 2018年 「唐における侍御史知雜事と御史臺の變容」 『史林』 101-4

小野勝年 1973年 「戒覺の渡宋記」 『龍谷大學論集』 400・401合

小野正敏 等 2006年 『中世の對外交流』, 高志書院

小野　泰 1987年 「宋代明州における湖田問題」 『中國水利史研究』 17

小野玄妙 1929年 「高麗大藏經雕印考」 『佛典研究』 1-4

---------- 1933年 『佛書解說大辭典』, 大東出版社

---------- 1937年 『佛教の美術と歷史』, 大藏出版株式會社

小葉田淳 1963年 「歷代寶案について」 『史林』 46-4

所莊吉 1975年 「元寇の鐵砲について」 『軍事史學』 11-1

沼田賴輔 1899年 「蒙古砲につきて」 『集古』 1, 集古會

小田富士雄 2013年 「高麗青磁起源考」(『古代九州と東アジア』, 同成社)

小田富士雄 等編 2018年 『大宰府の研究』, 高志書院

小田省吾 1920年 「三國史記の稱元法並に高麗以前稱元法の研究」 『東洋學報』 10-1・2

---------- 1927年 『朝鮮史大系』 上世史, 朝鮮史學會

小田　稔 等譯 1992年 『宇宙・天文大辭典』, 丸善株式會社[28]

小倉慈司 編 2016年 『古代東アジアと文字文化』, 同成社

小泉袈裟勝 1982年 『單位の起源事典』, 東京書籍

小川貫一 1944年 「元代白蓮教の刻藏事蹟」 『支那佛教史學』 7-1

小川光彦 2001年 「水中考古學と宋元代史研究」 『史滴』 23

---

28) 이 책은 Sybil P. Parker, McCraw-Hill ENCYCLOPEDIA of ASTRONOMY를 번역한 것이다.

小川　伸 2017年「張東翼 著,‘モンゴル帝國期の北東アジア’書評」『東洋史研究』76-2

小川裕充 等編 1998年『世界美術大全集』東洋編5, 五代・北宋・遼・西夏, 小學館

小川裕人 1937年a「靺鞨史研究に關する諸問題」『東洋史研究』2-5

---------- 1937年b「三十姓女眞に就えて」『東洋學報』24-4

小川琢治 1929年「阡陌と井田」『支那學』5-2

小秋元段 等編 2011年『校訂京大本太平記』, 勉誠出版

小坂機融 1972年「金澤文庫本禪苑淸規と高麗版禪苑淸規との關連について」『金澤文庫研究』18-4

小澤賢二 2010年『中國天文學史研究』, 汲古書院

續群書類從完成會 編 1962～1966年『群書解題』1～22

速水　大 2015年『唐代勳官制度の研究』, 汲古書院

孫　　薇 2005年「割據時代の琉球」『國際日本學』2, 法政大學

松岡久人 2013年『大內義弘』, 中世武士選書14, 戎光祥出版社

松岡久人 編 1978年『內海地域社會の史的研究』, マツの書店

---------- 1987年 以來『南北朝遺文』中國・四國編5, 東京堂出版

松岡　史 1977年「碇石について」『洪淳昶博士還暦紀念史學論叢』, 螢雪出版社

---------- 1983年「九州の韓式鐘」『大宰府古文化論叢』下

松崎英一 1982年「大宰府・太宰府天滿宮史料補遺2」『九州史學』74

宋代史研究會 編 1988年『宋代の政治と社會』, 汲古書院

---------- 2009年『宋代中國の相對化』, 汲古書院

---------- 2015年『中國傳統社會への視覺』, 汲古書院

---------- 2019年『宋代史料への回歸』, 汲古書院

宋代史から考える編纂委員會 編 2016年『宋代史から考える』, 汲古書院

松方冬子 2019年『國書がむすぶ外交』, 東京大學出版會

松本隆晴 1990年「元史の編纂意圖について」『栃木史學』4, 栃木短期大學

松本文三 1929年『佛教史論』, 弘文堂

松本保宣 2001年「唐宣宗朝の聽政」『東洋學報』83-3

---------- 2002年「唐文宗皇帝の聽政制度改革について」『古代文化』54-7

---------- 2006年「唐代前半期の常朝」『東洋史研究』65-2

---------- 2006年『唐王朝の宮城と御前會議』, 晃洋書房

---------- 2008年「唐代の閣門の樣相について」『立命館文學』608

---------- 2016年「五代中原王朝の朝儀における謝恩儀禮について」『東洋史研究』74-4

松本雅明 1968年「周公卽位考」『史學雜誌』77-6

松本榮一 1954年「高麗時代の五百羅漢圖」『美術研究』175

松本眞輔 2000年 「元亨釋書の三韓關連記事の檢討」『日本歷史』631

松本浩一 2020年 「宋元時代の錬度と祭錬」『社會文化史學』63

宋史提要編纂協力委員會 1967, 1974年『宋代史年表』(北宋, 南宋), 東洋文庫

松原三郎 1985年『韓國金銅佛研究』, 吉川弘文館

松原弘宣 2009年『日本古代の交通と情報傳達 』, 汲古書院

松田光次 1985年 「遼と南唐との關係について」『東洋史苑』24・25合

---------- 1986年 「趙志忠と虜廷雜記」『龍谷史壇』87

松田孝一 1980年 「雲南行省の成立」『三田博士古稀記念東洋史學論叢』

---------- 1982年 「カイシャンの西北モゴリア出鎮」『東方學』64

---------- 1990年? 「モンゴル帝國東部國卿探馬赤軍團」『内陸アジア史研究』7・8合

松井朋子 1999年 「日記の中の異國人考」『史遊』7, 京都教育大學

松川　節 1995年 「大元ウルス命令文の書式」『待兼山論叢』29

松平黎明會 編 1993年『松平文庫影印叢書』18, 新典社

松下　智 2002年『綠茶の世界』, 雄山閣

須賀　隆 2017年 「御堂關白記に記載された日の出・日の入り時刻の復元」『科學史研究』283

---------- 2018年 「宣明曆と御堂關白記に記載された日の出・日の入り時刻」『科學史研究』284

藪内彦瑞 編 1937年『知恩院史』, 知恩院

藪内　清 1944年『隋唐曆法史の研究』, 三省堂

---------- 1969年『中國の天文曆法』, 平凡社

---------- 1989年『隋唐曆法史の研究』増訂版, 臨川書店

藪内　清 編 1963年『中國中世科學技術史の研究』, 角川書店

---------- 1967年『宋元時代の科學技術史』, 京都大學 人文科學研究所

---------- 1975年『中國の科學』世界の名著, 中央公論社

水上雅晴 編 2019年『年號と東アジア』, 八木書店

水野さや 2011年 「韓國の藥師如來像の手印にゆいて」(眞鍋俊照 編,『密教美術と歷史文化』, 法藏
　　館 所收)

---------- 2016年『韓國佛像史』, 名古屋大學出版會

水野章二 2009年『中世の人と自然の關係史』, 吉川弘文館

---------- 2014年 「中世の虫害と災害認識」『新しい歷史學のために』284

水原堯榮 1932年『高野山板之研究』, 森江書店

---------- 1982年『水原堯榮全集』, 同朋舍

水原堯榮 編 1931年『高野山見存藏經目錄』, 森江書店

---------- 1932年『高野板英華』, 便利堂

水越允治 編 2010年 『古記錄による十三世紀の天候記錄』, 東京堂出版

--------- 2012年 『古記錄による十二世紀の天候記錄』, 東京堂出版

--------- 2014年 『古記錄による十一世紀の天候記錄』, 東京堂出版

須長泰一 1986年 「高麗後期の異常氣候に關する一試考」 『朝鮮學報』 119・120合

穗積文雄 1940年 「元史食貨志に見けれたる貨幣思想」 『經濟論叢』 51-3

須田牧子 2002年 「室町期おける大內氏の對朝關係と先祖觀の形成」 『歷史學硏究』 761

--------- 2011年 『中世日朝關係と大內氏』, 東京大學出版會

--------- 2014年 「倭寇圖卷硏究の現狀と課題」 『東京大學史料編纂所紀要』 24

須川英德 2018年 「高麗末から朝鮮初における武についての試論」 『韓國朝鮮文化硏究』 17

勝峯月溪 1930年 『古文書學槪論』, 目黑書店(1974年 國書刊行會 再刊)

勝崎裕彥 等編 1997年 『大乘經典解說辭典』, 北辰堂

市　大樹 2017年 「日本古代木簡の資料的特質」 『歷史學硏究』 964(2017-11)

矢代和夫 編 1994年 『赤松物語・嘉吉記』 日本合戰騷動叢書1, 勉誠社

市島謙吉 編 1906年 以來 『續々群書類從』 1～16輯

--------- 1907年 『集古十種』 2, 國書刊行會

--------- 1909年 『國書刊行會出版目錄附日本古刻書史』, 國書刊行會

市木武雄 1993～1998年 『梅花無盡藏注釋』, 續群書類從完成會

矢木　毅 2009年 『高麗官僚制度硏究』, 京都大學出版會

--------- 2010年 「高麗時代の私兵について」 『東方學報』 85, 京都

--------- 2013年 「高麗時代の法制について」 『歷史評論』 759

--------- 2013年 「高麗時代の兼職制について」 『東方學報』 87

失木　毅 編 2016年 『朝鮮本十選』, 京都大學 人文科學硏究所

矢野主稅 1950年 「唐代に於ける假子制について」 『史學硏究記念論叢』, 柳原書店

--------- 1951年 「唐代に於ける假子制の發展について」 『西日本史學』 6

市原　壘 2020년 「皇帝陵の考古學, 三國から隋まで」 『東洋文化硏究』 22, 學習院大學 東洋文化硏究所

柿村重松 註 1909年 『本朝文粹註釋』 上・下, 內外出版印刷株式會社

是澤恭三 1975年 「知恩院藏宋版一切經の傳來に就いて」 『南都佛敎』 35

植松　正 1972年 「彙輯‘至元新格’並ぴに解說」 『東洋史硏究』 30-4

--------- 1992年 「務限の法と務停の法」 『香川大學敎育學部硏究報告』 第1部 第86號

--------- 1999年 「元末浙西の地方官と富民」 『史窓』 56, 京都女子大學

--------- 2003年 「元初における海事問題と海運體制」 『東アジア海洋域圈の史的硏究』, 京都女子大學

--------- 2004年 「元代の海運萬戶府と海運世家」 『京都女子大學硏究紀要』 史學編3

--------- 2007年 「モンゴル國國書の周邊」 『史窓』 64

---------- 2007年 「元代海運の評價と實像」『山根幸夫教授記念明代中國の歷史的位相』下

---------- 2008年a 「至正條格出現意義課題」『法史學研究會會報』12

---------- 2008年b 『元代政治法制史年代索引』. 汲古書院

---------- 2011年 「元典章文書の構成からみたその成立事情」『中國史學』21, 中國史學會

---------- 2015年 「第二次日本遠征後の元・麗・日關係外交文書について」『東方學報』90, 京都

---------- 2017年 「經世大典みえる元朝の對日本外交論」『京都女子大學研究紀要』史學編16

---------- 2018年 「劉宣の第三次日本遠征反對論」『京都女子大學大學院文學研究科紀要』史學編17

---------- 2020年 「元初における日本人の燕京往還」, 上記の册, 史學編19

---------- 2021年 「モンゴル・元朝の對日遣使と日本の對元遣使」, 上記の册, 史學編20

植原久美子 譯(Reinhard Erich Zoiiner著) 2009年 『東アジアの歷史』, 明石書店

神奈川縣立金澤文庫 編 1975年 『金澤文庫資料全書』2, 金澤文庫

---------- 1990年 『金澤文庫文書目錄』

神奈川縣立歷史博物館 編 2007年 『宋元佛畫』

申 大興 1994年 『最新北朝鮮地名辭典』, 雄山閣出版

神道大系編纂會, 1980年 『新道大系』

榊 莫山, 1970年 『書の歷史』中國と日本, 創元社

神尾一春 1937年 『契丹佛敎文化史考』, 滿洲文化協會(第一書房, 影印本)

身邊山久遠寺 編 1980年 『本朝文粹』上・下, 影印本, 汲古書院

新城新藏 1928年 「周初の年代」『支那學』4-4

---------- 1920年 『東洋天文學史研究』, 弘文堂書房(臨川書店, 1930)

新野直吉 1993年 「古代環日本海外交の本態的一側面」『政治經濟史學』325

神田 茂 1934年 『日本天文史料綜覽』, 三秀舍

---------- 1935年 『日本天文史料』, 恒星社

---------- 1973年 『年代對照便覽』, 藝林舍

神田信夫 1989年 『中國史籍解題辭典』, 燎原書店

神田 泰 編 2000年 『高麗史曆志の研究』, 大東文化大學 東洋研究所

神田喜一郎 1941年 「元の昭宗の年號宣光に就いて」『紀元二千六百年記念史學論文集』, 京都大學文
    學部

---------- 1961年 「元・至元二十八年の紺紙金銀泥書華嚴經に就いて」『美術史』40

---------- 1969年 『東洋學文獻總說』, 二玄社

---------- 1969年 「中國の裝飾經について」『大和文華』50

---------- 1984年 『神田喜一郎全集』3, 同朋社出版

新井晋司 等編 2019年 『藪內淸著作集』, 臨川書店

新川登龜男　1999年『日本古代の對外關係と佛教』，吉川弘文館

塚原東吾　編　2019年『歷史の中の氣候，氣候の中の歷史』，神戶STS研究會

深見純生　1987年「三佛齊の再檢討」『東南アジア研究』25-2

深澤寬之　2003年「南宋沿海地域における海船政策」『史觀』149

辻森要脩　1929，1930年「南禪大藏跋文蒐錄」『佛典研究』1-2～9, 2-10～14

辻善之助　編　1939年『空華日用工夫略集』

辻　大和　2013年「朝鮮の對明朝貢使節が携帶した文書」『韓國・朝鮮文化研究』16

辻　正博　1991年「唐代貶官考」『東方學報』，京都63冊，京都大學人文科學研究所

----------　2016年「唐代寫本における避諱と則天文字の使用」『敦煌寫本研究年報』10-2

○

阿部　猛　2006年『度量衡の事典』，同成社

阿部　猛　編　1997年『日本社會における王權と封建』，東京堂出版

----------　2005年『古文書古記事典』，東京堂出版

阿部一明　1976年「中世における外壓と民族意識の形成」『政治經濟史學』125

兒玉眞一　1994年「文永・弘安の役を契機とする防長守護北條氏の一考察」『白山史學』30

兒玉幸多　編　1955年『日本社會史の研究』，吉川弘文館

惡党研究會　編　1998年『惡党の中世』，岩田書院

安居香山　1979年『緯書の成立とその展開』，國書刊行會

安居香山・中村璋八　1976年『緯書の基礎的研究』，國書刊行會

安居香山・中村璋八　編　1975年『重修緯書集成』，明德出版社(麗江出版社, 1986)

安達裕之　2009年「東シナ海の航海時期」『海事史研究』66

岸邊成雄　1943年「樂學軌範の開板に就いて」(『岸邊先生還曆記念東亞音樂論叢』，山一書房)

安倍正規　1991年「神風は台風か?」『チンギスハン』下，學習研究社

安部健夫　1972年『元代史の研究』，創文社

安田純也　2002年「高麗時代の僧錄司制度」『佛教史學研究』45-1

----------　2006年「了圓撰‘法華靈驗傳’と高麗佛教」『アジア文化交流研究』1，關西大學

----------　2007年「高麗時代の在地寺院と佛事」『アジア文化交流研究』2，關西大學

----------　2011年「高麗時代の藏經道場について」『年譜朝鮮學』14，九州大學

----------　2014年a「宋高僧傳朝鮮出身僧傳譯注」『佛教史研究』52

----------　2014年b「高麗時代の談禪法會」『佛教史學研究』57

----------　2016年「高麗中期の佛典整備と學僧」『朝鮮史研究會論文集』53

---------- 2018年 「高麗時代の消災道場について」『朝鮮學報』248

鞍田　崇 編 2008年『ユーラシア農耕史』, 臨川書店

安田政彦 2013年『災害復興の日本史』, 吉川弘文館

安平秋 等 2007年「アメリカの圖書館に所藏される宋元版…」『中國古籍流通學の確立』6, 雄山閣

安　輝濬 1977年「高麗及び李朝初期における中國畫の流入」『大和文華』62

岩本　裕 1988年『日本佛教大辭典』, 平凡社

岩間德也 1925年『元張百戶墓碑考』29)

岩本篤志 2015年『唐代の醫藥書と敦煌文獻』, 角川學藝出版

岩本憲司 2011年 以來『春秋學用語集』, 汲古書院

岩井大慧 1961年「麗板人天眼目とその種〃板考」『和田博士古稀記念東洋史論叢』, 講談社

---------- 1963年「榮樂大典現存卷目表」『岩井博士古稀記念典籍論集』, 開明堂

---------- 年度 不明『元代經濟史上の一新史料』, (出版社 不明)

岩井茂樹 2010年「元代行政訴訟と裁判文書」『東方學報』85, 京都

岩村　忍 1968年『モンコル社會經濟史の研究』, 京都大學 人文科學研究所

鴨綠江採木公司 編 2002年『鴨綠江林業誌』, ゆまえ書房

鴛淵　一 1961年『元史語彙集成』, 京都大學 文學部

愛新覺羅烏拉熙春 2004年『遼金元與契丹・女眞文』, 東亞歷史文化研究會

---------- 2004年『契丹言語文字研究』, 東亞歷史文化研究會

---------- 2006年『契丹墓誌より見た遼史』, 松香堂書店

---------- 2009年『愛新覺羅烏拉熙春女眞契丹學研究』, 松香堂書店30)

愛新覺羅 烏拉熙春 等編 2003年『女眞文大辭典』, 明善堂

愛新覺羅 烏拉熙春・吉本道雅 2011年『韓半島から眺めた契丹・女眞』, 京都大學出版會

愛新覺羅 烏拉熙春・吉本道雅 2012年『新出契丹史料の研究』, 松香堂書店

愛宕元 譯注 2004年『遊城南記・訪古遊記』, 京都大學學術出版會

櫻木晋一 2009年『貨幣考古學序說』, 慶應義塾大學出版會

櫻田眞理繪 2011年「唐代の通行證」(鈴木靖民 等編,『古代東アジアの道路と交通』, 勉誠出版 所收)

櫻井智美 1998年「趙孟頫の活動とその背景」『東洋史研究』56-4

櫻圃寺內文庫 編 1922年『櫻圃寺內文庫圖書目錄』

野口善敬 2005年『元代禪宗史研究』, 禪文化研究所

---

29) 이 자료는 1924년 현재의 遼寧省 金州市 金州鎮(大連市의 동북쪽에 위치)에서 발견된 新附軍百戶 張成의 묘비명이다. 이는 羅福頤 編,『滿洲金石誌』, 1937에 수록되어 있다(『석각사료신편』1-23 소수).

30) 愛新覺羅烏拉熙春(Aisingioro Ulhicun, 吉本道雅의 閣夫人)은 2017년 무렵 吉本智慧子로 改名하였다.

野口周一　1984年「元代武宗朝の王號授與について」『アジア諸民族における文化と社會』

--------- 1986年「元代後半期の王號授與について」『史學』56-2

野口鐵郎記念刊行會　編　2002年『中華世界の歴史的展開』，汲古書院

野上俊靜　1945年「龍龕手鑑雜考」『大谷學報』18-1

--------- 1953年『遼金の佛教』，平樂寺書店

野守　健　1942年『高麗燒の研究』，國書刊行會：『高麗陶磁の研究』，淸閑社，1944

野澤佳美　2007年「明版嘉興藏の續藏・反續藏の構成について」『立正史學』101

--------- 2015年『印刷漢文大藏經の歴史』，立正大學圖書館

御橋悳言　2001年『神皇正統記注解』，續群書類從完成會

御手洗勝　1971年「神農と蚩尤」『東方學』41

呂　　毅　2014年『中國黑茶のすべて』，幸書房

力武常次　等　2010年『日本の自然災害』，日本專門圖書出版株式會社

歴史學研究會　編　1998年『日本史史料』2，中世，岩波書店

--------- 1999年『越境する貨幣』，青木書店

--------- 2017年『日本史年表』5版，岩波書店

年代學研究會　編　1995年『天文・暦・陰陽道』，岩田書院

蓮　　見節　1988年「集史左翼軍の構成と木華黎左翼軍の編成問題」『アジア史研究』12，中央大學

塩卓悟　2007年「唐宋代の屠殺・肉食觀」『史泉』105

鹽澤直子　等編　1986年「扶桑略記人名總索引」『政治經濟史學』244・245，日本政治經濟史學研究所

影山輝國　2003年「漢代避諱に關する若干の問題について」『東洋文化研究所紀要』144

永田眞一　2008年「五代史記の春秋之法について」『國學院中國學會報』54

永井久美男　編　1994年『中世の出土錢』，兵庫埋藏錢調査會

--------- 1996年『中世の出土錢』補遺1，兵庫埋藏錢調査會

--------- 2005年「渡來錢時代における流通錢の變遷」『出土錢貨』22

奥崎裕司　1990年「方國珍の亂と倭寇」『明代史論叢』上

--------- 1999年『中國史から世界史へ，谷川道雄論』，汲古書院

五味文彦　1988年「日宋貿易の社會構造」『今井林太郎喜壽記念國史學論集』，河北印刷株式會社

五十川伸失　2016年『東アジア梵鐘生産史の研究』，岩田書院

呉　　志宏　2012年「唐代左・右藏庫の變容と內庫との關係」『早稻田大學大學院文學研究科紀要』58

--------- 2013年「唐代における左藏庫と內藏庫との變遷について」『史觀』169

奥村周司　1979年「高麗における八關會的秩序と國際環境」『朝鮮史研究會論文集』16

--------- 1984年「使節迎接禮より見た高麗の外交姿勢」『史觀』110

--------- 1985年「醫師要請事件にみえる高麗文宗朝の對日姿勢」『朝鮮學報』117

---------- 1999年 「朝鮮における明使迎接禮と對明姿勢」『早稻田實業學校研究紀要』33(附圖B3, Bnc, ケ, 112B)

---------- 2003年 「高麗における謁祖眞儀と王權の再生」『早稻田實業學校研究紀要』 37

---------- 2007年 「高麗における燃燈會と王權」(福田記念論集刊行會,『古代東アジアの社會と文化』, 汲古書院)

奧平昌洪 1938年 『東亞錢志』, 岩波書店

玉井是博 1934年 「唐時代の外國奴」『小田先生記念論集』

玉村竹二 1981年 『日本禪宗史論集』, 思文閣出版

---------- 1983年 『五山禪僧傳記集成』, 講談社

玉村竹二 編 1967年 以來『五山文學新集』 1～6, 別集2卷, 東京大學出版會

溫 靜 2018年 「中國宋・遼・金代建築の組物」(藤井惠介退職紀念論文集編輯委員會,『建築の歷史・様式・社會』, 中央公論美術出版)

窪添慶文 2018年 「墓誌研究雜感」『史學雜誌』 127-3(短文의 所見)

王 建 1997年 『史諱辭典』, 汲古書院

王 麗萍 2002年 『宋代の中日交流史研究』, 勉誠出版

外山幹夫 1990年?『中世九州社會史の研究』, 吉川弘文館

外山軍治 1979年 『金朝史研究』, 同朋舍

饒村 曜 2000年 『地震のことがわかる本』, 新星出版社

龍谷大學圖書館 編 1936年 『龍谷大學圖書館善本目錄』, 龍谷大學出版部

龍 肅 1940年 『鎌倉時代の研究』, 春秋社

---------- 1959年 『蒙古襲來』, 至文堂駕淵 ― 1961年 『元史語彙集成』, 京都大學 文學部

牛根靖裕 2008年 「元代雲南王位の變遷と諸王の印制」『立命館文學』 608

牛瀟 2020年 「元代前期の華北における儒教保護」『中國. 社會と文化』 35

宇生健一 1965年 「五代の巡檢使に就いて」『東方學』 29

宇野伸浩 1995年 「遼朝皇族の通婚關係にみられう交換婚」『史滴』 17

宇田川武久 1976年 「中世海賊衆の終末」『日本歷史』 333

羽田 亨 1930年 『元朝驛傳雜考』, 東洋文庫

宇佐見英治 等編 1979年 『古寺巡禮』 奈良2 園城寺, 淡交社

宇佐美龍夫 1986年 『歷史地震事始』, 太平社印刷社

---------- 等編 2013年 『日本被害地震總覽』, 東京大學出版會

---------- 2014年 『日本被害地震總覽 509～2012』, 東京大學出版會

宇津德治 等編 2001年 『地震の事典』, 朝倉書店

雲英末雄 等編 1985・1986年 『古文書集』 1～3 : 早稻田大學資料影印叢書14～16, 早稻田大學

熊谷宣夫 1967年 「朝鮮佛畫徴」『朝鮮學報』44

---------- 1972年 「朝鮮佛畫資料拾遺」『佛教藝術』83

熊本　崇 1990年 「元豊の御史」『集刊東洋學』63

-------- 2005年 「宋神宗官制改革試論」『東北大學東洋史論集』10

-------- 2007年 「宋執政考」『東北大學東洋史論集』11

熊倉功夫 等編 2012年 『陸羽"茶經"の研究』, 宮帶出版社

元代の法制研究班 2007年 「元典章禮部校定と譯注」『東方學報』81

遠藤啓介 2001年 「宋元陶磁器研究の現在」『史滴』23

元木泰雄 等編 2011年 『日記で讀む日本中世史』, ミネルヴァ書房

原美和子 1999年 「宋代東アジアにおける海商の仲間關係と情報網」『歴史評論』592

---------- ------年 「宋代海商の活動に關する一試論」『中世の對外交流』, 출판사

蘭部壽樹 2014年 「看聞日記 現代譯」1,『米澤史學』30

---------- 2014年 「看聞日記 現代譯」2,『山形縣立米澤女子短期大學紀要』50

原山仁子 1971年 「元朝の達魯花赤について」『史窓』29

園城寺 編 1931年 『園城寺之研究』, 星野書店

---------- 1998年 『園城寺文書』, 講談社

原秀三郎 2018年 『日本古代の木簡と莊園』, 塙書房

原田淑人 1944年 「元代鈑金經箱の銘文に就いて」『東洋學報』29-3・4合

圓田一龜 1937年 「宋徽宗皇帝の滿洲流配」『滿洲學叢刊』1, 滿鐵奉天圖書館

---------- 1938年 「李成梁と其の一族に就て」『東洋學報』26-1

---------- 1949年 「元代南滿洲の交通路について」『東洋學報』32-2

原田一良 2006年 『高麗史研究論集』, 新羅史研究會

元典章研究班 1954年 『元典章索引考』, 京都大學 人文科學研究所

---------- 1972年 『校定本元典章刑部』, 京都大學 人文科學研究所

原田種成 1965年 『貞觀政要の研究』, 吉川弘文館

---------- 1965年 『貞觀政要語彙索引』, 汲古書院

原田弘道 1980年 「羅漢講式考」『駒澤大學佛教學部論集』11

越智唯七 編 1917年 『新舊對照朝鮮全道府郡面里洞名稱一覽』, 中央市場(景仁文化社, 1990, 2000)

魏　榮吉 1985年 『元日關係史の研究』, 教育出版センター

劉　可維 2013年 「唐代の賵賻制度について」『史學雜誌』122-11

---------- 2014年 「漢晋における賵賻制度について」『九州大學東洋史論集』42

有高　巖 1930年 「元代奴隷考」『小川博士還暦紀念史學地理學論叢』

有井智德 1985年 『高麗李朝史の研究』, 國書刊行會

有馬成甫 1964年 『火砲の起源とその傳流』，?

遊佐　陞 2015年 『唐代社會と道教』，東方書店

劉　浦江 2007年 「契丹名・字研究」『唐代史研究』10

陸　俊鋮 2018年 「洪武年間に於ける明の東北アジア外交」『立命館東洋史學』41

尹　瑢均 1933年 『尹文學士遺稾』，朝鮮印刷株式會社

栗林　均 2009年 『元朝秘史モンゴル語漢字音釋・邦譯漢語…』，東北大學東北アジア研究センター

栗林宣夫 1983年 「征東行省と高麗」『アジアの教育と社會』

栗原圭介 1994年 「天子諸侯の宗廟祭祀と四時との概念」『大東文化大學漢學會誌』33

栗原朋信 1945年 「木主考」『中國古代史研究』2，吉川弘文館

栗原益男 1956年 「唐末五代の假父子的結合における姓名と年齡」『東洋學報』18～4

--------- 2014年 『唐宋變革期の國家と社會』，汲古書院

隆矢哲男 2002年 「韓半島産陶磁器の流通」『貿易陶磁研究』22

乙坂智子 1997年 「元代內附序論」『史境』34.

--------- 1999年 「元朝の對外政策」『史境』38・39

--------- 2013年 「元代江西の帝師殿と呉澄」『横濱市立大學論叢』人文科學系列64-2

--------- 2017年 『迎佛鳳儀の歌』-元の中國支配とチベット佛教-，白帝社

蔭木英雄 1982年 『訓注空華日用工夫略集』，思文閣出版

依田千百子 1991年 『朝鮮神話傳承の研究』，瑠璃書房

衣川　強 編 1974年 『宋元學案・宋元學案補遺人名・字號・別名索引』，京都大學　人文科學研究所

衣川賢次 2012年 「臨濟錄テクストの系譜」『東洋文化研究所紀要』162

二宮啓任 1958年 「高麗朝の上元燃燈會について」『朝鮮學報』12

--------- 1960年 「高麗朝の恒例法會について」『朝鮮學報』15

--------- 1961年 「高麗朝の齋會について」『朝鮮學報』12

伊藤宏明 1997年 「唐末五代における都校について」『名古屋大學東洋史研究報告』21

伊藤東涯 ----年 『輶軒小錄』「新羅鐘幷元世銅馬之事」，

伊藤一美 2000年 「弘安四年四月異國降伏祈禱記の歷史的意義」『鎌倉』91，鎌倉文化研究會

伊藤忠敬 1998年 『測量日記』，大空社

伊藤幸司 1996年 「大内氏の對外交流と筑前博多聖福寺」『佛教史學研究』39-1

--------- 2001年 「異國使僧小錄の研究」『禪學研究』80

--------- 2018年 「港町複合體としての中世博多灣と箱崎」『九州史學』180

李　美子 2003年 「渤海の遼東地域の領有問題をめぐって」『史淵』104

李　炳魯 1993年 「9世紀初期における環シナ海貿易圏の考察」『神戸大學史學年譜』8

李　成市 2014年 「六～八世紀の東アジアと東アジア世界論」『岩波講座日本歷史』2，岩波書店

李 成市 等編 2017年 『朝鮮史』 1, 山川出版社

李   領 1995年 「中世前期の高麗と日本」 『地域文化研究』 8, 東京大學 地域文化研究會

--------- 1996年 「高麗末期倭寇構成員に關する一考察」 『韓日關係史研究』 5

--------- 1998年 「倭寇の空白期に關する一考察」 『日本歷史研究』 5

--------- 1999年 『倭寇と日麗關係史』, 東京大學出版會

李 雲龍 2018年 「宋代例册考」 『歷史文化社會論講座紀要』 15, 京都大學 人間·環境學研究科

伊原 弘 編 2009年 『宋錢の世界』, 勉誠出版

李 有珍 2014年 「新羅の禪宗受容と梵日」 (田中史生 編, 『入唐僧惠蕚と東アジア』, 勉誠出版)

李 正根 1986年 『板門店』, 外國文出版社

李 正勳 2012年 「末松保和資料」 『學習院大學東洋文化研究所所藏資料紹介』 56

李 鎭漢 2009年 「高麗時代における宋商の往來と麗宋外交」 『年報朝鮮學』 12, 九州大學

李 亨源 2005年 「三國～高麗時代鍵·錠前の變遷とその性格」 『青山考古』 22

李 禧燮 1941年 『圖說朝鮮美術史』, 文明商店

仁井田陞 1943年 『支那身分法史』, 座右寶刊行會

--------- 1964年 『唐令拾遺』, 東京大學出版會(再版)

--------- 1984年 『支那身分法制史』, 東方文化學院

仁井田陞 等編 1971年 「古唐律疏議製作年代考」 『東方學報』 2册, 東京

日高孝次 1940年 『九州及び南西諸島の黑潮』, 海上氣象臺彙報, 號外, 海上氣象臺,

日滿文化協會 京都分會 1936年 『羅雪堂先生所著書·所刊書目錄』, 프린트本

日本古鐘研究會 1999年 『梵鐘』 11[31]

--------- 2003年 『梵鐘』 15[32]

日本史史料研究會 編 2018年 『將軍·執權·連署 : 鎌倉幕府權力を考える』, 吉川弘文館

日本書誌學會 編 1933年 『宋刊本展覽會陳列品解說』

--------- 1933年 『宋本書影』

日本消防新聞社 編 1940年 『日本火災史と外國火災史』, 原書房(1977年 影印本)

日比野丈夫 1974年 「北宋時代の京東路」 『青山博士古稀紀念論叢』, 省心書房

日野開三郎 1980年 以來 『東洋史學論集』, 三一書房

日外アソシェーツ編集部 2006年 『古代中世曆』, 日外アソシェーツ株式會社

日置英剛 2007年 以來 『新國史大年表』, 國書刊行會

日韓交流基金 2019年 『國際關係』

---

31) 이 책은 坪井良平의 特輯號이다.

32) 이 책은 坪井良平의 未發表遺稿集이다.

林　敬熙　2014年「高麗沈沒船貨物票木簡」(『古代日本と古代朝鮮の文字文化交流』, 大修館書店, 2014)

林　敬熙 等 2014年「泰安馬島水中出土木簡の解讀と內容」『木簡研究』36

林　文理　1998年「博多綱首の歷史的位置」『古代中世の社會と國家』, 淸文堂

林巳奈夫 2018年『中國古代車馬研究』, 臨川書店

林屋晴三 1978年『高麗茶碗』: 陶磁大系32, 平凡社

林　溫　1993年「建長寺藏水月觀音畵像をめぐって」『佛敎藝術』210

--------- 2010年『鎌倉佛敎繪畵考』, 中央公論美術出版, 2010

任　章赫　2001年『祈雨祭』, 岩田書院

林　呈蓉　1990年「大宰府貿易の再檢討」『海事史研究』47

林　正爀　2014年『朝鮮古代中世科學技術史研究』, 皓星社

--------- 2018年「朝鮮古代觀測記錄調査報告刊行100周年に際して」『科學史研究』57

林　進　1977年「高麗時代水月觀音圖について」『美術史』102, 美術史學會

--------- 1979年「新出の高麗水月觀音圖について」『佛敎藝術』123

--------- 1981年「高麗經箱についての二, 三の問題」『佛敎藝術』138

林　泰輔　1897年「應永二十六年の外寇に就きて」『史學雜誌』8-4

入田整三　1921年「松平樂翁公藏の朝鮮鐘」『考古學雜誌』11-9

ㅊ

滋賀高義　1966年「元の世祖と道敎」『大谷學報』46-3

長谷部樂爾　1969年「高麗靑磁九龍首淨甁」『大和文華』51

--------- 1977年『高麗の靑磁』: 陶磁大系29, 平凡社

--------- 1982年「小倉collectionの高麗・李朝陶磁」『MESEUM』373

長谷川博史 1998年「中世都市杵築の發展と地域社會」『史學研究』220

長崎縣敎育委員會 編 1974年『長崎縣文化財調査報告書』16

--------- 2018年『鷹島海底遺跡』, 平成25年度から平成29年度までの調査成果

長崎縣敎育會對馬部會 編 1977年『對馬人物志』, 對馬叢書4, 村田書店

長崎縣鷹島町敎育委員會 1993年 以來『鷹島海底遺跡』Ⅱ～Ⅺ

長沼賢海 1933年「元寇と松浦黨」『史淵』7

--------- 1936年「海上交通史上の壹岐」『史淵』12

--------- 19--?年『松浦黨の研究』, --社

張　東翼　1993年「高麗と元の間の經濟交流」『學人』4

--------- 2005年「1269年大蒙古國中書省牒と日本側の對應」『史學雜誌』114-8

---------- 2007年 「一三六六年高麗國征東行中書省の咨文…」『アジア文化交流研究』2, 關西大學

---------- 2010年 「高麗時代の對外關係の諸相」『東アジア海をめぐる交流の歴史的展開』, 東方書店

---------- 2015年 「10～14世紀北東アジア三國の共存」『韓國陶磁研究報告』8, 大阪市立東洋陶磁美術館

---------- 2016年 『モンゴル帝國期の北東アジア』, 汲古書院

莊園・村落史研究會 編 2016年 『中世村落と地域社會』, 高志書院

長 節子 1987年 『中世日朝關係と對馬』, 吉川弘文館

長澤規矩也 1933年 『宋刊本展覽會陳列書解說』, 日本書誌學會

---------- 1973年 『足利學校善本圖錄』, 汲古書院

---------- 1982年 『長澤規矩也著作集』2, 汲古書院

長澤規矩也 編 1956年 『大東急記念文庫貴重書解題』1

---------- 1958年 『和刻本漢籍隨筆集』, 古典研究會

---------- 1963年 『和刻本漢籍文集』, 古典研究會

---------- 1978年 『和刻大明一統志』, 汲古書院

長澤孝三 1981年 「和刻本韓籍目錄考」『村上四男退官紀念朝鮮史論文集』, 凸版株式會社

在日本朝鮮社會科學者協會歴史部會 編 1993年 『高句麗・渤海と古代日本』, 雄山閣出版

赤木崇敏 等編 2017年 『元典章が語ること』, 大阪大學出版會

荻須純道 1970年 「延寶傳燈錄について」『禪文化研究所紀要』2

荻野三七彦 1938年 「下總觀福寺の佛像銘」『美術研究』87

赤羽目匡由 2011年 『渤海王國の政治と社會』, 吉川弘文館

赤澤英二 1995年 『日本中世繪畫の新資料とその研究』, 中央公論美術出版

前間恭作 1925年 『鷄林類事麗言攷』, 東洋文庫

---------- 1937年 『朝鮮の板本』, 松浦書店

---------- 1963年 「開京宮殿簿」『朝鮮學報』26：京都大學文學部國語學研究室 編,『前間恭作著作集』下, 1974

前間恭作 編 1944年 『古鮮冊譜』1, 東洋文庫

箭内 瓦 1930年 「元朝牌符考」『蒙古史研究』, 刀江書院

---------- 1940年 『滿洲歴史地理』1・2, 南滿洲鐵道株式會社

田代和生 1975年 『對馬古文書』, 對馬風俗記 別冊

田島 公 1993年 『日本, 中國・朝鮮對外交流史年表』, 臨川書店

---------- 1995年 「大宰府鴻臚館の終焉」『日本史研究』389

田頭賢太郎 2006年 「金吾衛の職掌とその特質」『東洋學報』88-3

田邊 淳 1994年 「呂氏春秋における覇者像」『國學院中國學會報』40

畠山久尙 編 1964年 『アジアの氣候』, 古今書院

畑純 生 2013年 「唐代科擧における座主·門生の關係について」『龍谷史壇』137

前田 興 1982年 「岡山市西大寺觀音院の朝鮮鐘に關する一, 二の考察」『史迹と美術』530(52-10)

前田元重 1978年 「金澤文庫古文書みえる日元交通資料」『金澤文庫研究』249·250 :『日本古文書
學論集』5, 1986

前田直典 1973年 『元朝史の研究』, 東京大學出版會

田畑賢住 1979年 「園成寺の歷史と信仰」『古寺巡禮』奈良2 : 園成寺, 淡交社

田中健夫 1959年 『中世海外交涉史の研究』, 東京大學出版會

---------- 1970年 「東アジア通交關係の形成」『岩波講座世界歷史』9, 中世3

---------- 1975年 『中世對外關係史』, 東京大學出版會

---------- 1976年 「朝鮮通交大紀雜考」『朝鮮學報』79

---------- 1982年 『倭寇』, 教育社

---------- 1991年 『對外關係と文化交流』, 思文閣出版

---------- 1996年 『前近代の國際交流と外交文書』, 吉川弘文館

---------- 2001年 「對外關係史研究の課題」『史學雜誌』110-8

---------- 2003年 『對外關係史研究のあうみ』, 吉川弘文館

田中健夫 編 1987年 『日本前近代の國家と對外關係』, 吉川弘文館

---------- 1995年 『前近代の日本と東アジア』, 吉川弘文館

---------- 1995年 『譯注日本史料 善隣國寶記·新訂續善隣國寶記』, 集英社

田中建夫·田代和生 校訂 1978年 『朝鮮通交大紀』, 名著出版

田中 謙 等編 2019年 『中世日本の海賊と城』, 村上海賊…推進協議會, 調査報告書

田中謙二 2000年 『田中謙二著作集』, 汲古書院

田中民治 等校 1930年 『看聞御記』上·下, 續群書類從完成會

田中博美 1989年 「遣明船貿易品として日本刀のその周邊」『東京大學史料編纂所報』24

田中史生 2012年 『國際交易と日本古代』, 吉川弘文館

田中史生 編 2014年 『入唐僧惠萼と東アジア』, 勉誠出版

田中義三郎則府 1991年 「契丹女眞新資料の言語學的寄與」『日本語學とアルタイ語學』, 明治書院

田中整治 1975年 「南唐と吳越との關係」『史流』16

田中萃一郎 1932年 『田中萃一郎史學論文集』, 三田史學會

前川 要 2007年 『北東アジア交流史研究』, 塙書房

田川孝三 1964年 『李朝貢納制の研究』, 東洋文庫

田村吉永 1953年 「元興寺の朝鮮鐘」『史迹と美術』229

田村尙也 2016年 『用兵思想史入門』, 中央公論新社

田村實造 1977年 『慶陵の壁畫』, 同朋社

田村實造 等 1953年 『慶陵』, 京都大學 文學部

田村 洋 1993年 「高麗における倭寇濫觴期以前の日麗通交」『經濟經營論』28-2, 京都大學

田村洋幸 1962年 「倭將阿只拔都と安藝海賊大將軍の類似について」『藝備地方史研究』43

\---------- 1962年 「鮮初倭寇の系譜について」『朝鮮學報』23

\---------- 1967年 『中世日朝貿易の研究』, 三和書房

田村洋幸 編 1967年 『高麗史・高麗史節要日麗關係編年史料』, 峯書房

田村圓澄 1991年 「大宰府探求補遺」『九州歷史資料館研究論集』16

田村專之助 1937年 「高麗末期における楮貨採用問題」『歷史學研究』7-3

田丸祥幹 2013年 「唐代の水驛規定について」『法史學研究會會報』17

鮎貝房之進 1938年 「朝鮮人の日本風俗觀」『稻葉博士還曆記念滿鮮史論叢』

\---------- 1972年 「俗文考」『雜攷・俗字攷・俗文攷・借字攷』6下, 國書刊行會

正木希三郎 1990年 「太宰府の變質と宗像氏」『古代中世史論集』, 吉川弘文館

井本進・長谷川一郎 1956年 「中國・朝鮮及び日本の流星古記錄」『科學史研究』37

井上隆彦 1995年 「元寇船の海事史的研究」『日本海事史の諸問題』船舶編, 文獻出版

井上正夫 1992年 「高麗朝の貨幣」『靑丘學術論集』2

井上直樹 2010年 「前後日本の朝鮮古代史研究と末松保和・旗田巍」『朝鮮史研究會論文集』48

井上 徹 2011年 『海域交流と政治權力の對應』, 東アジア海域叢書2, 汲古書院

井上和枝 2004年 「高麗時代の烈女と惡女」『唐代史研究』7

井手誠之輔 1990年 「香川極樂寺の佛涅槃圖」『美術研究』346, 東京文化財研究所

\---------- 1996年 「高麗の阿彌陀畫像と普賢行願品」『美術研究』362

\---------- 2001年 「日本の宋元佛畫」『日本の美術』418, 至文堂

井手誠之輔・朴亨國 等編 2018年 『アジア佛教美術論集』東アジア6, 朝鮮半島, 中央公論美術出版

鄭 淳一 2011年 「寬平新羅海賊考」『史觀』164

鄭 樑生 1985年 『明・日關係史の研究』, 雄山閣出版[附圖,B1, GE, 291,ミ4]

鄭 于澤 1986年 「高麗時代の阿彌陀八大菩薩圖」『大和文華』75

\---------- 1987年 「筑前善導寺の地藏菩薩圖」『美術史』122

\---------- 1987年 「山形・上杉神社の阿彌陀三尊圖」『佛教藝術』173

\---------- 1988年 「高麗時代の阿彌陀三尊薩圖」『泉古博古館紀要』5

\---------- 1988年 「高麗阿彌陀八大菩薩圖の變容」『大和文華』80

\---------- 1988年 「日本銀行藏の阿彌陀如來圖」『MUSEUM』453, 東京國立博物館

\---------- 1990年 『高麗時代阿彌陀畫像の研究』, 永田文昌堂

\---------- 1994年 「高麗時代の羅漢畫像」『大和文華』92

--------- 1998年 「新出の高麗時代地藏菩薩圖」『大和文華』99

--------- 2001年 「高麗佛畫の世界」『日本の美術』418

井原今朝南 1988年 「中世善光寺の一考察」『信濃』40-3

--------- 2013年 『環境の日本史』3, 吉川弘文館

正倉院事務所 1961年 『正倉院寶物解說』 南倉, 北倉, 朝日新聞社

井形　進 2019年 『九州佛像史入門』, 海鳥社

井黑　忍 2005年 「大元ウルスの關中屯田京營」『大谷大學史學論究』11

--------- 2005年 『金元時代華北農業水利史の研究』, 京都大學 博士學位論文

--------- 2009年 「耶懶完顏部の軌跡」(天野哲也 等編, 『中世東アジアの周緣世界』, 同成社)

諸橋轍次 1968年 『大漢和辭典』1～12, 大修館書店

--------- 1976年 『諸橋轍次著作集』1～10, 大修館書店

齊藤國治 1980年 「日本上代において一日は午前3時に始まった」『科學史研究』134

--------- 1980年 「古代朝鮮(A.D.205～1391)の星食記錄の檢證」『科學史研究』136

--------- 1981年 「前漢時代の天文史料-その分類・日付 …」『科學史研究』138, 139

--------- 1982年 「後漢時代の天文史料-その分類・日付 …」『科學史研究』141, 142

--------- 1983年 「晋書の中の天文史料-その天文年代學的な檢證」『科學史研究』145

--------- 1984年 「三國志の中の天文史料-その天文年代學的な檢證」『科學史研究』149

--------- 1995年 『日本・中國・朝鮮古代の時刻制度』, 雄山閣出版

齊藤國治・小澤賢二 1986年 「天文史料を使って史記の六國年表を檢證する」『科學史研究』157

--------- 1992年 『中國古代の天文記錄の檢證』, 雄山閣

齊藤襄治 譯(Evelyn Mccune 著) 1963年 『朝鮮美術圖史』, 美術出版社

齋藤　忠 1996年 『北朝鮮考古學の新發見』, 雄山閣

--------- 1997年 『古代朝鮮文化と日本』, 雄山閣33)

--------- 2003年 『幢竿支柱の研究』, 第一書房

--------- 2006年 「高麗玄化寺碑について」『朝鮮學報』199・200合

齋藤　忠 編 1997年 『高麗寺院史料集成』, 大正大學綜合佛教研究所

帝室博物館 編 1925年 『帝室博物館年報』

朝克圖 2011年 「元朝秘史の世界を理解するために」(『モンゴル史研究』, 明石書店)

早稻田大學 モンゴル史研究所 編 2011年 『モンゴル史研究』, 明石書店

朝比奈泰彦 編 1955年 『正倉院藥物』, 便利堂

鳥山喜一 1943年 『滿鮮文化史觀』, 刀江書院

---

33) 이의 번역으로 孫大俊, 『古代韓國文化와 日本』, 圓光大學出版部, 1981이 있다.

朝鮮古書刊行會 編 1910年 『朝鮮美術大觀』

朝鮮史學同攻會 1926年 『朝鮮史學』 2〜7

朝鮮史學會 19--年 『朝鮮史講座特別講義』 (弗咸文化社 影印本)

----------- 19--年 『朝鮮史講座分類史』 (弗咸文化社 影印本)

朝鮮總督府 內務部 編 1911년 『朝鮮寺刹史料』

朝鮮總督府 內部警務局 編 1910年 『民籍統計表』

朝鮮總督府 編 1911年 『朝鮮寺刹史料』 (復刊, 中央文化出版社, 1968)

---------- 1914年 『大正三年度古蹟調査報告』

---------- 1916年 『大正五年度古蹟調査報告』

---------- 1918年 『朝鮮古蹟圖譜』 6(出版科學總合研究所 編, 『朝鮮考古資料集成』 3, 1982)

---------- 1919年 『大正八年度古蹟調査報告』 咸鏡南道咸興郡に於ける高麗時代の古城址

---------- 1919年 『朝鮮金石總覽』 (金石總覽으로 表記함)

---------- 1920年 『朝鮮古蹟圖譜』 7(出版科學總合研究所 編, 『朝鮮考古資料集成』 3, 1982

---------- 1929年 『朝鮮古蹟圖譜』

---------- 1931年 『朝鮮民曆』, 1931, 1933, 1934. 1935, 1936年

---------- 1934年 『朝鮮古蹟圖譜』 9(出版科學總合研究所 編, 『朝鮮考古資料集成』 4, 1982)

---------- 1942年 『朝鮮寶物古蹟調査資料』

朝鮮總督府博物館 編 1930年代 『博物館陳列品圖鑑』 第4輯(1932年?, 年代表記 없음), 5輯(1933年),
    6輯(1934年), 7輯(1935年), 9輯(1936年), 12輯(1938年), 13輯(年代表記 없음), 14輯(1939年),

朝鮮總督府中樞院 編 1932年 『朝鮮史』

早水 勉 2017年 『星空の教科書』, 技術評論社

早乙女雅博 2010年 『新羅考古學研究』, 同成社

尊經閣文庫 編 1999年 『前田利家關係藏品圖錄』, 新人物往來社

宗像神社復興期成會 編 1966年 『宗像神社史』, 精興堂

綜合佛教大辭典編纂委員會 編 2013年 『綜合佛教大辭典』, 法藏館

佐久間達 編 1998年 『伊能忠敬測量日記』, 大空社

佐久間重男 1992年 『日明關係史の研究』, 吉川弘文館[文,東洋史才4,N,3]

佐藤健一 2008年 「九州探題今川了俊の召還と解任」 『日本歷史』 717

佐藤健一郎 等編 2019年 『曆と行事の民俗誌』, 八坂書房

佐藤ももこ 2014年 「唐代の通行證に關する一考察」 『史泉』 120

佐藤武敏 1993年 『中國災害史年表』, 國書刊行會

---------- 1997年 『司馬遷の研究』, 汲古書院

佐藤文二 1940年 「元寇の我が軍事界に及ぼせる影響」 『軍事史研究』 5-1

佐藤文子 等編 2014年 『佛敎がつなぐアジア』，勉誠出版

佐藤成順 2016年 「吳越宋初の杭州の佛敎」『三康文化研究所年報』47

佐藤 信 2018年 『水中遺跡の歷史學』，山川出版社

佐藤 信 等編 2007年 『前近代の日本列島と朝鮮半島』，山川出版社

佐藤洋一郎 2019年 『日本のイネ品種考』，臨川書店

佐藤 進 2008年 『古文書學入門』，法政大學 出版局

佐藤正志 編 2013年 『多元主義と多文化主義の間』，早稻田大學出版部

佐藤鐵太郎 2010年 『元寇後の城郭都市博多』，海島社

佐藤弘夫 1987年 「立正安國論考」『日本史研究』304

佐藤和夫 1972年 「下總觀福寺懸佛の銘の問題點について」『日本歷史』285

---------- 2008年 「倭寇論ノート」『政治經濟史學』500

佐伯啓造 1943年 『塔婆の研究』，夢殿編纂所

佐伯 富 1974年 『宋史職官志索引』，同朋舍

佐伯弘次 1988年 「大陸貿易と外國人の居留」『よみがえる中世』1，平凡社

---------- 1996年 「中世都市博多と石城管事宗金」『史淵』133

---------- 2003年 『モンゴル襲來の衝擊』，日本の中世9，中央公論新社

---------- 2009年 「日本侵攻以後の麗日關係」(『モンゴルの高麗・日本侵攻と韓日關係』，景仁文化社)

---------- 2013年 「蒙古襲來研究の步み」『考古學ジャーナル』641

佐伯弘次 編 2006年 『壹岐・對馬・松浦半島』，街道の日本史，吉川弘文館

---------- 2014年 『中世の對馬，ヒト・モノ・文化の描き出す日朝交流史』，勉誠出版

---------- 2014年 『東アジアにおけるモンゴル襲來關係地資料集』(研究報告書)

佐〃木蘭貞 2017年 「元寇沈沒船を探る」(村田憲三 編，『水中文化遺產』，勉誠出版)

佐〃木宗雄 2018年 『日本中世國制史論』，吉川弘文館

佐〃木銀弥 1994年 『日本中世の流通と對外關係』，吉川弘文館

佐竹昭廣 等編 1999年 『新日本古典文學大系』1～100，岩波書店

佐竹靖彦 2007年 『宋代史の基礎的研究』，朋友書店

佐賀縣敎育廳 編 1961年 『佐賀縣の文化財』

佐賀縣史編纂委員會 編 1955年 『佐賀縣史料集成』古文書1～30，佐賀縣立圖書館

酒寄雅志 2001年 『渤海と古代の日本』，校倉書房

周 東平 1999年 「唐代の坐臟について」『古代文化』51

周藤吉之 1962年 『宋代經濟史研究』，東京大學出版會

---------- 1969年 『宋代史研究』，東洋文庫

---------- 1980年 『高麗朝官僚制の研究』，法政大學出版局

朱雀信城 2008年 「至元八年二十五日月付趙良弼書状について」『年報太宰府學』2

---------- 2011年 「蒙古使趙良弼宛南浦紹明詩文の再檢討」『年報太宰府學』5

主税英德 2018年 「大宰府出土の高麗陶器」(小田富士雄, 『大宰府の研究』, 高志書院 소수)

酒井シヅ 1999年 『疫病の時代』, 大修館書店

酒井衆典 等編 2015年 『氣象體制の事典』, 朝倉書店

酒井忠夫 1983年 「飛驒安國寺の元版大藏經について」『アジアの教育と社會』

竹居明男 2018年 「蒙古合戰と神風」『文化學年報』67, 同志社大學

竹內理三 1938年 「中世寺院と外國貿易」『歷史地理』72-1, 2

---------- 1950年 「對馬の史料調査」『日本歷史』30?

---------- 1951年 「對馬の古文書」『九州文化研究所紀要』1

---------- 1975年 「太宰府天滿宮の古文書」『菅原道眞と太宰府天滿宮』下, 太宰府天滿宮文化研究所

---------- 2000年 『竹內理三著作集』8, 古代中世の課題, 角川書店

竹內理三 編 1964〜1997年 『太宰府・太宰府天滿宮史料』1〜15, 太宰府天滿宮

---------- 1943年 以來 『寧樂遺文』1〜3, 東京堂出版

---------- 1971年 以來 『平安遺文』1〜12, 東京堂出版

---------- 1971年 以來 『鎌倉遺文』 古文書編1〜42, 補遺編1〜4, 東京堂出版(CD-ROM鎌倉遺文,
   東京大學史料編纂所, 2008).

竹內理三・瀧澤武雄 編 1988年 『史籍解題辭典』上, 東京堂出版

竹田和夫 編 2011年 『古代・中世の境界意識と文化交流』, 勉誠出版

重近啓樹 1987年 「漢代の復除について」『東方學』73

中吉 功 1973年a 『海東の佛教』, 國書刊行會

---------- 1973年b 『新羅・高麗の佛像』, 二玄社

中吉 功・岡田 讓 1986年 「高麗の美術」『日本古代史講座』8, 學生社

中嶋 敏 2002年 『東洋史學論集』續編, 汲古書院

中島樂章 2009年 「元代の文書行政におけるパスパ字使用規程について」『東方學報』84

---------- 等編 2013年 『寧波と博多』, 東アジア海域叢書11, 汲古書院

中島樂章・四日市康博 2004年 「元朝的征日戰船與原南宋水軍」『海交史研究』2004-1

中島悟史 2000年 『曹操注解孫子の兵法』, ビジネス社

中島浩貴 等譯 2017年 『軍事史とは何か』, 原書房[34)

中牧弘允 2017年 『世界の曆文化事典』, 丸善出版

中尾眞樹 1995年 「本朝文粹との史料性をめぐる諸問題」『古文書研究』40

---

34) 이 책은 Thomas kuhne and Benjamin Zieman, Was IST MILITARGESCHTE?를 번역한 것이다.

中砂明德 1993年「唐代の墓葬と墓誌」(礪波 護, 『中國中世の文物』, 京都大學 人文科學研究所, 1993)

中山八郎 1941年「元末明初の梟雄張士誠に就いて」『立正史學』13

中山平次郎 1917年「博多聖福寺の朝鮮鐘」『考古學雜誌』7-6

--------- 1917年「筑前國內の朝鮮鐘と其模造品」『考古學雜誌』7-9

中西　亮 1987年「北朝鮮古文化財の現狀」『史迹と美術』57-9(通卷579)

中西朝美 2005年「五代・北宋における國書の形式について」『東北大學東洋史論集』33

重松敏彦 1997年「平安初期における日本の國際秩序構想の變遷」『九州史學』118・119合

中央氣象臺 1941年『日本の氣象史料』1～3, 原書房(1976年 復刊)

中央大學 人文科學研究所 編 2004年『アフロ・ユージア大陸の都市と國家』, 中央大學出版部

--------- 2015年『島と港の歷史學』, 中央大學出版部

中野高行 2008年『日本古代の外交制度史』, 岩田書店

中野美代子 1977年「耶律一族と元好文」『江上波夫教授古稀記念論集』

中野照男 1993年「高麗時代の地藏十王圖」『美術研究』356, 美術研究所

中醫研究院 著, 越野公一 譯 1979年『中醫術語大辭典』

中田敦之 2013年「國指定史跡鷹島神崎遺跡と今後」『考古學ヂャーナル』641

中田勇次郎 1984年『中田勇次郎著作集』, 二玄社

中田勇次郎 編 1981年『中國書論大系』, 二玄社

--------- 1981年『歐美所藏中國法書名蹟集』, 中央公論社

重田定一 1910年「高麗の舊都」『歷史地理』16-6

中田　薫 1943年『法制史論集』, 岩波書店

中條順子 1981年「扶桑集傳存考」『中古文學』28

中川泉三 1917年「弘安役の新史料」『史林』2-1

中川千咲 1954年「高麗螺鈿と靑磁象嵌の文樣について」『美術研究』175

--------- 1956年「高麗靑磁透彫筥」『大和文華』19

--------- 1963年「靑白磁童子模樣瓶について」『美術研究』229

中川憲一 1985年「元季の書風について」『東洋藝林論叢』, 平凡社

中村　喬 1993年『中國歲時史の研究』, 朋友書店

中村　淳 2013年「元代勅建寺院の寺產」『駒澤大學文學部研究紀要』71

中村愼之介 2018年「高麗前期王師任命と國際情勢」『東洋史研究』77-3

中村榮孝 1965年『日鮮關係史の研究』上・中・下, 吉川弘文館

--------- 1966年『日本と朝鮮』日本歷史新書, 至文堂

中村裕一 1991年『唐代制勅研究』, 汲古書院

--------- 1991年『唐大官文書研究』, 中文出版社

---------- 2003年 『隋唐王言の研究』, 汲古書院

---------- 2009年 『中國古代の年中行事』, 汲古書院

---------- 2014年 『大唐六典の唐令研究』, 汲古書院

中村　翼 2013年 「日·元貿易期の海商と鎌倉·室町幕府」『ヒストリア』241

中村璋八 1993年 『日本陰陽道書の研究』, 汲古書院35)

中村璋八·島田伸一郎 1993年 『田氏家集全釋』, 汲古書院

中村　質 1984年 「唐船舶載品と流通價格の形成」『九州史學』81

中村治兵衛 1990年 「宋代明州市舶司(務)について」『紀要』11, 中央大學 人文研究所

中村和之 1992年 「北からの蒙古襲來小論」『史朋』25, 北海道大學東洋史談話會

中村和之·小田寛貴 2009年 「ヌルガン都司の設置と先住民との交易」(天野哲也 等編,『中世東アジ
　　アの周緣世界』, 同成社)

中澤寬將 2015年 「古代·中世環日本海沿岸の港町」『島と港の歷史學』, 中央大學 出版部

增上寺 1981年 『增上寺史料集』別卷

增井經夫 1984年 『中國の歷史書』, 刀水書房

曾布川寬 等編 2000年 『世界美術大全集』 東洋編3, 三國·南北朝, 小學館

池谷望子 2015年 「行船の更數を定める法」『海事史研究』72

池內　功 1984年 「元朝における蒙漢通婚とその背景」『アジア諸民族における社會と文化』

---------- 1995年 「北京圖書館藏元代石刻拓本目錄」『四國學院大學 …論文集』, 四國學院大學

池內　宏 1919年 「高麗時代の古城址」『東京帝國大學文學部紀要』3

---------- 1922年 「新たに發見せられた涅槃經の疏」『東洋學報』1922-12

---------- 1931年 『元寇の新研究』, 東洋文庫

---------- 1979年 『滿鮮史研究』 中世1, 2, 3冊, 吉川弘文館(3版)

志茂碩敏 2013年 『モンゴル帝國史研究』 正篇, 東京大學出版會

志方正和 1960年 「刀伊の入寇と九州武士團」『日本歷史』140

志田末利 1973年 以來『儀禮』, 東海大學出版會

志田不動磨 1962年 「沙門島」『東方學』24

池田榮史 2013年 「鷹島海底遺蹟における水中考古學調査と發見した元寇船」『考古學ジャーナル』641

---------- 2018年 『海底に眠る蒙古襲來』, 吉川弘文館

池田榮史 等編 2011年 『元寇關聯史料集』1～3, 調査報告書, 九州大學

---------- 2013年 『海底音波探査成果報告書』, 琉球大學

---

35) 이 책에는 京都大學 人文科學研究所에 소장된 『天地瑞祥志』(抄)의 索引이 添附되어 있다(後面에서 30～
　　40쪽).

--------- 2014年 『東アジアおけるモンゴル襲來關係地資料集』, 調査報告書, 九州大學

池田　溫 1979年 「麗·宋通交の一面」(『三上次男博士頌壽紀念論集』, 朋友書店)

--------- 1990年 『中國古代寫本識語集錄』, 大藏出版社

--------- 1991年 「東亞年號管見」『東方學』 82

--------- 1997年 『唐令拾遺補』, 東京大學出版會

--------- 2002年 「前近代東亞における紙の國際流通」(『東アジアの文化交流史』, 吉川弘文館, 2002)

池田正一郎 2004年 『日本災變通誌』, 新人物往來社

津山拓也 譯 2010年 『中世の時と曆』, 八坂書房36)

眞榮平房昭 2005年 「東アジア海域史における海賊問題」『七隈史學』 6

陳　翀 2013年 「平清盛の開國と太平御覽の渡來」『嚴島研究』 9

陳　馳 2018年 「平安時代における八月十五夜の觀月の實態」『歷史文化社會論講座紀要』 15

陳荊和 編校 1984年 『大月史記全書』, 東京大學 東洋文化研究所

ㅊ

倉本一宏 2012年 『權記』 全現代語譯, 講談社(文庫本)

--------- 2018年a 「御堂關白記の假名」(新川登龜男 編, 『日本古代史の方法と意義』, 勉誠出版)

--------- 2018年b 「御堂關白記の研究」, 思文閣出版

倉野憲司 等 校注 1958年 以來 『日本古典文學大系』 1〜100, 索引 2권, 岩波書店

蔡　智慧 2018年 「唐前期の覊縻支配の一類型」『歷史文化社會論講座紀要』 15

妻木眞良 1911年 「東大寺に於ける高麗古版經に就て」『考古學雜誌』 1-8

--------- 1912年 「契丹に於ける大藏經彫造の事實を論ず」『東洋學報』 2

川口卯橘 1926年a 「傳說の都開城と其古蹟名勝」『朝鮮史學』 5

--------- 1926年b 「史蹟探査旅行記」『朝鮮史學』 6

--------- 1931年 「大藏經板求請と日鮮交涉」『靑丘學叢』 3

川崎　保 2002年 「吾妻鏡異國船寺泊浦漂着記事の考古學的考察」『信濃』 54-9

--------- 2011年 「北邊をこえた女眞人」(竹田和夫, 『古代·中世の境界意識と文化交流』, 勉誠出版)

天龍寺 編 1978年 『天龍寺』, 同朋舍

川瀬一馬 1967年 『古活字版之研究』, 安田文庫

川瀬一馬 編 1933年 『高木文庫古活字版目錄』, 便利堂

--------- 1942年 『石井積翠軒文庫善本書目』, 便利堂

---

36) 이 책은 Arno Borst, Zeit und in der Geschichte Europas를 번역한 것이다.

--------- 1952年『龍門文庫善本書目』, 龍門文庫

--------- 1956年『大東急記念文庫貴重書解題』2

--------- 1999年『日本における書籍蒐藏の歴史』, ペリカン社

天理大學 附屬天理參考館 編 1986年『天理參考館圖錄』

天理大學 圖書館 編 1997年『善本圖錄』, 天理大學出版部

天文年鑑編纂委員會 2016年『天文年鑑2017年版』, 誠文堂

川上市太郎 編, 『元寇史蹟』地, 1941

川本正知 2013年『モンゴル帝國の軍隊と戰爭』, 山川出版社

川西裕也 2014年『朝鮮中近世の公文書と國家』, 九州大學出版會

--------- 2015年「高麗の國家體制と公文書」『史苑』75-2, 立教大學

--------- 2017年「高麗忠烈王代發給の松廣寺奴婢文書」『朝鮮學報』245

天沼俊一 1928年「浮石寺と法住寺」『佛敎美術』11

川勝 守 2010年『チベット諸族の歴史と東アジア世界』, 刀水書房

--------- 2017年『正倉院鏡と東アジア世界』, 汲古書院

川野明正 2005年『中國の憑きもの』, 風響社

川野豊美 等編 2018年『在日韓人法的地位・文化財・船舶・特使派遣』, 現代史料出版

天野哲也 等編 2009年『中世東アジアの周緣世界』, 同成社

泉屋博古館 編 1969年『新修泉屋淸賞』, 便利堂

--------- 1999年『泉屋博古』, 便利堂

川原秀城 2010年『朝鮮數學史』, 東京大學出版會

川越泰博 1972年「元代征討日本軍船の規模をめぐって」『日本歴史』292

--------- 1978年『中國典籍研究』, 國書刊行會

--------- 1995年「　」『中央大學文學部紀要』 史學40

--------- 2002年『明代中國の疑獄事件』, 風響社

--------- 2004年「明代邊城の軍站とその軍事活動」(中央大學 人文科學研究所 編, 『アフロ・ユージ
　　ア大陸の都市と國家』)

--------- 2008年「藍玉黨案と高麗火者」『中央大學アジア史研究』32

千田稔 等 1978年『東アジアと半島空間』, 同朋社

川畑幸夫 1954年『氣象の事典』, 東京堂

泉 澄一 編 1988年『宗氏實錄』對馬藩史料1, 2, 淸文堂

淺川 巧 1931年『朝鮮陶磁名考』, 朝鮮工藝刊行會

川添昭二 1967年「元寇關係文獻目錄」『福岡地方史談話會會報』5

--------- 1970年「江戸時代における元寇研究」『九州文化研究所紀要』15

--------- 1971年 「覆勘狀について」『史淵』105・106合

--------- 1974年 「古代の壹岐・對馬」『佛教藝術』95

--------- 1974年 「壹岐・對馬の防人」『海事史研究』23

--------- 1975年 「鎌倉時代の對外關係と文物の移入」(『日本歷史』6, 中世2, 岩波書店)

--------- 1977年 『蒙古襲來研究史論』, 雄山閣出版

--------- 1981年 『中世九州の政治と文化』, 文獻出版

--------- 1982年 「今川了俊の對外交涉」『九州史學』75

--------- 1982年 「九州探題と九州守護」『歷史公論』81

--------- 1983年 『九州中世史の研究』, 吉川弘文館

--------- 1987年 「鎌倉中期の對外關係と博多」『九州史學』88・89・90合

--------- 1988年 『よみがえる中世』1, 東アジアの國際都市博多, 平凡社

--------- 1996年 『對外關係の史的展開』, 文獻出版

--------- 2001年 『北條時宗』, 吉川弘文館

--------- 2008年 『中世・近世博多史論』, 海島社

川添昭二 編 1960年 『今川了俊關係編年史料』 上(print版)

---------------- 1971年 『注解元寇防壘編年史料』, 福岡市教育委員會

川添昭二 等編 1992, 1999年 『宗像大社文書』1, 2, 宗像大社復興期成會

川合 康 2019年 『院政期武士社會と鎌倉幕府』, 吉川弘文館

淺香幸雄 1942年 「朝鮮開城の歷史地理」『地理學』10-12

淸木 敦 2010年? 『宋代民事法の世界』, 慶應義塾大學 出版會

靑木富太郎 1938年 「元初行省考」『史學雜誌』51-3・4

淸木信仰 2013年 『時と曆』, 東京大學 出版會

淸木場東 1972年 「五代の知州に就いて」『東方學』45

--------- 1986年 「唐代俸料制の諸原則」『東方學』72

靑木富太郎 1938年 「元初行省考」『史學雜誌』51-3・4

靑山公亮 1955年 『日麗交涉の研究』, 明治大學出版部

靑山定雄 1973年 『唐宋時代の交通と地誌地圖の研究』, 吉川弘文館

淸水久夫 1991年 「蒙古襲來繪詞の歷史資料としての價値」『法政史學』43

淸水浩一郎 2007年 「南宋告身の文書形式について」『歷史』109

村山 武 1978年 『李朝の染付』: 陶磁大系31, 平凡社

村上史郎 1999年 「9世紀における日本律令國家の對外意識と對外交通」『史學』69-1

村上正二 1941年 「元朝の行中書省と都鎭撫司について」(『加藤還曆紀念東洋史集說』)

--------- 1960年 「蒙古來牒の飜譯」『朝鮮學報』17

\--------- 1966年 「元代社會の中心的諸課題」『社會經濟史學』31

村田懋麿 1932年『土名對照滿鮮植物字彙』，成光館書店

村田正志 1969年 「蒙古襲來繪詞の再檢討」(『岩橋小彌太郎記念論集』下，吉川弘文館)

村田治郎 1957年『居庸關』，京都大學 工學部

村田憲三 編 2017年『水中文化遺産』，海から蘇る歴史，勉誠出版

村井章介 1982年 「高麗三別抄の叛亂と蒙古襲來前夜の日本」『歴史評論』382, 384

\--------- 1988年『アジアのなかの中世日本』，校倉書房

\--------- 1995年『東アジア往還』，朝日新聞社

\--------- 1996年 「1019年の女眞海賊と高麗・日本」『朝鮮文化研究』3，東京大學 ：『日本中世の異
　　　文化接觸』，2013

\--------- 1999年『日本中世の内と外』，筑摩書房

\--------- 2001年 「日韓古代・中世史料の比較」『東京大學史料編纂所研究紀要』11

\--------- 2003年 「勘仲記弘安四年夏記」『鎌倉遺文研究』12，吉川弘文館

\--------- 200?年 「勘仲記弘安四年冬記」『鎌倉遺文研究』18

\--------- 2011年 「勘仲記弘安九年冬記」『鎌倉文化研究』28

\--------- 2013年『日本中世境界史論』，岩波書店

\--------- 2013年『日本中世の異文化接觸』，東京大學出版會

\--------- 2014年『中世史料との對話』，吉川弘文館

\--------- 2014年『中世史研究の旅路』，校倉書房

\--------- 2014年『境界史の構想』，敬文舍

\--------- 2018年 「日本における日・麗關係史研究」『韓國・朝鮮文化研究』17，東京大學

村井章介 編 1997年『境界の日本史』，山川出版社

\--------- 2014年『東アジアのなかの建長寺』，勉誠出版

\--------- 2015年『日明關係史入門』，勉誠出版

塚本麿充 2016年『北宋繪畫史の成立』，中央公論美術出版

總本山醍醐寺 編 2000年 以來『醍醐寺文書聖教目錄』1, 2，勉誠出版

崔　聖銀 2006年 「高麗初期の石造菩薩像について」『佛敎藝術』288

崔　淳雨 等編 1974年『高麗李朝の陶磁』，毎日新聞社

崔　鈆植 2014年 「海印寺毘盧遮那佛腹藏白紙墨書寫經の基礎的檢討」(國際佛敎學大學院，『東アジア
　　　佛敎寫本研究』)

\--------- 2015年 「高麗時代の寺院形止案と禪宗寺院の空間構成についての檢討」『朝鮮學報』234

\--------- 2019年 「高麗後期の看話禪の定着と非禪宗僧侶への擴散の樣」『國際禪研究』3

椎名宏雄 1976年 「朝鮮版景德傳燈錄について」『駒澤大學佛敎學部論集』7

--------- 1984年 「高麗版禪籍と宋元版」『駒澤大學佛教學部論集』15

--------- 1985年 「高麗版人天眼目とその資料」『駒澤大學佛教學部研究紀要』44

--------- 1991年 「宋金元版禪籍逸書目錄初稿」『駒澤大學佛教學部論集』21

--------- 1993年 『宋元版禪籍の研究』，大東出版社

--------- 1996年 「天順本菩提達磨四行論」『駒澤大學佛教學部研究紀要』54

秋山謙藏 1931年 「室町初期に於ける九州探題の朝鮮との通交」『史學雜誌』42-4

--------- 1931年 「室町初期に於ける倭寇の跳梁と應永外寇事情」『史學雜誌』42-9

--------- 1932年 「倭寇による朝鮮・支那人奴隷の掠奪とその送還及び賣買」『社會經濟史學』2-8

--------- 1932年 「室町前期に於ける宗像氏と朝鮮との通交」『青丘學叢』7

--------- 1938年 「琉球歷代實案に遺る朝鮮との交涉」『稻葉博士還曆記念滿鮮史論叢』

萩原淳平 1977年 「木華黎王國の探馬赤軍について」『東洋史研究』36-2

秋田成明 1942年 「雩祭について」『支那學』特別號，小島・本田二博士還曆記念

秋浦秀雄 1933年 「高麗光宗朝に於ける國際事情を檢覈す」『青丘學叢』12

竺沙雅章 2000年 『宋元佛教文化史研究』，汲古書院

鷲尾順敬 1938年 「日蓮聖人註劃讚の研究」『立正史學』10

鷲尾祐子 2002年 「前漢祖宗廟制度の研究」『立命館文學』577

ㅌ

湯山　明 1985年 「演福寺銅鐘の梵語銘文覺書」『東洋學報』66-1～4合

湯淺吉郎 編 1916年 『京都叢書』，六條活版製造所

湯淺吉美 1990年 『日本曆日便覽』，汲古書院

--------- 1991年 「新出除目申文抄寫本の紹介と考察」『ビブリア』97

--------- 2009年 『曆と天文の古代中世史』，吉川弘文館

太田彌一郎 1995年 「石刻史料贊皇復縣記にみえる南宋密使瓊林について」『東北大學東洋史論集』6

--------- 2003年 「元代大德七年山西大震災始末」『東北大學東洋史論集』10

太田　彩 2000年 「蒙古襲來繪詞」『日本の美術』414，至文堂

太田弘毅 1990年 「元寇時の高麗發進艦船隊の編制」『海事史研究』47

--------- 1993年 「文永の役，元軍撤退の理由」『政治經濟史學』319

--------- 1993年? 「弘安役時，東路軍支隊の長門沖の遊弋」『政治經濟史學』?

--------- 2002年 『倭寇』-商業・軍事史的研究-，春風社

--------- 2007年 「第二次蒙古襲來時鷹島南岸海域の元艦船」『政治經濟史學』487

--------- 2018年 「元軍の日本遠征と馬匹」『政治經濟史學』615

太平記研究會 20013年 以來『新訂太平記』, 東京堂出版

澤本光弘 2008年「契丹における渤海人と東丹國」『遼金西夏研究の現在』, 東京外國語大學

澤村專太郎 1932年『東洋美術史の研究』, 京都 星野書店

澤喜司郎 2016年『國際關係と國際法』, 成山堂書店

土肥祐子 2013年a「宋代の南海交易品について」『南島史學』79・80合

--------- 2013年b「宋代の舶貨・輸入品について」『南島史學』81

--------- 2017年『宋代南海貿易史の研究』, 汲古書院

土田直鎮 1965年「王朝の貴族」『日本の歴史』5, 中央公論社

樋口健太郎 2018年『中世王權の形成攝關家』,

Ⅱ

阪口修平 編 2010年『歴史と軍隊』, 創元社

坂本 功 等編 2018年『圖說日本木造建築辭典』, 朝倉書店

板野長八 1975年「圖讖と儒教の成立」『史學雜誌』84-2, 3

坂田桂一 2014年『公卿補任圖解總覽』, 勉誠出版

坂詰秀一 1990年『歴史考古學の視角と實踐』, 雄山閣

八卷紀道 等 1982年「日本高僧傳要文抄・元亨釋書人名總索引」『政治經濟史學』192・193

八代國治 1909年「觀福寺の佛像と弘安の役」『歴史地理』3-4

--------- 1919年「鎌倉幕府高麗征伐の再擧に就いて」『史學雜誌』30-6

--------- 1925年「蒙古襲來に就ての研究」『國史叢說』, 吉川弘文館

--------- 1925年『國史叢說』, 吉川弘文館

八木 光 2011年「進貢船航海に關する工學的檢討, 福州-那覇」(吉尾 寬, 『海域世界の環境と文化』, 汲古書院)

八木春生 2019年『中國佛教美術の展開』法藏館

片岡一忠 2008年『中國官印制度研究』, 東方書店

片桐 尙 2007年「元代の解由制度について」『鴨台史學』7

--------- 2008年「元代地方官の交代制度」『大正大學大學院研究論集』32

--------- 2010年「元代監察御史の性格について」『大正大學東洋史研究』3

--------- 2013年「元代首令官の分類に關する一考察」『東洋學論集』

片桐昭彦 2014年「明應四年の地震と鎌倉大日記」『新潟史學』3

片桐正夫 2014年『朝鮮木造建築の研究』, 相模書房

片柳佐智子 譯 2010年『月の文化社』, 柊風舍[37])

片山共夫 1980年 「元朝怯薛出身者の家柄について」『九州大學東洋史論集』8

--------- 1983年 「アーマッド暗殺事件をめぐって」『九州大學東洋史論集』11

片山まび 2013年 「高麗・朝鮮時代の陶磁器生產と海外輸出」(アジア考古學 四學會 編,『陶磁器流通
　　の考古學』, 高志書院)

片山　淸 1994年 「正傳永源院朝鮮鐘履歷考」『史迹と美術』644, 645

平岡武夫 1954年 『唐代の曆』, 京都大學 人文科學硏究所

平岡定海 19--年 「東大寺藏高麗版華嚴經隨疏演義鈔とその影響について」『大和文化硏究』4-2

平瀬直樹 2015年 「南北朝期大內氏の本據地」『日本歷史』810

--------- 2017年 『大內氏の領國支配と宗敎』, 塙書房

平林文雄 1978年 『參天台五台山記校本竝に硏究』, 風間書房

平林盛得 1968年 「弘贊法華傳保安元年初傳說存疑」『書陵部紀要』20

平木　實 2011年 『韓國朝鮮社會文化史と東アジア』, 天理大學術出版會

平山次郎左衛門 編 1809年『津島紀事』: 鈴木棠三 編 1973年『津島紀事』3권.

平勢隆部 1995年 『新編史記東周年表』, 東京大學出版會

--------- 2012年 『八紘とは何か』, 汲古書院

平子鐸嶺 1905年 「南部家所藏の高麗鐘」『歷史地理』7-9

--------- 1905年 「朝鮮古鐘について」『考古界』5-3

平田　寬 1974年 「對馬・壹岐の繪畫」『佛敎藝術』95

--------- 1983年 「鏡神社所藏楊柳觀音圖像再考」『大和文華』72

平田茂樹 2007年 「宋代地方政治管見」『東北大學東洋史論集』11

--------- 2012年 『宋代政治構造硏究』, 汲古書院

平田茂樹 編 2013年『外交史料から十一〜十四世紀を探る』東アジア海域叢書7, 汲古書院

坪井良平 1960年 「朝鮮鐘の資料補遺」『朝鮮學報』16

--------- 1968年 「在韓朝鮮鐘の銘文に就いて」『史迹と美術』382

--------- 1970年 「九州の朝鮮鐘」『佛敎藝術』76

--------- 1970年 『日本の梵鐘』, 角川書店

--------- 1974年a 『朝鮮鐘』, 角川書店

--------- 1974年b 「朝鮮金鼓について」『佛敎藝術』98

--------- 1984年 『歷史考古學の硏究』, 靑燈書房

--------- 1989年 『梵鐘と考古學』, 靑燈書房

---

37) 이 책은 Jules, Cashford, The Moon ; Myth and Image, Octopus Publishing Group. Ltd, London,
　　2003을 번역한 것이다.

--------- 1991年 『梵鐘の研究』, 靑燈書房

--------- 1993年 『新訂梵鐘と古文化』, 靑燈書房

--------- 1995年 「訪鐘記」『梵鐘』2

--------- 1998年 『梵鐘と考古學』, 靑燈書房

平中苓次 1963年 「朝鮮古活字本漢書」『岩井博士古稀記念論文集』, 開明堂

浦山きか 2014年 『中國醫書の文獻學的研究』, 汲古書院

布野修司 2015年 『大元都市』, 京都大學學術出版會

豊島悠果 2007年 「高麗時代の婚姻形態について」『東洋學報』88-4

--------- 2009年a 「高麗の宴會儀禮と宋の大宴」(宋代史研究會 編, 『宋代中國の相對化』, 汲古書院)

--------- 2009年b 「1116年入宋高麗使節の體驗」『朝鮮學報』210

--------- 2013年 「高麗開京の都城空間と思想」(中國社會文化學會, 『中國-社會と文化-』27)

--------- 2014年 「金朝の外交制度と高麗使節」『東洋史研究』73-3

--------- 2017年 『高麗王朝の儀禮と中國』, 汲古書院

--------- 2018年 「高麗時代における后妃の政治的權力」『唐代史研究』21

豊田五郎 2015年 『契丹文字研究』, 松香堂書店

ㅎ

荷見守義 2008年 「明朝・高麗往來文書の研究」『中央大學アジア史研究』32

下内春人 2000年 「宋商曾令文と唐物使」『古代史研究』17

--------- 2014年 「東アジア史上の日本と後百濟」『日本古代の王權と社會』, 塙書房

河上　洋 1989年 「渤海の交通路と五京」『史林』72-6

--------- 1993年 「遼五京の外交的機能」『東洋史研究』52-2

河窪奈律子 1982年 「宗像大社所藏文書・典籍について」『古文書研究』19

河野保博 2017年 「唐代廐牧令の復原からみる唐代の交通體系」『東洋文化研究』19, 學習院大學

河田　貞 1981年 「高麗螺鈿の技法的特色」『大和文華』70

河田　貞・高橋隆博 編 1986年 『高麗李朝の螺鈿』, 毎日新聞社

河　廷龍 2002年 「"三國遺事"の無極記と後註」『朝鮮古代研究』3

下中彌三郎 1956年 『書道全集』, 東京印書館

下中　弘 1992年 『日本史大辭典』, 平凡社

河村道器 編 1995年 『朝鮮佛教史』資料編1, 2, 楞伽林(梅田信隆 監修)

河村孝照 1991年 「日本續藏經所收序・跋著者人名索引」『東洋學研究』26, 東洋大學

下出源七 等編 1974年 『建築大辭典』, 彰國社

鶴間和幸 2005年 「黃河と東アジア海文明の歴史と環境」(『黃河下流流域の生態環境…』, 學習院大學
　　國際交流基金)

鶴間和幸 等編 2018年 『馬が語る古代東アジア世界史』, 汲古書院

韓艷麗・何曉毅 2020年 「日元關係についての研究」『東亞經濟研究』 78-1・2

韓　志晩 2018年 「東アジア禪宗史における九世紀韓國の九山禪門の意味」(藤井惠介退職紀念論文集
　　編輯委員會, 『建築の歴史・様式・社會』, 中央公論美術出版)

學習院大學 東洋文化研究所 2010年 『知識は東アジアの海を渡った』, 丸善

鄕家忠臣 1977年 「高麗螺鈿器雜考」『MUSEM』 319

向　正樹 2007年 「蒲壽庚軍事集團とモンゴル海上勢力の擡頭」『東洋學報』 89-3

海老根聰郎 等編 1999年 『世界美術大全集』 東洋編7, 元, 小學館

海老澤衷 等編 2007年 『海のクロスロード對馬』, 雄山閣

海津一朗 2004年 「元寇, 倭寇, 日本國王」『日本史講座』 四, 東京大學出版會

---------- 2004年 『日本史講座』 4, 中世社會の構造, 東京大學出版會, 2004.

杏雨書屋 編 1985年 『新修恭仁山莊善本書影』, 臨川書店

脇本十九郎 1934年 「日本水墨畵壇に及ぼせる朝鮮畵の影響」『美術研究』 28

莉木美行 2014年 『金石文と古代史料の研究』, 燃燒社

戶崎哲彦 1989年 「唐代における太廟制度の變遷」『彦根論叢』 262・263

---------- 1990年 「唐諸帝號攷」『彦根論叢』 264・266

---------- 1991年 「古代中國の君主號と尊號」『彦根論叢』 269

---------- 1992年 「唐代尊號制度の構造」『彦根論叢』 278

好竝隆司 1957年 「元朝屯田考」『岡山史學』 3

戶田郁子 2011年 『中國朝鮮族を生きる舊滿州の記憶』, 岩波書店

忽滑曲快天 1930年 『朝鮮禪敎史』, 春秋社(影印本, 民族史, 1970)[38]

洪　性珉 2018年 「遼宋關係史研究の整理と境界問題に關する今後の 展望」『史觀』 178

和久博隆 1982年 『佛敎植物辭典』, 國書刊行會

和田幹男 1920年 『古寫經大觀』, 精藝出版社

和田久德 等 1992年 以來 『歴代寶案』 校訂本, 沖繩敎育委員會

------------ 1994年 以來 『歴代寶案』 譯注本, 沖繩敎育委員會

和田英松 1905年 「異國牒狀事」『弘安文祿征戰偉績』 下篇, 史學會

和田維四郎 編 1933年 『訪書餘錄』 本文篇, 圖錄篇, 弘文莊

和田　淸 1918年 「元代の開元路に就いて」『東洋學報』 17

---

38) 이의 번역으로 鄭湖鏡, 『朝鮮禪敎史』, 寶蓮閣, 1987이 있다.

---------- 1924年 「明の太祖と紅巾の賊」『東洋學報』13

---------- 1930·32年 「兀良哈三衛に關する研究」『滿鮮地理歷史研究報告』12, 13

---------- 1933年 「北元の帝系について」『市村博士古稀記念論叢』, 富山房

---------- 1936年 「元の征東都元帥府について」『史學雜誌』47-6

---------- 1955年 『東亞史研究』, 東洋文庫

丸龜金作 1935年 「高麗と契丹·女眞との貿易關係」『歷史學研究』5-2：歷史學研究會,『滿州史研究』,
　　1936

---------- 1960, 1961年 「高麗と宋との通交問題」『朝鮮學報』17, 18

---------- 1966年 「高麗の大藏經と越後安國寺について」『朝鮮學報』37·38合

荒木見悟·岡田武彦 等編, 1984 『近世漢籍叢刊』, 京都 中文出版社

荒木敏一 1969年 『宋代科擧制度研究』, 東洋史研究會

荒木和憲 2007年 『中世對馬宗氏領國と朝鮮』, 山川出版社

---------- 2008年 「中世前期の對馬と貿易陶磁」『貿易陶磁研究』17

---------- 2017年a 「文永七年二月日付大宰府守護所牒の復元」『年譜太宰府學』2

---------- 2017年b 『對馬宗氏の中世史』, 吉川弘文館

荒野泰典 等編 2010年 『通交·通商權の擴大』 日本の外交關係3, 吉川弘文館

---------- 2010年 『倭寇と日本國王』 日本の外交關係4, 吉川弘文館

荒川秀俊 1958年 「文永の役の終りを告げたのは台風ではない」『日本歷史』120

---------- 1960年 「文永の役の終末について諸家の批判に答う」『日本歷史』145

---------- 1960年 「文永の役に蒙古軍はロケットを利用したか?」『日本歷史』148

荒川秀俊 等 1964年 『日本旱魃·霖雨史料』, 氣象史料シリーズ5, 氣象研究所

荒川愼太郎 等編 2008年 『遼金西夏研究の現在』1·2, 東京外國語大學

---------- 2013年 『契丹と十～十二世紀東部ユーラシア』, 勉誠出版

荒川正晴 2010年 『ユーラシア交通·交易と唐帝國』, 名古屋大學出版會

---------- 2011年 「唐代の交通と商人の交易活動」(鈴木靖民 等編, 『古代東アジアの道路と交通』, 勉
　　誠出版 所收)

皇學館大學 史料編纂所 編 1987年 『續日本紀史料』, 皇學館大學出版部

横內裕仁 2008年 『日本中世の佛教と東アジア』, 塙書房, 2008

横超慧目 等編 1987年 『綜合佛教大辭典』, 法藏館

厚谷和雄 2008年 「具注曆を中心とする曆史料の集成とその史料學的研究」, 東京大學史料編纂所

後藤富男 1968編 『內陸遊牧民社會の研究』(吉川弘文館)

後藤昭雄 2006年 以來 『本朝文粹抄』, 勉誠出版(現代譯, 注釋)

後藤守一 1921年 「飫肥侯所藏の朝鮮鐘」『考古學雜誌』12-4

後藤雅彦 2009年 「東アジアの中世船舶」(天野哲也 等編, 『中世東アジアの周緣世界』, 同成社)

後藤昭雄 等編 1979年 『新撰萬葉集・千載佳句』, 熊本大學 在九州國文資料 影印叢刊會

---------- 2013年 「中國における水中考古學研究と沈沒船」『考古學ジャーナル』641

後藤十三雄 1942年 『蒙古の遊牧社會』, 生活社

黑田省三 1969年 「對馬古文書について」『國土館大學人文學會紀要』1

---------- 1973年 「在韓對馬史料について」『古文書研究』6

黑田　亮 1940年 『朝鮮舊書考』, 岩波書店

黑川春村 編 1989年 以來 『歷代殘闕日記』1～35, 臨川書店

黑板勝美 編 1897年 『國史大系』, 東京 經濟雜誌社

---------- 1936年 『眞福寺善本目錄』續輯

黑板勝美 等編 1896, 1898年 『徵古文書』甲集, 乙集

黑板勝美記念會 1974年 『黑板勝美遺文』, 吉川弘文館 조선사적유물조사보고

橫田　明 2000年 「韓國天安南山里高麗墓出土の錢貨」『出土錢貨』13

英語

Bailey, Thomas A. *A Diplomatic of the American People*, 10*th*. ed. Englewood Cliffs, NJ: Prentice Hall, 1980.

Breuker, Remco E. "Bordering on Insolence: Double Entendres between Koryŏ and the Liao." Paper given at the workshop "Missing Links: The First Century of the Liao Dynasty (907-1125) and Its Neighbors." At the University of Newcastle, UK, 21 October 2005.

----------. "Colonial Modernities in the 14th Century: Empire as the Harbinger of Modernity." In *KoreaintheMiddle. KoreanStudiesandAreaStudies:EssaysinHonorofBoudewijin Walraven*. ed. Breuker, Remco E. CNWS Publications 153. Leiden: CNWS Publications, 2007: 45-66.

----------. *EstablishingaPluralistSocietyinMedievalKorea, 918-1170:History, Ideologyand Identity in the Koryŏ Dynasty*. Brill: Leiden, 2010.

----------. *ForgingtheTruth:CreativeDeceptionandNationalIdentityinMedievalKorea*. East Asian History 35 (Separate monograph issue). Canberra: Division of Pacific and Asian Studies, 2008.

----------. "Koryŏ As an Independent Realm: The Emperor's Clothes?" *KoreanStudies27*(2003):

48-84.

----------. "The One in Three, the Three in One: The Koryŏ Three Han as a Pre-modern Nation." *JournalofInnerandEastAsianHistory*2, no.2(2006):143-168.

----------. "When Truth Is Everywhere: The Formation of Plural Identities in Medieval Korea, 918-1170." PhD diss., Leiden University, 2006.

----------. "Within or Without? Ambiguity of Borders and Koryŏ Koreans' Travels during the Liao, Jin and Yuan." *EastAsian History*38(February2014):47-62.

Buzo, Adrian and T. Prince. trans. *Kyunyŏ-jŏn:TheLifeandTimesofaTenthCentury Korean Monk*. Broadway NSW: Wild Peony, 1993.

David. C. Kang, East Asia before the West : Five Centuries of Trade and Tribute(New York:Columbia University Press, 2010).

Duncan, John B. "Confucianism in the Late Koryŏ and Early Chosŏn." *KoreanStudies*18(1994): 76-102.

----------. "The Formation of the Central Aristocracy in Early Koryŏ." *KoreanStudies*12(1988): 39-61.

----------. "Historical Memories of Koguryŏ in Koryŏ and Chosŏn." *JournalofInnerandEast Asian Studies* 1 (2004): 90-117.

Hans J. Morgenthau, Politics among Nations:The Shuggle for Power and Peace(New York:Alfred A. Knopf, 1949).

Hok-lam Chan and Wm theodore de Bary, Yuan Thought, Columbia University, N.Y. 1980.

Kamata, Shigeo. "Buddhism during Koryŏ." In *BuddhisminKoryŏ:ARoyalReligion*.ed. Lancaster, Lewis R., Kihun Suh, and Chai-shin Yu. Berkeley: Institute of East Asian Studies, University of California, 1996.

Kang, Hugh W. [Kang Hi-Woong]. "The Development of the Korean Ruling Class from Late Silla to Early Koryŏ." PhD diss., University of Washington, 1964.

----------. "The First Succession Struggle of Koryŏ, in 945: A Reinterpretation." *Journal of Asian Studies* 36, no.3 (1977): 411-428.

----------. Institutional Borrowing: The Case of the Chinese Civil Service Examination System in Early Koryŏ." *JournalofAsianStudies*34, no.1(1974):109-125.

Lancaster, Lewis R. "The Buddhist Canon in the Koryŏ Period." In *BuddhisminKoryŏ:A Royal Religion*. eds. Lancaster, Lewis R. and Chai-shin Yu. Berkeley: Center for Korean Studies and Institute of East Asian Studies, University of California at Berkeley, 1996: 173-193.

Lancaster, Lewis R., Kihun Suh, and Chai-shin Yu. ed. *BuddhisminKoryŏ:ARoyal Religion*.

Korea research monograph 22. Berkeley: Institute of East Asian Studies, University of California at Berkeley, 1996.

McCarthy, Kathleen Louise. "'Kisaeng' in the Koryŏ Period." PhD diss., Harvard University, 1991.

Remco E. Breuker, Establishang a Pluralist Soiety in Medieval Korea, 918-1170(Leiden, Boston, 2010).

Rogers, Michael C. "The Chinese World Order in Its Transmural Extension: The Case of Chin and Koryŏ." *Korean Studies Forum*4(1979):1-22.

----------. "Factionalism and Koryŏ Policy under the Northern Sung." Journal of the American Oriental Society." 79, no. 1 (1959): 16-24.

----------. "Koryŏ's Military Dictatorship and Its Relations with China." *T'oungPao*47,no.1-2 (1959): 43-62.

----------. "National Consciousness in Medieval Korea: The Impact of Liao and China on Koryŏ." In *ChinaamongEquals:TheMiddleKingdomandItsNeighbors,10ᵗʰto14ᵗʰ* Centuries. ed. Rossabi, Morris. Berkeley: University of California Press, 1983: 151-172.

----------. "Notes on Koryŏ's Relations with 'Sung' and 'Liao'." *Chindanhakpo*71—72(1991): 310-335.

----------. "Regularization of Koryŏ-Chin Relations, 1116—1131." *Central Asiatic Journal*6, no.1 (1961): 51-84.

----------. "Some Kings of Koryŏ As Registered in Chinese Works." *Journal o fthe American Oriental Society* 81, no.4(1961): 415-422.

----------. "Sukchong of Koryŏ: His Accession and His Relations with Liao." *T'oungPao*47, No.1-2 (1959): 30-62.

----------. "Sung-Koryŏ Relations: Some Inhibiting Factors." *OriensExtremus*11,no.1-2(1958): 194-202.

Salem, Ellen. "Slave Rebellions in the Koryŏ Period, 936-1392." In *Traditional Thoughts and Practices in Korea*. eds. Yu, Eui-young and Earl H. Phillips. Los Angeles: Center for Korean-American and Korean Studies, 1983: 171-183.

Shultz, Edward J. "Ch'oe Ch'unghŏn: His Rise to Power." *KoreanStudies*8(1984):58-82.

----------. "An Introduction to the *Samguksagi*." *Korean Studies*28(2004):1-13.

----------. "Koryŏ's Envoys to China: Early 12th Century." *Han-kuoHsueh-pao*7(1988): 247-266.

----------. "Twelfth-Century Koryŏ: Merit and Birth." *Han-guo-haklun-chi*1(1992):26-49.

Smits, Ivo. "Royal Pains: How the King of Koryŏ Became the Empress of China, or: A

Diplomatic Problem of 1080." In *KoreaintheMiddle:KoreanStudiesandAreaStudies*: *Essays in Honor of Boudewijn Walraven.* ed. Breuker, Remco E. Leiden: CNWS Publications, 2007: 333-340.

Vermeersch, Sem. "The Power of Buddha: The Ideological and Institutional Role Buddhism in the Koryǒ Dynasty." PhD diss, School of Oriental and African Studies, University of London, 2001.

----------. "Representation of the Ruler in Buddhist Inscriptions of Early Koryǒ." *Korean Studies* 26, no.2(2002): 216-250.

The Revised Full Text of Goryeosa

Chang, Dong-ik

Goryeosa(History of Goryeo) and *Goryeosajeolyo(Concise History of Goryeo)*, written in the md-15th century, are the two most representative chronicles of the Goryeo Dynasty. These have been regarded as history books without any serious falts, as they were compiled by the officers of Chunchugwan(春秋館) for nearly 60 years after four major revisions. The two chronicles were not much inferior to Chinese official history books(正史) in its system and the contents.

However, they have some limits as they took a different Yuan system from the Goryeo Period, a different style of gijeon system(紀傳體) from the drafts, and some errors occurred in the typesetting process. Nonetheless, they have been reproduced in various facsimile editions and widely taken without any comment of these limits. Although some facsimile editions and commentaries analyzed the system, contents, and characters of these two chronicles, there are still minor discrepancies in the lunar calendar(月次),, words and phrases(字句), etc. between them.

These limits may be easily corrected when all descriptions of the chronicles rearranged into the chronological form(編年體). However, a bigger problem still remains as they were edited by the Confucian vassals under powerful rule of emperors and kings, which is most common character in the making of the pre-modern official history books. Due to this, the contents of the chronicles focused on the primogeniture of royal family, the ruling class, the legitimacy and the respect of learning based on the Confucianism, the dynasty founded by Han-jen(漢人). The other facts were either described superficially, or neglected.

Furthermore, it is no known whether is a characteristic of the early Joseon Dynasty, only the chronicles of a particular king are described in detail, perhaps this seems to have something to do with the political nature or social change of kings. In other words, the record for the reign of Taejo(太祖), Seongjong(成宗), Hyunjong(顯宗), Munjong(文宗), Sukjong(肅宗), Yaejong(睿宗), Injong(仁宗), Wŏnjong(元宗), King Chung'nyŏl(忠烈王), King Gongmin(恭愍王), King Gongyang(恭讓王), etc. is more detailed compared with other times, it is assumed that this was a time when social changes occurred significantly or Confucian politics were implemented relatively well. The limits of *Goryeosa* are as follows;

First, when *Goryeosa* is typeset first as the printing type, even though the misspelling, the omitted word and inversion, etc. have occurred, this could not been corrected in the block book reprinting this.

Second, there is an example of a failure in arranging the chronology(編年) as the method for calling the Yuan is changed, there is the content that the error occurred as the fact recorded as the chronological form is reorganized as the style of gijeonche.

Third, there is the content that the arrangement of timing is not suitable due to the mistake of first day of lunar calendar every month(朔日), date(日辰) and the lunar differences, etc.

Fourth, there is the case that the error has been committed in the office and titles(官爵), name of person, name of place, etc. as the front or rear of fact has not been considered.

Fifth, there is the case that the words and deeds(言行) of king realized in the former part of Goryeo have been demoted to those of feudal lords(諸侯).

Sixth, there is the case that the same fact has not been recorded at all in the specific time as there is the lack of consistency due to the compile in part(分撰) by several persons.

Even though these points in dispute have been raised by some historiographer after *Goryeosa* has been completed, those couldn't be revised. The time has come to correct the errors *Goryeosa* and *Goryeosajeolyo* have now passed more than 560 years and compensate for the deficiencies. Therefore, the author reorganized *Goryeosa* of new chronological form by arranging the content of each cataloging, description of *Goryeosajeolyo*, various kinds of Collected Works, epigraph, ancient documents and Data of China and Japan, etc. based on the Sega(世家), *Goryeosa*. In this process, numerous errors occurred as various kinds of history books including the Annals compiled as the chronological form in Goryeo Dynasty has been converted have been found. Even though the right and wrong of fact could be distinguished by comparing the data that the source of data are same, data differing the source and foreign data, etc. these were not so easy matter.

This booklet has been realized in the extension line of work that the author arranged descriptions in relation to Goryeo Dynasty included in various kinds of data at home and abroad. This booklet is titled *the Revised Full Text of Goryeosa*, as the work of revision can be corresponding to the same category as the restoration of *The Full Text of Goryeosa*. Any weak point of this book should be revised in the future.

In conclusion, the writing policy of *the Revised Full Text of Goryeosa* is as follows;

First, this book is the supplemented, corrected version adding the relevant data as biographies of the Sega, *Goryeosa* arranged as the chronological form, King Wu(禑王) and King Chang(昌王).

Second, the revised content has been recorded by adding the letter while keeping the original from of the material as it is in the correction of description. Again, in case it is moved to the different location as there is the problem in the chronology of description, the reason for the movement has been revealed after recording the same data in the original location and the moved location simultaneously.

Third, the place where the first day of lunar calendar every month(朔日) is missing has been supplemented, typological errors have been revised in the correction.

Fourth, even though the existing Goryeosa was the history book of the chronological form first, the point that the Sega has been negligent as the fact has been dispersed in several Cataloging(篇目) as it has been converted into the style of gijeonche in the final stage. The supplement this, the fact has been reproduced in several Cataloging and *Goryeosajeolyo*, new facts have been supplemented through a number of several types in the country.

Fifth, the development of facts can be vividly grasped by calculating the date recorded by the calendar day(曆日) of pre-modern as the Arabic number, the era name(年號) of historical materials and the binary designation of the day according to the sexagenary cycle have been marked as it is when historical materials are quoted as the source.

Sixth, there are many cases that new annotation(注釋) have been added for the description of chronicles, it was limited to the explanation of facts in the achievements of the past, is the supplement for the lack of explanation, uncertainty of source and added facts, etc. with the major object for the error of description in this book. *Goryeosa* that Goryeo Dynasty becomes the center aims to be expanded as the history of the Goryeo Dynasty in the history of the three Northeast Asian Countries through these new annotations, aims to be linked to the world history further.

Seventh, the point concerning the astronomical phenomena(天文) including the natural disaster, the five elements(五行), etc., it shall provide more access to the reality by comparing geographically adjacent data from China and Japan to obtain a more concrete understanding.

Eighth, there is the case that Chinese characters that are as difficult as the name of person or characters that are not included in the sub-Korean characters were changed to similar Chinese characters. Booklets that the author read are not printed book or computerized databases associated with the present, the booklet (literature) that you can easily find around you are different from the letter as woodblock-printed book close to the original text relatively has been used. Again, even though the author have referred to a lot of booklets over a long period of time, there may be the case failing to grasp their true intention as I didn't read intensively all these books.

Ninth, even though the author is the scholar who is busy searching for literature without looking back on the daily life, I have rarely seen domestic epigraphs, ancient documents and archaeological materials, etc. Therefore, I couldn't correct all sorts of limits that these data have, or the error occurred in the process of reading these one by one. Therefore, persons reading this book shall have to identify the source book without fail when using the footnote of this book, even though there are errors such as the misspelling or omitted letter and mistake of reading, etc. in this booklet, if it is not pointed out that it is my own fault.

According to the above points, the articles in the two chronicles of Goryeosa and *Goryeosajeolyo* required to move to other period counted to about 160, and characters or phrases that need to be supplemented to about 13,750. As the articles corrected or supplemented by various sources counted to about 6150, I tried to elaborate more on the reality at the time. In addition, the Goryeo Dynasty was a society in which Buddhism was revered, so even though most of the basic people's livelihood depended on it, it was not properly reflected in the chronicles. In order to compensate for the weakness of the chronicles, much efforts were made to state various aspects of monks, temples, and Buddhist scriptures. But many incomplete points still remain.

新編高麗史全文

張 東 翼

15세기 중엽에 편찬된『고려사』와『고려사절요』는 고려왕조의 역사를 전반적으로 정리한 대표적인 연대기이다. 이들은 춘추관의 관원들이 편찬에 참여하여 기고(起稿)에서 완성까지 거의 60년의 세월이 지났기에 큰 흠집이 없는 사서로 받아들여지고 있다. 또 4차에 걸친 편찬의 실패 끝에 이루어진 결과물이기에 인내심을 갖고 번거로움을 피하지 않은 채 세심하게 사실의 기록이 이루어졌을 것으로 판단되기도 하였다.

두 연대기는 모두 체제와 내용에 있어서 중국의 정사(正史)에 비해 크게 손색이 없을 정도로 잘 편찬된 사서임은 분명하지만, 고려 시대와 다른 칭원법(稱元法)의 적용, 저본(底本)과 서술 체제가 다른 기전체의 채택, 그리고 조판 과정에서 발생한 오류 등으로 인해 약간의 한계가 없지 않다. 현재 이것이 검정되지 않은 채, 각종 영인본이 만들어져 기본 텍스트로 이용되고 있다. 또 이들 영인본을 통해 두 사서의 체제, 내용, 그리고 성격 등이 검토되었고, 이의 주석본도 발간되었다. 그렇지만 여러 판본을 대조하여 교감한 교정본이 만들어지지 않았기에 영인본 사이의 월차(月次), 자구(字句) 등에 있어서 미소한 차이가 있다.

이러한 한계는 연대기의 모든 기사를 편년체로 전환해 약간의 교정을 가하면 쉽사리 보완될 수 있을 것이지만 그보다 더 큰 문제는 근대 이전의 사서가 지닌 특징의 하나인 제왕(帝王)을 정점으로 하여 유교적 소양을 지닌 문신(文臣)을 중심으로 편찬되었다는 점이다. 이로 인해 왕실의 적장자(嫡長子), 중앙의 정계와 지배층, 유학(儒學)에 입각한 정통(正統)과 숭문(崇文), 그리고 한인(漢人)에 의해 건립된 왕조 등과 관련된 내용이 주된 서술의 대상이 되었고, 그 외의 사실은 거의 겉으로 드러난 모습만을 다루고 있다는 것이다.

게다가 조선왕조 초기의 시대적 풍조의 반영인지는 알 수 없지만 특정 제왕(特定帝王)의 연대기에 상세함과 소략함이 착종(錯綜)되어 있는데, 이는 역대 제왕의 정치적 성격 또는 사회의 변화상과 어떤 관련성이 있는 것 같다. 곧 태조, 성종, 현종, 문종, 숙종, 예종, 인종, 원종, 충렬왕, 공민왕, 공양왕 등의 치세(治世)에 대한 기록은 여타의 시기에 비해 상세한 편인데, 이때는 사회의 변화가 크게 일어났거나 유교적인 정치가 비교적 잘 이행된 시기였던 것으로 추측된다. 소략한 제왕의 시기에도 왕실의 의례적인 행사, 국정의 운영과 외교, 국가적인 연례행사 등은 언제나 거의 같은 날짜에 이루어졌을 것이므로 빠진 사실은 상세함을 통해 가필(加筆)될 수 있을 것이다.

또 현존의 『고려사』가 지닌 한계는 앞으로 여러모로 검토되어야 하겠지만, 筆者가 여러 영인본을 살펴본 바에 의하면 다음과 같은 문제점이 있다.

첫째, 처음 을해자(乙亥字)로 『고려사』를 조판(組版)할 때 오자, 탈자, 전도(顚倒) 등의 오류가 발생하였지만, 이를 복각한 여러 목판본에서 교정되지 못했다.

둘째, 조선시대에 踰年稱元法으로 변경되면서 시기의 정리에 실패한 사례[繫年錯誤]가 있고, 편년체로 기록된 사실을 기전체로 재편성하면서 오류가 생긴 내용도 있다.

셋째, 기사의 정리에서 삭일(朔日), 날짜[日辰], 월차(月次) 등의 잘못으로 인해 시기의 정리가 적절하지 못한 내용도 많이 찾아진다.

넷째, 사실(事實)의 전후를 고려하지 않아 관작(官爵), 인명, 지명 등에 오류를 범한 경우도 있는데, 이는 북방민족(北方民族)의 경우 더욱 심하다.

다섯째, 고려 전기(前期)에 이루어진 제왕(帝王)의 언행(言行)을 제후(諸侯)의 그것으로 지위 격하시킨 경우가 많이 있다.

여섯째, 여러 사람에 의한 분찬(分撰)으로 인해 일관성(一貫性)이 결여되어 같은 사실이 특정 시기에는 특정 사실이 전혀 기록되지 않은 경우도 있다[追加].

이러한 문제점은 『고려사』가 완성된 후 일부 사관(史官)에 의해 제기되기도 했지만, 개정되지 못했다. 이제 560여년이 경과된 『고려사』와 『고려사절요』가 지닌 오류를 바로잡고 소략한 것을 보완할 시점에 이르렀다. 그래서 필자는 『고려사』 세가편을 근간으로 하여 각 편목의 내용, 『고려사절요』의 기사, 각종 문집, 금석문, 고문서, 중국과 일본의 자료 등을 정리하여 새로운 편년체의 『고려사』를 재구성하였다. 이 과정에서 고려시대에 편년체로 편찬되었던 실록(實錄)을 위시한 각종 사서를 기전체로 전환하면서 발생한 수많은 오류들이 찾아졌다. 이들은 자료의 출처(出處)가 동일한 자료[同源史料], 출처(出處)를 달리하는 자료[異源史料], 외국자료 등과 비교하여 사실의 잘잘못을 가릴 수 있었지만, 쉬운 일이 아니었다.

이 책자도 필자가 국내외의 각종 자료에 수록된 고려왕조에 관련된 기사들을 정리하였던 작업의 연장선에서 이루어졌다. 이는 편년체로 이루어졌던 『고려사전문』의 복원과 같은 범주에 해당될 수 있는 작업이므로 감히 『신편고려사전문』이라는 이름으로 새로운 자료집을 간행한 셈이다. 이 역시 필자에 의한 기왕의 자료집과 같이 여러 가지로 미비한 점이 많을 것으로 예상되지만, 향후 시간적인 여유를 더 많이 가질 수 있을 것이므로 더욱 세련된 책자가 될 수 있도록 거듭 노력하겠다.

끝으로 『신편고려사전문』의 집필 방침은 다음과 같다.

첫째, 이 책은 편년체로 정리되어 있는 『고려사』 세가편과 우왕(禑王)·창왕(昌王)의 열전을 골격으로 하여 관련된 자료를 전재하고, 새로운 자료를 바탕으로 각종 오류를 수정(修正)하고, 소략한 내용을 보완한 것이다.

둘째, 기사의 교정에서 자료의 원형을 그대로 유지하면서 첨자(添字)로서 정정(訂定)된 내용을 기재하였다. 또 기사의 편년(編年)에 문제가 있어 다른 위치로 옮길 경우, 원래의 위치와 옮겨진 위치에 같은 자료를 동시에 수록(收錄)한 후 이동 사유(移動事由)를 밝혔다.

셋째, 교정에 있어 삭일(朔日)이 빠진 곳은 [朔]으로 보충하였고, 탈자(脫字), 생략된 글자는 첨자로 추가하였다.

넷째, 현존의 『고려사』는 처음에는 편년체의 사서였으나 최종단계에서 기전체로 전환하였기에 사실이 여러 편목(篇目)에 분산되어 세가편이 소략하게 된 점이 많이 발견된다. 이를 보완하기 위해 여러 편목 및 『고려사절요』에서 사실을 전재(轉載)하기도 하였고, 국내의 수많은 여러 유형의 자료를 통해 새로운 사실을 보충하였다.

다섯째, 전근대의 역일(曆日, 天文曆)에 의해 기록된 날짜를 아라비아 숫자로 계산하여 사실의 전개를 생동감이 있게 파악할 수 있도록 하였는데, 전거로서 사료를 인용할 때는 사료의 연호(年號)와 일진(日辰)을 그대로 표기하였다.

여섯째, 연대기의 기사(記事)에 대한 새로운 주석(注釋)이 가해진 경우가 많은데, 이는 기왕의 업적에서는 사실의 설명에 한정되었지만, 이 책에서는 기사의 잘못을 주된 대상으로 하여 설명 부족, 전거(典據) 불분명, 추가된 사실 등에 대한 보완이다. 이들 새로운 주석을 통해 고려왕조가 중심이 된 『고려사』를 북동아시아 3국의 역사 속의 고려시대사로 그 외연(外延)을 확대시키고, 더 나아가 세계사로 연결시키려고 한다.

일곱째, 천재지변을 위시한 천문(天文), 오행(五行), 기상(氣象), 질병(疾病) 등에 관한 사항은 보다 구체적인 이해를 얻기 위해 지리적으로 인접한 중국, 일본의 자료를 망라, 비교하여 그 실상에 보다 접근할 수 있도록 하였다.

여덟째, 인명과 같이 어려운 한자나 아래아한글에 없는 글자는 비슷한 한자로 바꾸어 사용한 경우도 있다. 필자가 읽은 책자들은 현재(現在)와 같이 교점(校点)된 활자본이나 전산화(電算化)된 데이터베이스(data base)가 아니고, 비교적 원문(原文)에 가까운 판본을 이용하였기에 주변에서 쉽사리 볼 수 있는 책자와 자구(字句)가 다를 수도 있다. 또 필자는 장기간에 걸쳐 수많은 책자(冊子)를 참고하였지만, 이 책들을 모두 정독(精讀)하지 않았기에 그 본의(本意)를 파악하지 못한 경우도 있을 것이다.

아홉째, 필자는 일상사를 돌아보지 않고 문헌자료를 찾아 분주하게 떠도는 학인(學人)이었지만, 국내의 금석문, 고문서, 고고미술자료 등은 거의 실견(實見)하지 못했다. 그래서 이들

자료가 지닌 제반 한계, 또는 이의 판독 과정에서 발생한 오류를 일일이 교정할 수 없었다. 그러므로 동학(同學)들은 본서(本書)의 각주(脚注)를 이용(利用)할 때, 반드시 원전(原典)을 확인해야 할 것이고, 설사 이 책자에서도 오탈자, 판독 잘못 등과 같은 오류가 있다 하더라도 필자의 허물이라고 지적하지 않았으면 좋겠다.

이상과 같은 방식에 의하면 『고려사』, 『고려사절요』의 두 연대기에서 시기의 정리에 문제가 있어[繫年錯誤] 다른 시기로 옮겨야 할 기사는 160餘件[移動]이, 내용에 있어 자구(字句)의 차이(差異)가 있거나 서로 보완해야 할 기사는 13,750餘件[轉載]이 찾아진다. 필자가 여타의 자료[異源資料]를 이용하여 보완한 기사가 6,150餘件以上[追加]에 달하여 당시의 실상을 보다 상술(詳述)하게 되었다. 또 고려시대는 불교가 숭상된 사회였기에 기층민(基層民)의 살아감[生存樣相]이 대부분 이에 의존하였음에도 불구하고, 연대기에는 이 사실들이 제대로 반영되지 못했다. 필자는 이러한 연대기의 약점을 보완하기 위해 승려, 사원, 불전(佛典) 등에 관한 여러 양상을 記事化하는데 크게 노력하였데, 아직 미진한 점이 많이 남아 있을 것이다.

脚注索引(案)

[參考, 이 索引은 脚注 page 表記에서 組版事情으로 인해 前後 1page의 差異가 있을 수 있고, 간혹 工期를 줄이기 2, 3 校正紙로 索引作業을 行한 筆者의 不注意로 인해 2, 5page 사이에 位置한 事例도 있어 精密度가 크게 떨어진다→修訂豫定].

ㄱ

架閣文券　⑨45,

賈居貞(蒙古)　⑦37,

賈敬顔(中國)　⑫215,

加古撒喝(金)　③261, 272,

呵禁　⑨334,

加德島　④11, ⑩7, ⑪69,

可德島→加德島　⑩7(可德島, 誤字),

嘉德島→加德島　⑪69(嘉德島, 誤字, 以下 同一),

假途(假涂, 假道, 借路)　②118(契丹),

加藤常賢(日本)　②34, ③67, ④263, ⑫148,

'駕洛國記'　②440,

嘉陵(元宗妃 金氏, 江華郡 良道面)　⑥310,

嘉林縣　⑨89,

家廟　⑫201,

榎本 涉(日本)　⑥216, ⑦48, 183, ⑩133,

假父子　⑥221,

哥不愛→葛不靄

叚世儒　⑥13,

嘉殊窟→佳殊窟　⑥451,

嘉樹縣[三嘉縣]　⑪155,

伽倻寺(伊山縣)　④245, ⑤17, 177,

嘉祐(年號, 宋)　②281,

賈汝舟(元)　⑧340,

賈誼(前漢)　⑥307,

賈益(金)　⑤309, 312,

假子(義子)　⑥332, ⑪344,

嘉定(年號, 南宋)　⑥72,

加祚縣　⑦164,

嘉州→撫寧鎭　⑥182,

家州(和州 北方?)　⑩400,

加次島(宣州)　⑦48,

呵吒波拘神道場　④97,

嘉泰(年號, 南宋)　⑥34,

加賀[카가, 石川縣, 이시카와켄]　⑥386,

加漢村　③185,

嘉熙(年號, 南宋)　⑥308,

覺慶(僧)　⑨181, 182,

覺觀(僧統, 睿宗의 子, 小君)　③323, ④178, ⑤9, 153,

覺連(惠勤의 弟子)　⑪114,

閣門→閤門　②162,

角山(角山戌, 泗州)　⑧237, ⑨393, ⑩120,

角山津(延安)　⑩120,

角星(luckycyan)　⑥105,

覺樹(日本)　③254,

覺純(首座)　③243,

覺嚴寺(開封府)　③14,

権易→権場　③33,

権鹽　⑧211,

権鹽法　⑨20,

覺倪(法泉寺住持, 睿宗의 子, 小君)　⑤77, 89, 153,

①287, ②372,

開城人蔘專賣局(征東行省 舊地, 朝鮮 太平館) ⑪79,

介諶(無示介諶, 宋) ⑤34,

開心寺a[醴泉邑 南本洞] ②26,

開心寺b[瑞山市] ⑧131,

開運(年號, 後晋) ①129,

開運寺[城北區] ⑦198, ⑨139, 143,

開原(←開元路, 明) ⑪363,

開元(←開元萬戶府, 開元路, 遼寧省 開元市) ⑪364,

開元路(遼陽行省) ⑧120,

'開元錄' ①261,

'開元占'(大唐開元占經) ④97,

開元通寶 ⑩98,

改定田柴科(穆宗1年) ①304·305,

開詔→聞詔 ⑧28(誤字),

開州[遼寧省 丹東市 鳳城] ③261, 280, ⑥256, 272,

价州[价川市] ⑥303,

盖州(蓋州, 盖州路, 遼寧省 盖州市) ⑧221, ⑩195, 209,

開州站[丹東市 鳳城縣] ⑪11,

皆知邊(興禮府) ①78,

開天寺(忠州) ⑪211, 258,

開天寺址(忠州, 天安市 廣德面) ⑥103,

開淸(朗圓大師) ①116(塔碑),

開剃[怯仇兒] ⑧68,

開泰(年號, 契丹) ②40,

開泰寺(連山) ①105, 117, ⑥148, ⑩197, ⑪51, 266, ⑫23,

開泰寺址 ⑫176,

開平(年號, 後梁) ①33,

開平府[內蒙古自治區] ⑦11, 15, 17, 48(上都 陸格), 83, ⑧167, 168,

開禧(年號, 南宋) ⑥61,

客館(開京) ③150,

客星 ①198, ②317(新星), 350(々),

更定田柴科 ②377,

擧動[行次, 幸次] ①52,

'居無何' ⑤232,

秬黍[黑黍] ②231,

居庸關[北京市 昌平區] ⑨351,

距堁(距闉, 土丘) ④151,

擧子試 ⑨121,

巨濟島 ⑦13, 75, ⑧151,

巨濟縣 ③231, ⑦164, 178(三別抄 侵入),

巨之介山(開州站의 西方) ⑪11,

巨蟹座(Cancer, 輿鬼, 南方七宿 所屬) ②149,

建德(年號, 宋) ①172,

乾德殿 ①12, ⑥70,

乾龍殿(大華宮) ④82, 115,

建隆(年號, 宋) ①165, 167,

乾道(年號, 南宋) ⑤82,

乾陵(郁, 顯宗의 父, 追諡安宗, 改稱武陵, 長豊郡 月古里) ②61, 63,

乾鳳寺[高城郡] ⑥114,

建炎(年號, 南宋, 1127年) ④59, 90(立炎, 避諱),

乾祐(年號, 後漢) ①144,

乾元重寶 ①294[鐵錢, 圓錢方空, 東國], 311[銅錢, 圓錢方空, 東國],

建州[福建省 建甌市] ②412,

乾州[遼寧省] ③133,

乾化(年號, 後梁) ①44,

乾興(年號, 契丹) ①200,

乞奴(耶律乞奴, 只奴, 金, 大遼收國) ⑥117, 118, 119(戰死, 香山戰鬪), 124,

乞石烈(紇石烈, heshilie氏) ④156, ⑤230,

乞徹[Kisa] ⑩308,

乞骸(乞退) ①237,

檢勘 ③205,

檢校 ①242,

檢校官 ①66,

黔毛浦(無浦, 濟安浦, 扶安 곰소)　⑩125,

檢務·租藏→今有·租藏

怯仇兒(客古里·客古勒, 開剃)　⑧11,

怯列木丁(Keremudin, 伊利汗國의 臣僚)　⑨225,

怯怜口[거윈쾨베귀드, 近世音은 커렌커우]　⑧44,
　　50, 365,

怯里馬赤[kelimachi]　⑧378,

怯薛(Kesig, 禁衛軍)　⑥263, ⑧83, ⑨68,

怯薛丹(Kesigten, Kesigtan)　⑧83, ⑨68,

怯薛歹(Kesigtei, Kesigdai)　⑧83, 287, ⑨68,

揭陽縣[廣東省]　⑨319,

揭傒斯(官僚, 元)　⑩50,

隔[隔品]　②163,

擊毬　⑨81, ⑩80, ⑪137, 168, 208,

見明(僧)→普覺國尊　一然

畎城→外城?　①55,

見菴寺(巨濟縣)　⑩155,

甄惟綽　③179,

甄惟氐　③283,

見州(楊州管內)　②296,

見行曆　②255(韓爲行),

甄萱(後百濟王)　①31(稱王, 901年), 33, 34, 47,
　　54, 56, 61, 65, 66, 67, 73, 76, 77, 79, 80, 96,
　　98, 101, 104, 104(70歲),

甄萱 墓所[論山市 鍊武邑]　①104,

決凝(圓融國師)　①192, 268, 329 ②144, 202, 210,
　　224, 233, 260,

鉗公(日本僧)　⑧423,

兼三字(知制誥)　③92,

鎌田 正(日本)　⑩143, ⑫96, 187, 193,

兼職制　①319, ②180,

鎌倉(가마쿠라, 神奈縣)　⑤266, 273, ⑥147, 192,
　　195, 206, 210, 214, 386, 407, 422, 436, 458,
　　⑦23, 49, 181, ⑧12, 264, 285, 367,

鎌倉幕府(가마쿠라 바쿠후, 武家)　⑥221, 232,

⑦48, 49, 83, 161, ⑧19, 104, 258,

磬竭(경갈)　⑩404,

景監(秦)　⑤248,

景康大王→昕康大王(作帝建)

京官(不常參官, 未升朝官, 宋制)　④268,

景寧殿→景靈殿　⑫141,

慶大升(慶珍의 子)　⑤155, 186, 188, 202, 203(鄭
　　仲夫 除去), 205, 206, 210, 214, 230, 231, 291,

景德(年號, 宋)　①313,

景德宜妻 安氏　⑪351(被殺, 井邑縣, 倭賊),

京都[京都市, kyoto sity]　⑥233, ⑨343, 385,

慶都虎思[Hindu-gus, 印度人?, 蒙古]　⑥165,

經略使　⑦136,

慶曆(年號, 宋)　②204,

景靈殿　④38, ⑧21, ⑪137, ⑫141,

慶龍節(仁宗誕日)　④27,

慶陵(契丹 聖宗, 內蒙古 巴林右旗 索博日嘎 蘇木
　　駐地 北方)　②146,

景陵(文宗, 板門郡 仙跡里)　②439, 441, ⑩384,

慶陵(忠烈王, 位置 不明)　⑧437,

頙陵(忠惠王妃, 德寧公主)　⑪21,

瓊林(僧, 南宋)　⑦183(趙良弼 沮止),

景明王(朴昇英, 新羅)　①37(卽位), 62,

景命殿　⑩441,

敬穆賢妃 金氏→元宗妃 金氏(忠烈王의 母)

景文(大匠)　⑥141,

'京房易傳'　③75,

京別抄　⑥304,

慶甫(洞眞大師)　①56, 142, 161(塔碑),

慶甫(慶千興의 長子)　①53, ⑫134, ⑫142, 149,

庚伏[三伏]　②155,

慶復興→慶千興

慶妃(忠惠王妃)→銀川翁主

經史教授都監[經史都監]　⑧294, 394, 370,

慶斯萬(慶千興의 父)　⑨144, 160,

徑山[浙江省 杭州市 餘杭區]　⑧423,

京山→京城　⑪78,

京山府[星州郡]　①65, 208(廣平郡 改稱),

慶山縣(章山縣, 慶山市)　⑨100, 369,

慶尙道觀察使→慶尙道都巡問使⑩464,

慶尙道都巡問使營(合浦, 金海)　⑩332, 慶尙道巡
　　檢使 ①286,

慶尙道按撫使　⑥355,

慶尙道按察使牒　⑦105, 160,

慶尙道營主題名記　⑬6,

慶尙晋安東道(慶尙道)　⑥57, 84,

景禪寺　⑥39, 149,

景星[大星, 瑞星]　②44,

景成王后→敬成王后

敬成王后(德宗妃)　③78,

'經世大典'　⑥163, 268, ⑦61, ⑨224, ⑬52,

慶壽寺(大慶壽寺, 雙塔寺, 大都)　⑧419, ⑨324, ⑩
　　106,

敬順王(金傳, 金溥)　①71(卽位), 99, 100(歸附, 新
　　羅滅亡), 金傳, 106, 124, 125, 191, 198,

敬順王陵　①198,

敬順王 影堂　①198,

敬順王后→順敬王后　⑨52,

經始　①140,

京市署　⑪213,

京市案　④276,

鏡神社[카가미 진자, 佐賀縣 唐津市]　⑨33

瓊嚴寺　②351,

慶陽縣(←河陽倉, 稷山)　⑪70,

景哀王(朴魏膺, 新羅)　①62(卽位), 71(自盡),

經筵　⑩400, ⑫108, 133,

景炎(年號, 南宋)　⑧37, 44,

景猊(廣明寺 住持)　⑩381,

庚午之變　⑦166(三別抄 蹶起),

景祐(年號, 宋)　②164,

卿雲(慶雲)　②92,

慶雲節(高宗)　⑥104,

慶元(年號, 南宋)　⑤307,

慶源郡　④6,

慶元路[浙江省 寧波市]　⑧146, 162,

慶元府(明州, 寧波市)　⑥216, 461,

耿緯　⑪230,

慶猷(法鏡大師)　①35, 57, 131(塔碑),

慶裕升　⑥68,

景宜(圓慧國統)　⑧286,

慶儀　⑫262,

敬字→諱字

磬子(鑿子, 鏧, 打樂器)　⑤209,

鏡子→磬子　⑤209,

敬田(僧)　⑪177,

更定田柴科　②377,

敬政院[徽政院]　⑨253,

京兆府[陝西省 西安市]a　⑦5,

京兆府(開平府, 內蒙古自治區 正藍旗 東方, 蒙古)b
　　⑦15, 83,

景宗(伷, 榮陵)　①156(出生), 175(皇太子), 196, 197,
　　204(26歲),

慶州(東京)　①100(新羅滅亡, 王京의 改稱),

慶州→東京留守府　①249,

慶州大都督府　①282,

慶州大都護府　②75,

慶州道→廣州道　②388(誤字),

慶州民亂　⑥290,

慶州防禦使　②31,

'慶州司首戶長先生案'　⑩155, ⑬6,

慶州玉笛[三寶]　①106, 107,

京主人　⑤190,

慶重郡王→重慶郡王　⑧239(誤字),

鏡智(大禪師)　⑥373,

慶珍(慶大升의 父)　⑤155,

高麗國萬戶府萬戶[管軍萬戶]　⑨237,

高麗國民[池達]　①308(明州　鄞縣　漂着),

高麗國副達魯花赤(正4品)　⑦122,

'高麗國史'(鄭道傳)　①122, ⑩5,

高麗國生日使　⑤156, ⑥45, 72,

'高麗國御藏書'[印文]　③105,

高麗國王　⑦79, 101,

高麗國王府　⑧236, ⑨124,

高麗國王府斷事官　⑨141,

高麗國王印(印文, '高麗國王之印', 金印, 몽골帝
　　國　發給)　⑨67, 157, 209, 210, 328,

高麗國王印(印文, '駙馬高麗國王印', 몽골帝國)→
　　駙馬高麗國王印

高麗國王印(印文, '高麗國王之印', 金印, 明帝國
　　發給)　⑩360,

高麗國儒學提擧司　⑧226,

高麗國牒狀(高麗牒狀, 高麗牒, 異國牒, 日本의　表
　　記方式)　⑥65, 220, 328, ⑦159, ⑩305, 308,

高麗國皇帝　②423, ③281, 282, ⑦180, ⑩294,

高麗軍　⑧9,

高麗軍民摠管(蒙古)　⑦195,

高麗宮趾[江華邑　官廳里]　⑥277,

'高麗圖經'　①189,

高麗　陶器　⑦174,

高麗都元帥府　⑨22,

高麗都元帥府　上萬戶　⑧261,

高麗都元帥府　上千戶　⑧261,

高麗　銅器　⑤307,

高麗　屯田(蒙古)　⑦136, 169,

高麗曆　③74, 76, 78, 134, 219, 243, ⑤238, 266,
　　273, 288, 308, ⑥31, 219, 342, 386, 396, ⑦46,
　　135, ⑧144, 159, 190, 197, 266,

高麗博物館[私設, 京都市　北區]　⑥204,

高麗寺(大都)　⑪191,

高麗使人[新羅人使]　③307,

高麗商船[高麗船]　⑥215,

高麗生日使　⑤8, 64, 87, 97, 102, 147, 156, 165,
　　198, 216, 262, 269, 30, ⑥31, 38, 52, 65, 77,
　　82,

高麗米　⑧221,

高麗鷹坊總管(元)　⑧58,

高麗人　①294(石見國, 島根縣　漂着), 311(大宰府
　　漂着), ⑨267, 330,

高麗人[流來]　①311,

高麗人[參來]　①311,

高麗人→安眞大　⑥196((誤謬, 日本漂着),

高麗人船　①238(筑前國, 福岡縣　漂着),

高麗莊(元)　⑨94,

高麗　長城(北關長城, 千里長城, 關城)　②160, 162,
　　214, 216,

高麗提擧司(元)　⑧179,

高麗鍾　⑪38(鎌倉, 義堂周信),

'高麗志'(散失)　⑧392(王約),

高麗進士　③283(4人),

高麗酒[新羅酒]　①312,

高麗牒→高麗國牒狀

高麗靑瓷　⑥287(杭州), ⑧79(大都, 瀋陽),

高麗版籍　③170,

高麗通事(金)　④29,

高麗海商(a高麗商人, b高麗出入　宋商)　②410,

高麗行省→東京行省　⑦124,

高麗　皇后　①263,

高令→高靈[高靈縣]　②390,

高領寺→高嶺寺[坡州]　⑩257,

高令臣(←高仲臣)　仲臣, ②320, 令臣, ③260,

高陵(忠烈王妃, 齊國大長公主, 開豊郡　解線里)
　　⑧308,

高陵(恭讓王, a高陽市　元堂洞, b三陟市　近德面)
　　⑫268,

故吏　⑩330,

高欝島(安眠島 南方의 松島, 保寧市 舟橋面) ④406,
高文啓 ⑧287,
高文德(中國) ⑨93,
考未滿 ②302,
古彌縣(靈巖郡) ①172,
高旻翼 ③8,
高伯淑(金) ④47, 48,
高伯一(蘭秀山 叛賊에 연루된 高麗人) ⑩373, 386,
高甫俊 ④38,
高鳳禮(耽羅星主의 子) ⑩387, ⑫33,
高峰元妙(臨濟宗 僧侶, 元) ⑧397,
古碑 ③190,
故事 ①50,
古史→'後漢書' ①310,
高思葛伊城[聞慶市] ①70, 79,
顧嗣立(淸) ⑨245,
高暹 ⑫66,
高聖擧(蒙古) ⑦37,
'告成厥功' ③245,
高城浦(高城郡) ⑪271,
固城縣 ④11,
固城縣城(固城邑城) ⑪294,
高世 ⑧405,
高邃(契丹使) ③64,
高隨(金使) ④20, 54,
高肅成 ②246,
考試程式(元)→科擧程式
高息機 ⑪103,
告身(唐) ②72,
高臣傑(耽羅星主) ⑩387,
高申說 ⑥349,
高辻長成(日本) ⑦162(蒙古國書에 對應),
高安勝 ⑪172,
高安慰 ⑩353,
告哀使 ②271,

顧彦浦(後周) ①153,
高呂 ⑫249,
高汝霖 ⑦135, 136,
高延慶 ②12,
高英瑾 ④267,
高英起 ②18, 20,
高瑩夫 ④212,
高瑩中 ⑤80, 162, ⑥18, 25, 27, 47, 76,
高永昌(契丹) ③263, 272,
高汭 ⑦41,
鼓妖 ①67,
고용규 ⑥337,
高龍普(禿滿達兒, Tumender) ⑨241, 288, 289, 313,
    315, 316, 323, 325, 326, 327, 361, 365, 366,
    371, 380, ⑩19, 30, 179(被誅, 海印寺),
高湧之 ⑤302, 306,
高郵縣(高郵府, 江蘇省 高郵市) ⑤290,
高維(耽羅人, 高兆基의 父) ②220, 221, 339,
高柔 ⑦105,
高裕燮[又玄] ⑨373,
古乙獨(胡都多乙, 忽兀禿, Qutug) ⑦57,
高乙麻(高乙麼) ⑦136,
高凝 ①196, 322,
高義和 ③65, 66, 291, 299,
皐夷島 ①34,
高伊部曲(長興) ⑧118, 188,
高以栯 ⑩42,
高仁器(出家名 釋溫) ⑩347,
高仁旦(耽羅攝管, 星主) ⑧41, 279,
高仁坦 ⑧180, 261,
高逸民(蒙古) ⑦34, 76,
高子思 ④57, ⑤133,
高適 ⑦35,
高積餘(大將軍) ②55(戰死),
高正(使臣, 契丹) ②12, 19,

高正(匠人) ⑤190,

高井康典行(日本) ⑧79, ⑪248,

高兆基 ④249, ⑤23,

高存福(金使) ⑤35,

高宗(趙育, 宋) ⑤68(卽位),

高宗(曔, 晊, 洪陵) ⑥92, 94(太子), 140(改名 晊),
　201, 465(68歲),

高宗賫 ⑥219,

高宗妃 王氏[柳氏] ⑥276,

高宗秀 ⑧159, 202, 265,

'高宗實錄'(散失) ⑥172, 174,

高儔 ④197,

高仲臣→高令臣(改名) ②320,

高之問(高之門, 黑手靺鞨) ②88, 97,

高晉明→高進明 ③195(誤字),

高進明 ③195, 296,

高珍縉 ⑤81,

古昌郡[安東市] ①79,

高昌國(Gaochang. 吐魯番盆地, Turpan Basin) ⑩152,

古昌戰鬪 ①79,

高處約 ⑤76,

高天伯 ⑧187,

高聽 ②265,

鼓吹 ②276,

高孝冲 ④23,

曲曲[Cücü] ⑨366,

鵠島(骨大島, 白翎島) ①86,

曲阜縣[山東省] ⑧150,

坤陵(康宗妃 柳氏, 江華郡 良道面) ⑥319, 333,

髡髮 ⑧11,

坤元寺 ⑤160,

骨大島→鵠島

恭儉池 ⑤311, ⑧154,

攻國兵馬使→改國兵馬使 ⑦144(誤字),

貢女 ⑨243, 245, 262,

工徒 ⑧394,

恭陵(穆宗初陵) ①323, ⑧217,

貢文伯 ⑧204,

恭愍王(祺, 顓, 伯顏帖木兒, Bayan Temur, 江陵大
　君) 祺 ⑨287, 379, 389, 390, 401, ⑩5, 25, 28,
　31, 40, 43, 50, 51, 66, 69, 76, 78, 80, 94, 100,
　129, 150, 152, 165, 175, 191, 239, 244, 280,
　288, 280, 288, 顓, 290, 331, 343, 345, 346,
　347, 360, 407, 409, 410, 412, 423, 426, 428,
　454, 461, 465, 467, 475, 476, ⑪5, 6, 70,

公服[百官] ①166, ⑤50(毅宗15年?),

孔俯 ⑪49, 195, ⑫19, 196,

拱北樓(淸州) ⑨124,

公山[八公山] ⑤282,

公孫鞅(戰國) ⑫206,

龔勝生(中國) ④279, ⑤66, 139, 180, ⑥406, ⑦43,
　⑧150, ⑨328, 343, 375, ⑩54, 122,

功臣閣(功臣堂, 凌煙閣) ①117, ⑤119,

功臣都監 ⑨334,

公衙(守令居所) ⑫54,

恭讓王(瑤, 恭讓君, 高陵) ⑫75, 77, 104, 108, 134,
　146, 154, 229, 242, 268(廢位, 高麗王朝滅亡),
　269(遇弑, 二子同被殺, 三陟府, 李成桂).

孔維(宋使) ①231,

孔愉 ⑥128, ⑧178,

貢銀採掘丁 ⑤44(對馬島, 金海府),

功蔭田柴 ②241,

共議 ④113, 232,

公田租率(1/4, 成宗11年) ①271,

公轉週期(金星, 地球) ②29,

公節 ⑥103,

公除(脫喪, 除喪, 釋服) ②146,

恭宗(南宋 趙顯) ⑧43,

公座簿 ⑩375,

恭知政事→參知政事 ③238(誤字),

龔直 ①111,

鞏昌(陝西行省, 甘肅省) ⑧340,

貢天源 ⑥134,

公牒相通式(成宗14年) ①291~293,

孔熾(狙獗) ⑫49,

公緘(過所,公驗,行牒,往還牒) ⑫25,

公廨田柴(成宗2年) ①233,

公險鎭(公嶮鎭, 孔州, 匡州) ③190, 191, 226,

科擧(高麗) ①169(始行, 光宗9年), ⑧398(停止, 1304
    年 8月),

科擧(制科, 元) ⑨76,

科擧法[科擧程式] ①315(改定, 穆宗7年), ⑤11(更
    定, 毅宗8年),

科擧程式(考試程式, 元) ⑨156, ⑩341(高麗),

科擧程式(明) ⑩362~363,

瓜古與→爪古與(著古與) ⑥262,

課橋 ②224,

過房 ⑧156,

寡婦處女推考別監 ⑧36,

戈船 ②6,

科田法 ⑫178,

瓜州[甘肅省 安西縣의 西南 約 10km] ②149,

‘過秦論’ ⑥307,

裹瘡(裹創) ⑧240,

郭珤→郭珝 ⑨389, 401(誤字),

郭公儀 ⑥46, 50, 58,

郭公羲→郭公儀 ⑥50(誤字),

郭貫(官僚, 元使) ⑧421,

霍光(前漢) ⑥388,

郭東珣 ④154,

郭麟 ⑧186, 257, 423(가마쿠리鎌倉 拘留中, 殉國),

郭木的立(高麗出身, 官人, 元) ⑨276, 365,

郭務 ⑥364,

郭復 ⑩321,

郭郊(金) ⑥77,

郭思忠 ⑩341,

郭尙 ③167,

郭璇 ⑪43, 47,

郭承勳 ③50, 55, 74, 84, 95, 100, 127, ④262, ⑤
    20, 96, ⑥73, 101, 102, 104, 108, 149, 223,
    303, 306, 325, 328, 330, 352, 379, 418, 424,
    427, 453, ⑧192, 194, 263, 270, 301, 302, 352,
    366, 398, 405, ⑨14, 57, 138, 163, 181, 182,
    185, 209, 216, 238, 251, 256, 259, 260, 264,
    288, 297, 299, 300, 326, 350 354, 375, ⑩34,
    150, 363, 394, 395, 412, 421, 426, 428, 442,
    456, ⑪41, 79, 80, 104, 105, 109, 111, 113,
    167, 214, 287, 330, 343, 344, 348, 377, ⑫67,
    136, 219,

郭伸→郭紳 ②136(誤字),

郭陽宣(柳光植의 丈人) ⑤164,

郭彦龍 ⑪76,

郭興 ②437, ③235, ④92,

郭汝益 ⑦71,

郭汝弼 ⑦48, 148, ⑧108, 108, 111,

郭如弼→郭汝弼 ⑦48(誤字),

郭珝(密直提學) ⑨335, 395, 401, ⑩127,

郭延壽 ⑦135,

郭延俊 ⑩28,

郭英(武定侯, 遼東守將, 明) ⑪342,

郭永錫(河南王 參謀) ⑩294, 295,

郭預→郭王府

郭王府(→郭預) 王府 ⑥418, ⑦46, 47, 49, 預, ⑧
    162, 193,

郭元a ①295, ②12, 54, 56, 61, 84, 133,

郭元b ⑤7,

郭元龍→郭彦龍 ⑪76(誤字),

郭威(後周 太祖) ①149(卽位), 154,

郭有楨 ⑩378

郭儀 ⑩326 354

郭仁遇(後晋) ①99, 131,

郭子忠 ⑪230,

郭子興(紅巾賊帥, 朱元璋의 丈人) ⑩133,

郭悰 ⑪230,

郭州→定襄鎭 ⑥182,

郭州城[郭山邑 凌漢山城] ①282, 312,

郭鷟 ⑫37,

郭之泰 ⑧421,

郭樞 ⑩153, 198, ⑪47, 365,

郭狆龍(郭仲龍) ⑩41, 133, ⑪131,

郭忠輔 ⑪271, ⑫75,

郭忠秀(郭麟의 子) ⑧423, ⑨290, 375, ⑩43, 59,
　　⑪260,

郭海龍 ⑪293, 310, 333, 336, ⑫100,

郭洪祚 ⑥405,

廓擴帖木兒→擴郭帖木兒[KöKö Temur] ⑩264, 311,

郭熙(山水畫家, 宋) ②356,

郭喜國(金) ⑤210,

觀稼[獵] ⑪179,

官階(官等) ①44(太祖1年), 59(々6年),

官階(文武散階, 位階, 成宗14年) ①286,

官階(文散階, 位階, 文宗30年) ②378,

官渡城[河南省 鄭州市] ⑥258(曹操, 袁紹),

'關東錄' ⑨226,

官等(官階) ①41, 56,

觀燈行事 ①212, ⑥345, ⑪206,

管領歸附高麗軍民總管(管軍總管, 從4品, 蒙古) ⑦
　　132, 144,

官吏給暇 ①211,

關防 ③281,

冠服制度 ⑤51(唐宋制), ⑩311, ⑪341(胡服, 元制),
　　⑪341(革胡服, 從明制),

款塞[歸順] ②231,

關西省探題→鎭西探題(친제탄다이, 九州探題, 규
　　수탄다이) ⑫11,

官船大使(日本) ⑦48,

關先生(關鐸, 紅巾賊帥) ⑩53, 112, 124, 126, 131,
　　161, 162, 175, ⑫63,

關城→高麗長城 ②162,

管城縣 ⑤224,

觀世音寺 ③172,

慣習都監 ⑪332,

祼身→裸身 ⑦172,

觀心坪(善州) ⑪258,

關野 貞(日本) ⑧301, ⑨323, 351, ⑪8, 88, 123,

館驛使→諸道館驛使 ②152,

觀奧(首座) ③174, 240, 293, ④5, 13, 21, 34, 202,
　　221, 232, ⑤13, 32,

觀音房 ⑨309,

觀音保(耽羅牧胡) ⑩469,

觀音寺a(高敞縣) ⑥204,

觀音寺b(開城府) ⑧100,

觀音寺c(對馬島) ⑨211,

'觀音院記' ⑧398,

觀音浦(長浦, 南海縣) ⑪256,

官印 ⑪213,

官制整備(成宗2年) ①233,

官制整備(成宗14年, 唐制) ①285,

官制整備(文宗30年, 唐宋體制) ②367~378,

官制整備(忠烈王1年) ⑧26~28(官制名稱格下, 諸侯
　　體制, 1275年10月),

官制整備(忠烈王24年, 忠宣王1年5月) ⑧323~327
　　(避蒙古官制, 諸侯體制, 극히 一部 南唐呼稱 受
　　容), 332(一部 再整備), 338(忠烈王1年體制 復舊),

官制整備(忠烈王34年) ⑧431~436(官府·官職名 改
　　稱, 忠宣王 主管),

官制整備(恭愍王5年, 文宗30年制 類似復舊) ⑩88~
　　92,

官制整備(恭愍王11年, 忠烈王1年, 類似復舊) ⑩181~
　　183,

驅奴(駈奴)　⑧427,

瞿曇悉達(印度僧, 唐)　④97,

句當(勾當, 管理, 管掌)　④205,

九龍山　①15,

九流　②246,

勾芒(句芒)　①245,

歐母→毆母　②166(誤字),

勾補　⑧125,

具鳳齡(朝鮮)　⑩83,

丘史[傔從, 侍從, 秘書]　⑤286,

丘思平　⑨326,

具山祐　①231, 260 ②30, 78, 222, 279, 290, ③
　　145, ⑧408, ⑨9, 97, 149, 152, ⑪294, 331, ⑫
　　59, 235,

口宣聖旨[口宣詔旨, 口詔]　⑧334,

九城　③189, 190, 208,

鉤星→天鉤星　⑥168(脫字),

具成老　⑫11,

救食(救蝕)　②231,

九章服　②315,

口傳授職　⑨113,

歐陽白虎(南宋)　⑥318,

歐陽修(宰相, 宋)　②240, ⑥318,

歐陽詢(官僚, 唐, 率更體)　④201,

歐陽玄(官僚, 元)　⑨314,

具榮儆(←具貞)　⑨402, 貞, ⑩56, 83,

九曜堂　①62

九耀堂→九曜堂 ①62

久雨→霖雨(임우)

久任制　⑨239,

仇音島　⑧171,

口子　⑩232,

九齋　⑩287, 321,

九齋朔試[朔試]　⑨98,

救濟都監　③203,

毬庭　②7,

具足戒(受戒)　①140

具宗之　⑪304,

龜州→定遠大都護府 ⑥268,

龜州攻防戰　⑥257~259,

龜州城[龜城市]　①277, 321

九州節度使(九州道節度使)→九州探題(鎭西探題,
　　源了俊, 今川了俊)

九州探題(규슈탄타이, 鎭西探題)　⑪111,

九重(九門)　③296,

勾中正(宋)　①195 196 197

久志卓眞(日本)　⑨299,

丘天祐(丘天佑)　⑨230,

仇天祐→丘天祐　⑨230, ⑩40(誤字),

九通(元)　⑨274,

颶風[颱風, hurricane]　⑧146,

具鴻　⑪313,

具桓　⑧381,

'救荒活民類要'　⑨150,

國忌　①210,

國望峯(北漢山)　⑤266,

國師　①140,

國史　⑫154,

國使→國師　⑫12(妙葩, 日本僧),

國師僧　⑧293,

國史院→翰林國史院(元)　⑨176,

國書[書啓]　③281,

國仙(仙郎)　⑧156,

鞠成允　⑧158, 196,

鞠受圭　⑥234,

國贐都監　⑨50,

國贐物　⑦57,

國信使　⑦140,

'鞠實察情'(鞫實察情)　⑥266,

國子監(宋)　①191

權悳永 ①90,
權圖南 ⑩291,
權敦禮 ⑤142,
權藤成卿(日本) ③30, ⑤218, ⑥254, ⑧265,
權廉(←權衡) 衡 ⑨101, 107, 178, 247, 廉, ⑨282,
權務官祿(權務官祿俸, 文宗30年) ②381,
權務政(小政) ⑦24,
權文毅 ⑪254,
權溥→權永
權溥妻 柳氏 ⑨332,
權思復 ⑨256, ⑩320,
權世侯 ⑥395,
權守平 ⑥372, 373,
權述 ⑥287,
權時偉 ⑥70,
權信a ①76,
權信b ⑤304,
權永(→權溥) 永, ⑥306, ⑧42, 102, 117, 333, 363, ⑨28, 溥, 56, 353,
權鏞(權廉의 子, 權瑨의 父) ⑩49, 64, ⑪6, 7, 65 (被誅, 恭愍王遇弑 關聯),
權容徹 ⑨372,
權惲 ⑧364,
權遠(←權遇) ⑪79, 227, 302,
權瑗 ⑪230,
權瑋→權韙 ⑥290, 317(誤字),
權違→權韙 ⑥326(誤字),
權韙(權昍의 父) ⑥290, 317, 326, 406, 419,
權應經 ⑥22,
權宜(←權瑞精?) ⑧99, 116, 120, 124, 205,
權仁達 ⑩291,
權適a ③229, 256, 257, 283, ④178, 193, 194, 197, 217, 237,
權迪→權適 ③256, ④193, 194(誤字),
權適b ⑥369, ⑨279, ⑩141, 271, ⑪109,
權正均→權正鈞 ④154(誤字),
權踶(朝鮮) ①26,
權鑄 ⑩66, 216, ⑫60,
權準 ⑥369, ⑧425, ⑨18, 23, 33, 55, 76, 182, 296, ⑩27,
權仲達(權仲和의 兄) ⑨388,
權仲和 ⑨388, ⑩42, 148, ⑪5, 35, 41, 85, 87, 98, 118, 160, 195, 201, 216, ⑫134, 142, 149, 223, 235, 239, 263,
權增 ⑫66,
權直 ①146,
權軫 ⑪83,
權執經 ⑪172, 326, 362,
權昌南 ⑤135, ⑥297,
權頙 ⑨62,
權韠(朝鮮) ⑩385,
權坦→權昍 ⑦125(誤字),
權滰 ⑪49,
權漢功 ⑧74, 178, 332, ⑨58, 64, 70, 73, 76, 111, 124, 126, 130, 132, 141, 142, 177, 259, 263, 285, 388,
權幸 ①80, 81,
權行→權幸 ①80(誤字),
權奕 ⑧232,
權玄龍 ⑪201, 210, 271, 321, 322[萬人敵],
權衡→權廉
權衡允 ⑥351,
權弘 ⑫244, 250,
權和(權近의 兄) ⑪349,
權和尙 ⑩83(被殺, 恭愍王),
權皇帝(自稱, 撒禮塔) ⑥261, 266,
權琤 ⑥333,
權壎 ⑪255,
權烋 ⑧195,
權興祖(權嗣宗) ⑪147,

金同不花(海陽萬戶)　⑪223, 225, 263,

金蓮川(內蒙古自治區)　⑦11,

金薄紙(金薄, 金箔)　⑥353, ⑨34,

金沙寺(珍島縣)　②137,

金山佛宇[金山寺]　①980,

金山寺(全州, 金堤市 金山面)　①98, ②421, ③15, 50, 81, ⑤189(香爐), ⑥144,

金山寺(潤州, 江蘇省 鎭江縣 位置)　②420, ③15,

金山王子(耶律金山, 金, 大遼收國王)　⑥117, 118, 119, 120, 121, 127,

禁殺都監　⑩206,

今西 龍(日本)　⑩442,

金城(鐵圓郡)　①30,

錦城(羅州)　①32, 34,

金星(太白, Venus)　②29,

金城郡　⑥404,

錦城山祠(錦城山神祠)　②406, ⑧56,

錦城山神　⑥308,

金 世系(函普의 後裔)　③252,

金繡手箔(금수수박, 錦繡手箔)　⑧329,

金繡手帕(금수수파, 錦繡手帕)　⑧329,

金始王子(耶律金始, 金, 大遼收國, 金山의 弟)　⑥117, 118, 119,

禁身　⑪261,

金身山　③103,

金巖驛(金岩驛, 平州)　④115,

金吾臺(←御史臺)　②48(置), 52(罷),

金曜門→金耀門　④229(誤字),

今有·租藏[檢務·租藏]　①231, 235(革罷),

琴儀(琴克儀) 克儀　⑤226, 235, **儀**, 244, ⑥94, ⑥ 52, 74, 94, 95, 102, 104, 111, 144, 154, 167, 207, 246,

錦衣衛(明)　⑪343, ⑫8,

禁人→禁入[禁廢]　⑨260,

金仁寺　③44,

金印獸紐　⑧82,

金莊(禑王의 乳母, 張氏, 張金莊)　⑪31, 54, 98, 120, 151, 153, 163, 164,

金錢　⑩391,

今井宇三郎(日本)　①283,

禁酒　⑪47, 76, 167, 251, 340,

金州(金海)　①308(大都護府 昇格), 312, ④44,

金州→鳳州(鳳山郡)　⑦136(誤字),

錦州[遼寧省]　⑨189,

金州防禦使　⑥65,

今俊(金幸, 金의 祖先)→函普

禁中　③270,

今川了俊(이마가와 료쥰, 源了俊, 源了浚)　⑪110, 111, 116, 149, ⑫11, 135, 213, 219, 223,

今川貞世(이마가와 사다요, 今川了俊)→今川了俊

金塔寺(廣州牧)　④210,

金澤文庫(橫濱市)　⑧258,

金畵瓷器　⑧302,

琴暉(琴儀의 子)　⑥207, 218,

琴輝→琴暉　⑥207, 218(誤字),

給假規定　①289,

皂羅(급라)→皂羅(조라)　⑥446(誤字),

給舍[給事中·中書舍人 略稱]　①304,

給使(元)　⑧199,

給舍·中丞　⑦14,

汲水小舟　⑦197

及菴宗信　⑨375,

'及菴集'　⑩136(閔思平)

給田都監　⑫38, 62, 110, 257(罷),

汲縣[河南省 新鄕市 汲縣]　⑦43,

兢讓(靜眞大師)　①101, 175(塔碑),

機檻→機鑑　⑨288,

記官　⑤209,

伎女　⑥346,

期年=12個月　①240,

耆老會[耆英會, 耆年會] ⑥89, ⑨277,

箕達山(北蘇, 俠溪縣) ⑪118,

妓樂 ①278,

奇輪 ⑩57,

麒麟閣(九梯宮의 麒麟窟 隣近) ④115,

羈縻州 ③170,

祈福都監 ⑨87,

岐峰 ③118,

己巳功臣 ⑧155,

奇三萬 ⑨357, 358,

奇三寶奴[Salbuliu] ⑩210, 226,

氣象 ①35,

奇賽因帖木兒(Sain Temur, 奇轍의 子) ⑩345, 347, 374, 377,

祈雪 ③42, 47,

奇世傑 ⑩223,

奇世俊 ⑤194,

奇叔倫 ⑩254,

寄僧(元) ⑧243,

棄市 ①45,

忌晨→忌辰[忌日] ③55(誤字),

記室[司錄] ⑨109, 187,

奇若冲 ⑥101,

耆英會→耆老會

奇溫 ⑧5, 6,

奇完者不花(奇Öljie Buqa, 奇轍의 子) ⑩57, 81, 83(被殺, 恭愍王),

奇完者忽都皇后(奇完者護都, Öljie Qutug, 奇皇后, 蕭良合氏, solongga氏) ⑥431, ⑨275, 280, 283, 306. 324, 333, 336, 355, 357, 380, ⑩55, 69, 117, 122, 130, 131, 209, 263, 265, 268, 276, 278, 288, 289, 324(蒙塵), 352(崩御, 漠北, '新元史'),

祈雨(禱雨) ②24, 25, 94, 101, 109, 110, 122, 142, 178, 196, 202, 207, 210, 250, 257, 286, 320, 331, 334, 338, 341, 435, 438, ③20, 28, 42, 46, 98, 261, 306, ④16, ⑤79, ⑨104, ⑩53, 148, 413, 436, ⑪28, 46, 108, 207, 209, 211, 228, 229, 254, 255, 280, 337, 341,

祈雨祭 ⑪137,

奇轅 ⑨314, ⑩20, 30(被殺, 趙日新), 81, 350,

奇有傑 ⑩82, 81, 83(被殺, 恭愍王),

奇有傑→奇世傑 ⑩223(誤字),

奇允肅(奇轍의 高祖) ⑥62, 431,

祈恩都監 ⑤192, ⑥132,

奇仁傑 ⑩350,

其人制(其人) ⑥423,

箕子廟(箕子祠宇) ⑩295, 404,

奇子敖(奇轍의 父, 榮安王) ⑨32, 314,

奇洊 ⑥231,

奇田龍(翰林學士承旨, 元) ⑩189, 207, 254, 283, ⑪279,

奇田龍妻 孫氏 ⑩254, 255, ⑪279,

旗田 巍(日本) ①60, 80, 286,

奇輔 ⑨358,

奇柱→奇輔 ⑨358(誤字),

奇仲平(奇顯의 子) 392(被誅, 辛旽一黨),

奇轍(伯顏不花, Bayan Buqa) ⑥62, 431, ⑨279, 283, 311, 314, 335, 373, 390, ⑩20, 65, 66, 70, 77, 78, 81(被殺, 恭愍王), 85, 104, 350,

祈晴 ②172, ③96,

祈晴祭[川上祭] ②172,

奇卓成→奇卓誠 ⑤120, 198,

奇卓誠 ⑤120, 153, 198, 313, 323, ⑥61, 62,

祈風雨 ③174,

畿縣 ①282,

奇顯 ⑩312, 313, 387,

奇洪壽 ⑥61, 81,

奇皇后→奇完者忽都皇后

吉本道雅(日本) ①64, 66, 296, ⑬28,

吉本智慧子(日本)←愛新覺羅 烏拉熙春

吉祥菴(頭輪山)　⑥426,

吉成直樹(日本)　⑫59,

吉安部曲(奈城縣)　⑨347,

吉野正史(日本)　⑤75, ⑥66,

吉元進(吉再의 父)　⑪280,

吉仁　⑤270,

吉再　⑩466, ⑪255, 326, ⑫110,

吉田宏之(日本)　⑧180, 192, ⑨152, 395,

吉田賢抗(日本)　⑪142,

吉州　③201, 204,

吉州→海洋(三海洋, 海陽, 蒙古)　⑥455,

吉州[江西省]　⑥406,

吉池孝一(日本)　①290, ⑥206,

金可久　⑨364,

金可珎　⑫137,

金嘉會　⑤28,

金角章　⑤180,

金甲童　①43, 47, 53, 61, 115, 123, 193, 259, 270
　②69, 396, ⑧112, 134, 310,

金甲雨　⑩359, 428, 450, 455, 468, 470(被誅),

金甲周　⑧154,

金開物　⑨185,

金眡　⑨148,

金巨公　④197, ⑤49, 73,

金居實　⑤71, 114(被殺, 武臣亂),

金虔　⑪82,

金堅　⑧379,

金兼　⑥319,

金瓊　②228,

金卿　⑤296,

金鏡　⑦94,

金冏　⑨237, 239, 242,

金景　⑩177,

金慶廉　②124,

金景輔　④262,

金慶夫　⑥58,

金慶生　⑩154,

金慶孫　⑥259, 308, 309, 366, 379(白翎島, 被殺),
　454(褒賞),

金敬崇　⑩387,

金景庸　③82, 147, 254, ④32,

金慶祚　⑫249,

金敬知→金敬直　⑩50(誤字),

金敬直　⑨384, ⑩150, 223, 384,

金景清→林景淸　③239(誤字),

金桂來　⑧232,

金季鳳　⑥200.

金繼生　⑪111, 113, ⑫267,

金沽　③282,

金祜→金祐　⑧333, 359(誤字),

金栖　⑩153,

金公奭　⑥119,

金公世　⑪90,

金科　⑫37,

金寬毅　①20 126

金光　⑤114(被殺, 武臣亂),

金光輅　⑨98,

金光利a　⑤98,

金光利b　⑩33,

金光富a　⑤321,

金光富b　⑪150, 155,

金光秀　⑩50, ⑪200,

金光壽→金光秀　⑪200(誤字),

金光植→金光軾　⑤244(誤字),

金光軾a　⑤244,

金光軾b　⑧277, 374,

金光雨　⑩217,

金光遠　⑥461, ⑧28,

金廣允　⑩42,

金杜珍　①29

金得卿　⑪291, 297, 298,

金得培　⑥411, ⑨287, ⑩110, 116, 146, 153, 163, 176, 177, 181,被誅)

金得綏　⑪83,

金得雨　⑧436, ⑨264,

金得齊　⑨359,

金滕　⑤86,

金樂　①71　76　124　⑨136,

金諒　⑤19,

金呂　⑧251, 265, ⑨129,

金麗普化(高麗出身, 明使)　⑫41,

金麗淵(高麗出身, 宦官, 明使)　⑩337, 448,

金呂英(樂工)　⑧438,

金璉(→金連)　⑥421,

金練　⑦143, ⑧77,

金連　⑧242,

金練光　⑤147,

金鍊成　⑥293,

金廉如　①126　133,

金令侯　⑤190,

金祿　⑥411, ⑨28,

金祿延　⑦56,

金龍　⑩289, 293, 296, 299, 302, 309, ⑪43, 48, 90,

金鏐(霤)　⑤96,

金倫　⑦151, ⑧234, 364, 414, ⑨142, 274, 275, 278, 317, 366, 370, 384,

金倫妻　崔氏　⑨364,

金履　⑫258, 261,

金利生　⑥299,

金利誠　⑤104,

金潾　⑩154,

金猛　②74, 93, 134, 140,

金孟　⑩341,

金命　⑥391,

金明善　⑪230,

金命予　⑥49,

金明鎭　①29, 35, 49, 65, 69, 75, 89, 103, ⑦99, 135, ⑧252,

金謀直　⑤78,

金畝　⑫250,

金無滯　②173,

金問　⑫257,

金文京　⑨79, ⑫8,

金文咼　⑧98,

金文貴(金廷美의 子)　⑨188,

金文老　⑥107,

金文發　⑪334,

金文庇　⑦115, 128, ⑧156, 157,

金文衍　⑧374, 403, 405, ⑨68, 81,

金文鼎　⑧232, 394,

金文鉉　⑩201, 330, 331, 418, 419, ⑪116, ⑫45 (被誅),

金籹(金㖐·金侾)　⑥332, 336, 356, 363,

金彌　⑪83,

金朴升　⑤151,

金方慶(金孝仁의 子)　⑥232, 360, ⑦71, 105, 107, 130, 133, 134, 139, 152, 162, 172, 173, 182, 185, 187, 192, ⑧9, 10, 14, 28, 40, 44, 50, 60, 65, 66, 67, 68, 70, 86, 91, 119, 125, 130, 131, 132, 139, 140, 141, 142, 143, 144, 148, 151, 154, 173, 194, 279, 287, 289, 301, 352(歸葬, 福州, 墓所, 墓誌石), ⑨277,

金方卦(李成桂의　姑母夫)　⑩241,

金方礪(←金汝用)　⑩237,

金芳漢　⑨238,

金伯鈞(金伯均)　⑦174, ⑧104,

金白齡　⑥149,

金伯龍　⑧232,

金詵→金佺　⑦188, 190(誤字),

金宣弓　①141,

金先錫　③143,

金先致　⑨397, ⑩151, 216, 264, 276, ⑪244,

金宣平　①80,

金成a　③50,

金成b　⑨103, 104,

金成槩→林成槩　②252(誤字),

金成固　⑨31,

金成寶　⑥323,

金聖洙　⑨242,

金性彦　③36, 48,

金誠一(朝鮮)　⑤127,

金成績　①303,

金成俊　①15,

金成煥　⑧235,

金世賴　⑤6,

김세린　⑥241,

金續命　⑩199, 241, 250, 261, 266, 316, 465, ⑪41, 42, 89, 90, 144, 325,

金須　⑥418, ⑦117, 135,

金綏(→金忻, 金方慶의 子)　⑦186, 187,

金隨(金銖)　⑩42,

金守剛(←金守精)　⑥170, 176, 324, 358, 433, 436,

金守堅　⑥161,

金壽萬　⑩266, 268,

金守衍　⑦35,

金守淵　⑧99,

金守溫(朝鮮)　⑪204,

金守藏　⑤114(被殺, 武臣亂),

金叔龍　⑥120, 130, 185, 296,

金淑龍→金叔龍　⑥185(誤字),

金叔盂(金宗盂, 金叔盃)　⑧86, 232,

金淑昌　②171,

金叔興(龜州別將)　②22(戰死, 23(贈職, 褒賞), 27

(褒賞), 85(褒賞), 110(々), 227,

金純　⑤16, 102, 106, 122, 123, 131, 166, 175, 196, 223, 235, 261, 268, 276, 281, 282, 286, 292, 298, 302, 307, 311,321, 325, ⑥6,

金恂　⑧105, 110, 163, 173, 194, 227, 288, 309, 326, 330, 332, 334, ⑨85, 132, 177,

金順　⑪49,

金淳夫　⑤71,

金順生　⑩201,

金純永[純永]　⑥23, 72,

金順子　⑩328,

金升　⑥68,

金承矩　⑩131,

金承貴　⑪341,

金承德　⑩66,

金承得　⑪81,

金承茂　⑦115,

金承嗣　⑨262,

金承石→金石堅

金承溫　④57,

金承用　⑧151, 232, 279, ⑨201,

金承遠　⑩153,

金承印　⑧227, 232, 396,

金承祚　①301,

金承俊→金升俊　⑥239, 462(誤字),

金承俊(→金冲)　⑥376, 440, 442, 453, ⑦93, 94 (被殺),

金承澤　⑩124,

金承鎬　③34,

金時習(朝鮮)　⑥451,

金佺　⑦188, 190, ⑧14(臨戰中 被暴風, 墜落死), 49,

金臣璉　④176, ⑤45,

金臣穎　⑤225,

金莘夫　④223, 224,

金莘尹　⑤126,

金莘鼎　⑥104, 320,

金實(宦官)　⑪139, 152, 179, 259, 284, 289, 293, 367(被殺),

金深　⑧97, 151, 195, 227, 230, 290, 335, 382, 390, 404, 405, 406, ⑨16, 19, 22, 23, 62, 63, 124, 212, 262,

金審言　①258, 259, ②6, 41,

金雅　⑪172,

金아녜스　②7, ⑥430,

金岳　①123, 150,

金安　④143(被殺, 妙清 關聯),

金安利　⑩202,

金昂　⑨85,

金昂妻 閔氏　⑪139,

金鎧　⑦35, 86, 94,

金若先　⑥302,

金若時　⑪254,

金若溫　④22, 23, 183, 184,

金若珍　②437,

金若朵　⑩387, ⑪355,

金若恒　⑩387,

金陽→金子陽　④273(脫字),

金錫　⑤45, 75,

金良鑑a　②250, 350, 352, ③39,

金良鑑b　⑧306,

金良鏡　⑤116, 304, ⑥62, 154, 172, 185, 233,

金良鏡(→金仁鏡)　⑤304, ⑥154,

金良器　⑥87,

金良純　⑥243,

金良瑩　⑥405(蒙古派遣, 拘留3年, 卒),

金良裕　⑦48,

金良贄　②266,

金於珍　⑩144,

金彦卿妻 金氏　⑪350,

金彦龍　⑩217,

金彦英(後周)　①161,

金彦璋　⑫138,

金汝盂(金坵의 子)　⑦156, ⑧86, 261,

金汝知　⑫66,

金緣(→金仁存)　緣　③13, 126, 151, 160, 205, 225, 244, 281, 312, 320, 以後　仁存, ④35, 62, ⑩363,

金衍　⑦40,

金延　⑧372, ⑨258,

金沿亮(金沿亮)　⑥143,

金延壽(→金利用)　⑧404, 405,

金延保　②9,

金闡甫　⑤17, 91, 97, 153, 161, 175, 185, 292,

金永→金贊b　⑦174, 184,

金永固　⑤305,

金永寬　④240,

金令器　②259,

金永寧　⑤12,

金永暾(金永旽, 那海, Noqai)　⑧403, ⑨90, 286, 318, 367, 369, 371(那海), 376,

金泳斗　①60,

金英美　⑥134,

金永夫　④32, ⑤15, 20, 21, 31, 42, 49, 79, 132,

金永錫　③278, 304, 316, ④15, 19, 43, 129, 267, ⑤7, 9, 10, 13, 89,

金永純　⑩39,

金永胤　④267, ⑤71, 75, 89, 100, 107,

金永濟　⑥43,

金永存　⑥23,

金榮搢　①273, 280,

金永珍　⑪356, 357(被誅, 林·廉一黨),

金永華　⑨348,

金永煦　⑨187, 305, 322, ⑩158,

金禮蒙(朝鮮)　①24,

金禮雄　④250,

金悟 ⑫66,

金溫 ⑧110,

金完(宦官) ⑪372, 375, ⑫194,

金完者帖木兒(元之帖木兒, 完者鐵木兒, Öljie Temur,
　金石堅의 子) ⑨310, 324,

金銚 ①23,

金稠 ⑪83,

金鏞 ⑨287, ⑩9, 33, 72, 119, 169, 177, 178,
　179, 180, 207, 208, 211, 214, 217, 222, 223,
　226, 230, 289,

金用謙 ⑨354,

金龍善 ①43, 46, 79, 178, 231, 306, ②193, 209,
　342, 344, ③37, 42, 83, 85, 101, 115, 120, 127,
　132, 136, 150, 169, 182, 198, 213, 241, 304,
　312, 318, ④37, 55, 74, 95, 105, 179, 180,
　181, 192, 224, ⑤7, 100, 117, 257, 261, 271,
　288, ⑥94, 153, 290, 294, 446, ⑦126, 177, ⑧
　104, 267, 279, 292, 345, 409, ⑨54, 93, 129,
　223, 286, 295, 326,

金容燮 ⑧417,

金龍藏 ⑨354,

金用材(→金柱) ⑦42, 95,

金用超(金用貂) ⑩384,

金用輝 ⑪166, 185, 358(被誅, 林·廉一黨),

金完(宦官) ⑪346,

金遇 ⑤11,

金瑀 ⑤230,

金祐a ⑧333, 359, 380,

金祐b(畫師) ⑨33,

金祐c ⑩341,

金右鏐 ⑨223,

金于蕃 ④128, ⑤105, 136,

金于藩→金于蕃 ⑤105,

金于鎰 ⑧421,

金宇正 ⑧232,

金昱 ①230,

金元→金玩? ⑩26,

金元傑 ⑥79,

金元具(→金士元) ⑧262,

金元禮 ⑤80,

金元命 ⑩275, 279, 313, 329,

金元鳳 ⑩116, 139,

金元祥 ⑧178, 298, 342, 372, 374, 382, 392, ⑨
　19, 158, 161, 184, ⑩329(杖殺, 辛旽),

金元粹 ⑨290, ⑩42,

金元軾 ⑧394,

金元允(金允敘) ⑦185,

金元義 ⑤124, 153, 221, 296, 318, ⑥72, 78, 101,
　109, 139,

金元之 ⑩18,

金元冲 ②179, 188,

金元鉉 ②211,

金元晃 ②305,

金元義 ⑤274,

金裕(叛逆者) ⑦87,

金儒 ⑧386, 388,

金庚 ⑩253, 255, 259, 292, 301, 346, 442, 455,
　464, 470, ⑪136, 138, 153, 216, 218, 228, 264,
　265, 272, 296, 301, 304, 308, 322(杖流中死,
　公州 敬天驛, 李仁任),

金惟珪(→金稚規, 武擧出身) 惟珪, ③304, 稚規,
　④109, 163, ⑤30,

金裕廉 ①85, 86, 307,

金庚廉→金裕廉 ③309(誤字),

金柔立 ⑤26,

金有成 ⑦100, 105, ⑧257, 423(가마쿠리鎌倉 拘
　留中, 病死, 殉國),

金有臣 ⑤133,

金潤坤 ⑥382, ⑦145, ⑪44, ⑬69,

金允敘(金元允) ⑦185,

金俊光　⑥23,

金俊奭　③90,

金俊邑(金邉嚴)　①158, 179,

金仲卿→崔仲卿　⑧207(誤字),

金仲龜　⑤155, 307, ⑥23, 60, 82, 86, 92, 127,
　130, 181, 195, 200, 230, 238, 239, 311, 327,
　332(願堂, 鳳顧寺),

金仲光　⑪45, 283,

金仲權　⑩201,

金仲文　⑤225, ⑥91, 154, 173, 266, 286, 296, 309,

金仲龍→金之岱　⑥153, 161,

金仲偉　⑥391,

金重義　⑨33(被殺, 上都, 忠宣王),

金仲鏴　⑨362,

金祗(→金祉)　⑩199,

金摯　⑫58,

金之兼(金之謙)　⑧280, ⑨9, 72, 272, 273,

金之卿　⑧299,

金之鏡　⑨207,

金之岱(金仲龍)　⑥153, 161, 308, 309, 326, 354,
　355, 418, 445, 446, ⑦35, 70, 94,

金之瑞　⑪76,

金祗錫　⑦39, 46,

金之成　⑥222,

金之淑　⑧75, ⑨43,

金之用　⑥461,

金之祐　①86(金仁九의 後孫), ④272,

金之底→金之氏　⑧148(誤字),

金之挺→金怡

金之槓　⑧98,

金之鐸　⑫215,

金直之　⑨290,

金縝a　③172,

金縝b→金縉　⑩143,

金禛　⑧312, 313[未審],

金稹　⑨284,

金進　⑩116,

金縉　⑩143,

金雌　⑩161, 162,

金鎭圭(朝鮮)　③233,

金震陽　⑩387, 443, ⑫139, 244, 250, 251, 254,
　256, 264(被殺, 李芳遠),

金進宜　⑪278, 280, 285,

金振鐸　⑤89, 271,

金質　⑩154,

金徵魏　⑤139,

金粲(金安)　④49,

金璨　⑥199,

金贊a　⑦74, 75, 76,

金贊b(←金永, 金通精의 姪)　⑦174, 184,

金贊c　⑨294,

金敞(←金孝恭)　⑥206, 309, 333, 368, 423,

金昌業(朝鮮)　⑩358,

金昌協(朝鮮)　⑩358, 385, ⑪9,

金昌賢　②221, 222, ③69, ④173, ⑤117, 200, ⑥
　238, 444, ⑧196,

金策　①173,

金陟候→金陟侯　⑥22(誤字),

金陟侯　⑥22, 45, 56,

金闡　⑤136,

金葳　⑨353,

金天祿　⑧132,

金千寶　⑨189,

金天錫　⑧334,

金哲(金樂의 友)　①72, 125, ⑨136,

金鐵(金樂의 弟)　①68,

金澈雄　①167, ⑤49, ⑧112, 435,

金瞻　⑫205,

金添壽　⑨329,

金帖木兒[金Temur]　⑨258,

金蔕　⑤120, 121,

金貂　⑫37, 180, 206,

金春澤(朝鮮)　⑤102,

金冲a　⑤190, 322, ⑥18, 88,

金冲b→金承俊

金忠義　⑧420(被誅, 大都),

金忠贊(金殷傅의 子)　②179,

金就起　⑧408, ⑨195, 208, 214,

金就礪　⑤142, 261, ⑥102, 117, 118, 120, 121,
　　122, 124, 125, 130, 131, 134, 138, 139, 140,
　　141, 142, 143, 145, 148, 150, 153, 155, 158,
　　159, 164, 165, 167, 168, 169, 170, 171, 174,
　　187, 209, 238, 246, 250, 272, 289, 291, 293,
　　⑩384,

金峙　⑫37,

金耻　⑫37,

金稚規→金惟珪

金致陽　①314, 320, 326, 328(被殺, 康兆),

金泰　⑨8,

金台瑞　⑥275, 434,

金泰俊　⑩83,

金台鉉　⑦135, ⑧20, 43, 117, 119, 276, 333, 346,
　　380, 383, 399, 410, 416, ⑨41, 129, 153, 158,
　　178, 187, 210, 218,

金台玹→金台鉉　⑧276(誤字),

金台鉉妻　王氏　⑩78,

金平　⑥13, 36, 42, 61, '

金通精　⑦124, 151, 152, 174, 180, 187, 188, ⑧
　　110,

金包光　①31,

金必爲　⑧189,

金漢啓　①25,

金漢貴　⑩177, 304,

金漢老　⑪254,

金漢龍　⑩211(被殺, 興王寺變),

金漢忠(金裕廉의 後孫)　①86, ③26, 131, 226, 309,

金誠　③177, ④242,

金涵　⑪49,

金郃　⑪172,

'金海兵書'　②198, 227,

金海都護府(金海府)　⑤44, ⑥46, ⑩332,

金海都護府→金海牧　⑨30,

金行瓊　②309, 335,

金行恭　②151,

金行成　①191, 197,

金珦　④147,

金革良　⑥98,

金革精(金革正)　⑦79, 186,

金顯　②58, 266,

金玄　⑩143, 233, 235, ⑪33, 38, 40, 82,

金鉉公　⑤208,

金玄具　⑨98,

金顯吉　①154, ⑤228,

金賢羅　⑥122,

金瑚　⑩424,

金浩東　②230, ⑧42,

金好文　⑪230,

金虎俊　④150, ⑥264, 397, 406, ③268, ⑥286, 398,
　　399, 459, ⑦185,

金琿(金惲)　⑧119, 190, 232, 268, ⑨11, 52,

金洪柱　⑧147,

金洪就　⑥278, ⑦12,

金化崇　②254, 257, 299,

金滉　⑦176,

金黃元　③287,

金黃裕　⑤133,

金鋐→金鈜　⑩134, 156(誤字),

金鈜　⑩134, 156, 448, 453, 466(防倭失敗, 庸將,
　　被誅, 合浦), ⑪5,

金後　⑫66,

金訓 ②15, 48, <u>51</u>(被誅, 軍亂, 西京),

金晅 ⑥47, ⑦24, 104, 106, 107, ⑧29, 269, 289, <u>401</u>,

金孝(對馬島 漂着) ②246,

金孝臣 ⑦109(被擄), 176(歸還), ⑧322,

金孝巨→金孝臣 ⑦109, 176(誤字),

金孝恭 ⑫138,

金孝仁(金方慶의 父) ⑥331, 357, 369, <u>400</u>,

金忻(←金殺) 殺, ⑦186, 187, <u>忻</u>, ⑧9, 165, 240, 301, 409, 416, ⑨15, <u>25</u>,

金恰→金怡(金廷美)

金興慶(金倫의 玄孫, 彦陽伯 敬直의 子) ⑩384, 404, 414, 423, 425, 438, 449, 460, 464, 465, 467, 476, ⑪7, <u>10</u>(被誅, 彦陽),

金興裔 ⑧87,

金興祖 ⑩328,

金禧 ⑩154,

김희윤 ②131,

金希磾 ⑥177, 181, 190, 210, 211, 218, 219, 240,

金希祖 ⑩45, 107, 141, 149, 229, 230,

金希輝→金希磾 ⑥211(誤字),

奈良(나라, 奈良縣) ⑤258, 289,

那蠻歹→乃蠻帶

捺鉢(納鉢, 納巴)→納鉢

那沙府(가고시마켄鹿兒島縣 地域, 或 다자이후 大宰府) ②131,

羅城(開城府) ②6, 131(工畢), 137,

羅城(西京) ①110,

那演(那顔, 那衍, 那延, nayan) ⑩393,

나영남 ②147,

'懶翁戒牒' ⑨185,

懶翁惠勤→惠勤

邢律允→耶律允 ②11,

羅逸星 ⑩27,

螺匠塔 ⑩373,

羅州道大行臺 ①46,

羅州道祭告使 ②406,

羅州西門內石燈 ③54,

羅辰玉[나진옥]→羅辰玉[라진옥]

羅漢像(神光寺 塑造, 楡岾寺 石造) ⑨247,

儺戲 ⑪247,

<u>樂浪公主</u>(太祖王建의 女) ①99,

洛浪君→樂浪君 ⑨11

洛山寺a [襄陽郡 降峴面] ⑥397,

洛山寺b(長湍縣) ⑩287(辛旽 願刹),

落星臺(落星垈, 서울시 冠岳區 奉天洞) ②148,

洛陽(洛陽市) ①94,

絡繹(絡驛) ⑥285,

<u>雒英</u>(明使) ⑪310, 314,

<u>樂眞</u>(元景王師) ②281, 330, ③111, 136, 140, 243, <u>292</u>, ④75(塔碑),

駱駝 ⑨312,

駱駝橋 ⑥15,

駱駝鳥卵[駝鳥卵] ⑧248,

卵山 ⑧203,

蘭秀山[浙江省 定海縣] ⑩366, 373, 386, 413, 415,

<u>爛圓</u>(景德國師, 金殷傅의 次子) ②62, 292, 321,

<u>剌馬丹</u>(Ramadan, 高麗出身, 官人) ⑨<u>393</u>,

蝻(蝗虫의 幼虫, immature locusts) ②74,

<u>南謙</u> ⑩387,

南京(契丹 幽都府, 北京市) ②62, ③141,

南京(楊州, 漢陽) ⑩102, 104, 105,

南京[吉林省] ⑥115,

南溪寺(南溪院, 開京) ⑥129,

南溪書院(淸道, 金之岱) ⑦70,

南宮 ④37,

南宮敏　⑨249,

南宮信　⑨296, 329,

南權熙　①323, ②283, ③55, 95, 100, 127, ④262,
　⑤20, ⑥97, 101, 175, 188, 222, 223, 299, 303,
　320, 330, 332, 335, 349, 352, 414, ⑦200, ⑧75,
　91, 112, 133, 158, 180, 188, 194, 199, 229,
　253, 286, 292, 302, 303, 352, 365, 366, 376,
　409, 414, ⑨28, 45, 50, 87, 94, 101, 112, 139,
　141, 143, 163, 181, 182, 185, 203, 209, 211,
　213, 240, 254, 258, 264, 276, 278, 284, 297,
　328, 388, 389, ⑩106, 252, 378, 394, 423, 426,
　⑪204, 205, 227, 327, 343, 373, ⑫61, 67, 124,
　219,

南琴　⑪230,

南基鶴　①297, 311, ⑬76,

南大門(開城)　①147,

南都泳　⑧358,

南東信　①126, ④50,

南福禪院　①53,

男山[子男山, 開城市 子男洞]　⑥171,

男山書齋　⑨11,

楠山春樹(日本)　②118,

南禪寺(京都市 左京區)　⑥44, 188, 191, 429, 447,

南宣用　⑧179,

南省試(國子監試, 成均館試)　②150,

南宋　⑤66,

男女同姓　①129,

南永臣　⑨274, ⑩223,

南永伸→南永臣?　⑩223,

藍玉(大將軍, 明)　⑪342, 373, ⑫221,

南原山城(蛟龍山城)　⑪187,

南雄侯(趙庸, 明)　⑪48,

南誾　⑩466, ⑪318, ⑫187, 221, 246, 261,

南音(銀, 高麗語)　⑥74,

南人[南宋人, 蠻人, 蠻子]　⑨245,

‘男子不死于婦人之手’　①200,

南賊　⑤169, 174,

南鋌(南錠, 金塊)　⑥73,

南佐時(尹桓의 壻)　⑪201, 202, 207, 269, 351,

南秩　⑪210, 211, 213, 227,

南楚人→宋楚大(楚州, 江蘇省 淮安市 楚州區)　②35
　　(誤字),

南坡店(內蒙古自治區)　⑨153,

南坡之變(元)　⑨153(英宗 碩德八剌 遇弑, 南坡
　　店, 都 西南方 30餘Km),

南平君 和→王和

藍浦 硯石　④202,

南豐鉉　⑥404, ⑧112, 134, 136, 310,

南夏　⑫37,

‘南宦博物’　⑤8,

南海神廟碑[廣東省]　⑤21,

南海縣　⑤93, ⑩128,

南孝溫(朝鮮)　⑤132,

納蘭昉(金)　⑤309,

納鉢(nabo, 捺鉢, 納巴, 斡魯朶, 行宮地)　⑧79, ⑨
　　153, ⑪248, 249,

納釜之事　⑤160(毅宗 遇弑, 朴存威),

納粟補官(入粟補官)　⑨369,

臘日(臘祭, 臘享)　①212, ②433, ⑩349,

臘祭(臘享)　①199,

鑛磑(쇠로 만든 맷돌)　②410,

納塔→塔納[Tana]　⑧107(本末倒置),

納合烏蠡(金)　③261, 272,

納哈出(納合出, Nagacu, 木華黎, Muqali 國王의
　　後裔, 胡虜)　⑥259, ⑩74, 178, 179, 191, 192,
　　313, 329, 348, 355, 374, 378, 408, 413, 434,
　　⑪10, 20, 40, 49, 50, 60, 61, 64, 76, 95, 101,
　　145, 162, 247, 248, 342, 346, ⑫39,

納合鉉(金)　⑥38,

囊加帶[Nanggiyadai]　⑧151,

56, 71, 125, 130, 194, 231, 260, 295, 297, 301, 305, 326, 337, 390, 394, 395, 397, 403, ⑩50, 222, 425, ⑫29, 81, 96, 198, 209, 242, 266,

鹵簿[法駕] ⑤59,

鹵簿[奉恩寺親幸] ⑤61,

鹵簿[八關會親幸] ⑤62,

鹵簿[陪都還闕巡幸] ⑤62,

鹵簿[小駕] ⑤63,

奴婢決訟法 ⑫237,

盧賛(盧英壽의 弟) ⑪274,

盧師象 ②415,

盧舒 ⑫66,

魯洙 ④171,

弩手箭→手弩箭 ②230(本末倒置),

盧叔仝 ①24,

盧嵩 ⑩272, 441, ⑪241, ⑫213, 234,

盧承綰 ⑧363,

盧湜 ⑤285,

盧愼 ⑨239, 240, 242,

盧演 ⑥319, 360,

魯連祥 ⑩9,

盧延覇 ②183,

奴列你他 ⑨237,

盧英 ⑧98, 138, 423,

盧令琚 ④88,

盧英瑞 ⑨274,

盧英壽 ⑪218, 226, 269, 271, 274, 317,

盧永淳→盧永醇 ⑤68(誤字),

盧永醇 ⑤67, 114, 120,

盧永僖→盧永禧 ⑦129(誤字),

盧永禧 ⑦129,

盧元 ⑥379,

盧原驛 ③115,

盧有鱗 ⑪373,

盧嘗(盧頙의 子) ⑩349(被殺, 黃州, 恭愍王),

盧乙俊 ⑩374,

盧寅 ②320,

盧仁度 ⑫138,

盧仁復 ⑫138,

老人堂(南極星 祠堂, 老人星壇) ⑤109,

老人星(南極星, 狼星, 큰개자리의 시리우스星, 壽星) ①96, ⑤109, 110,

盧仁綏(盧之正) ⑥120, 218, 219,

盧璋 ⑤149,

老長(老章, Nojang, 畏吾兒人) ⑩61,

盧渚(盧濟) ⑩82, 83(被殺, 恭愍王),

盧戩 ②12,

盧頙 ②11, 14(戰死), 25(褒賞),

盧廷傑 ⑥148,

盧濟 ②14(戰死),

瀘州 永寧縣[四川省 瀘州市 敍永縣 江門鎭] ⑪276, 283,

盧周翰 ⑥130,

盧俊恭 ⑪347,

盧仲勉(東庵, 盧欽의 祖父) ⑧390, ⑨238,

盧稹(盧瑄의 父, 恭讓王의 丈人) ⑩428, ⑪6, 7, 39, ⑪65(被誅).

盧進義 ⑧68, 76,

盧頙 ⑨356, 357, 369, ⑩53, 81(被殺, 恭愍王),

路寢[正寢, 正殿·正廳] ④179,

盧卓儒(盧永醇의 子) ⑤67, 120, 153, 185, 197, 207, 262, 269, 270, 276, 281, 286, 289,

露布 ⑩176,

盧顯庸 ③194,

盧孝敦(盧元, 盧永醇의 子) ⑤229, 260, ⑥88,

盧欽(盧仲勉의 孫) ⑧390, ⑨238,

盧希管 ⑥243,

鹿鳴鄕(固城縣) ⑥298,

祿俸(文武班祿, 文宗30年) ②381,

祿俸(文武班祿, 仁宗代) ④222~225,

錄囚(錄內外囚, 慮囚) ②83, 219,

祿轉 ⑥367, ⑪127,

祿轉色(祿轉捧上色) ⑩196, 206,

祿牌 ⑪198,

農曆[太陰太陽曆] ①47,

農務都監 ⑧52,

'農桑輯要' ⑩422,

隴西[甘肅省] ⑥221,

雷騰石砲(抛車, 投石機, 霹靂車, 大礮) ②154, 157,

雷電(천둥과 번개) ②43,

紐憐(元) ⑩243,

耨盌溫都(Nou wan wen du, 耨盌溫敦氏) ⑤292

耨盌溫都說(完顏匡, 金) ⑤292, 293,

訥倫公主(Nolun, 梁王 松山의 女, 瀋王 暠의 妃, 永和公主?) ⑨90, 199(喪輿到着), 202, ⑩325,

陵上→凌士 ①158, ⑩182(誤字),

陵城[綾城縣]→綾城[綾城縣] ②384, ⑤249(誤字),

綾城縣(陵城縣) ②384, ⑤249,

凌煙閣 ①115,

能祐(僧) ⑩269, 291, ⑪5, 58,

楼殿(棕毛殿, 棕殿, 氈殿, 上都) ⑧349,

能昌(後百濟) ①35,

凌漢山城 ①277,

泥彈(陶彈) ⑥257,

昵比[親近, 親昵] ⑥86,

多景樓 ③268,

多久頭魂神社(對馬島) ⑥241, 347,

'多相昏嫁'[連婚, 連昏] ④244,

多仁鐵所(忠州) ⑥421, 422, ⑧54,

多者大王(人的事項 不明) ⑦177,

茶井寺 ⑤247,

多智(叛逆者) ⑥165(叛亂, 義州), 166, 169(斬), 185

(一黨),

端拱(年號, 宋) ①249,

端揆 ⑫64,

檀那[Sanskrit語, 施主, 布施] ⑨163,

團練使 ①288,

但馬國(타지마노쿠니, 兵庫縣) ①294,

端本堂(大明殿) ⑩129, 221,

斷事官[札魯忽·札魯忽赤·札魯花赤·札魯火赤] ⑦
137,

丹山縣 ⑧222, 249,

丹城縣 ⑪274,

斷俗寺(山淸) ①284, ③153, ⑤207, ⑥129, 189,
⑩305, 335,

丹陽府(丹陽大君 珤) ⑨123,

澶淵之盟[단연지맹] ②202(1005年1月),

端午 ①211, ⑪137, 169, 208,

端午祭 ①206, ⑪137,

段祐(明使) ⑪310, 314,

旦月驛(引月驛, 雲峯縣) ⑪190,

端宗(南宋 趙㬎) ⑧43,

端州→福州 ⑥455(誤字),

澶州[단주, 河南省 濮陽市] ②208,

檀板(拍板, 綽板) ⑧351,

斷表 ①232,

闥[禁闥] ⑥21,

達姑狄[鞨鞞別部] ①55,

達達牧者→哈赤

達魯花赤[다루가치] ⑥275, 276, 279, 283,

達魯花赤→宣使 ⑦156(誤謬),

達麻大(達麽大, 女眞) ⑩376, 378, 405, 414,

達麻實里(達理麻識里, 答里麻失里, Darma Siri, 永
靖翁主, 仁宗妃) ⑨22,

達牧(僧) ⑨289,

達甫城 ⑥456,

達成君→達城君 ⑩58(誤字),

東福寺(도우호쿠지, 京都市)　⑦158, ⑪111,

東北界　③178,

桐寺址(河南市)　①199,

東山寺(黃州, 湖北省 黃岡市)　⑨52,

洞山縣(襄州)　⑪271,

東西大悲院　⑨304,

洞仙驛　⑤99,

同姓養子[同宗養子]　⑥221,

桐藪戰鬪[公山, 大邱市 智妙洞 罷軍峙]　①71, 76,

東市東→軍市東(軍市星官, 軍市星의 東方)　⑩138,

東深寺(桐深寺)　⑧99,

多安居　⑥288,

佟養正(佟蒙泉, 將帥, 明)　⑫8,

東女眞　③297, ⑦123,

董越(明使)　⑨206, ⑫60,

東遼(耶律留哥, 契丹遺種)　⑥116,

東夷諸國　①103,

銅錢　③111, 125,

銅錢(元帝國)　⑧198,

東征軍　⑧12, 14, 147,

東征元帥府(東征都元帥府)　⑧6, 32, 67, 68, 79,

洞州　⑤163,

東州　⑥404,

東州山城　⑥396,

東池　①196, ③113, 118, ④278, 280,

冬至(日南至, 日短至, 長至, 長至節)　②364, ⑨291,
　　⑩427,

同知貢擧　①185(始置, 尋罷), ②437(復置),

冬至使　①291,

冬至風俗(朝鮮)　①211,

冬至賀狀(賀箋)　⑧104, ⑨291,

東眞(東夏)　⑥115, 178, 197, 285, 292, 299,

東眞國→東眞兵　⑥454,

東眞兵(蒙古)　⑥300,

東泉寺(江華)　⑥359,

同春節(神宗, 宋)　②409,

'東坡文集'　⑥306,

同判密直司事　⑧196, 197,

同判密直司事→同知密直司事　⑧207,

東平[山東省 東平縣]　⑩396,

東平王　⑩396,

東鶴社　⑦117,

董學增(中國)　②273,

東海→東界 또는 登州　⑤168,

東行省→征東行省　⑨70(脫字),

桐花　⑥40,

桐華寺　①126, ③320, ⑥83, 120, 343,

杜景升　⑤144, 147, 151, 170, 312, 320, 321, 326,
　　⑥9,

豆仇叱帖木兒(Tugus Temur, 天元帝)→益宗

頭輦哥(禿輦哥, 忽林赤, 忽林池, 忽林失, Qurimchi)
　　⑦110, 111, 118, 122, 132, 137, 138, 140, 150,
　　⑧178,

頭裏速古赤(頭裏速古兒赤, 掌衣服)　⑩432, 474,

豆利罕(元)　⑩334,

頭麟(元)　⑨274,

豆兮達(元)　⑪70,

豆兮大(元)　⑪76,

杜門　⑫131,

杜世忠→殷世忠

杜英哲　⑩267,

豆叱仇帖木兒→豆仇叱帖木兒(天元帝, 益宗)　⑪108,

痘瘡(天然痘, small pox)　③202(日本),

杜仲[두충]　②418,

頭陀(頭陀, dhuta)　⑩265,

頭匹(頭疋, 家畜)　⑫138,

遁甲曆　②255(梁元虎),

屯德岐城(巨濟島, 巨濟市 屯德面)　⑫269(高麗王
　　族의 終點),

屯田之法(忠宣王代)　⑩403,

柳乙淸 ⑩42,

柳益謙 ⑤113(被殺),

柳仁奇(柳仁琦) ⑨158,

柳仁雨 ⑩203,

柳仁著(柳洪의 子, 肅宗의 妻男) ③19, 194, 238,

柳仁澤 ②25(戰歿 褒賞),

柳子維 ③302,

柳莊 ②12,

柳田聖山(日本) ⑥161, 216, 349,

柳廷堅(柳庭堅) ④249,

柳宗 ①326, ②11, 17, 20, 97,

柳琮→柳宗 ①326, ②97,

柳宗 ⑧87,

柳宗元(官僚, 唐) ④74,

류주희 ⑫273,

柳直 ⑫138,

柳淸臣→柳庇

柳濯 ⑨254, 397, 320, ⑩10, 57, 61, 149, 178, 179, 196, 197, 215, 222, 228, 262, 274, 286, 306, 324, 325, 349, 392(被殺, 靑郊驛),

柳澤 ⑤304, ⑥84, 190,

柳漢 ⑫66,

柳珣 ⑫270(流配),

柳惠孫(李鍾德의 丈人) ⑫270(流配), 273,

柳浩錫 ①235,

柳洪(柳仁著의 父) ②424, 425, ③47, 79,

柳和 ⑪333,

柳煥星 ⑧223, ⑨238,

柳勳律 ①111,

'摩訶衍論記文' ③88,

摩竭陁國[摩竭陀舍衛國, Magadha] ①108, 109,

馬絳(馬璘, 元) ⑦166,

馬坰秀 ⑪130,(良人隱匿, 流配途中死)

馬季良 ⑨200, 214,

馬高俊(馬堯俊, 契丹使) ②420,

馬貴忠(金使) ⑤106,

摩尼山→摩利山 ⑪79,

摩利山(摩尼山) ⑥459, ⑦58, ⑧264, ⑨160, ⑪79,

馬保佑(僞開城留守, 契丹) ②15,

馬山客館(韓山) ⑨385,

馬世安(揚州 醫助敎) ②357,

馬世長(契丹使) ②195,

馬巖(馬岩) ⑩322, 323, ⑪296,

馬巖役(正陵影殿建立) ⑩324,

磨崖菩薩坐像(高靈縣) ①240,

馬娟(中國) ⑧266,

馬曄(宋商) ⑧83, 233,

馬祖 ②220,

馬仲奇 ⑥62,

摩震(←後高麗) ①32(改稱), 58,

馬津(禮山縣, 禮山郡) ①102, 103,

馬曄(宋商) ⑧233,

馬八國(馬八兒國, Mabar, Ma-ba-er國) ⑧330, 331,

馬歇灘(馬灘) ①224,

馬亨(蒙古) ⑦114,

馬禍 ①117,

摩睺羅(天竺僧, mahira) ①78,

馬希驥(蒙古) ⑦114,

謨猷(謀猷) ①221,

萬家奴(Mangiyaliu, 蒙古) ⑦35,

蠻軍(蠻子軍·新附軍, 南宋軍) ⑧122,

萬卷堂 ⑨79,

萬德寺 ⑦40, ⑩8,

萬德山 ⑥309,

蠻蠻[Manman]太子→皇太子 愛猶識里達臘 ⑩44,

萬夫橋(槖駝橋, 駱駝橋, 夜橋) ①121, ⑤303, ⑥15, ⑪270,

萬佛法會[萬佛會] ③113,

滿城[河北省 保定市 滿城區] ①143,

萬歲(王萬歲, 王建의 從弟) ①89,

萬歲山→萬壽山

萬壽臺 ③268,

萬壽山(萬歲山, 燕京) ⑦189, ⑧272, 301,

萬壽節(熙宗, 金) ④188,

萬僧齋 ⑤76, 146,

萬僧會 ⑨71,

萬魚寺(密城郡, 密陽市) ⑤215,

萬淵寺 ⑥83,

滿月臺 ⑨335,

滿月宴 ⑧57,

萬人敵 ⑪322,

萬人坑 ⑩130,

万一(禪師) ⑨251,

萬日寺(古阜) ⑨370,

蠻子(南人, manzi) ⑧19,

蠻子軍(南宋軍) ⑧19, 122,

蠻子罕[Mantsihan] ⑩329,

萬積(私奴) ⑥14, 15,

萬轉(大師) ⑤20,

滿殿香酒 ⑨140,

萬宗(崔瑀의 長子) ⑥338, 453,

萬春節(世宗, 金)a ⑤77, 83, 88, 93, 104, 109, 133, 138, 147, 167, 185, 197, 209, 216, 224, 229, 236, 253, 262, 270,

萬春節(衛紹王, 金)b ⑥84,

萬波息笛[慶州玉笛] ①106, 107,

萬恒(慧鑑國師) ⑨72, 76, ⑨113,

滿花席 ⑫60,

末老(耽羅國太子) ①110,

末吉(maki, 買驢, Mailiu?) ⑨154,

末松保和(日本) ①167, 169, 287, ②243, 372, ⑥ 241, 268, ⑧192, 417, ⑨179, 332, 349, 350,

351, ⑩56, ⑪205,

末訖金 鐵所(忠州) ⑧54,

忙哥都(蒙哥都, Mungketu) ⑦110, 111, 120, 122,

忙哥剌(Mungkera, 世祖의 第3子, 安西王, 阿難答 의 父) ⑦7, ⑧357,

忙哥歹公主[Mungkedai] ⑧75,

忙古鯓[Mungkedai] ⑦132,

妄殺[濫殺, 亂殺] ③164,

亡伊 ⑤170,

望伊山城 ①167, 170, 230,

望海嶺[遼寧省] ⑨110,

霾[雨土] ⑥226,

梅君瑞(濟南人, 山東省 歷城縣) ⑪149,

買奴→耶律買奴(利剌買奴)

每旦→每朝(李成桂, 李旦의 避諱) ⑫56,

買閭(買驢, Mailiu) ⑨193,

買賣院 ③32,

昧爽前 ①232,

梅義(汝南侯, 遼東都指揮使, 明) ⑪275,

買的里八剌(Maidir Bala, 昭宗의 子) ⑩368,

買肖城(見州, 京畿道 楊州郡 州內面 古邑里 城廓 推定) ②296,

埋香碑 ⑨26(三日浦),

埋香碑 ⑨244(定州埋香碑),

埋香碑 ⑪342(泗州, 泗川市),

孟甲(蒙古) ⑦84, 85,

孟古托力(中國) ③252,

孟祺(蒙古) ⑦137,

孟東燮 ⑧352, ⑨296,

'孟明焚舟' ⑧10(春秋時代),

孟思謙 ⑫37,

孟思誠(孟希道의 子) ⑪313, ⑫31,

猛安 ⑥150,

孟原哲(明) ⑩368,

孟月(4月, 10月) ⑧124,(夏孟月, 冬孟月)

孟州(猛州) ①290, ⑥435, ⑨54,

猛州→孟州 ①286,

孟初(官僚, 契丹) ③125,

孟浩(官僚, 金) ⑤122,

孟希道(孟思誠의 父) ⑩272,

面嶽[北岳山?] ③118,

'面嶽之南' ③115,

螟(螟虫, 螟蛾의 幼虫) ②62, 74,

明覺(僧) ⑥182,

明慶殿 ③278,

明德太后 洪氏(忠肅王妃, 德妃, 明德太后) ⑨72
(德妃), 216, 218, 318, ⑩288, 289, 306, 337,
363, 391, 407, 414, 419, 476, ⑪5, 6, 20, 26,
40, 42, 52, 77, 109, 134, 152, 157, 158, 164,
166(令陵),

明道(年號, 宋) ②158,

鳴動現象 ①137,

鳴梁[울돌목] ⑩16,

鳴良鄉 ⑪176,

鳴梁海戰 ⑦134,

明賴(日本) ⑥65,

明陵(顯宗妃 金氏, 元成王后) ②126,

明陵(忠穆王) ⑨377, 382, 298,

明理和尚(洪明理和尚, 洪詵의 孽子) ⑨108, 153,
200,

緜木→緜布[綿布] ⑪339,

明本→中峰明本

明順妃→明順院妃 ⑨121(脫字),

明順翁主→燕雙飛

明昇(夏 皇帝, 明玉珍의 子, 歸義侯) ⑩409, 415,
433,

明玉珍(夏 皇帝, 蜀) ⑩409,

明月浦[濟州島 翰林邑 翰林港?] ⑩473,

明仁殿→仁明殿 ⑨35(本末倒置),

明任(對馬島 使者) ②244,

'明錢1貫=高麗布5疋' ⑫139,

明貞→明昇 ⑩415,

明帝國 建立 ⑩319,

明宗(晊, 皓, 翼陽公, 智陵) ④108(出生), ⑤98,
116(卽位), 117, 122, 123, 127, 130, 133, 136,
137, 162, 163, 234, 236, 264, 277, 326(廢位),
⑥6, 17, 44(72歲), 46, 63,

明宗(和世剌, Qosila, 武宗의, 長子) ⑨196, 200,
201, 202, 205,(毒殺, 弟文宗),

'明宗實錄'(散失) ⑤238, 251, 253, 258, 261, 264,
269, ⑥223,

明州[慶元府, 浙江省 寧波市] ②409, ③12, 262,
279, ⑧162,

溟珍浦(巨濟縣) ⑦164,

溟珍縣(巨濟島) ⑦164, ⑪62(晋州管內 僑郡, 僑置
郡縣),

明昌(年號, 金) ⑤282,

明春(明宗의 後宮) ⑤210,

鳴鶴所(公州, 大田市) ⑤170,

明虎大將軍→昭武大將軍 ⑥94(避諱),

毛居卿(紅巾賊帥, 河南妖寇) ⑩139, 181,

毛貴(紅巾賊帥, 南賊) ⑩107, 112, 117, 120, 133
(被殺, 山東, 賊帥 趙均用),

毛貴→毛居卿 ⑩181(誤謬, 毛貴는 山東에서 被
殺됨),

毛克→謀克 ⑥150,

謀克[muke] ⑥150,

牟尼奴→禑王

毛利英介(日本) ②172,

모리히라 마사히코→森平雅彦

謨猷(謀猷) ①226,

'母以子貴' ⑫214,

墓制(墳墓規模 步數) ①193, ③10,

木介(木氷) ⑤262,

木契[符信, 證憑書] ①239,

木魅(樹魅)　⑥261,

木南子(Mulanji, 吳王)　⑨376,

牧丹[모란]　②418,

牧馬場(耽羅)　⑧64, 276,

木速塔八(元)　⑦196, 197,

苜蓿(목숙)　①34,

牧野修二(日本)　⑥322, ⑦18, 137, ⑧23, 125, 292,

沐陽縣[江蘇省]　⑫61,

睦仁吉　⑨287, ⑩171, 183, 283, 313, 469, ⑪77,
　　93, 106, 109, 160,

睦子安　⑪132, 160, 308,

牧場[放牧場, 牧地]　②117,

木匠提領　⑧107,

穆宗(誦, 開寧君, 愍宗, 恭陵, 義陵)　①201(出生),
　　262, 301, 310, 3124, 329(30歲), ②13, 19, 38
　　(愍宗→穆宗, 懿陵),

木州[天安市 木川邑]　①517,

木主[神主]　⑨176,

睦忠　⑩178, 203(流配, 安東),

木浦a(羅州 榮山江浦口)　①36, ⑩249,

木浦b(木浦市 榮山浦]　①36, ⑩359, ⑪256,

木下禮仁(日本)　①192,

牧胡→哈赤[牧子]

木華黎(Muqali, 將帥, 國王, 蒙古)　⑥116, 258, ⑦
　　111,

蒙哥(몽케, 憲宗)　⑥377, 381, 382,

蒙哥都→忙哥都

蒙古[狄人, 韃靼, 達旦]　⑥177, 236, 259,

蒙古牧子(牧胡, 哈赤)　⑩346,

蒙古直譯體白話　⑥262, 264,

霧霧　⑩120,

蒙山德異(江南僧, 元)　⑧291, 303, 397,

夢如(淸眞國師)　⑥160, 388,

蒙衝[蒙衝船]　⑦139,

蒙漢軍a　⑧9,

蒙漢軍b[遼陽行省軍]　⑩238. 241,

猫串江[묘곶강, 昇天府 白馬山城의 隣近]　⑤98,

妙德→妙德出　⑤193,

妙德(僧)　⑨181,

'妙德戒牒'　⑨181,

妙蓮寺(濟州)　⑧301,

妙蓮寺(開京)　⑨311, 313,

妙寺→智妙寺　①69(脫字),

廟社　③174,

卯寺(古阜郡)　⑥143,

妙嚴寺址(晋州)　①197,

茅屋寺(葛屋寺, 無爲寺)　①141,

妙淸　③145, ④130, 132, 139, 141(西京叛亂), 145
　　(被殺),

妙淸의 亂[西京叛亂]　④141(勃發, 仁宗13年1月),
　　157(擊破, 〃14年2月),

妙香山(香山)　⑤193, ⑨340,

妙賢(日本僧)　⑪35,

妙慧(禪師)　⑪101, 122,

廟號　①124,

無間(無間道)　①153,

武康王[虎康王, 百濟 武王]　⑨201,

務開　①237,

武擧　③304, ④109, 123,

'武經總要'　②157, ⑥257,

舞敍　⑨20,

'無辜淫虐'　①42,

武科　⑫133,

武內康則(日本)　①290,

撫寧縣[河北省]　⑤297, ⑧269,

務農使(←勸農使)　⑨13,

無端米　⑩196,

無等山(武珍岳. 瑞石山)　⑦185, ⑪207,

武藤經資(무토우 수카수케)→少貳經資

武藤資能(무토우 수케요시)→少貳資賴

文達漢　⑪266, 372, ⑫37, 39, <u>262</u>,

<u>文大</u>　⑥255,

文德大王→元德大王　⑨183(誤字),

文德殿→修文殿　⑥126(誤字),

<u>文得呂</u>　⑤288,

<u>文魯</u>　⑪83,

文明大　②351, ③25, 130, 211, ④203, ⑤181, 316,
　　⑥30, 40, 209, 242, 320, ⑦71, 200, ⑧319, 363,
　　425, ⑨56, 139, 143, 188, 211, 394, 402, ⑩106,
　　⑪100, ⑫61,

文明門(大都城　南門)　⑧358, 420,

文廟朔望祭　⑩434(復行),

文武官階[文散階]　①286,

文武交差法[交差文武班]　⑤145, 191, ⑧23,

文武班祿(祿俸, 文宗30年)　②379,

文武班祿(祿俸, 仁宗代)　224~228,

<u>文備</u>→朴文備　⑥123(脫字),

文散階　①161, 284,

문상련　⑫136,

文書監進色(監進色)　⑪214, 233, 241,

<u>文瑞鳳</u>　⑩418,

<u>文宣烈</u>　⑦162,

文宣王　塑像　⑩310,

文聖庵(河陰)　⑨157,

문성렵　③133, 303,

聞韶閣(義城縣)　⑥355,

文殊寺(瑞山)　⑧198, ⑨351,

文殊寺(淸平)　⑩312, 317,

文殊會　⑩290, 302, 322, 335,

<u>文臣輔</u>　⑪34,

<u>文阿但不花</u>　⑩201, 229,

文睿府(忠肅王妃　尹氏)　⑩14,

<u>文彦博</u>(宰相, 宋)　⑤74,

<u>文奧</u>(大師)　⑥149,

'文苑英華'　③95,

<u>文惟弼</u>　⑥187, 191, <u>237</u>,

<u>文允慶</u>　⑪302,

<u>文義赫</u>　⑤236, 253,

<u>門義赫</u>→文義赫　⑤253(誤字),

<u>文益</u>(文公仁의 父)　③99, 131,

<u>文益孚</u>　⑩387,

<u>文益漸</u>　⑩154, 238, 254, 258, ⑫59,

<u>文仁渭</u>　①328, ②<u>81</u>,

文章偉(文章煒)　⑤229,

<u>文章弼</u>　④37, ⑤243, <u>283</u>,

<u>文迪</u>　⑤307,

<u>文正</u>　②408, 409, 426, ③<u>52</u>,

<u>文存</u>　⑥58,

<u>門存</u>→文存　⑥58(誤字),

文宗(緒, 徽, 樂浪君, 景陵), ②222, 225, 240, 338,
　　356, 358, 408, <u>439</u>(65歲),

文宗(圖帖睦爾, Tug Temur, 懷王, 元)　195, ⑨196,
　　197, 201, 202, 204, 205, 213, 218, 222, 223,
　　<u>232</u>(上都),

文宗妃　<u>李氏</u>　③<u>50</u>,

<u>文中庸</u>　⑫37,

<u>文昌瑞</u>　⑥114,

<u>文昌裕</u>　⑧59, 61, 168, <u>183</u>,

<u>文天式</u>　⑩328, ⑪60, 76, 89, 96, 133, 166,

文牒所　④275,

<u>文忠</u>(孝子, 臨江縣　五冠山下)　⑤297,

門下侍郎平章事→門下侍郎同中書門下平章事　①279,
　　⑥172,

門下平章事→門下侍郎平章事　①279, ⑤139, ⑥172,

<u>文哈剌不花</u>(文Qara Buqa, 高麗出身, 納哈出의　義
　　子)　⑩434, ⑪10, 70, 76, 145, 247, 248, 270,

文學　⑥397,

<u>文漢卿</u>　⑥118, <u>214</u>(貪鄙怯懦),

<u>文解</u>(大師, 月峯寺)　⑥190,

<u>文幸奴</u>　⑦81,

文弘績(朝鮮)　⑥196,

文璜　⑧87,

門孝植→文孝植　⑥38(誤字),

門侯軾→文侯軾　⑤300(誤字),

聞喜縣[聞慶市]　②130,

米價　⑩126,

未考滿→考未滿　②300,

媚道[巫術, 巫蠱詛呪, 壓勝之術]　⑤69,

緗綸→彌綸(經緯, 總括, 貫通)　②8(誤字),

彌勒寺(益山)　①202(改修),

彌勒寺(開京)　⑤235,

彌勒寺址(金馬郡, 益山市)　①57, 202, 203, ⑨101, 221,

彌勒寺塔(益山)　①54,

彌勒院(慈悲嶺)　②262,

彌授(慈淨國尊)　⑥457, ⑦95, ⑧327, ⑨167(國尊), 190,

尾宿　⑤152,

彌二郎(日本人)　⑦91, 101,

彌四郎(弥四郎, 日本使者)　⑦161, 168, 170,

米薛迷(宦官, 元)　⑨120, 197,

迷元莊(廣州)　⑩77,

'美人屛風四詩'(朱德潤)　⑩310,

'美人屛風四詩'次韻(李齊賢)　⑩310,

彌日　⑧223,

彌秩夫城(南·北々, 興海郡)　①82,

未册封國　⑥117,

彌陁寺(開京)　⑩223,

彌陀山(白州, 배주군)　⑤313,

微行　①235,

尾形 勇(日本)　⑤264,

閩(閩府, 閩中, 福建省 長樂市)　①76, 246, ⑪138,

閔可擧　②165,

閔慤　④280, 281,

閔開　⑫133, 218, 257, 272(大司憲, 高麗滅亡, '獨
不悅, 欹首不言'),

閔慶生　⑩66,

閔公珪　⑤180, 323, ⑥18, 36, 58,

民官侍郎(←戶部侍郎, 顯宗·文宗代 謙稱)　②54, 138, 337,

閔光均　⑤190,

閔光文　④210,

敏求(大師)　⑤246,

'民年十六爲丁'　⑫27,

閔伯萱　⑪9, 11, 257,

民部(戶部, 版圖司)　③46(戶部, 謙稱), ⑨339,

閔橪　⑥94,

'民不可與慮始'　③162,

閔忭　⑨223, ⑪88,

閔思平　⑨85, 184, 257, 284, 298, ⑩136,

閔思平妻 金氏　⑩475,

閔祥伯　⑨184,

閔祥正　⑧363, 374, ⑨184, 250, 258, 263, ⑩36,

閔璿(李芳幹의 丈人)　⑩36,

閔脩　④10,

閔蒔　⑧294,

閔湜(閔令謨의 子)a　⑤280, ⑥17, 18, 38, 39,

閔湜b→許湜　⑨331, 332(誤字),

閔安世　⑩341,

閔安仁　⑩274,

閔陽宣　⑥346,

閔汝翼　⑪172,

閔瑛　④10, 264,

閔泳珪　③34, ⑥145, ⑦30, ⑨59, 179, 198, 211, 357,

閔令謨　④173, ⑤114, 160, 164, 190, 200, 304,

閔愉　⑨ 223,

閔由義　⑩341,

閔維重(閔鎭遠의 父, 朝鮮)　④269,

閔懿(閔令謨의 父)　④173, 174,

閔頤　⑩474,

332, ⑧12, 104, 147, ⑪111,

沙斤驛, 倭賊討伐),

朴壽年a ⑩67, 70(大都, 過飮暴卒),

朴壽年b ⑪53, 322(勇將)

朴守文 ①142,

박수찬 ①235,

朴純古→朴純嘏 ⑤128,

朴淳發 ①104,

朴淳佑 ①95, ②147, ⑤298,

朴純冲 ④261, ⑤68(勤儉自持),

朴純弼 ⑤246, 264, 266, 289,

朴純嘏(朴純古, 高兆基의 壻) ①96, ⑤108, 128,

朴述熙(朴述希, 朴術熙) ①102, 122, 133, 135(被
殺, 江華 甲串, 王規?), 281,

朴習 ⑪254,

朴承盖 ⑥453,

朴承位(朴守卿의 子) ①173,

朴承儒 ⑥171,

朴昇中 ③240, 279, 314, ④9, 36,

朴時允 ⑥158,

薄蝕 ②118,

朴信 ⑪302,

朴臣蕤 ⑥309,

朴實(→朴宜中)a 實, ⑩200, 201, 306, 371, 383,
宜中, 232, 366, ⑫7, 8, 141,

朴實b ⑪230,

朴深造(朴昇中의 子) ④36,

朴安 ⑦68,

朴彦珍 ⑨290,

朴揚旦(朴楊旦) ②331, ③47,

朴陽旦→朴揚旦 ②331(誤字),

朴良衍 ⑨303, 321, 329,

朴養元 ⑩341,

朴良柔 ①274, 276, 279, 281,

朴彦猷 ④215,

朴彦樞 ④280,

朴英工 ⑧359,

朴英規 ①101,

朴英綠 ⑥263, 265,

박영은 ⑨276,

朴玉杰 ②192, ③82, ④272,

朴勇國 ⑨347, ⑪220, ⑫250,

朴龍雲 ①44, 51, 209, 261, 271, 285, 287, 302,
②76, 79, 108, 171, 265, 303, 306, 365, ③8,
19, 29, 39, 72, 86, 118, 138, 160, 182, 229,
244, 267, 304, 324, 325, 369, 370, 374, ④16,
23, 32, 66, 117, 133, 173, 174, 186, 197, 210,
240, ⑤31, 42, 80, 89, 100, 103, 172, 179, 210,
226, 241, 294, 304, ⑥16, 62, 74, 94, 161, 191,
205, 275, 293, 303, 329, 333, 341, 359, 385,
418, 446, ⑦28, 35, 71, 86, 177, 200, ⑧27, 43,
102, 117, 178, 186, 231, 279, 324, 325, 365,
382, 403, 426, 429, 432, ⑨85, 99, 122, 183,
207, 219, 223, 250, 286, 303, 337, 366, ⑩
104, 154, 184, 186, 201, ⑪49, 73, ⑫37, 66,
108, 156, 157, 257,

朴鎔辰 ⑨101, 326, ⑪214,

朴藝 ①133,

朴瑗(→朴遠, 朴全之의 子) 瑗 ⑨158, 159, 182, 遠
235, 295,

朴元鏡 ⑪37,

朴原鏡 ⑪257(朴元鏡?, 朱元璋의 避諱),

朴元桂 ⑧361, 363, ⑨109, 115, 120, 233, 245,
257, 258, 385,

朴元桂妻 吳氏 ⑩65,

朴元桂(宦官) ⑪216,

朴元浤(→朴光挺, 朴恒의 子) ⑧96, 145,

朴元珪 ⑩45,

朴元彬 ⑩201,

朴元常 ⑪212,

朴元素 ⑩387,

朴之介　⑪342,

朴之亮　⑥369, ⑧141, 252,

朴之彬　⑧382,

朴之貞　⑨145,

朴晉錄　⑩42,

朴昌熙　②243,

朴天祥　⑫62,

朴天湜→朴天植　⑥456(誤字),

朴天植　⑥456, 460,

朴天植　①31, 90, ⑫129,

朴帖木兒不花[Temur Buqa]　⑨311, 313, 314, 315,

朴青(←朴松)　⑨189, 299,

朴初→朴紹　⑤295(誤字),

朴礎　⑫196, 200,

朴椿　⑩266, 268, 289,

朴冲　⑤262,

朴忠幹　⑪270,

朴忠淑　②11, 20, 27, 183,

朴忠佐　⑧232, ⑨70, 228, 278, 332, 335, 389, ⑪
46,

朴台進　④195,

'朴通事'　⑨275, 355,

'朴通事新釋'　⑧282,

朴彭年(朝鮮)　①24,

'博學記'(高麗博學記)　①158,

朴漢男　③271,

朴漢高　①61,

朴恒　⑥360, ⑦82, 116, 136, ⑧23, 26, 68, 102,
131, 145,

朴晐　⑪83,

朴盧中　⑨57,

朴軒　⑫37,

博奕→博弈　⑥60,

朴玄圭(朴玄珪)　⑥104, 107,

朴現圭　⑤298, ⑥418, ⑨393,

朴形　⑨358, ⑪172, 243, 362,

朴浩　③105,

朴洪茂　⑥239,

朴華　⑧91, ⑨250,

朴環　⑨191,

朴璜　③316,

朴孝修　⑨94, 120, 122, 153, 256,

朴孝晋(朴景山의 子)　④210,

朴暄(←朴文秀)　⑥206, 269, 351, 356, 368(被殺,
崔沆), 369, 454(褒賞),

朴暉(朴煇)　⑧8,

朴烋　⑦113,

朴曦　⑥303,

朴希道　⑥201(被殺, 崔瑀除去失敗),

朴希文　⑫37,

朴姬實　⑥318,

朴希賢　⑪172,

反間→反間[諜者]

潘敬(遼東都指揮使, 明)　⑪134, 136, 146, 178, 179,
218, 248, 275, 280,

頒祿(太倉頒祿, 1月7日, 7月7日)　⑤258, ⑩114, ⑪
103, 213,

盤龍寺(高靈)　⑧123, ⑨226,

潘福海(→王福海, 賜姓, 禑王의 假子)　⑪280, 344,
349, 356, 357(被誅, 林·廉一黨),

潘阜　⑦78, 82, 88, 90, 92, ⑧48, 154, 179,

潘富→潘阜　⑧48(誤字),

潘誠→破頭潘

半菽　①38,

飯僧　③254, ⑨87,

般若(禑王의 生母)　⑩269, 291, 327, ⑪5, 40, 42,
43(被殺, 投臨津江),

般若道場　③161,

絆襖→胖襖　⑧38(誤字),

潘益淳(潘福海의 父)　⑪344, 358(被誅, 林·廉一黨),

蕃使　①16,

蕃王朝貢禮　⑩427,

范光政(後晋)　①130, 137,

范訥(宋)　③256, 272, 281,

梵鏐(日本僧)　⑩318,

范文虎(將帥, 南宋, 蒙古)　⑧103, 118, 122, 133, 135, 142, 146, 147, 148, 151, 152, 254,

范百祿(官僚, 宋)　③14,

犯法人　⑤249,

汜水縣[河南省]　⑨87,

范彦華(宋商, 南宋)　⑥461,

范仲淹(宰相, 宋)　④182, ⑦37,

梵瀅(日本僧)　⑩318,

法駕[帝王]　③29,

法駕儀仗　⑤52,

法鏡(玄化寺僧, 國師)　②92, 156,

法勝寺[京都市]　⑥74,

法靈寺→法雲寺　⑤158,

法隣(宋)　③14,

法水寺(星州)　④89,

法水寺　⑤20,

法言(僧)　②16(戰死), 27(首座, 贈職),

法猊(演福寺僧)　⑫110,

法蘊(僧)　⑨317, 380,

法王寺(開京)　①169,

法雲寺(宮城內)　②222, ⑤157, 158,

法雲寺(大都)　⑩49,

法源寺(大都)　⑨68,

法印(日本僧)　⑪130,

法住寺[報恩郡]　①319, 321, ③148, ⑧143, ⑩194,

法海寺　③8,

法行(僧)　⑦13,

法華社　⑥134,

法華寺址[西歸浦市 下原洞]　⑦70, 117(重刱起工), ⑧110,

別業　③255,

벼락[霹靂]　③65,

汴京[開封市]　⑤64,

汴梁(汴京, 河南省)　⑧302, ⑨45,

碧峰金禪→壁峰寶金

壁峰寶金[碧峰金禪]　⑩103,

'碧巖錄'　①16,

辟雍(壁雍)　③225, 256,

碧波亭(珍島縣)　⑥72, 133, 135,

卞季良　⑩5, ⑪302,

邊光秀　⑩248, 268,

邊東明　⑩10,

籩豆[籩豆·簠簋·甌俎]　②129,

邊亮　⑦119, 129,

邊伐介　⑪306,

邊山兵舡都監　⑪273,

卞純夫　④15, 16,

邊安烈　⑩8, 448, 469, ⑪13, 56, 59, 77, 192, ⑪220, 228, 230, 267, ⑫104, 108, 109(被殺, 尹紹宗), 111, 215, 218(籍沒),

卞遇成　⑨95,

邊柔　②197,

邊胤→邊亮　⑦129,

邊切→邊玏　②75,

邊濟　⑪230,

卞昌兼　⑪230,

邊太雯　①44, 51, ②31, 372,

卞韓侯 愔→王愔

邊顯　⑪230,

別加　⑨173,

別哥不花[別兒怯不花, Berke Buqa)　⑨267, 343, 380,

別武班　③144,

別賜祿(雜別賜, 文宗30年)　②384,

別鞍色　⑪318,

別坐　⑧86,

別酒色　⑪318,

兵禁官　①94,

兵馬副使　⑥14,

馬兵貳師→兵馬副使　②277,

兵馬齊正使　①276,

兵部→軍簿司　⑧229(誤謬),

瓶山戰鬪　①80(古昌郡, 安東市),

柄杓(湯器)　⑥190,

兵凶器　①79, ③135,

兵凶戰危　①79, ③135,

甫可(不花, Buqa, 蒙古)　⑥318, 319,

寶[寶蓄, 基金]　①84,

‘寶蓋山石臺記’　⑧422,

寶慶(年號, 南宋)　⑥204,

寶鏡寺(淸河縣)　⑤323,

普慶寺(大承華普慶寺, 大都)　⑨200,

寶觀(僧)　⑥235,

普光寺[安東市 陶山面]　①323,

普光寺(全州)　⑨241,

報郊→報效(報効)　⑨70(誤字),

甫吉島　⑩471,

保寧(年號, 契丹)　①180,

寶林寺(長興郡)　⑨299,

寶文閣　③267, ⑧27(改稱), ⑨331,

寶文閣→寶文署　⑧27(改稱),

普門寺(甫州, 禮泉)　⑪210,

報法寺(開城府)　⑨319, ⑩49, 172, 258, 318, 332,
　　⑪123,

甫非(元)　⑪145,

菩薩戒　②214, ⑤135,

普薩戒→菩薩戒　②214(同音異字),

菩薩寺(利川)　⑩351, 454,

甫城府(載巖城)　①77,

普賽因(卜賽因, 不賽因, Busain, 伊利汗國王, Ilkhanate

汗)　⑨225,

寶嵩寺　⑥62,

寶岩寺　⑥134,

補壓壓勝[禳壓]　⑤213,

寶壤(僧)　①126,

寶祐(年號, 南宋)　⑥390,

普愚(←普虛, 太古普愚, 利雄尊者, 圓證國師)　⑨
　　275, 347, 365, ⑩25, 26, 49, 77, 78, 79, 80,
　　104, 105, 293, ⑪104, 218, 243,

寶元(年號, 宋)　②189,

寶源庫　⑪157, 255, 335,

寶育(康忠의 妻)　①17, 18,

報恩光教寺(大都)　⑨101,

普印(僧)　⑩160,

寶積寺[京都府, 日本]　⑧279, ⑨32,

寶正(年號, 吳越)　①76,

菩提達磨　佛法[達磨法]　⑩307,

普濟寺(唐寺, 大寺→演福寺)　③36, 249, 254, 325,
　　⑨72,

菩提塹城→勃禦塹城

甫州(基陽縣)　⑤300, ⑥60,

保州(抱州, 把州, 平安北道 義州郡 義州城)　②
　　266, ③261, 272, 281, 311, ④40, 48,

保州城(契丹)　②361,

普只(官人, 蒙古)　⑥454, 455, ⑩405,

寶泉省(←物藏省)　①167,

寶陁洛迦山(寶陀山, 定海縣)　⑧398, ⑨111, 399,

普陁落山聖窟(襄陽 觀音窟?)　③63,

寶塔失里公主(Buda Siri, 魏王 孛羅帖木兒, Boru
　　Temur의 女, 魯國公主, 恭愍王妃, 承懿公主, 仁
　　德太后)　⑨390, ⑩8, 31, 40, 43, 50, 51, 66, 78,
　　80, 100, 133, 152, 260, 298, 300, 476,

寶塔實憐公主(寶塔實憐, Buda Sirin, 忠宣王妃, 薊
　　國公主, 韓國公主)　⑧327, 328, 361, 362, 404,
　　413, ⑨37, 71, 78, 88, 89, 90, 320,

鳳陽郡 ⑧373,

奉業寺址 ①167, 171, 178, 221, 230, 235, ②430, ⑥141, ⑩208,

奉恩寺 ③23, ⑧157, ⑨167,

奉恩寺幸次儀仗 ⑤54,

奉議(行省官, 元) ⑨369,

奉日鄉 ⑥69,

鳳停寺(安東) ⑩211, 291,

鳳州[黃海北道 鳳山郡] ②362,

鳳州屯田 ⑦165, 166,

鳳池蓮(妓女) ⑧381,

奉天[陝西省] ③305,

奉天船 ⑪201, 363,

奉天帖 ⑨208,

奉天殿(應天府, 南京市) ⑩383,

奉表三讓[三上表] ①237,

奉香里(開京 東部) ⑤103,

夫金(大匠) ⑥141,

扶金港 ⑥56,

傅德(張士誠 參謀) ⑩160,

扶頭宴 ⑧351,

傅樂煥(中國) ②6, ⑪248,

浮梁(浮橋) ②224,

夫靈殿→景靈殿 ⑨75,

'駙馬高麗國王印'(金印, 八思巴文字) ⑧82, 334, ⑩367 (明에 奉納),

駙馬國 ③281,

駙馬金印 ⑧82,

駙馬印 ⑧83,

傅墨卿(宋使) ③258, 273, ④16,

浮碧樓[平壤市] ⑨100,

膚使 ④176,

浮石寺(瑞山) ⑨211,

浮石寺(榮州) ⑪88,

扶踈山→扶蘇岾 ⑥295(同音異字),

'父昭子穆' ⑥77,

負兒山(楊州, 負兒嶽, 負兒岳, 北漢山, 三角山, 華山) ②52, 56, 78,

斧壤[鐵圓] ①37,

富陽縣[杭州市] ⑨350,

夫乙那(耽羅國, 濟州島) ⑤8,

符仁寺(夫仁寺, 夫人寺) ⑤210, ⑥105,

符仁寺 大藏經[初雕大藏經] ①265, ③25,

夫匠 ⑧120,

傅祚→傅祚[帝位相傳] ⑥465(誤字),

副知密直司事 ⑧27,

鈇鑕(부질)→鐵鑕(철질, 鐵鑕星) ⑤267,

符驗[驛馬發給證明書, 發馬文書, voucher, 明] ⑪ 322, 325, ⑫220,

符驗達字(雙馬, 明) ⑫220,

符驗達字 參拾號(昌德宮) ⑫220,

符驗雙馬(明) ⑪322,

符驗通字(單馬, 明) ⑫220,

北京(河北省, 內蒙古自治區) ⑧83, ⑩47,

北京大定府(契丹, 內蒙古自治區 赤峰市) ⑦84,

北京路(→大寧路, 北京, 蒙古, 內蒙古自治區 赤峰市) ⑦84, ⑧74, ⑩47,

北關長城→高麗長城

北蕃[女眞] ①87, ③158,

北禪院寺 ⑥149,

北元(蒙古帝國, 몽골제국) ⑩329, ⑫38(天元帝 遇弒, 1388年10月, 北元滅亡).

北鎭[北界州鎭] ①94,

北蘇(箕達山, 俠溪縣) ⑪118,

北原(原州) ⑤142,

北平a(楊州) ③79,

北平b(北平府, 遼寧省 朝陽市) ⑩369,

北平c(燕京, 北京市, 明) ⑫219,

分臺(西京) ①214,

分臺御史 ①214,

舍那內院 ①54,

舍那禪院 ①106,

舍那寺(楊根) ⑪332,

思惱寺 ②172, 228, ⑥364, ⑦16,

四大部經 ⑧331,

四德 ②254,

沙島(巨濟縣) ⑥211,

四都監 ⑩260, 266,

沙剌班[Sara Bal] ⑨283,

沙羅巴觀照(實喇卜衰楚克, 八思巴의 弟子) ⑨83,

舍靈→含靈 ①239(誤字),

使領→使令 ⑤311(誤字),

謝禮使 ⑤11,

沙嶺 ⑤315,

莎籠哈(solongga, 高麗) ⑩55,

沙里 ③118,

思利城 烽燧 ⑩314,

'事林廣記' ⑬40(叡山文庫本),

司馬光(宰相, 宋) ①53, ⑩17, ⑫206,

司馬睿(元帝, 東晉) ⑫114,

司馬遷(前漢) ⑫169,

司幕(南班職) ⑫242,

沙門 ①105,

沙門島[山東省 蓬萊] ⑫68,

沙彌(沙彌僧) ①138,

四民 ③122,

謝攀(後晉) ①109, 117,

社福寺→資福寺 ⑥145(誤字),

使副(副使) ①92, 262,

四部典籍[四庫書, 四部書] ①262,

'四部叢刊本' ⑬34,

'四部叢刊'初編→ '四部叢刊'正編 ⑬6,

'四部叢刊'正編 ⑬6,

謝賜生日使(謝生日使) ⑤12, 234,

寺社造營料唐船(日本) ⑦48,

謝賜橫宣使 ⑤11,

嗣宣(大禪師) ③263,

思秀(大師) ⑤247,

泗水縣[泗川市] ①269,

司巡衛(←金吾衛) ⑧178, 195, 231,

四術 ①271,

四時 ①250,

徙市[巷市] ⑨359, ⑩52, 159, 436, ⑪85, 108, 209,

事審 ①100,

事審官 ①100, 295, ②87, ⑧168, ⑨104, 105, 113,
⑩333, 334,

四十二都府(四十二領) ⑩56, 275, 323,

舍兒八赤(舍兒別赤·舍里八赤, Sherbet) ⑨247,

沙顏不花[Saan Buqa] ⑩91,

斜野(金) ④20,

辭讓表 ⑤321(三次, 三回),

司譯院 ⑪340,

使噢→使喚 ⑤271(誤字),

事遼舊制 ④48,

事遼物目 ④48,

使用(士用, 濟州人) ⑨103, 107,

四隅 ⑤95,

史祐→史洪祐 ⑥42(脫字),

思遠(大師) ④262,

寺院造成都監[寺院造成別監] ⑦180,

史偉(史禕) ⑤96,

師威→尹威 ⑤295(避諱, 金),

史衛民(中國) ⑨79, ⑪248,

史惟良(宰相, 元) ⑨237,

沙劉二(紅巾賊帥, 元末) ⑩53, 112, 162, 175(被殺),

史柔直 ⑤96,

沙乙河(官人, 金) ④51, 78,

師應瞻→尹應瞻 ⑥68(避諱, 金),

사이긴(寒加, 沿海州) ⑥196,

舍人太子→燕帖古思(El Tegus, 文宗의 子) ⑨238,

三角山(楊州) ③77, 130, ⑤169, 266,

'三角山明堂記' ③158,

三傑(張良, 蕭何, 韓信) ⑫48,

三堅院(海南縣, 三歧院, 三枝院) ⑥72, ⑦134,

三公(太尉·司徒·司空) ②153,

三官 ⑥427,

三教 ①228,

'三國史'[三國史記] ④220(撰進, 1146年12月),

三軍都摠制府 ⑫163,

三宮 ⑨40,

森 克己(日本) ②350,

三年山城[報恩郡] ①75,

三年喪 ⑩151, 153,

三農 ①242,

三塗(三途, 三塗·六道) ⑫197,

三道巡察使 ①286,

三等功臣 ⑩218,

三郎城 假闕[江華郡 吉祥面 傳燈寺 境內] ⑥462,

'三老五更' ②7,

三萬→王萬 ③114(誤字),

三萬衛(開元 老城) ⑪369,

三叛人 ⑦132,

三反之儀(三返之禮) ②42, 203,

三班體制 ⑤195,

三別抄 ⑦128, 131, 154, 160, 163, 165, 173, 177,

三別抄軍 ⑦133,

三別抄 餘黨 ⑦173, 184(耽羅 討伐, 三別抄 抗
爭 終息, 1273年4月),

三寶 ①103, ③264,

三寶奴[Salbuliu] ⑨48,

三佛齊(室利佛逝, Srivijaya國, 수마트라섬) ⑩397,
447,

三司 ②48(罷), 108(復置), ⑨55,

三師·三公 ①158,

三司事→判三司事 ③124,

三司使→三司左使, 右使 ⑧292,

三師(太師·太傅·太保) ②153,

三山 ①224,

杉山信三(日本) ⑨191, ⑪88,

杉山正明(日本) ⑦143, ⑧199, ⑨211, 339,

三善三介(金方卦의 子, 李成桂의 姑從四寸, 女
眞) ⑩93, 241, 242, 245,

三聖堂 ⑧135,

三省六部制[三省分立] ②180,

三蘇 ⑩342, ⑪120,

三竪[三靑] ⑨264,

三食邑(安東, 慶州, 晋州) ⑨330, 332,

三尸蟲 ⑪102,

三元[正旦] ⑪321,

三日浦(高城郡) ⑨26,

三場法(科擧, 元制) ⑫45,

三藏寺 ⑧342,

三節 ①325, ③41,

'三朝實錄' ⑨352,

三重大統[妙淸] ④132,

三陟山城 ⑧227,

三川寺(三角山) ⑨109,

三靑→三竪 ⑨264,

三寸浦(濟州) ⑩471,

森平雅彥(모리히라 마사히코, 日本) ①19, 109,
②406, 218, ⑥272, ⑦188, ⑧8, 74, 99, 103,
416, ⑨194, ⑪11,

三韓功臣 ①118 ②267, ③186,

三韓功臣 人數(3,200人, 三韓開國功臣+三韓諸功臣
+三韓準功臣+三韓追贈勳爵功臣) ②267,

三韓國大夫人 李氏(奇子敖의 妻, 奇皇后의 母,
榮安王大夫人) ⑨287, 314, 388, ⑩38, 50, 69,
76, 107,

三韓重寶 ③125,

三韓通寶 ③125,

西都(西京)　①166,

瑞蓮房(崔沆의　母,　史洪紀의　假女,　加祚郡夫人
　　史氏)　⑥222,

徐稜　⑥353,

敘立→序立　⑨38,

徐穆(利川人)　①115,

徐文哲　⑩66,

西尾尙也(日本)　②11,　④48,

西房→西方　⑥453,

西蕃(西女眞)　②184,

西普通院(永平門 外 位置)　②340,

徐逢　①151,

西北面都巡檢使[西京都巡檢使]　①293,

庶士　⑤80.

徐師昊(道士,　明)　⑩357,　358,　359,　363,　⑪268,　312,

序庠[庠序,　學校]　①268,

'瑞祥志'→天地瑞祥志(瑞祥志)

'西上雜詠'　②337(朴寅亮 等의 詩文集),

徐世雄(徐仲雄,　蒙古)　⑦110,　111,

徐世昌(總統,　中華民國)　⑩352,

徐昭文(宋使)　①196,

徐松(淸)　②47,

徐守鏞　⑤109,

徐淳　④57,　⑤86,　89,　112,　114(被殺,　武臣亂),

徐崧　②10,　14(戰死),

徐臣桂　⑩52,

徐神逸　⑥239,

徐埜思不花(也先不花,　Esen Buqa)　⑩52,

西洋鎖里(말레시아 西部에서 印度洋 沿海地域)
　　⑩447,

徐彦　⑤162,　165,

西域諸王(伊利汗國,　Ilkhanate의 汗)　⑨225,

徐延　⑥82,

書筵　⑨330,　391,　⑩28,　⑪15,　22,　36,　139,　140,
　　141,　142,　143,　150,　⑫21,

徐穎　⑨290,

西遼→黑契丹[Kara-Khitan,　耶律大石]

棲雲寺(栖雲寺,　寧邊)　⑨346,

徐遠　①308,

西園寺實兼(사이온지 사네카네,　日本)　⑦162(蒙
　　古國書에 對應),

徐維傑(徐熙의 子,　周行?)　②180,

'書儀'　①208,

徐子敏　⑥172,

西賊　⑤182,　183,

書籍院　⑫235,

徐坐　⑪172,

西州→瑞州(富城縣)　⑪108,　177,

徐周錫　⑧352,　⑨304,　⑪149,　226,

徐仲雄→徐世雄

瑞芝　①45,

徐智滿　⑨152,

徐質(遼東都司 軍官,　明)　⑪333,　335,　337,　341,
　　342,　364,

徐贊(譯官)　⑧105,

徐楚援　⑧232,

徐諏　⑤102,

徐侜　⑦159,

徐稱→徐侜　⑦159(誤字),

徐弼　①175,

西夏(西夏國)　③281,　⑥220,

西河郡浦(豊州?)　①272,

徐諧(金)　⑤310,

西海道巡察使[西海巡察使]　①286,

西華門(向成門)　③255,

徐興祖(徐興祚,　徐興祥,　元)　⑧254,

徐熙　①165,　185,　276,　277,　278,　279,　282,　286,
　　298,　290,　291,　295,　302,　304,

石懲(金)　⑥57,

釋迦牟尼遺骨(釋迦遺骨,　桐華寺)　⑪32,

釋迦牟尼舍利(眞身舍利, 通度寺) ⑥299, ⑦65, ⑪
　　80, 142,

釋褐 ①170,

石見國(이와미노쿠니, 島根縣) ①294,

石敬瑭(高祖, 後晋) ①105(卽位), 121,

釋光(大師) ⑥234,

釋宏(大禪師) ⑪314,

釋琦(大師) ⑥364,

釋器(忠惠王의 孽子, 銀川翁主 所生) ⑨312, ⑩8,
　　85, 455, ⑪25, 26, 228,

席島[黃海南道 과일군 席島里] ⑥445,

碩陵(貞宗, 熙宗, 江華郡 良道面) ⑥90, 311,

石隣, 石磷→石鱗 ⑤116, 151(誤字),

石鱗 ⑤116, 151, 265,

石抹[蕭, Shih-mo]氏 ⑥66, ⑧31, ⑩39,

石抹時用 ⑩39, 64,

石林完澤(元) ⑨369,

石抹天衢(元) ⑧31, 69,

石抹天英(契丹系 元出身?) ⑩39, 50, 344, 386,

石文成 ⑩266, 268, ⑪174,

石方寺(石房寺, 開城府) ⑪278,

石壁(長湍) ⑩384,

昔寶赤(昔保赤, ibaruchi, 鷹坊人) ⑧45,

釋服 ②146,

釋妃→毅妃(禑王妃)

石城(遼寧省, 鴨綠江 西邊) ⑥177, 211, ⑩374,

石城柱→石成柱 ⑤295(誤字),

石成柱 ⑤295,

石受珉 ③147, ⑤43,

石延年 ⑥249,

石演梦 ⑥329,

石屋淸珙(慧照禪師, 元) ⑩25, ⑪243,

釋王寺(安邊) ⑪83, 92,

石適歡(女眞) ③143,

釋奠 ③195,

石戰[石戰戲, 投石戲] ⑨359, ⑪169, 208, 325,

石井正敏(日本) ②82, ⑦79, 83, ⑬69,

釋珠(孝子) ②251,

碩州 ⑧52,

石胄 ⑧381, 396, 418,

石重貴(少帝, 後晋) ①120(卽位),

石迭里必思(耽羅 牧胡) ⑩195, 469, 474,

石天琪 ⑧381, 418,

石天卿 ⑧342, 381,

石天補 ⑧342, 381, 396,

石川忠久(日本) ②62, ③191, ⑤295, ⑩276,

釋超(眞觀禪師) ①116, 141, 165, 174, 203,

釋聰 ①126, ⑥393,

釋冲(釋聰?) ①126,

石彈(礌石, 抛石, 炮石, 砲石, 石環) ⑥258,

釋誕日(釋迦生日)→佛誕日

席澤宗(中國) ②317, 350, ③238, ⑤161, 219,

石穴(旌善) ⑪262,

釋瑚(僧) ⑨1911,

石鏐 ①313, 315,

石曦(後周, 宋) ①164, 169,

善慶院 ⑥65,

膳官署 ⑥427,

宣光元年(昭宗, 1371年) ⑩407(始行宣光七年), ⑪
　　70,

宣敎門 ④37,

選軍[選軍都監, 選軍司] ⑧429, ⑨49,

選軍給田 ⑩403,

選軍使(選軍別監) ②203, ⑤13,

鮮大有 ⑥213,

宣德城(←東界 宣德鎭)a ②274,

宣德鎭(東界 朔州)a→寧德鎭 ⑥255,

宣德鎭(德州)b ⑥255,

宣德鎭新城 ②268,

仙桃聖母 ③217,

宣陵(顯宗, 開豊郡 解線里) ②143, 146,

善陵(忠肅王妃?) ⑩320,

禪麟(僧) ⑧179 233, 263,

船馬符驗[船馬發給證明書, voucher, 明] ⑪325,

'宣明曆' ①29, 45,

選目→都目(都目狀) ⑪144,

宣文烈→交宣烈 ⑦162(本末倒置),

宣問使 ⑤127, ⑥16,

'禪門撮要' ⑥33,

'禪門拈頌集' ⑥216,

先排使 ③121, ⑤127,

選補→選補官吏 ⑤68,

選佛場(宗選, 成福選) ③7, 239,

先鋒軍 ②227,

善妃(禍王妃, 王興의 女) ⑪351, ⑫22,

仙賓館(→仁恩館) ②420,

'先生案' ⑬5,

宣索 ⑧22,

宣城山(鴨綠江 西邊, 丹東市 東港) ⑥272,

宣城(々) 掃里 ⑧103,

仙巖寺 ③115,

鮮演(契丹) ③88,

禪院寺 ⑥61,

禪源寺[江華郡 禪源面] ⑥341, 346, 348, 351, ⑨ 287,

禪源社(江華) ⑨22,

善月[齋月] ⑩251(1月, 5々, 9々),

禪月庵 ⑥453,

宣慰使→宣慰使司 ⑧120,

宣慰使司(元) ⑧359,

宣諭使 ⑤157,

宣義軍(保州) ③32,

宣義門 ④37,

宣仁館 ⑪310,

仙藏島 ⑥430,

船田善之(日本) ⑦22, 101,

宣傳消息(內傳消息←宣索) ⑧22,

鐥岾 ⑩451,

宣宗(蒸, 祈, 運, 國原公, 仁陵) ②441, ③57(46歲),

'宣宗實錄'(散失) ③39, 48,

善州邑城 ⑪318,

善之(大禪師) ⑨251,

選地橋→善竹橋? ⑥126,

宣旨使用別監 ⑤180,

宣勅[宣授·勅授] ⑧411,

善弼 ①80, 85,

禪顯(王師) ⑩307, 308,

善花(官婢) ⑤67,

宣花呵喝 ⑧26,

宣化鎭(鴨綠江東畔 高麗境內, 契丹城堡) ②54, 133,

宣徽使[宣徽院] ①305,

薛景成 ⑨62,

偰慶壽(偰遜의 子) ⑪49,

薛公儉 ⑥446, ⑦156, ⑧43, 50, 59, 186, 373(淸 貧不失節),

薛恭儉→薛公儉 ⑧43(誤字),

薛君[薛群] ⑩341, ⑪327,

薛闍干[설도간]→薛闍干[설자간, Secegen]

偰輦傑河(Selenga, Selengehe, 現 色楞格河) ⑩129,

泄痢(泄瀉, diarrhea) ⑪143,

薛里(御膳擔當, 宦官) ⑪268,

薛里別監[都薛里] ⑪268,

雪綿子(雪綿) ⑥367,

薛文遇 ⑨159,

偰眉壽(偰遜의 子) ⑪49,

薛發縣(花園縣 管內 舌火縣?) ①116,

雪峰書院(利川市 官庫洞, 徐熙) ①304,

設比兒[ceber, ciber] ⑧26,

偰斯(畏吾兒人, 偰遜의 親族, 明) ⑩328, 335, 336, 344 358, 360,

薛師德 ⑩232,

偰遜(伯遼遜, 畏吾兒人, 偰長壽의 父) ⑨340, ⑩
129, 152, 154,

薛守眞[薩守眞] ①88,

薛愼 ⑥127, 213, 232, 251, 252, 256, 273, 296,
310, 318, 333, 339, 378, 381,

薛伸 ⑥307,

雪巖祖欽(南宋) ⑧397, ⑨375,

'說苑' ①254,

薛仁貴(唐) ②23,

薛仁永(薛永仁) ⑧210,

薛闍干(薛徹干, Secegen) ⑧206, 236, 238,

偰長壽(偰遜의 長子) ⑩201, 369, 422, 457, ⑪335,
338, 339, 340, 343, 364, 377, ⑫19, 61, 154,
215, 257, 261,

薛之忠→薛之沖 ⑧195(誤字),

薛徹干→薛闍干

薛聰 ②99(弘儒侯, 文廟從祀),

雪寒嶺(薛列罕嶺) ⑩353,

薛玄固 ⑨266, ⑩232,

暹羅斛(暹羅, Siam, Sayam, 泰國) ⑩447, ⑪14, ⑫
205,

陝西宣撫使 ⑦15,

陝州河南省 三門峽市 西部地域] ⑦6,

贍學錢 ⑧393, 394, 411, ⑨112,

聶長壽 ⑥376, 440,

成康→咸康(年號, 晋) ⑥53(誤字),

聖甲(本命) ⑧32, 359, ⑨395,

聖簡[佛骨簡子] ①126, ③322,

聖居山 ①15,

省空(僧) ⑨371,

性宏(大師) ⑨242,

成均館(國子監의 別稱) ②150, ⑧360, ⑩317,

成均館試[國子監試] ②150, ⑩320,

成均提擧司→儒學提擧司 ⑨81(誤謬),

成金→金成(耽羅獵戶) ⑨104(本末倒置),

成吉思汗[Genghis Khan, 孛兒之斤 鐵木眞, Borjigin
temujin] ⑥69, 116, 163, 220, 222[甘肅省 定
西市], 258,

成大庸 ⑩271,

成都[四川省 成都市] ④25,

聖燈 ④108,

聖燈庵(長湍) ⑨199, 221, ⑪274,

省斂[出獵] ⑪213, 216,

成陵(順宗, 板門郡 進鳳里) ②442,

性林(大師) ⑤133,

'星命總括'(散失) ①237,

城門都監 ⑪218,

星孛(孛星, 蓬星, 長星, 彗星) ④18, ⑪223,

成福選(敎宗選?) ③241,

成溥 ⑪255,

成佛寺(黃州) ⑨191,

成士達 ⑩11, 30, ⑪79, 183,

成士弘(→成元度) 士弘, ⑨218, 元度 245, 274,
275, 308(士弘, 元度), 327,

成石珇 ⑪82, 83, 295, ⑫133,

成石瑢(成三問의 曾祖父) ⑪49, ⑫270(流配),

成石璘(成石磷) ⑩107, 272, 316, ⑪107, 148, ⑫
60, 109, 165, 270(流配),

成守恒 ⑪172, 253,

省試[尙書省試] ①296,

成汝完 ⑨249, 250, ⑪116,

性英(僧) ③90,

城穎→城潁[河南省 許昌市 襄城縣] ④161,

成元(金山寺 住持) ②431,

成元揆 ⑩271, 419, 444, ⑪221,

省院臺(中書省, 樞密院, 御史臺, 元) ⑦169,

成元達(→成士達) ⑨290,

成元度→成士弘

成乙臣 ⑨245,

聖祖[祖聖]　①225(太祖王建 指稱),

成造都監→造成都監　②211(誤字),

成造色→造成色　⑦126(誤字),

成宗(治, 王旭의 子, 黃州院郎君, 康陵)　①166(出生), 193, 203, 207(即位), 239, 242, 252, 258, 279, 293, 295, 297, 298(38歲), 301, 303,

聖宗(耶律隆緒, 文殊奴, 契丹主, 慶陵)　①235, 241, 318, ②13, 14, 16, 19, 20, 22, 23(撤收), 43, 93, 95, 148,

成宗(鐵穆耳, 帖木兒, Temur, 世祖 忽必烈의 孫, 裕宗 眞金의 子)　⑧273, 274, 284, 287, 307, 346, 357, 417,

星主(耽羅土官)　①110,

聖住寺(保寧縣)　②336,

成准得　⑩343, 359, 361, 362, 364, ⑫113,

星川淸孝(日本)　⑪324,

省聰(宋)　③80,

成春　⑥40,

成平節(文宗)　②228, ③63,

城平節→成平節　②228(誤字),

聖風寺(靈巖)　②9,

'姓解'　③105,

成海應(朝鮮)　②95, ⑬47,

成倪(成石珚의 曾孫, 朝鮮)　①15, ⑥293, ⑪294,

城隍神　①75,

世界時[Universal Time, 略稱UT, 標準時]　②10,

歲星(木星, Jupiter)　②318,

歲首(新年開始月)　①147,

'世祖事跡'　⑧284, 290,

世祖聖旨　⑧123,

歲杪(歲末, 年末)　⑥145, ⑫23,

世賢(三重大師)　④204,

蘇康漢　②258(戰死, 褒賞),

疏決[疏通]　①242,

蘇景(宋)　③254,

少卿→少貳　⑦48(誤謬),

紹瓊→鐵山紹瓊

蘇敬夫　⑨306,

蕭啓慶(中國)　⑦111, ⑨401,

蕭屈烈(蕭善寧, 蕭虛烈, 親衛軍摠帥, 都監)　②55, 65, 79,

蕭㪍(官僚, 元)　①125,

蕭吉(隋)　②198,

小刀[小佩刀]　⑥52,

蕭良美　⑤300,

蕭良合台人(solonggatai人, 高麗人)　⑩55,

蕭良合氏(solongga氏, 蕭良合台氏, solonggatai氏, 奇皇后)　⑩55, 276,

小牢(少牢)　⑫171,

邵疊(明)　⑪133,

紹陵(熙宗妃 任氏, 位置不明)　⑥357, 358,

韶陵(元宗, 開城市 龍興洞)　⑦201, ⑧9, 45,

昭陵→韶陵　⑧44,

小利(少利)　①74,

掃里[sauri, 宿驛]　⑨194, ⑩9,

小梅香(和順翁主, 禑王後宮)　⑪362, 363, ⑫6,

蘇文悅　⑥161,

燒飯　⑤250, 251,

蕭排押(蕭排亞, 蕭遜寧의 兄, 將帥, 駙馬)　②77, 78, 79, 80, 87,

蘇伯衡(官僚, 明)　⑩363,

蕭保先(官人, 契丹)　③261,

蘇復別監　⑨365, 396,

塑像　⑨176,

蕭㪍→蕭㪍　①125(誤字),

小星→心星?　②186(誤字),

紹聖(年號, 宋)　③56,

蘇世讓(朝鮮)　④138,

邵召輔→邵台輔　③129(誤字),

蕭遜寧(蕭恒德, 將帥, 駙馬, 東京留守, 契丹)　遜

孫九成　⑪254,

孫琦　⑨114, 190, 287,

孫內侍(明使, 高麗出身 宦官)　⑩414, 415,

孫得之　⑥166,

孫劻(中國)　⑧363,

孫夢周　②10,

孫抃(←孫襲卿)　⑥94, 211, 380,

孫碩　⑤185, 186, 197, 209,

孫奭　⑩42,

孫世貞(孫抃의 子)　⑦89,

孫守卿　⑨181, ⑩85(被殺, 釋器에 連累, 誣獄, 恭愍王), 455,

孫襲　⑩26,

孫襲卿(→孫抃)　⑥211,

孫時揚　⑤228,

孫時用　⑥197,

孫彥　⑪61,

孫衍　⑤280,

손영종　②216,

孫俁(金)　⑥16,

孫琓　⑥198,

孫涌→孫湧　⑨331, ⑩78(誤字),

孫湧　⑨331, ⑩78, 320, 328, 392,

孫用珍　⑪305,

孫元仙　①324,

孫元衍　⑧99,

孫儒　⑥197,

孫宥　⑪110,

孫有證　⑩335,

孫應時　⑤184,

'孫子'(魏武注孫子)　②240,

孫挺烈　⑥386, ⑦19,

孫俊　⑥197,

孫昌甫(孫玉, 明)　⑩366,

孫昌衍　⑥363,

遜攤[Suntan]　⑧26,

孫昊(中國)　②32, ③252,

孫弘　⑤311,

孫洪亮　⑩9, 170, 256, ⑪149(93歲),

孫洪胤　⑤315, 164,

孫曉 等編(中國)　①219, ②180, 186, 247, 395, ③298, ④13, 43, 127, 159, ⑤298, ⑥13, 37, 168, ⑦51, ⑧201, 285, 287, ⑨38, ⑩82, 138,

孫希綽　⑤294,

率更寺事→率更寺[太子率更寺]　②330,

率更體(唐 歐陽詢書體)　④201,

松加島(松家島, 喬桐縣)　⑨26,

宋幹　③90,

松岡久人(日本)　⑪138,

松江府(上海市)　⑨209,

宋開　③181,

宋居中　⑪230,

宋卿　⑩241, 275,

松京[開京]　⑪247, 249,

松戒(僧)→戒松　⑨78(本末倒置),

宋骨兒→牀兀兒

宋公序　⑩66,

宋光美　⑩349, ⑪377, ⑫20(被誅, 崔瑩 關聯, 李成桂),

松廣寺[順天市]　⑥33, 109, 111, 218,

宋國瞻　⑥94, 206, 261, 263, 323, 356, 373,

宋翃　①308,

宋君裴→宋君斐　⑦74,

宋君斐　⑦74, 75, 76, 77,

宋群秀→宋君秀　⑤148,

宋君秀(宋有仁의 子)　⑤148, 186, 204(被殺, 慶大升),

宋珪　⑨181,

宋均　⑧391, 420(被誅, 大都),

宋克儇　⑥428,

宋基豪　①50,

松吉(Sulki, 散吉, Salki, 扡雷의 子)　⑥415, 454, 455, 464,

宋吉儒　⑥427, 439,

宋端　⑤186,

宋衙(蒙古)　⑦88, 110,

宋惇光　⑤255,

宋良哲(宋)　③258, 273,

宋濂(明)　⑩357, 363,

宋隣a　②12,

宋璘b　⑧383, 401, 404, 405, 420(被誅, 大都),

松林寺　⑨297,

松林縣　③69,

宋萬戶(乃顔, 蒙古)　⑦130, 131,

宋明理　⑨228, 303,

宋明誼　⑩201,

宋文貴(→宋文中)　⑩341, 文中, 443, 451, 453, 461, 468, ⑫219,

宋文冑　⑥259, 305,

宋文中→宋文貴

松尾寺(마쓰오지, 奈良縣)　⑨120,

宋邦英　⑧384, 385, 391, 392, 396, 404, 405, 413, 416, 420(被誅, 大都),

松邊浦(巨濟島)　⑦75,

宋秉濬(舊韓末 親日派)　⑨204,

松本保宣(日本)　②162, 232, 241, 254,

宋玢　⑦126, 155, ⑧187, 248, 260, 344, 380, ⑨107,

松山(Sulsan, 泰定帝의 兄, 梁王 藩王 冑의 丈人)　⑨90,

松山→松嶽山　⑪278,

宋上章→宋立章　⑥281,

宋愭(崔瑀의 壻)　⑥209,

宋瑞(宋玢의 子)　⑨107,

宋惜→宋悟　⑧164(誤字),

宋松禮　⑦124, 126, 186, 189, ⑧219,

宋叔通　⑨290,

宋恂　⑥250, 327, 329, 404, ⑦5,

宋珣→宋恂　⑥404(誤字),

宋勝夫　⑤149,

'宋詩紀事'　⑬45(高麗人의 詩話),

松永年(日本商人)　②349,

松獄→松嶽　③158(誤字),

松嶽堂(金海)　⑧139,

'松岳明堂記'→'道詵松岳明堂記'

松嶽城　②28,

松嶽神祠(松嶽祠)　②194, ⑤169,

宋彦琦(宋恂의 子)　⑥316, 317, 320, 326, 353(病死), ⑦5,

宋彦庠　⑥427, 439,

宋彦忠　⑩66,

宋英　⑨139,

宋容德　②401,

宋愚　⑪49,

松原[咸興市]　⑩192,

松原三郎(日本)　⑨211,

松月閑人→達蘊

宋允卿　⑩154,

宋瑋　③138,

宋偉→宋韙　⑤295(誤字),

宋韙　⑤295, 311,

宋有仁(鄭仲夫의 壻)　④37, ⑤135, 191, 194, 200, 202, 203(被殺, 慶大升), 204,

宋義　⑥273, ⑦52,

宋翃　①308,

宋人→高麗大　⑦74(誤謬),

宋日基　⑥110, ⑧405, ⑨181, 260, ⑪110, ⑫38,

宋子　⑥204,

松子　⑨314,

宋子郊　⑪174,

宋子淸　④266, ⑤153, 166, 303, 312, ⑥18,

宋訏　⑤191,

順妃弟→順妃第 ⑨54(誤字),

順妃 許氏(忠宣王妃) ⑨13, 30, 54, 248,

順祀 ⑦67,

巡狩[省斂] ⑪213,

順承門(大都 南門) ⑩327,

順安君 昉→王昉

順安縣 ⑦12,

淳祐(年號, 南宋) ⑥328,

巡衞府(司平巡衞府)→巡軍(巡軍萬戶府)

純永→金純永 ⑥23(脫字?),

循資格 ②79, ⑩328,

巡綽官 ⑪270,

順政郡(興州) ⑨295,

順靜王后 韓氏(恭愍王의 後宮) ⑪9, 58,

順宗(忻, 勳, 成陵), 太子, ②270, 408, 441(卽位), 442(37歲),

順帝(至正帝, 元)→惠宗

蓴堤(瑞山) ⑫158, 211,

順州 ⑤267,

箰質 ①156, 158,

淳昌 城隍神 ⑧134, 308,

順天館 ④17, 162,

順天府 ⑨393,

順天寺(開京) ⑨134,

純青瓷 ⑤37,

順太 ⑥30,

淳化(年號, 宋) ①257,

順和宮主 ⑤29,

順和縣 ⑨233,

淳熙(年號, 南宋) ⑤147,

述希→述熙(朴述熙)

崇慶(年號, 金) ⑥92, 95(始行),

崇敬宮主→崇慶宮主 ②436(誤字),

崇慶宮主 李氏(李子淵의 第3女) ②436,

崇教園 ⑨303,

崇教寺(開京) ①301, 308, 325, ②10, ⑤17, ⑨269, 305,

崇教池 ⑨267,

崇寧通寶 ⑩99,

崇德(官人, 金) ⑤280,

崇德府 ④25,

崇陵(肅宗妃) ③229,

崇文館 ①280, ⑨332,

崇文殿→修文殿 ⑥126,

崇福院[崇福寺] ④23,

崇祥院摠管府(大都) ⑨200,

崇善寺址[忠州市 薪尼面] ①154, ⑤133, 228,

崇善城(崇善郡)→一善郡

崇演(左街僧錄) ②336,

崇林寺(咸悅) ⑨345,

崇仁門 ⑩344,

崇政殿(汴京) ③274, 283, 307,

瑁顯(史顯, 實現) ③200, 202, 272, 303, 311,

僧伽寺[鍾路區 舊基洞 北漢山 飛鳳] ②111,

僧伽大師像(僧伽寺) ②111,

僧科[功夫選, 工夫選] ⑩372,

承丘源 ⑤160,

勝蓮寺(南原) ⑩127,

乘里仁 ②12, 15(戰死, 郭州, 契丹), 25(褒賞),

僧猛(僧, 隋) ④132,

勝尾寺(가쯔오지, 大阪) ①263,

升補試 ④241(始行),

承宣→承旨 ⑧34(改稱),

承宣→代言 ⑩415(改稱),

承淑(大禪師) ⑨99, 108,

承信 ⑨299, 329,

承安(年號, 金) ⑤321,

勝言(盡言) ⑪299,

承懿公主→寶塔失里公主(Buda Siri, 恭愍王妃)

僧齋色 ⑧131, 199, 215, 253,

承制[承宣]　③254,

承旨→代言(改稱)　⑨38,

承旨→代言　⑩20(誤字),

承旨→承宣　⑩388((誤字), 395(々),

承旨房[申聞色]　⑧87(申聞色 新置), 326(申聞色, 罷,
　　筆者推定), 330(復置, 承旨房, 々),

承察度(流球國 南山王)⑫59,

承天府→昇天府 ③186,

昇天府　③186, ⑩425,

承天府道→昇天府道 ②404,

承天皇太后(聖宗母, 契丹) 蕭氏　①312, ②6, 9, 18,

昇平郡→昇平牧　⑨30,

昇平府→昇天府　⑩424(誤字),

丞轄(尙書左·右丞)　④282(別稱),

承逈(圓眞國師)⑤323, ⑥6, 102, 103, 109, 176,

承化郡(全州)　①272,

市島謙吉(日本)⑤189,

尸羅門(失列門·失烈門·失里門, Shiramon)　⑦6,

時刺間[Shiramon]　⑪165,

市裏→市里[街市, 里巷]　②395(誤字?),

矢木 毅(日本)　①192,

'時叛時服'[時至時去, 歸順不服]　①89, ②230,

柴成務(宋使)　①259,

廝養　⑥442,

柴容(世宗, 後周)　①154(即位), 163,

侍御史知雜端(宋制)　①251,

侍醫[侍御醫]　②370,

市廛　⑩322, 355, ⑪87, 98,

始定田柴科(景宗1年)　①194,

始祖　①52,

始祖→國祖　①52,

視朝服[帝王]　⑤50,

柴宗訓(恭帝, 後周)　①163,

'時至時去'[時叛時服, 歸順不服]　①87, ②230,

時贊(宋使)　①172,

'始行高麗國號'　①110,

豕禍　①78,

式目都監　③121, ⑨37, 115,

式目編錄→式目編修錄

'式目編修錄'(散失)　①27,

式無外(僧)　⑨268,

植松 正(日本)　①242, ⑦74, 101, ⑧292, ⑪71,

食邑　②429, ⑫139,

申槩(朝鮮)　①302, ⑫133,

神劍　①98,

新京[南京留守府 楊州]　②329,

新京[白岳宮闕, 新宮]　⑩152,

申景濬(朝鮮)　①182,

申繼齡　⑩66,

申季伯　⑥80,

新溪書院(山淸郡, 朴翊)　⑪331,

薪谷部曲(薪谷所, 星州牧)　⑪184,

神光寺(羅漢殿, 海州)　①57, ②262, ⑨247, 258, 294,
　　295, 324, ⑩168,

申光洙(朝鮮)　⑫75,

神光鎭(昵於鎭)　①82,

申光漢(朝鮮)　⑤323,

申君平　⑨245, ⑩106,

新宮(新闕)　⑨305, 306, 308, 313, 332,

辛權　⑪230, 358,(被誅, 林·廉一黨),

辛克恭(辛珣의 長子)　⑫62,

神騎軍　③157,

申寧漢　②15(戰死, 郭州, 契丹), 25(褒賞),

新寧縣[永川市]　⑤23, 252,

神泥洞 假闕[江華郡 仙源面 智山里]　⑥462,

申當住(高麗出身, 宰相, 元)　⑨88, 289,

申德隣(叔舟의 曾祖)　⑩315,

神德王(新羅, 朴景暉)　①36(即位), 39,

神德王后 康氏→李成桂의 妻 康氏(顯妃)

薪島(鴨綠江 河口, 平安北道 薪島郡)　⑥260,

安陵(定宗, 開豐郡 古南里) ①146,

安立(禪師) ⑧301,

安牧 ⑨85, 209, ⑩149,

安撫使(按撫使) ③172, ⑥355, ⑦132, 170, 173,

按撫田民使 ⑪361,

安文凱 ⑨219, 262,

安邊都護府(永興郡)→ 安北都護府(安州郡) ⑥299,

安秉佑 ①233,

安輔 ⑨122, 236, 335, 340, ⑩33, 46, 66, 112,(家無擔石) 129,

安寶麟→安甫鱗 ③319(誤字),

安保麟 ⑨326,

安福從 ⑩42,

安奮 ⑧423,

安北府 ①87(創),

安妃a(瀋王 暠의 母) ⑨132, 137, 140,

安妃b(禑王妃, 姜仁裕의 女) ⑪317, ⑫22,

安贇 ⑪106,

安社基 ⑤284,

安師琦 ⑩425, 476, ⑪11,

安山郡→大山郡(太山郡, 泰山郡, 井邑市) ①272,

安山縣 ③106,

安賽罕[saihan] ⑨240,

安西(陝西行省, 京兆府, 長安, 陝西省) ⑧340, 396,

安西道(軍事道, 安西都護府 管內) ②92,

安西王府(開成 安西王府, 蒙古) ⑦7,

安碩 ⑧154,

安碩貞 ⑥104,

安省 ⑪172,

安成桂 ⑧232,

安城縣 ⑩173, 188,

安沼 ⑪227, 268, 377, 378, 379, ⑫20(被殺, 崔瑩關聯, 李成桂),

(誤字)安紹→安沼 ⑪268,

安紹光 ②11, 63,

安束 ⑪254,

安淑老(→安叔老, 安克仁의 子) ⑪349, 362, ⑫138, 152, 201,

安純 ⑪255, ⑫31, 66,

安僧(元) ⑩272,

安市城 ⑨146,

安時俊 ⑥330,

安陽都護府(春州) ⑥50,

安陽社(智異山) ⑥386,

安陽寺(衿川) ⑪216,

安壞鄕(安懷鄕, 長興) ⑨394,

安陽縣(中書省管內 彰德路, 河南省 安陽市) ①244,

安悅(原州賊) ⑦12,

安永有 ④265,

安永祚 ③181,

安祐 ⑨321, ⑩140, 141, 144, 145, 163, 164, 176, 177, 179(被誅, 咸昌縣行宮, 金鏞), 180,

安遇慶 ⑩213, 222, 226, 237, 239, 240, 242, 264, 286, 313, 396, 398, 413,

安于器 ⑧161, 333, 368, 392, 402, 404, ⑨90, 91, 108, 205(高節清德),

安祐祥→安遇祥 ⑩389(誤字),

安遇祥 ⑩389,

安宇瑀→安于器 ⑨108(誤字),

安瑗 ⑫154,

安元龍 ⑨263, 290, 291,

安裕(→安珦) ⑥369, ⑦28, 164, ⑧32, 64, 91, 96, 97, 208, 221, 228, 230, 260, 273, 277, 325, 333, 358, 394, 406, 413, ⑨85, 103, 112,

安劉勃 ⑤193,

安有孚 ⑥41, 59,

安允時 ⑫66,

安慰使 ①264,

安戎鎭(安仁鎭) ①185, ⑥430,

安乙器 ⑩66,

安乙起→安乙器? ⑩66,

安義鎭[平安北道 郭山郡 安義里 沿海地域 推定] ②245,

安義鎭城[平安北道 天摩郡, 옛 龜城郡] ①290,

安翊 ⑪128, 131, 306, 317, 328, 333, ⑫219,

安逸院(開城府, 尼寺) ⑪251,

安子由 ⑨358, 361,

安戩 ⑥362, ⑧18, 183, 191, 322(守正不阿),

安匋 ⑧231,

安田純也(日本) ⑥415, ⑧333, ⑪101,

安節 ⑧279,

安丁佼 ⑧99,

安鼎福(朝鮮) ⑩328,

安正脩 ④201,

安帝京(竹州戶長) ①297,

安祖同 ⑪49,

安宗→王郁(顯宗의 父)

安從約 ⑫37,

安宗源 ⑨290, ⑩65, 168, 352, 410, ⑪40, 203, 225, 230, 277, ⑫20, 37, 54, 74, 100,

安仲溫(←安景溫) ⑩201, 265, ⑪277,

安州 ⑥131,

按只吉歹(按只觲, Alchidai, 蒙古) ⑥177, 322,

安只女→安只歹(按只吉歹, Alchidai) ⑥177,

安稷崇(←安稷譜) ③93, 138, 198, 245, 260, 278, ④38, 100, 151,

安摺→安戩 ⑥362,

安震 ⑦139, ⑨70, 100, 103, ⑩144, 442,

安集別監 ⑩142, 432,

按察使 ⑤138, ⑥355, ⑨18,

按察使→按廉使 ⑧38,

安昌齡 ②7,

安處直(朝鮮) ⑬6

安天儉 ⑩431,

安哲孫(朝鮮) ④138,

安諦(大師) ⑧31, 49, 133,

安軸 ⑧423, ⑨160, 233, 284, 305, 366, 376,

安平公主→忽都魯揭里迷失(忽篤惻里迷思, Qutulug Genmisi, 忠烈王妃)

安珦→安裕

安行梁→安興梁(洪州) ⑦173(誤字),

安和寺(安和禪院, 紫霞洞) ③293,

安興梁(堀浦, 蘇泰縣, 瑞山郡 海美面, 或 泰安郡 近興面 馬島) ②406, 409, ④137, 138, ⑤12(未成), ⑥73, ⑦173(安行梁),

安興亭(々) ④137,

安希德 ⑪254,

斡都里(오돌리, 斡朶里·吾都里·烏道里, 東女眞 酋長) ⑫220, 242,

斡魯(金) ③261,

斡魯朶(orda, 宮殿, 氊帳) ⑥117, ⑧79, 299, ⑪249,

斡赤斤(訛赤忻, Otchingin, 鐵木哥斡赤斤, Temuge Otchiqin, 皇太弟) ⑥164(皇太弟), 177, 181, 194 (皇太弟), 195, 197,

闕粲(阿飡) ①29,

斡脫兒不花(斡朶思不花, Otos Buqa) ⑦104, 105, 106, 107, 110, 111,

岩間德也(日本) ⑧147,

岩井大慧(日本) ⑩106,

壓勝術(巫蠱之術) ①266,

庵子[小草屋] ②285,

鴨綠江 ①40, ③279, ⑤82, 83, ⑧249, 263,

鴨淥江→鴨綠江

鴨綠江 船橋 ②361,

鴨綠江 堡壘(金) ⑤81(燒却, 高麗), 82(々),

押司官(品外 吏職?) ②157,

昂吉兒(元) ⑧169, 174,

央土[楚山郡] ⑩232,

艾島(西北界) ⑥429,

崖頭站(涯頭站, 渥頭站, 遼寧省) ⑦188, ⑧74, 414,

愛萌(中國) ⑧20,

愛新覺羅 烏拉熙春(→吉本智慧子, 日本) ①276, 290,
　　⑥66, 206, ⑧92,

愛牙赤[Ayachi] ⑧284,

愛牙赤大王(愛也赤, Ayachi, 世祖의 第6子) ⑧121,
　　171, 209,

愛顏帖木兒(Ayantemur, 梁王 把匣剌瓦爾密의 孫)
　　⑫242,

涯月浦(耽羅) ⑩472,

愛猷識理達臘(愛育失黎達臘, Ayu Siri Dala, 昭宗)
　　→昭宗

愛育黎拔力八達[Ayurbarwada]→仁宗(元)

額號都監 ④102,

鸎溪 ⑨159,

鸎溪里(鸎溪坊, 開城府 中部) ⑨159,

鸎溪坊→鸎溪坊 ②86(誤字),

櫻田眞理繪(日本) ⑫25,

夜橋(橐駝橋, 萬夫橋) ⑪270,

也窟(也古, 也苦, 耶虎, 也忽, Yeke) ⑥389, 391,
　　392, 402,

也等浦(也豆浦) ③187(九城 雄州地域),

耶律居瑾(耶律居謹, 金使) ④61,

耶律璟(穆宗, 契丹) ①148(卽位), 180(遇弑),

耶律固(契丹) ③234,

耶律寧(契丹) ③281,

耶律糺(金使) ⑤122, 123,

耶律大石(金, 黑契丹, 西遼, 開創) ⑥263,

耶律德光→太宗(契丹)

耶律隆緒(文殊奴, 聖宗, 契丹)→聖宗

耶律履(移剌履, 金) ⑤254,

耶律買奴(移剌買奴) ⑥255, 299,

耶律倍(耶律突欲, 東丹國王, 人皇, 阿保機의 長子)
　　①66, 77,

耶律炳(移剌邴) ⑤281,

耶律思齊(官人, 契丹) ③88,

耶律薛闍 ⑥255,

耶律成正(移剌按荅, 金使) ⑤91, 97,

耶律世良(樞密院使, 副都統, 契丹) ②55, 60(海城
　　地域),

耶律淳(涅里, 宣宗, 契丹) ③145,

耶律氏[Yeri氏]→移剌氏(金) ⑤75, 176,

耶律阿保機→太祖(契丹)

耶律彥拱(移剌彥拱, 金) ⑤269, 276, 277,

耶律延貴(契丹使) ①313,

耶律延禧(阿果, 天祚帝)→天祚帝

耶律阮(世宗, 契丹) ①142(卽位), 150(遇弑),

耶律勗(烏野, 官人, 契丹) ④101,

耶律元寧(喜羅?, 契丹) ①277,

耶律留哥(耶律六哥, 六哥, 金末蒙初) ⑥117, 155,
　　255,

耶律尤[那律允, 契丹 宣問使] ②11,

耶律儀(契丹) ③6,

耶律子元(移剌子元, 金) ⑤176,

耶律資忠→耶律行平

耶律章(移剌天佛留, 金使) ⑤75,

耶律迪烈(契丹使) ①301,

耶律敵魯(詳穩, 將帥, 契丹) ②14, 19,

耶律鑄(移剌鑄, 耶律楚材의 子, 蒙古) ⑥322,

耶律楚材(移剌楚材, 晋卿, 蒙古) ⑥316, 320, 322,

耶律行平(耶律資忠, 只剌里, 札剌, 契丹使) ②40,
　　41, 51, 55, 88, 89,

耶律賢(景宗, 契丹) ①180(卽位),

耶律好德(契丹使) ②80,

耶律洪基(查剌, 涅隣, 天祐帝, 道宗) ③88, 108,

耶律希逸(耶律鑄의 子) ⑧344, 346, 359, 363,

埜思不花(埜先帖木兒不花, Esen Temur Buqa) ⑩
　　68, 71, 73,

也先不花[Esen Buqa] ⑩355, 374,

也先帖木兒a(也先鐵木兒, 也先帖木而, Esen Temur)
　　⑧340,

也先帖木兒b(Esen Temur, 營王) ⑨93, 98, 109, 113, 114,

也先帖木兒c[也先帖木兒, Esen Temur] ⑨153,

也速達(余速禿, 余愁達), Yesuder) ⑥410, 464, ⑦15, 16, ⑧125,

也速帶兒[Yesuder] ⑧177,

也速迭兒(Yesuder, 阿里不花의 後裔) ⑫38,

野守 健(日本) ⑨299, ⑫176, 195,

耶廝不(耶律廝不, 耶律留哥의 弟, 金末蒙初) ⑥117(被殺, 海城),

也兒吉尼(Ergini) ⑨22,

藥師寺(海州) ⑨144,

藥山寺 ⑥118,

楊建峰(中國) ⑨48,

楊傑(宋) ③15, 16, 19,

兩京內戰[兩都之戰] ⑨196,

'兩界長城圖' ②216,

楊公孝(金使) ④81,

楊果(蒙古) ⑦37, 38,

楊球(宋) ③283,

楊口[楊溝驛] ②388,

楊規(都巡檢使) ②13, 15, 16, 17, 22(戰死), 23(贈職), 85(褒賞), 110(々), 227,

梁均 ⑦191,

陽根城 ⑥398,

量器 ①255, 272,

量器(10勺열손가락=1合,한홉, 10合=1升,한되 10升=1斗,한말 15斗=1石,10碩,10斛) ①272,

楊起 ⑨144,

楊帶春(楊規의 子) ②24, 197, 229,

梁東材 ⑥134,

楊等寺(溟州, 江陵市) ⑤41,

楊等村(々) ⑤42,

'楊柳觀音圖'(水月觀音圖, 淑妃) ⑫233,

陽陵(神宗) ⑥54, ⑩424,

陽陵井 ⑩359,

楊命門 ③268,

陽武縣[河南省 新鄕市] ⑤305,

良文(李恩言?) ①60,

禳弭(災害에 대한 對處方式) ①268,

楊朴琭 ⑥61,

楊伯顏→楊伯淵 ⑩114, 264, 347, 350(誤字),

楊伯顏 ⑩229, ⑪77,

楊伯淵 ⑩114, 261, 262, 264, 347, 350, 354, 355, 370, 432, 463, ⑪77, 87, 98, 107, 13, 147, 148(被殺),

梁伯淵→楊伯淵 ⑩262(誤字),

梁伯益 ⑩253, 266, 268, ⑪228,

良辯 ③13,

梁炳(宣問使, 契丹) ②11,

楊甫→楊保? ③36,

梁檟 ⑥184,

梁彬(金) ⑤11,

襄事 ⑤37,

陽山 ①73,

陽山寺(聞慶 鳳巖寺) ⑪177,

掠山城 ⑥395,

陽山縣 ⑤175,

楊序(金) ⑥71,

梁瑞麟 ⑪148,

梁善大 ⑧142,

梁成祐 ⑪230,

梁成梓 ⑧374,

梁誠之(朝鮮) ①24, ②313, 399, ⑥121, 181, 265, ⑩416, ⑪330,

梁世臣 ⑨290,

梁需 ⑪230,

楊首生 ⑪49,

'楊首生紅牌' ⑪50,

楊水尺(禾尺)　⑥122, 133,

梁淑　⑤115, 121,

揚淑節→楊淑節　⑤297(誤字, 乙亥字本 誤植),

楊淑節　⑤297,

梁淳　⑦154,

梁純精　⑤114(被殺, 武臣亂),

梁升庸　⑤201,

梁時恩　①149, 321, 324, ②49, 135, 136, 161, 249,

楊信麟　②297, 407,

楊安吉　⑨279,

楊安普(楊暗普, 唐兀人, Tangut, 宰相, 元)　⑨79,

襄陽[湖北省]　⑦11, ⑧126,

楊演　①185,

梁王(元)→把匝剌瓦爾密

楊炎(宰相, 唐)　⑧191,

楊炎龍(元)　⑧328,

良醞洞(開京)　⑥369,

梁龍藏　⑥199,

楊遇　⑪302,

梁元　⑤324,

梁元俊　③188, 195, 310, ④49, 236, ⑤9, 12, 13, 22, 29, 31, 35(淸儉純直),

陽月　⑩428,

良柔(晋州僧侶, 日本居住)　⑪59, 77,

梁有年(明使)　③265,

梁允軾　⑨283,

梁允若　⑫257,

梁彬(金使)　⑤11, 12,

楊應誠(宋使)　④67, 68, 70,

梁義淑　⑧8,

楊以時　⑩43, 66, ⑪99,

楊以時 紅牌　⑩66,

養怡亭　⑤25,

梁翼慶　⑤250, 264,

楊仁紹(宋商)　①263,

楊仁風(元)　⑧168,

梁將(→梁載, 元)　⑨245, 246, 249, 250, 259, 263,

梁載→梁將

梁貯　⑥351,

量田步數　②333,

量田尺(指尺)　①189, ②333,

兩浙(兩淛, 浙東·浙西)　②85,

梁濟(伶人, 樂官, 元)a　⑩239,

梁濟b　⑪160,

楊宗眞(道士, 閩, 福建省)　⑪138, 209,

楊州→南京留守官(陞格)　②324, ③77,

楊州→揚州　②357,

揚州府[江蘇省 揚州市]　②357, ⑫61,

襄州城　⑥399,

揚州城(維揚, 江蘇省 揚州市)　⑨373,

楊州 女香徒　⑨151,

揚州元寶(元)　⑨337,

梁中寬　⑫37,

楊震(擧子, 宋)　②431,

陽川江(孔巖津, 金浦市)　⑩300,

梁天翔(元)　⑧244,

楊天植　⑫196, 220,

梁楚(汴梁 地域)　⑨21,

陽春縣[廣東省]　⑨280,

梁忠贊　④247,

梁宅椿　⑥354, 403, 405,

楊赫(宋)　⑥312,

良賢(日本僧)　⑫233,

養賢庫田　⑪203,

養賢田庫→養賢庫田　⑪203(誤字),

梁浩(耽羅星主)　⑦74, 76,

梁洪鎭　①271,

楊花徒(韓宗愈)　⑩55,

楊曉春(中國)　⑪336, ⑫61,

魚得江(朝鮮)　①116,

魚伯評　⑪292,

御事都省→尙書都省　①285(改稱),

御史臺　②48(罷), 52(復置, 司憲臺), 108(司憲臺→
　　御史臺),

'御史臺新格'(御史臺格)　②114, 115,

御史臺→司憲府(南唐)　⑧325,

御事都省(←廣評省)　①208(改稱),

於山不花(也先不花, Esen Buqa)　⑩408,

於山帖木兒(也先帖木兒, Esen Temur)　⑩303, 323,
　　432,

於侁不花(嚴也先不花, Esen Buqa)　⑨114, 289,

於世麟　⑫233,

御室　③95,

漁陽縣[河北省]　⑤227,

魚犖(魚嚳)　⑥198,

魚有沼(朝鮮)　⑥199,

'御醫撮要方'　⑥213,

御眞　③21,

於靑島　⑧251,

讞部(←刑部)　⑧431,

彦陽邑城　⑫160,

嚴耕欽　⑫68,

嚴基杓　⑪322,

嚴卜　⑨107,

嚴守安　⑦85, 144, ⑧185, 334, ⑨175,

'嚴侍義方'　⑨213,

嚴也先不花[嚴Esen Buqa]　⑨114, 259,

嚴益謙　⑩449,

業淸江[業精江]　⑪137,

如京使(太倉使, 南唐)　①165,

厲階　⑧405,

呂繼贇(後周)　①152,

與國　①125,

呂端(宋使)　①251, 252, 276,

余大鈞(中國)　⑥263,

興輅[帝王]　⑤51,

女林→女床(女床三星)　②181(誤字),

盧幕(天幕, 穹廬)　⑪248,

呂文仲(宋使)　①238,

餘尾[餘尾縣]→餘美[餘美縣]　③160(誤字),

呂薇分(中國)　⑨220,

餘美縣　③160, ⑪83,

女床(武仙座Herculis의 女床三星)　②181,

余速禿[Yesuder]→也速達

慮囚(慮內外囚, 錄囚)　②81, ③285, ⑧123,

余愁達[Yesuder]→也速達

麗水縣[浙江省]　⑨245,

旅順口[旅順市 旅順口區]　⑫68,

麗嚴(大鏡大師)　①24, 111(塔碑), 120(碑陰),

呂佑之(宋使)　①251, 252, 276,

余月　⑧98,

呂渭→呂渭賢?　⑩38,

佇遊→ 佇遊　③75,

與音島(亏音島)　⑧225,

呂仁贊　⑧99,

女眞[北蕃]　①84,

女眞[遠邊者→生女眞, 近邊者→熟女眞]　①278,

女眞[化內女眞, 化外女眞]　②32, 110, 254,

如眞(日本僧)　⑦48,

女眞軍　⑥97, ⑧11,

女眞大字　⑥205,

女眞文字　①290, ⑥205,

女眞三十姓部落[東蕃黑水人, 長白山三十部女眞, 々
　　三十姓, 々々三十徒]　②32, 37, 348,

女眞三十首領　①267,

女眞小字　⑥206,

女眞征伐　③145, 179, 180, 182, 195, 207, 215, 234,

女眞族　③170, 182,

余叱夫介　⑨294,

'歷代年表'　⑧91,

亦都護[yiduhu]　⑧275,

易東書院(安東大學 構內, 禹倬)　⑨304,

疫癘(溫疫)　⑤66, 67,

亦憐眞(Yirin chen, 八思巴의 弟, 2代帝師)　⑧35,

亦鄰眞(中國)　⑥263,

亦憐眞班公主(Erinchin Bal, 德寧公主, 忠惠王妃)
　　→德寧公主

亦憐眞八剌(亦憐只班, Erinchin Bala, 營王 也先不花
　　의 女, 國長公主, 忠肅王妃)　⑨93, <u>114</u>, 118, 320,

力武常次(日本)　②94, ⑤210, ⑧144, 265, ⑫173,

驛聞→駝驛以聞　⑤21,

亦思馬因[Isimayin, 이스마일],⑧168,

亦兒撒合(札亦兒, 塔出, Taichiu)→塔出

'櫟翁稗說'　⑨285,

疫疾(疾疫, 溫疫, 염병, 장티푸스)　②140(京城), ③
　　103, 202, ④279(疾疫), ⑤139, 180, 263, ⑥406
　　(大疫, 京城), 421(々), ⑦43(々), ⑩464(大疫),

曆日　⑪195,

曆日(具注曆)　②253,

曆日(諸曆)　②253,

驛站[驛傳, 驛馬]　⑧120,

驛站網[站驛網]　②385,

燕京a(南京幽都府, 析津府, 北京市, 契丹)　②30,

燕京a(燕山府, 北京市, 宋)　④67,

燕京a(中都, 北京市 西南部의 宣武區, 金)　⑤6,

延慶宮主 金氏(顯宗妃)　②<u>114</u>,

延基　⑤148,

延基宮闕　⑤148,

燕岐縣　⑧240,

燕達麻失里(延答里麻失里, 明使, 高麗出身 宦官)
　　⑩414, 425, 426, 429, 446,

淵潭(大禪師)　⑤326,

淵湛(大師)　⑤132,

延德宮　④37,

延德宮主 金氏(顯宗妃, 懷陵)　②<u>101</u>, 115(追贈),

鍊德新(醫師, 元)　⑧159, 207,

延德院主 李氏(仁宗妃, 李資謙의 第3女)　⑤311,

燃燈　⑥345, ⑦14, ⑧197,

燃燈會　①278, ②11(2月設行), 26, ③146, ④239(1
　　月設行), ⑤92, ⑥247,

掾吏[掾屬]　②366,

演福寺(唐寺, 大寺→普濟寺)　⑨71, 72, ⑩113, 302,
　　322, 335, 381, ⑪207, 220, ⑫141, 167, 195, 202,
　　257, 266,

演福寺鍾　⑨349,

延福亭　⑤129,

燕山(延山府, 北京市)　④46,

燕山鎭(燕山郡)　①65,

燕山鎭→一牟山城　①65,

燕雙飛(明順翁主, 禑王後宮)　⑪362, 363, 380,

延壽(永明延壽, 吳越國僧)　①163, 178, 185,

延壽[延壽觀?]　①195,

延安答里→延答里麻失里(燕達麻失里)　⑩425,

延安府 大池(南大池, 臥龍池)　⑪298,

延安侯→唐勝宗(明)

衍溫(大禪師)　⑩127,

延祐(年號, 元)　⑨77,

淵懿(大師)　⑤247,

延日縣(迎日縣)　①261,

衍字　①72,

燕邸　⑨11,

燕朝→燕都　⑦9(誤字),

年終都歷(年末都歷狀, 歲抄都歷狀)　②76,

延州(寧邊郡)　①139,

延州城　④282,

連州防禦使　⑥140,

燃澄→燃燈　⑦14,

延昌郡　⑤142,

延昌宮主 盧氏(靖宗妃)　②237,

燕鐵木兒[燕帖木兒, El Temur]　⑨196, 211, 216,

永寧公主 辛氏(高龍普의 妻, 辛裔의 妹) ⑩19,

永寧君 瑜→王瑜

永寧府 ③85,

永寧寺(大都) ⑨365,

永曇(大師) ⑧201,

寧德城 ③279, ⑤107, ⑥119,

盈德邑城 ⑫101,

寧德鎭[평안북도 피현군] ①264, ⑥55,

寧德鎭→寧德城(改稱, 避諱) ②274,

寧德鎭城[枇峴郡 下端里] ①264, ②139,

永同郡 ⑤175,

榮陵(景宗, 板門郡 板門邑, 옛 鳳洞里) ①204,

英陵(肅宗, 板門邑 板門里) ③149,

永陵(忠惠王) ⑨321, 332, 298,

令陵(忠肅王妃 尹氏, 位置不明) ⑪166,

永明寺(西京, 平壤市) ①235, ③263, ⑨100,

永明寺(杭州 西湖 南岸) ①185,

永福君 扃→王扃

永福都監 ⑨337,

寧妃(崔瑩의 女, 禑王妃) ⑪367, 368, 378, 380,
　　⑫75, 76,

榮山浦(榮山) ⑩248, 471,

寧朔鎭城[平安北道 天摩郡 西古里] ①181, ②245,

寧菩翁主→七點仙

迎仙店(西京) ⑩359,

營城 掃里 ⑧103,

營城 伊里干 ⑧103,

靈炤(僧統) ④192, ⑤9, 30, 124, 215, 253, 270,

榮孫(英孫, 女眞) ③78,

永壽節(興宗, 契丹) ②192, 200,

永安→承安 ⑥11(誤字),

永安縣(下枝縣) ①77,

靈巖寺(三嘉縣) ⑪101,

迎英殿→延英殿 ③151(誤字),

寧王(寧遠王 闊闊出, KöKöcu) ⑨38, 59,

寧王(阿都赤, Aduguchi, 闊闊出의 次子) ⑨125,

瑩原寺(密城) ⑨45, 76, ⑪44,

鵠原城(雉嶽山) ⑧238,

永柔縣 ⑩8,

迎恩館 ⑤116,

永膺縣令官(←鹽州) ⑥144,

榮儀(榮緯, 宦官) ④235, ⑤23, 25, 75, 117, 119
　　(被殺, 武臣亂),

領仁(重大師) ④262,

迎日邑城 ⑫101, 142,

瑩岑(僧) ⑥20,

影殿(正陵, 王輪寺)a ⑩305, 323(罷), 363(復修),
　　372, 384, 385, 420,

影殿(正陵, 馬巖)b ⑩322, 323, 335, 345, 363(罷),

令傳寺[靈泉寺] ⑪372,

永井久美男(日本) ③124, 125,

英宗(趙曙, 宋皇帝) ②309(卽位), 322,

英宗(碩德八剌, Side Bala, Sidibala) ⑨102, 118,
　　127, 152, 153(遇弑, 南坡之變, 南坡店, 上都
　　西南方 30餘Km), 258, 292,

寧宗(懿璘質班, Yilinzhiban, 明宗의 次子) ⑨233
　　(卽位後 1個月 24日 崩御, 7歲),

寧宗妃 恭聖仁烈楊太后(南宋) ⑥287,

寧州[遼寧省] ④29,

靈州(枇峴郡) ⑤218,

永州(永川) ⑥290, 301,

穎州[安徽省] ⑨400, ⑩15,

英州→三散(蒙古) ⑥455,

英俊(寂然國師) ①178, 185, 302, ②46, 106(立碑),

靈昌→令昌坊 ⑩211(誤字),

靈泉寺[令傳寺] ⑪372,

穎川侯(傅友德) ⑩415,

靈椿(重大師) ⑤66,

穎緇(僧統) ⑤146,

靈通寺 ①17, 18, ⑤297, ⑨43,

迎坡驛(→興義驛)　②81,

寧波戍(烈山縣, 江原道 高城郡 縣內面)　②246,

永平路(永平府, 河北省 盧龍縣)　⑩240, 245,

寧海縣[浙江省 寧波市 管內]　①16,

永玄(中原出身, 華僧)　①187,

映湖樓(瑛湖樓)　⑧279, ⑩170,

永和公主(潘王暠 王妃 訥倫公主?)　⑩325, 326,

永興君 環→王環

永興君 環妻 辛氏　⑫62,

靈興島(仁州)　⑥457, ⑦178,

永興寺(雞林府)　⑪141,

'禮記集說箋'　⑫219,

芮樂全　④219,

睿令兩殿　⑤97,

睿陵　⑥402,

睿謨殿(汴京, 宋)　③258, 259, 274, 276,

禮務佐郎→禮儀佐郎　⑪276,

藝文館　⑩321,

例物　③199,

銳方(藝方, 倪方)　①83, ②140,

猊普菴　⑩317,

禮賓省　⑥65,

'禮賓省牒'(1259年)　②420(1079年11月,→大宰府),
　⑥461(1259年3月,→宋慶元府),

禮賓寺→禮賓省　②312,

禮山鎭(禮山縣)　①52,

'禮成江圖'　④27,

芮城君→藥城君(石文成)　⑩266, 267,

芮城君(朴元)　⑩267,

禮安縣　⑪42, 67,

藝言　①159,

芮英達　⑩42,

禮儀司[禮部]　⑩341,

禮儀推定都監(禮儀推定色)　⑩36, 205,

禮任(理任)　⑩70,

藝祖(秇祖)　⑤284,

睿宗(俁, 裕陵)　③149, 151(卽位), 321(45歲), ④5,
　22,

睿宗妃 李氏(延德宮主)　③296(李資謙의 第2女),

睿宗妃 崔氏(淑妃)　⑤244,

預州(定州)　③273,

豫州(定州)　③278,

亏哥下(于加下, 溫知罕, 將帥, 金)　⑥135, 147, 169,
　170, 191, 208, 211, 282(于加下), 283(々), 324,

五角→左角星, 大角星　⑥375,

吳激(金使, 宋 吳拭의 子, 米芾의 壻)　④168,

吳季南　⑩268, 412, 413, 421, ⑪133, 222,

吳季儒　⑨230,

五庫→五軍　⑧394(誤字),

五皷(五更)　⑩211,

烏古論(吾古論)氏　⑤80, 134,

烏骨論守貞(烏古論三合, 金)　⑤80,

烏古論仲榮(烏古論思列, 金)　⑤134,

五穀　①219, ③288,

蚊蚣山[蜈山]　⑪92,

五官(五行神)　①250,

五冠山　⑤297,

吳廣(秦)　⑥15,

吳光禮　⑧43,

吳光允　④255,

吳光札　⑧113,

吳光陟　⑤92, 110, 171, 173, 186, ⑥243,

五國城(五國頭城, 黑龍江省 哈爾濱市 依蘭縣의 西
　北)　④67,

五軍　⑨329,

五軍別號→五軍別抄　⑤182,

五軍元帥→五軍兵馬使　⑥131,

五敎　①250,

五敎兩宗　⑨311, 332,

吳克忠　⑩450, 470,

134, 250,

吳安持(宋) ③6,

烏也島 ⑧252,

吾也而(吾也兒, Uyer, 蒙古) ⑥329,

吳良遇 ⑦28, ⑧195, 309, ⑨114,

吳良祐→吳良遇 ⑧309(誤字),

吳彦 ⑪155, 185, 208,

吳偃棧 ⑩341,

吳演 ⑧381, 407,

吳延寵 ③130, 176, 177, 189, 192, 193, 194, 195,
    202, 229, 269,

吳悅(蒙古) ⑥322,

吳王(北元) ⑩328, 344, 355, 386,

五王(張柬之, 崔玄暉 等, 唐) ⑫88,

吳容燮 ⑪204,

吳元卿 ⑤9, 46, 108, 123, 156, 176, 179, 185, 187,
    190, 212,

伍尉(校尉, 尉) ②219,

吳越國[吳] ①53, 72,

伍允孚 ⑧6, 21, 44, 58, 168, 172, 391(太史局 出
    身, 精於占候),

吳乙濟 ⑫66,

吳應夫 ⑥64, 119, 202,

吳應富→吳應夫 ⑥119(誤字),

吳應天→吳應夫 ⑥64(誤字),

吳毅 ⑩387,

吳仁永 ⑥134, ⑧346,

吳仁節 ⑦174,

吳仁正 ④23,

吳仁澤 ⑩228, 231, 233, 253, 313, 314, 315(被殺,
    杖配思利城烽卒, 尋死, 辛旽),

吳一順 ⑨106,

吳一鶚 ⑪5,

吳日就 ④275,

吳子宜(→吳祁, 吳潛) ⑧20, 102,

吳潛→吳祁

五臟 ②294,

'五臟論'(散失) ②294,

吳迪(宋商) ④173,

吳迪莊 ⑥355,

吳挺珪→吳挺圭 ⑨23(誤字),

吳挺臣(吳偆의 祖) ④37, ⑤117,

五帝(五方上帝) ①250, 260, ③117,

吳偆(吳挺臣의 孫) ④37, ⑤117, 124, 131, 153, 171,
    316, 321, ⑥11, 47, 48,

吳中陸 ⑩35, 377,

吳仲華 ⑩395, ⑫6,

吳志宏(中國) ⑨349,

烏至忠(金) ④47, 48,

吾叉浦(長淵) ⑩129,

'吾處鏡'[아즈마카가미] ⑬76,

吳闡猷 ⑤278, 304, ⑥68, 154, 231, 239, 250, 315,

'五天竺國圖' ④265,

五聽 ①214,

吳抄兒志(元) ⑪47,

吳忠佐 ⑪307, ⑫21,

奧平昌洪(日本) ①294, 311, ⑩99,

吳學麟 ②171,

吳漢卿(→吳詗) ⑦35, ⑧262, ⑨10, 80(寬簡無華),

伍咸庶 ③49,

五行神(五官) ①250,

吳軒 ⑥462,

吳奕臨 ⑨290, 364,

吳縣[江蘇省] ⑧395,

吳玄良 ⑧384, 395,

吳賢良→吳玄良 ⑧395(誤字),

吳詗→吳漢卿

吳洪哲 ⑩471,

吳鴻淸(中國) ②28,

吳孝元 ④271,

玉果縣　⑪117,

玉飢香(藝妓, 伽倻琴 名人)　⑥246,

玉代　⑤174

'玉龍書'(道詵密記)　③158, ⑫142,

'玉龍秘記'(道詵秘記)　⑫142,

玉斯溫　⑫66,

玉山(玉山城, 運州)　①75,

玉呂魯(月兒魯, 玉昔帖木兒, Usu Temur)　⑧231,

玉田達蘊→達蘊

玉頂兒(玉頂子)　⑩378,

'沃州誌'[珍島邑志]　⑬19,

玉之(流球國 使臣)　⑫145,

玉泉寺a[固城郡 介川面]　⑥385,

玉泉寺b(湧泉寺, 琵瑟山)　⑦30,

玉泉寺c(玉川寺, 桂城縣, 靈山縣)　⑩265,

蘊光(僧)　⑥307,

瘟神(五瘟使者)　③103,

溫神→瘟神　③107,

瘟疫(염병, 장티부스, 疫疾)　③103, 202,

溫州[浙江省 溫州市]　①312, ④135,

兀剌山城　⑨298,

兀剌之役　⑩397,

兀良哈(오랑캐, wuliangha, 蒙古殘餘勢力의 西女
　眞 酋長)　⑫215, 218, 240, 241,

兀惹(烏惹, 溫熱, 女眞, 渤海遺民)　②147,

兀愛(Ölei, 永寧公의 第3子)　⑧261,

雍州[陝西省]　⑥307,

瓦所　⑫26,

窩闊台(우구데이, 鐵木眞의 第3子, 太宗, 蒙古)
　⑥116, 244(卽位), 322, 331, 352, 365,

完顏匡(耨盌溫都說, 金)　⑤292, 293,

完顏克忠(移剌撻不也, 金)　⑤288,

完顏亶(合剌, 虎水, 阿骨打의 嫡孫, 熙宗, 金)　④146
　(卽位), 151, 205(避諱 亶字), 213, 259(遇弒), ⑥
　206(女眞小字),

完顏德溫(完顏達紀, 金使)　⑤39,

完顏亮(廸古乃, 廢帝, 海陵王, 金)　④253, 259(卽
　位), ⑤24, 36, 47, 48(40歲), 64,

完顏立(金)　⑥57,

完顏麻達葛(章宗, 金)　⑤277, 307, ⑥77(41歲),

完顏部(女眞, 金)　③132,

完顏三勝(永明, 金)　⑤238,

完顏素蘭(官人, 金)　⑥148,

完顏守緖(哀宗)　⑥196(卽位), 292(自盡),

完顏珣→完顏吾睹補(宣宗)

完顏述(金)　⑤280,

完顏承麟(末帝)　⑥292(卽位, 遇弒, 亂軍), 金 滅亡
　(1234年1月),

完顏臣(完顏㐌, 金)　⑤288,

完顏阿骨打(阿骨打)→太祖(金)

完顏阿里不孫(官人, 金)　⑥148,

完顏葉魯(金)　⑥205,

完顏永濟(衛紹王, 金)　⑥77(卽位), 78, 101(遇弒),

完顏吾睹補(完顏珣, 昇王, 宣宗, 金)　⑥101(卽位),
　105(南遷, 避蒙古軍), 148, 196,

完顏烏祿(褒, 雍, 世宗, 金)　⑤47, 64, 65, 81, 88,
　111, 121, 132, 277,

完顏兀古出(金)　⑤48, 64,

完顏元宜(金)　⑤48, 64,

完顏愈(金)　⑥19,

完顏惟基(金)　⑥94, 95,

完顏子淵(完顏胡土, 東眞)　⑥152,

完顏章(金使)　⑤87,

完顏靖(金使)　⑤101, 127,

完顏宗禮(金使)　④198,

完顏宗安(完顏宗海, 金使)　④247,

完顏持正(完顏麻潑, 金使)　④280,

完顏玩(完顏蒲涅, 金)　⑤148,

完顏華(完顏進兒, 金)　⑤238,

完顏希尹(金)　⑥205,

完者禿(Öljeitu, 桂陽路總管, 高麗人) ⑨150,

完者帖木兒[Öljeitu, Temur] ⑩311,

宛平縣(大都, 元) ⑨93, 391,

完澤(Öljei, 右丞相) ⑧273, 276, 292, 334,

汪家奴[Onggiyaliu] ⑩67, 70, 78,

王可道→李可道

王可仁(女眞, 李成桂의 幕下, 遼東千戶) ⑫117, 161,

王侃(安慶侯 侃→安慶公 涓) ⑥390,

王鑑(忠宣王의 長子, 宜忠, 鑑) 宜忠, ⑧328, 鑑,
　　⑨33(被殺, 上都, 忠宣王),

王康(順安君 王昇의 子) ④138, ⑩387, ⑪101, 327,
　　⑫110, 135, 211, 212, 264,

王暟(開城侯 暟) ②307,

王擧 ①168,

王建(唐, 詩人) ⑪212,

王冏(永福君 冏) ⑫239,

王璥(平安公 璥) ⑤179,

王暭(大寧侯 暭) ④102, 269, ⑤23,

王璟(淸河公 璟) ⑦10,

王京等處管軍萬戶府萬戶 ⑧265,

王昷→瀋王

王公化(圓山里 陶工行首, 992年) ①274,

王觀(官人, 元) ⑨145, 147, 149,

王光純 ⑤101,

汪廣洋 ⑩415,

王光就(宦官) ⑤119(被殺, 武臣亂),

王僑(通義侯 僑) ③300(尊賢好士),

王構(官僚, 元) ⑦200, ⑧428, ⑨37,

王國髦 ③65, 71,

王國昌(官人, 蒙古) ⑦90, 104, 140, 150, 152, 162
　　(義安郡, 昌原市),

王規(←咸規) ①101, 108, 132, 133, 135, 136, 145,

王珪 ⑤157, 174, 178, ⑥47, 63, 238,

王眹(漢川君) ⑪53(遭雷擊死, 遭落雷死),

王鈞(定原君 鈞, 恭讓王의 父) ⑫78,

吳克忠 ⑩470(被誅),

王兢 ①161, 162, 164,

王基(平壤公 基, 文宗의 弟) ②332,

王琪(守司空 琪) ⑥346,

'王代曆'→'王代宗錄'

'王代錄'→'王代宗錄'

'王代宗錄'(散失) ①20, 126,

'王代宗族記'(散失) ①20,

王度 ⑤213,

王燾(朝鮮公 燾) ③69, 96,

王燾→忠肅王(王燾)

王同穎(→王同顥) 同穎, ①295, 301, ②12, 46(被
　　擄), 同顥, 104(靜海軍節度使, 契丹),

王同僉 ⑩171,

王得明(遼東都司 軍官, 明) ⑪369,

王廉 ⑪254,

王輅 ①174,

王輪寺 ③137, ⑥343, ⑧112, 1170, ⑩333, ⑪321
　　(太祖影堂),

王隆(世祖) ①26,

王琳(王彬) ①246, 270,

王莽(前漢, 皇帝, 新) ②7,

王沔(廣陵侯 沔) ⑥102, 147,

王文統(宰相, 蒙古) ⑦37, 38,

王璞a(咸寧伯 璞) ⑤253,

王璞b(永昌府院君 璞) ⑪109,

王昉(順安君 昉) ⑫81, 133,

王伯 ⑧363, ⑨128, 261, 294, 400,

枉法 ①213,

王輔 ⑤87,

王保保→擴廓帖木兒[KöKö Temur] ⑩264,

王福命 ⑪184, 268,

王福海(←潘福海, 賜姓) ⑪357,

王逢規(康州 豪族) ①73,

王逢辰(宋) ⑤241,

王顥(肅宗의 初名)→肅宗

王瑀(定陽君 瑀, 恭讓王의 弟, 李芳蕃의 丈人) ⑫79, 147, 217, 241,

王右丞→王哈剌不花(王Qara Buqa)

王旭(太祖의 子, 光宗의 弟, 成宗의 父) ①181, 193, 207(追尊戴宗, 泰陵),

王郁(太祖의 子, 顯宗의 父, 追謚安宗) ②8, 271,

王運→宣宗

王昱→獻宗

王悝(官僚, 蒙古) ⑦20, 37,

王源(廣平公 源) ⑤108,

王元德(金) ⑤277,

王瑋(守司空 瑋) ⑥128(好賢樂士),

王樟(官僚, 明) ⑩357,

王儒[王仲儒] ①90, 92, 102,

王愉(辰韓侯 愉) ③99,

王維(咸寧侯 維) ⑧312,

王瑜a(慶昌府院君 瑜) ⑩336,

王瑜b(永寧公 瑜) ⑪6, ⑫74,

王瑜(守司空 瑜) ④193,

王猷 ⑥251,

王琇(淳化侯 琇) ⑩149,

王維紹 ⑧195, 256, 332, 341, 391, 404, 405, 413, 414, 416, 420(被誅, 大都),

王胤 ⑥418,

王融 ①156, 158, 176, 185, 186, 187, 196, 200, 203, 233, 236, 239, 250, 257, 281, 282,

王愔(卞韓侯 愔) ③22,

王義a ④43,

王義(德豊君)b ⑩292,

王儀 ⑤323, ⑥22,

王絪(始安公 絪) ⑧19,

王子(耽羅土官) ①110,

王滋(守司空 滋) ③107,

王滋(江陽公 滋, 忠宣王의 異腹兄, 瀋王 暠의 親

父) ⑧99, 171, 429,

王字之 ③63, 246, 255, 256, 285, 301, 306, 319, ④43,

王岑(元) ⑦185,

王璋(守司空 璋) ⑤17,

王璋→忠宣王

王章 ⑪172,

王梓a(守司空 梓) ⑤80,

王梓b ⑩211(被殺, 興王寺變, 金鏞),

王著(宋使) ①238,

王寂(官人, 金) ①139, 147, ④275,

王恮→王佺 ⑥320(誤字),

王佺(新安公 佺) ⑥320, 324, 422, ⑦23, 32, 93,

王璼(新陽伯 璼) ⑥425,

王珙(瑞興侯 珙) ⑧358, 404, 413, 420(被誅, 大都),

王禎(王建의 孫, 孝隱太子의 次子) ②33,

王鼎a(狀元及第, 契丹使) ③50,

王鼎b ③93,

王侹(淮安公 侹) ⑥254, 263, 270, 271, 296,

王媈(中國) ⑧350,

王禛(承化伯 禛) ⑧39,

王政忠(宋使) ④91, 96(歸還), 114,

王正忠→王政忠 ④91(誤字),

王正彪 ④182,

王祚(慶原公 祚) ⑧95(宗室龜鑑),

王存 ③282,

王琮(守司空 琮) ⑥40,

王倧(順安侯 倧) ⑦50, 115, 186, 187, 189, 190, 194, ⑧171(江華縣 仇音島, 召還), 291,

汪宗沂(淸) ③164,

王佐暹 ②11, 46(奉使, 被擄),

王佐材 ④59,

王綧(永寧公 綧, 淳, 承化公 溫의 弟) ⑥315, 329, ⑦31, 37, 87, 88, 110, 115, 136, ⑧91, 172(瀋陽, 高麗軍民府總管)

王濬明[近侍] ⑥89(謀誅崔忠獻), 91(流配),

王重貴(奇轍의 壻) ⑩255, 302, 334, 349, 350(被
殺, 黃州, 恭愍王),

王重貴妻 奇氏(奇轍의 女) ⑪67,

王仲宣 ⑥444,

王仲儒→王儒 ①90,

王祉(昌原公 祉) ⑦44,

王之印 ③321,

王稹(寧仁侯 稹) ⑥173(保全德義),

王澂(帶方公 澂) ⑧30, 31, 176, 257,

王淐(←王侃, 安慶公 淐, 追尊英宗) ⑥390, 409,
⑦81, 82, 87, 100(卽位), 104, 105, 107, 113(歸
私第), 116, 119, ⑫164,

王昌瑾(唐商, 鐵圓 市廛人) ①39, 221, ⑦152,

王皞(高宗, 忠憲王) ⑤293, ⑥255, 261,

王寵之 ②247, 322, ③24,

王沖 ③234, 299, ④197, ⑤37,

王則貞(宋商, 博多居州) ②350, 420, 425,

王忱(樂浪君 忱, 文宗의 子) ②438,

王朵例禿(元) ⑩261,

王晫(神宗) ⑥6, 17, 19, 54, 55, 57,

王脫脫不花→瀋王 脫脫不花

王玼(始陽侯 玼) ⑦70,

王泰亨(元) ⑧346, 359, 360,

王八(僞開城副留守, 契丹) ②15,

王襃(漢) ⑥15,

王佖(上黨侯 佖) ③99,

王哈剌不花(王Qara Buqa) ⑩384, 385, 387,

王沆(壽春侯 沆) ⑥40,

王諧 ⑥34, 352(淸白善政),

王諴(宜春侯 諴) ⑧26,

王楷(中國) ⑨203,

王譓(廣平公 譓)a ⑧49, 107, 185,

王譓(德興君 譓)→塔思帖木兒

王晛→毅宗

王眩(平陽公 眩) ⑨13,

王晧→明宗

王好古(金使) ④219,

王忽察都[河北省] ⑨205,

王和→三和[三和縣] ⑦109,

王和(南平君 和) ⑫259,

王環(永興君 環) ⑩395, ⑫62,

王佺(太原公 佺) ③157, 317, 319, ⑤45(卒), 108
(廣平公 源의 誤謬?),

王曉欣(中國) ⑧126,

王煦a(→義天)

王煦b(←權載, 脫歡, Togon) ⑨69, 92, 119, 125, 142,
153, 324, 344, 345, 365, 369, 370, 386(剛正莊
重), ⑪63,

王琄(丹陽府院君) ⑨235,

王侯·將相[將相] ⑥14,

王塤(延德大君) ⑨160, 353,

王欽臣(宰相, 宋) ③45,

王興(王福命의 子, 善妃의 父) ⑪267, 354, 367,
⑫181(流配),

王熙→肅宗

王僖(永安公 僖) ⑦21, 51, 56,

王羲之(東晋) ③141, 291,

外家 ①129,

隈傑縣(位置不明) ①179,

外官祿(文宗30年) ②383,

外舅 ⑤146,

外別抄 ⑥304,

外山軍治(日本) ⑤306,

畏吾兒[畏兀兒, weiwuer, 回鶻, 維吾爾, Uyghur]
⑧322,

畏吾兒[畏兀兒, weiwuer, 위구르]文字 ⑧322, 323,

外兀朶(外斡魯朶, 外orda) ⑧79,

外院→外帝釋院? ⑥184, ⑨334,

外帝釋院 ②238, ⑥184,

外學(汴京) ③279,

倭館(金州 明月山, 釜山市 江西區 菉山洞) ②279,

倭反間(倭反間, 細作, 間諜) ⑪259,

倭俘 ⑩183,

‘倭變錄’ ⑬14,

倭船[倭舶] ⑨163, 393, 395, ⑩133, 222, 247, 347,
　　424, ⑪141,

倭賊 ⑨289, 290, 394, ⑩133, ⑪141,

倭賊巢窟[倭賊藪] ⑪321,

姚宏中(姚安道, 宋) ⑨101,

姚大力(中國) ⑧201,

耀德鎭(←顯德鎭, 咸鏡南道 耀德郡) ②355,

遼東都司[遼東都指揮使司] ⑪248,

遼東兵(明) ⑪275,

遼東細作 ⑪349,

遼東漕船[明漕船] ⑪341,

‘遼東行部志’ ①140, 148,

遼東行省(金) ⑥159, 160, 167, 216,

曜武校尉→耀武校尉[昭武校尉] ②262(避諱),

料物庫 ⑪211,

‘遼史’交聘表 ①50,

姚生(太醫, 元) ⑧261,

了世(圓妙國師) ⑥389, ⑧404,

姚燧(官僚, 元) ①125, ⑥465, ⑧428, 437, ⑨37,

姚邃→姚燧 ①125(誤字),

遙授職 ⑧247,

遼藩草賊 ⑪32, 260,

遼陽元寶 ⑨339,

遼陽行省 ⑦121,

遼陽行省兵[遼陽兵, 蒙漢軍] ⑩240,

腰輿 ⑤234,

了悟順之 ①26,

姚樞(官僚, 蒙古) ⑦37, 38,

要害 ①224,

遼海 ⑥115,

龍崗→龍岡[龍岡縣] ①31(誤字),

龍岡縣→龍岡縣 ⑤159(誤字),

龍岡縣 ①31, ⑤159,

用槩(用槩) ⑤140,

龍居實→姜居實 ⑪43(誤字),

龍口(龍の口, 다츠노구치) ⑧19,

龍宮縣[聞慶市] ⑩180,

龍女(作帝建의 妻, 王建의 祖母, 元昌王后) ①29,

龍德(年號, 後梁) ①55,

龍德(崔天儉의 女, 禑王妃)→淑妃 崔氏

龍頭寺(淸州) ①169(鐵筒, 幢竿),

龍屯(女妓, 禑王代) ⑪275,

龍門寺 ⑤76, 88, 146, 207, 247, 273,

龍門山(砥平縣) ⑪98,

龍門倉 ⑩188,

龍鳳(年號, 宋王朝, 南賊, 紅巾賊) ⑩74,

龍鳳茶(龍茶, 龍鳳團茶, 龍團鳳餅茶) ②412,

龍蛇之蟄 ③165,

龍山 ③115,

龍山德見(日本僧) ⑩133,

龍山元子(忠肅王의 子) ⑨295,

龍星(龍星座, 蒼龍宿) ③61,

龍成府院君→龍城府院君 ⑩58(誤字, 崔濡),

龍壽寺(永嘉郡, 安東市) ④235, ⑤87, 195, 219, 318,
　　⑥330,

龍安書院(密陽, 李堅幹) ⑨97,

龍安縣(←乃山銀所) ⑨136,

鎔嚴類 ①317,

龍嚴寺(龍嚴寺, 晋州班城) ①29, ⑨76, 86, 94,
　　95, 99, 108, ⑪101,

龍堰宮(龍德宮) ③266,

龍藏寺a(珍島) ⑦98, 133, 153,

龍藏寺b(江華) ⑩196,

茸長寺(慶州) ⑨238,

龍藏山城(龍藏城, 珍島郡 群內面) ②137, ⑥336

(改修), 337, ⑦133,

容積[斗量] 1碩=1石=1斛(15斗, 高麗時代) ②201, 261,

龍州[慶尙北道 醴泉郡 龍宮面] ①69,

龍州城[平安北道 枇峴郡 城東里] ②49,

湧泉寺(毘瑟山) ⑧142,

龍泉寺(順興) ⑪177,

龍虎臺a(大元蒙古帝國, 北京市) ⑨213,

龍虎臺b(契丹帝國, 混同江 春捺鉢, 黑龍江省 大慶市 隣近) ⑪249,

龍化院池 ⑧6,

龍化池(開京) ⑧375,

龍興寺a ①306,

龍興寺(昌寧縣)b ⑤180,

龍興節(金 廢帝 海陵王) ④264, ⑤8, 13, 16, 24, 28, 44,

于哥下→亏哥下

雨穀 ③141,

牛根靖裕(日本) ⑨93, 98,

牛頭山[湖北省] ⑦11,

盂蘭盆齋 ③165, 186, ⑩96,

盂蘭齋→盂蘭盆齋 ⑧184,

于陵嶋人(芋陵島, 羽陵島, 鬱陵島, 蔚珍縣 管內) ①315, ⑤26, ⑨347,

羽陵城主 ②158,

牛馬疫[牛瘟疫, 牛瘟, Rinderpest] ④200,

雨毛(雨白毛) ⑩436, 437,

雨木冰 ③214,

雨雹 ②39, ③255, 269, ⑧191, 211, 304, 320, 321, ⑨306, 309, ⑩40, 107, 303, 304, ⑪86, 131, 135, 153, 206, 277, 278, 301, 325, ⑫53, 130, 146, 147, 217, 256,

于邦宰(于學儒의 父, 張允文의 外祖) ④154, 245, ⑤5,

于方宰→于邦宰 ④245(誤字),

右邊指諭→右別抄指諭 ⑥449,

牛峰縣 ⑦190,

雨師 ②189,

雨絲[細雨] ②203,

于山國[鬱陵島] ②85,

禹山節 ⑨83,

禹相 ②260,

宇生建一(日本) ①291,

友壻(同壻) ⑪364,

禹成範(禹玄寶의 孫, 恭讓王의 壻) ⑫196, 270 (被殺, 李芳遠),

虞世南(官僚, 唐) ①143, ⑬39,

慮囚(慮內外囚, 錄囚) ②81,

佑神館 ③280,

于也孫脫[Uesunto] ⑦84, 85, 86,

宇野精一(日本) ②199,

于延超(宋使) ①196,

禑王(牟尼奴, 江寧府院君, 廢王 禑, 上王) 牟尼奴 ⑩269, 291, 391, 435, 禑, 443, 474, 476, ⑪5, 6, 禑王[廢王 禑], ⑪9, 18, 52, 61, 70, 77, 84, 88, 89, 90, 93, 112, 124, 129, 135, 140, 143, 145, 151, 152, 157, 160, 164, 165, 173, 177, 179, 187, 195, 196, 200, 201, 202, 206, 210, 211, 212, 215, 216, 225, 238, 239, 249, 298, 299, 251, 252, 267, 268, 270, 273, 278, 284, 291, 298, 306, 307, 309(冊封, 明), 310, 321, 324, 333, 336, 342, 347, 357, 364, 367, 368, 369, 370, 372, 374, 378, 380(遜位, 遷江華), ⑫5, 11, 31, 33(江華, 遷驪興郡), 55, 75, 77, 78, 83, 86, 88(遇弒, 江陵), 98, 109, 113, 271,

禑王 墓所(驪州 淸心樓 附近) ⑫75,

虞雲國(中國) ④268,

禹元齡 ②409,

于仁揆(于琔의 父) ⑥457,

元明(大師) ⑤297,

圓明寺(開城府) ⑪178,

原廟 ③162, ⑩210,

圓妙(僧) ⑥309,

轅門 ①36,

元鳳省 ①127,

元符(年號, 宋) ③93,

元傅(←元公植) ⑥309, 329, 339, 389, 444, 452, ⑦53, 81, 98, 115, 127, 137, 138, 155, 176, ⑧ 28, 70, 87, 116, 173, 188, 197,

爰絲(袁絲, 袁盎의 字, 前漢) ⑤248,

圓山里 靑瓷窯地[黃海南道 白川郡, 배천군] ① 273, 280,

元庠(元松壽의 次子) ⑪49, 117, 118, 130,

遠上人(えんしょうにん, 日本) ⑨184,

元善之(元卿의 子) ⑧197, 208, 311, 375, ⑨19, 30, 31, 63, 184, 216(處事安詳),

園城寺(엔조지, 比叡山 東南山麓, 滋賀縣) ⑨83,

元成殿 ⑧70,

袁世雄(張士誠의 參謀) ⑩249,

袁紹(後漢) ⑥258,

元松壽(元善之의 次子) ⑨216, 314, 326, ⑩178, 198, 238, 288(愼重名器),

圓嵒寺(全州) ⑩160,

元巖驛(元岩驛) ⑩194,

元良允 ⑥204,

元穎 ②12, 138,

元郁 ①281,

原栗縣 ⑥308,

員外郎(員外) ①44, 236,

圓應尊者→千熙 ⑪88,

元顥(元忠의 第3子, 邊安烈의 丈人) ⑨254, ⑩118,

圓爾弁円(日本) ⑥332,

元頤冲 ⑤83,

園田一龜(日本) ④61, ⑪330,

元貞(→元瓘, 元傅의 子) 貞, ⑦53, 71, 75, 115, 117, 141, ⑧176, 197, 223, 235, 236, 267, 瓘, 300, 335, ⑨19, 30, 85, 93,

元貞(年號, 元) ⑧280, 283,

元貞王后 金氏(成宗의 女, 顯宗의 妃) ②7,

元帝(司馬睿, 東晋) ⑫115,

'元帝姓牛'[牛繼馬後] ⑫114,

元照(大智律師, 宋) ③17,

元宗(倎, 禃, 韶陵, 忠敬王) 倎, ⑥160(出生), 297 (太子), 422, ⑦5(燕京), 15(京兆府), 20(卽位), 禃, 34(改名), 41元宗(倎→禃,) 43, 46, 47, 50, 51, 55, 57, 61, 62, 63, 66, 68, 71, 75, 76, 77, 78, 79, 83, 85, 88, 89, 91, 96, 100(林衍, 廢 位), 104, 110, 113(復位), 118, 120, 121, 122, 125, 134, 135, 137, 141, 146, 148, 151, 152, 157, 159, 162, 163, 166, 170, 176, 184, 186, 187, 191, 192, 201(56歲), ⑧5, 6, 24, ⑨37,

圓種(日本僧) ⑥69,

原從功臣(←元從功臣) ⑪272(準功臣, 朝鮮初期, 朱 元璋 避諱?),

元宗妃 金氏(敬穆賢妃, 忠烈王의 母) ⑥310(以太 子妃卒),

原州山城 ⑧237,

元中浦(金郊驛, 甘露寺 隣近, 開城府) ⑪278, 291,

元證衍→元徵衍

元之帖木兒→金完者帖木兒

元徵衍(元證衍) ①200, 275, 280,

元忠 ⑧311, ⑨41, 69, 92, 110, 158, 226, 241, 253, 254,

元冲甲 ⑧237, 238, 383, ⑨131(臨難忘身),

元泰 ②25(戰歿, 褒賞),

元統(年號, 元) ⑨236,

元版大藏經 ⑧163,

元豊(年號, 宋 神宗) ②408,

元沆 ③160, 222, ④256,

劉思怡(中國)　②0429,

劉錫→劉碩　⑤7,

劉碩　⑤6, 7, 9, 13, <u>14</u>,

庾碩　⑥114, 298, 299, 300, 302, 370,

兪晳　③86,

庾先　②188,

有暹→李有暹　②204(脫字),

流星　③181, ⑤219, 226,

劉成→劉成吉　⑨268(脫字),

劉成吉　⑨268, 282,

有誠法師(宋)　③16,

庾松栢　⑥213,

庾瑞→庾自惕

劉秀(光武帝, 後漢)　①259,

劉崇珪　①133,

兪升旦　⑤115, 282, ⑥93, 199, 213, 223(明宗實錄), 248, 277, <u>279</u>(工於古文),

兪承旦→兪升旦　⑥93(誤字),

兪承錫　⑥386,

乳市[油市]　①54,

劉式(宋使)　①268, 269, 275,

維新[惟新]　⑩211,

劉晏(唐)　⑫212,

乳岩(乳巖)　①54,

由岩坊(開城府 中部)　①54,

遊巖寺(留岩寺→佛恩寺)　①179,

兪汝諧　⑥432,

劉豫(官僚, 齊國의 皇帝, 宋)　④82,

劉溫叟(宋)　③94,

流外[流外人吏]　②196,

流隕　⑥99,

劉元順→劉公順　⑥22(誤字),

庾元義→庾資諒　⑤290(改名),

劉隱　①185,

庾應圭(庾弼의 子)　④281, ⑤120, 111, 125, 126,

137, 157, 161, <u>163</u>(操行貞固), 164,

流移文→流移民　⑪161(誤字),

流移民　⑪161,

流移人戶　⑪259,

庾益→庾翼　⑧314(誤字),

劉益(平章政事, 遼東地域)　⑩384, 408,

流人　⑥26,

劉仁本(方國珍의 參謀)　⑩237,

柔日　②220,

庾資諒(←庾元義)　⑤91, 290(元義), 324, ⑥111, <u>243</u> (事佛甚篤),

‘有子曰’→‘孔子曰’　⑫225,

庾自惕(←庾瑞)　⑧49, 133, 245, 263, 320, ⑨71,

劉綧(劉徵弼의 子)　②195,

劉焯(元)　⑨33,

劉莊　⑤95,

劉載　③91, 138, <u>292</u>(泉州人, 宋),

劉績(契丹使)　①307,

楡岾都監　⑨321, 337,

楡岾寺(高城)　⑨181, 247, 321, 355,

裕宗(蒙古帝國, 世祖 忽必烈의 長子)→眞金[Jimkin]

庾賙　⑧165,

儒州監務官→文化縣令官　⑥450,

劉俊勇(中國)　⑩468,

劉俊喜(中國)　③109,

劉志誠　②<u>191</u>,

劉璔　②85,

兪進　③63,

劉徵弼　②90, 109, 195, <u>207</u>,

兪暢　②111,

兪千遇　⑥191, 208, 219, ⑦35, 40, 99, 199, ⑧28, <u>38</u>,聰敏機變),

兪千遇(←兪亮)　⑥219,

庾超(叛逆者)　⑥168(杖, 蒙古),

劉秋霖(中國)　⑥265,

閏月　⑪224,

尹威　⑤172, 295, ⑥18, 33,

尹有功　⑥94,

尹有麟　⑪290, 292, ⑫134,

尹裕延　⑤47,

尹銀淑　⑪112, 342,

尹應瞻　⑥39, 68, 78, 91, 97, 102, 111, 154, 166, 235,

尹彝(尹有麟의 從弟, 思康→彝)　⑫134, 140,

尹仁祐　⑪91,

尹鱗瞻(尹彦頤의 子)　④117, ⑤38, 73, 83, 101, 139, 150, 153, 158, 159, 163, 170, 171, <u>174</u>(聰明穎悟), 323,

尹子固(尹彦頤의 子)　④210,

尹章(→尹昌)　⑥174,

尹莊　⑨304,

尹瑱a　⑤85,

尹瑱b　⑪302,

尹正衡　⑥406,

尹宗文　⑪254,

尹宗諤(尹鱗瞻의 子)　⑤<u>114</u>(被殺, 武臣亂),

尹宗諤(尹鱗瞻의 子)　⑤38, 42, 123, 153, 186, 187, 207, <u>270</u>,

尹宗誨　⑤174,

尹之哲　⑪292,

尹之彪　⑦180, ⑧155, ⑨205, ⑩67, ⑪<u>240</u>(通蒙古語),

尹珍　⑪225, 230, 331, 359,

尹質　①60,

尹徵古　①295, ②12, 47, <u>98</u>(裁決平允),

尹昌(←尹章)　⑥174,

尹陟　⑪<u>278</u>,

尹忠佐　⑩304,

尹就　⑩387, ⑪300, 302, 343,

尹澤(尹龜生의 父)　⑨98, 122, 229, 235, 236, 263,

264, ⑩20, 108, 172, 258, <u>371</u>(布被弊席),

尹評　⑧232,

尹平壽　⑤90, 111,

尹諧(←尹諧a)　②435, ③29, 42, 98, 133, 232, 241, ④13, 20, 57, 148, 265, ⑤11, <u>12</u>,

尹諧b(尹澤의 祖父)　⑧105, 190, 237, <u>421</u>(臨事果斷),

尹侅　⑨298, 302, 315, ⑩450, ⑪<u>64</u>,

尹奕　⑨85,

尹賢　⑨245,

尹虎　⑩450, ⑪191, 208, 303,

尹桓　⑨285, 299, 302, 305, 317, 380, ⑩49, 258, 272, 318, 332, 391, 428, ⑪70, 85, 97, 123, 166, 197, 203, 259, 303, <u>326</u>(風儀秀偉),

尹桓妻 柳氏　⑩<u>263</u>,

尹孝(金)　⑥52,

尹孝宗　⑩40,

尹會宗(尹紹宗의 弟)　⑪83, ⑫75, 86, 143,

윤희봉　④262, ⑥61,

율리우스曆　①29(1年=365.25日),

融觀　③95,

融大(金融大?)　①322,

戎器都監　⑥188,

隆福宮(大都)　⑧299,

隆安[吉林省 農安縣]　⑥117,

隆興(年號, 宋)　⑤61,

隆興路(隆興, 江西省)　⑧161,

儀衛[帝王]　⑤51,

懿靖王后(義靜王后)　⑥94,

狁(은)→狄(적)　①52,

銀(南音)　⑥74,

銀器匠(銀工)　③124,

銀臺南北院　②5,

隱陵(獻宗, 位置不明)　③67,

恩免　①310,

銀瓶[闊口]　③111, 112, ⑤43, ⑧171, 172,

恩賜及第　①302,

殷世忠(杜世忠)　⑧19, 105, 113, 133,

隱食　③37,

殷實(元)　⑧245,

殷元中(殷元忠)　③322,

銀錢　⑩98,

銀朱(朱砂, 丹沙)　⑪127,

銀川翁主　林氏(砂器翁主, 忠惠王妃, 慶妃)　⑨295,
　312, 315, ⑫41慶妃,

銀牌(銀製虎符, 銀簡)　⑥196,

殷弘(蒙古)　⑦70, 72, 73, 74, 75, 76, 77, 78, 79,
　90, 91, 101,

乙密臺　③268,

蔭敍　⑥393,

蔭敍(唐)　②74,

霪雨(淫雨)　⑨246, ⑫138,

陰鼎　②437,

陰仲寅　⑤114(被殺, 武臣亂),

蔭戶　⑨105,

'淫酗肆虐'　⑫271(禑王),

應舉試→制科鄕試(明)

鷹島(타카시마, 打可島, 長崎縣 管內)　⑧141, 142,
　144, 147,

應曆(年號, 契丹)　①150,

鷹坊　⑧22, 97, 169, ⑨23, 329, ⑩426(復置),

鷹坊都監　⑧170,

鷹坊子(昔寶赤, 昔保赤, ibaruchi)　⑧45,

應付　⑩366,

凝石寺(竹州)　⑤117,

應劭(後漢)　①150, 192,

應順(年號, 後唐)　①94,

鷹楊軍→鷹揚軍　③242,

應昌府[內蒙古自治區 赤峰市 西部地域]　⑩358

臨事果斷(天秋太后, 景宗妃, 皇甫氏, 光宗의 女,
　幽陵)　①301, 314, 320, 321, 326, 328, ②5, 128,

應天府(江浙行省 建康路, 集慶路, 南京市)　⑩79,
　327, 392,

應天節(←仁壽節, 顯宗)　②153,

義谷驛(雞林府)　⑪144,

醫官　③150,

義光(正覺首座)　④14, ④221, 245, 252, ⑤17, 29,

義堂周信(日本僧)　⑪38,

衣對→衣襨　③64,

義烈祠(崔椿命)　⑥374,

義陵(穆宗改陵)　①327, ②41,

宜陵(顯宗妃 金氏, 元平王后)　②127,

懿陵(忠肅王)　⑨264, ⑩356,

懿陵(順靜王后 韓氏, 恭愍王의 後宮)　⑪58,

醫無閭山(醫巫閭山, 遼寧省 錦州市)　⑩367,

儀鳳樓→威鳳樓　①50(改稱),

儀鳳樓(威鳳樓)　④229,

儀法師(鳳山儀法師, 元)　⑧429,

義庇(利備)→利備　⑥45,

毅妃 盧氏(釋妃, 盧英壽의 女, 禑王)　⑪218, 223,
　226, 291, 302, ⑫21,

義相(新羅)　③114, ⑪88,

義旋(趙仁規의 子, 僧)　⑨325, ⑪191,

義宣軍→宣義軍　③34,

義成倉　⑨144,

義城縣　⑥25,

義順庫　⑪223, 307,

義安(昌原, 義昌縣)　⑦161, ⑧138, 163,

義塩　⑩430,

義勇軍　⑩448,

薏苡[율무]　②417, 418,

義莊　④25,

義寂(淨光大師, 吳越國)　①168, 169,

義濟庫　⑩172,

毅宗(昌, 徹, 睍, 禧陵)　④103, 105(改名徹), 124(太
　子册封), 233(卽位), ⑤116(廢位), 144(遇弑, 東京

李公壽→李壽

李公遂　⑧272, ⑨284, ⑩66, 152, 183, 190, 209,
　210, 219, 220, 222, 226, 228, 238, 251, 255,
　262, 267, 275, 284(臨事剛毅), ⑪63(宗廟配享),

李公升(李椿老·桂長의 父)　④282, ⑤15, 31, 33,
　40, 48, 106, 124, 166, 234(不事生産),

李公允　⑥201(被殺),

李公儀　④43,

李公著　③8,

李公靖(李子晟의 父)　⑤300, 301,

李公柱　⑥376, 440,

李公弼　⑤201,

李瑄(李縚)　⑧289, ⑨133,

李冠珎　③201,

李匡(那衍, noyan, 宦官)　⑪240, 289, 302, 346, 361,

李匡祿(刺史, 興遼國)　②139,

李光甫a　⑥33,

李光甫b　⑪371, ⑫21,

李光逢　⑨104,

李光順　⑨187, 195,

李光時　⑨34,

李光挺　⑤92, 115, 180, 214, 235, 243, ⑥243,

李光瑨　⑤191,

李光弼(李寧의 子, 畵師)⑤247,

李瓊　②214,

李宏　③118, 119,

李嶠　⑩153, 159,

李球(南延君, 朝鮮)　⑤177,

李玖　⑩42, 176, ⑪80, 347, 350,

異國人　①289,

'異國出契'　⑦101, ⑩294,

異國牒→高麗國牒狀(高麗牒)

李軍(中國)　①266,

李君伯　⑥462,

李君式　⑥314,

李君侅(→李嵒, 嵓, 李岡의 父)　君侅, ⑧20, ⑨70,
　205, 223, 229, 230, 290, 嵒, ⑩140, 141, 169,
　187, 220, 250(謹守繩墨), 276, ⑪21,

離宮→別宮　①70,

李權　⑨400, 401, ⑩33, 56, 69(戰死, 張士誠討伐,
　揚州路 六合城),

李軌(←李載)　③104, 194, 211, 294,

李龜禱→李龜壽　⑤17(誤字),

李貴生(李琳의 長子)　⑫134, 149, 181,

李龜壽a　⑤17,

李龜壽b　⑩189, 242, 257, 261, 264, 266, 289,

李龜哲　⑪208,

李樛　⑧201, 232,

李奎報(←李仁氏)　③137, ⑤104, 142, 186, 267,
　278, ⑤282, 313, ⑥17, 20, 21, 33, 45, 46, 56,
　62, 71, 75, 92, 94, 101, 108, 109, 130, 145,
　151, 154, 160, 171, 173, 175, 181, 185, 195,
　196, 200, 202, 204, 210, 215, 223(明宗實錄),
　233, 234, 250, 252, 253, 259, 265, 271, 272,
　274, 278, 280, 281, 289, 291, 293, 296, 297,
　300, 303, 305, 306, 310, 311, 318, 320, 326,
　330, 331, ⑩328,

李均　⑪49,

李克墩(朝鮮)　⑥98('都統所印'),

李克方(契丹使)　②102,

李克俏(李克修)　⑥165

李克松　⑥303,

李克仁　⑥43, 200, 230,

李克濟　⑪49,

伊金(固城妖民)　⑪229,

李金剛　⑩234, 378,

李奇　⑦186,

李碁　⑪49,

李基東　①156, 177,

李基白[餘石]　①46, 99, 231, ②52, 222, ⑨108, 112,

李琳(李仁任의 姑從四寸弟, 禑王의 丈人)　⑪81, 96, 116, 135, 162, 269, 293, 348, ⑫5, 39, 57, 63, 67, 78, 123, 134, 149, 181(流配, 忠州, 尋病死), 201,

李林甫(宰相, 唐)　⑪359,

伊萬里灣[이마리灣, 佐賀縣]　⑧142,

李晩秀(朝鮮)　⑨399,

李蔓實　⑪335,

李孟畇　⑪302,

李孟潘　⑪254,

李孟畋(李穡의 孫)　⑪227,

李孟畯　⑫244, 257,

李鳴鶴　⑤136,

李蒙古大[Munggu Dai]　⑩207,

李夢遊　①247, 248,

李蒙戩　①277, 278, 299,

二廟[延世·東亞大學本]→一廟　②182,

李茂　⑪228, 284, ⑫40, 145,

李茂功　⑥201, 364,

李茂芳　⑨290, ⑩320, 413, ⑪15, 39, 157, 158, 165, ⑫57, 104,

李茂方→李茂芳　⑪15, ⑫57(誤字),

移問→移文問　⑤174, 278(脫字),

李文京　⑦136,

李文彦　⑧402,

李文著　⑤29, 46, 88, 123, 131, 133, 160, 170, 175, 185, 207, 213,

李文挺　⑨219,

李文中　⑤201, 232, 262, ⑥27,

李文冲→李文中　⑥27(脫字),

李文鐸　④238, ⑤48, 104, 123, 141, 172, 207, 216,

李文和(李琳의 壻)　⑪172,

伊勿城(交州)　①101,

李美子(中國)　②44,

李美智　②302,

李美冲(李美忠)　⑩391, 422, ⑪19, 337,

이민기　③95,

李敏道[河北省 河間市 出身, 譯官]　⑫113,

이바른　③235, ④36,

李磐(金)　⑤255,

李蟠　⑪254,

李昉　②11,

李芳果(李成桂의 2子, 定宗, 朝鮮)　⑪273, 357, ⑫55, 263,

李方蓂→李方茂　⑥249(誤字),

李方茂　⑥249, 314, 321,

李邦秀　⑥293,

李芳實　⑧318, ⑨253, 276, 316, ⑩9, 140, 143, 144, 145, 162, 163, 176, 177, 178, 181(被誅),

李方衍(→李瑱)　方衍, ⑥169, ⑦59, 以後 李瑱

李芳衍(李成桂의 第6子)　⑪302,

李芳雨(李成桂의 長子, 鎭安君)　⑪75, ⑫9, ⑬23 (墓碑銘),

李芳遠　⑪12, 227, 254, ⑫203, 204, 249(圃隱殺害張本),

李邦直　⑪289,

李邦翰　⑩76, ⑪40,

李芳坺　⑩201,

李伯兼→李伯謙　⑧384(誤字),

李伯謙　⑧384, ⑨131,

李伯卿　⑨86, 108,

李伯琪　⑧116,

李白貫　⑥201,

李伯脩(李伯修)　⑩390(被誅, 辛旽一黨),

李百順(李白全의 兄)　⑥273, 289, 293,

李伯順　⑪83,

李白全→李百全　⑥273(誤字), 295(々),

李百全　⑥273, 295, 325,

李伯全　⑪230,

李伯持　⑪302,

李伯帖木兒[Beg Temur] ⑨40, 67,

李白超(李伯超) ⑧335,

李邴(宋) ④25,

李玬 ⑧156, 218, 225(好獵),

李丙燾[斗溪] ①39, 48, 56, 61, 65, 104, 117, 122,
　143, 146, 221, 224, 263, ②118, 133, 140, 386,
　432, ③34, 63, 100, 111, 115, 118, 127, 159,
　190, 266, 272, ④37, 56, ⑤213, 267, 300, 308,
　⑥122, ⑦152, ⑧154,

李炳熙 ①225,

李輔德(李德基) ⑤215,

李寶林(李齊賢의 孫) ⑩66, 207, 222, 418, 450,
　456, ⑪25, ⑪35, 307(嚴毅方正). 308,

李福根(李芳雨의 子, 朝鮮) ⑪75,

李福基(李復基?) ⑤88,

李復基 ⑤112, 113(被殺, 武臣亂),

李福海(→李恬) ⑩201,

李鳳龍→李齊賢

李逢原 ④10,

李富 ⑤218,

李榑 ⑧195,

李阜 ⑩341,

李敷 ⑫249,

李汾成(→李榴) 汾成, ⑦100, 186, ⑧8, 10, 21,
　22, 23, 榴, 59, 61, 83, 84, 86(被殺, 沈海, 祖忽
　島, 洪茶丘一黨),

李衯成→李汾成 ⑧23(誤字),

李汾禧 ⑦100, ⑧86(被殺, 沈海, 白翎島, 洪茶丘
　一黨),

利備(義庇) ⑥45,

李彬 ①167,

李斯(秦) ⑩450,

李思敬(遼東都司 軍官) ⑪363, 369,

李師旦 ⑫37,

李思雅→李思溫 ⑨50(誤字),

李士穎 ⑫134, 202, 253,

李思溫 ⑨50, 62, 63, 124,

李士渭 ⑩154,

李師中(官僚, 宋) ⑤74,

李憻 ⑧394, 416,

李山甫 ⑦141,

利山縣 ⑤175,

李三眞 ⑨40,

李相國 ⑫164,

李相揆 ⑥206,

李商老 ⑤162, 261,

李上元 ⑩42,

李尙儒 ⑤275

李象廷 ②171,

李相勳 ⑪187,

李穡 ③159, ⑥369, ⑧74, ⑨177, 183, 290, 309,
　371, 380, 396, ⑩20, 41, 46, 47, 51, 52, 76,
　112, 115, 124, 125, 189, 202, 207, 215, 234,
　238, 267, 272, 274, 306, 307, 315, 317, 324,
　325, 342, 355, 371, 382, 386, 391, 397, 412,
　419, 428, ⑪5, 46, 99, 109, 112, 134, 136, 137,
　140, 141, 142, 143, 150, 157, 167, 176, 178,
　179, 181, 186, 190, 191, 193, 195, 198, 204,
　205, 214, 217, 232, 233, 239, 241, 242, 248,
　273, 282, 286, 287, 303, 315, 325, 326, 327,
　330, 348, 369, 377, 380, ⑫5, 20, 21, 37, 44,
　52, 57, 61, 63, 67, 72, 79, 81, 86, 110, 113,
　114, 118, 128, 134, 135, 145, 146, 149, 189,
　196, 201, 223, 224, 236, 253, 254, 255, 256,

李穡 肖像(韓山 永慕庵) ⑫272,

移書 ⑥270,

李瑞 ⑧187,

李舒 ⑩107, 117,

李瑞林 ⑤72, 105, 172, ⑥101,

李瑞行(宋) ③259,

李儀　⑤149, 151,

肄儀　⑧347,

李嶷　⑪374,

利義寺[永同郡 陽山面]　⑥198,

李義旼　⑤116, 141, 142, 143, 144, 145, 237(召還), 285, 303, 313(被殺, 崔忠獻, 1196年), 314, ⑥15, 30(族人),

李義方　⑤113, 114, 115, 116, 119, 121, 125, 140, 145, 146, 147, 152, 154(被殺, 鄭筠, 1174年), 157, 164,

利義寺　⑥197,

李義孫　⑦193,

李宜風　⑨114,

李宜顯(朝鮮)　⑩454,

李頤a　⑥45, 61,

李頤b　⑨300,

李珥(朝鮮)　⑩29,

李伊　⑫66,

李翊(朝鮮)　①25,

李益(達魯花赤)　⑦171, ⑧15,

李益邦　⑧43,

李益培　⑥384, 341, ⑧194, 223, 253,

李益淳　⑥201,

李益仁　⑩341,

李益柱　⑧290, 323, ⑪150,

李翼忠　⑤105,

李仁　⑥253,

李韌　⑩251, 387, 395, ⑪210,

李寅　⑪230,

李仁幹　⑥149,

李仁祺(→李藏用)　⑥171,

李仁吉(←李成柱)　⑨126, 207,

李仁旦　⑦26,

李仁老(←李得玉)　③263, ⑤210, 227, 282, ⑥20, 62, 170,

李仁立(仁復의 弟)　⑪90,

李仁敏(々)　⑩154, 354, 363, ⑪124, 254, 362(竄, 雞林府烽卒), ⑫134, 165,

李仁範　⑩154,

李仁甫　⑤114(被殺, 武臣亂),

李仁復　⑨182, 183, 187, 291, 298, 302, 391, ⑩32, 100, 107, 177, 178, 197, 207, 213, 255, 258, 272, 356, 371, 457, 463(以禮自持),

李仁成a　⑤185, 186, 209,

李仁成b(→李尊庇)　⑥379, ⑦28, 127, ⑧20,

李仁植→李仁桓　⑦12(誤字),

李仁實　③160, ④130, 165, 168, 238, ⑤7,

李仁榮　④92, ⑤65,

李仁榮　⑫219,

李仁任　⑩195, 208, 234, 235, 318, 325, 329, 347, 350, 391, 412, 465, 467, ⑪6, 11, 14, 20, 21, 22, 25, 40, 55, 71, 72, 74, 75, 77, 81, 85, 97, 99, 109, 140, 151, 166, 178, 179, 203, 205, 219, 220, 225, 232, 235, 252, 253, 259, 269, 280, 303, 304, 306, 309, 321, 322, 336, 341, 342, 344, 362(安置, 京山府), ⑫5, 6, 19, 40, 47, 50,

李仁挺　②221,

李仁挺　⑦78, 82, 190, ⑧35,

李仁和(李原景의 子)　⑩354,

李佋　⑥68,

異日(他日)　②275,

'以日易月'　①204,

李逸友(中國)　②48,

利子[利殖, 利息]　①229,

移咨(移牒)　⑪150,

李資謙(李子淵의 孫)　③240, 296, ④6, 8, 12, 24, 26, 33, 35, 39, 40, 41, 42, 43(安置, 靈光郡), 45, 51(卒於貶所, 1126年12月), ⑤118,

李子拱　⑫66,

李兆年(李褎의 父, 李仁復의 祖) ⑧186, 414, ⑨190, 220, 268, 274, 279, 283, 310 (剛直不撓), ⑩405,

李噂 ⑩106, 331,

李存斯 ⑪49,

李尊庇(←李仁成) ⑥379, ⑦86, 95, ⑧96, 100, 111, 112, 178, 196(好學能文),

李存性(李仁復의 孫) ⑩463, 464, ⑪242, 358,(被參, 林·廉一黨), 362,

李存吾 ⑩154, 280, 282, 386,

李琮 ①236,

李悰 ⑪148,

李宗規 ⑥171,

李宗器(金俊의 麾下) ⑦94(被殺),

李種德(李穡의 長子) ⑪347, ⑫254,

李鍾文 ④257,

李宗眧 ⑫176, 195,

李宗峯 ①147, 153, 169, 193, 210, 255, ②140, 195, 201, 228, 261, 264, 333, 334, ③6, 248, ⑤85, ⑦160, ⑨21, 391, ⑩422,

李種普(李穡의 第3子) ⑪230, ⑫254, 256,

李鍾學(李穡의 次子) ⑪49, 371, ⑫31, 61, 74, 81, 134, 196, 201, 250, 254, 256,

李從現 ②171,

李佳(李柱)a ⑤264,

李柱b ⑨296,

李湊 ⑧90,

李周禎 ①284,

李周佐 ②197,

李周憲 ②100,

李晙 ②285,

李俊 ⑨234,

李俊陽 ④235,

李俊儀(李義方의 兄) ⑤135, 114, 115, 135, 154 (被殺, 鄭仲夫),

李俊材 ⑤197,

李俊昌 ⑤229, 252, 312,

李仲(李文著의 父) ④60, 109, 169, 267,

李仲丘 ⑨35, 37,

李仲孚(李商老의 父) ④143,

李仲衍 ④111,

李仲元(金) ⑥44,

李仲諴 ⑤296,

李至 ⑩341, ⑪307, ⑫37, 147,

李之剛 ⑪230,

李智冠[架山] ①29, 45, 50, 56, 62, 82, 91, 101, 116, 125, 129, 141, 154, 178, 203, 268, 296, 306, 329, ②19, 46, 62, 224, 305, 317, 344, 421, ③83, 95, 241, ④195, ⑤9, ⑥339, 345, ⑨71,

李至光(李義旼의 第3子) ⑤317(被殺, 崔忠獻),

李知命 ④210, ⑤223, 226, 282, 286, 287(博覽群書),

李之茂 ④233, 240, 265, ⑤19, 80,

李之美 ③303, 306, ④32,

李知白(李智伯) ①278, 290, 299, ②161,

李知伯→李知白 ②161(誤字),

李知順(將帥, 契丹使) ②48, 117,

李至純(李義旼의 次子) ⑤290, 314, 317被殺, 崔忠獻),

李知深 ⑤10, 42, 75, 87, 114(被殺, 武臣亂),

李之深→李知深 ⑤10(誤字),

李至榮(李義旼의 長子) ⑤314(被殺, 崔忠獻),

李之柔 ⑫66,

梨旨銀所 ⑨252,

李之氐a(李公壽의 子) ③304, ④96, 173, 186, 216,

李之著→李之氐 ④96(誤字),

李之氐b ⑧61, 88, 98, 178, 229, 330, 390, ⑨37, 97,

李之正 ④219,

李之直 ⑪172,

李之泰 ⑩193, 196, 208,

仁同一視[一時同仁] ⑩262,

印得侯 ⑥58, 59, ⑥62,

仁陵(宣宗) ③57, 59,

仁明太后→忽都魯揭里迷失(Qutulug Genmisi, 忠烈
　　王妃) ⑧225,

人物推考·救急·鹽稅別監 ⑧244,

人物推考別監 ⑧33, 136,

人物推辨都監 ⑫219, 237, 238,

仁美(大師, 金山寺) ⑤189,

因幡國[이나바노쿠니, 鳥取縣] ①315,

仁奉(廣評侍中 歷任) ①189,

隣松院(愛知縣) ⑨151,

仁守→金仁沇 ⑨230(誤字),

仁壽節(→應天節, 顯宗) ②153,

人勝 ⑤138,

印承光(印侯의 子) ⑧232, 370,

印承旦(々) ⑩29, 97, 136,

人勝祿牌 ⑤138, ⑥313, ⑪335,

印安 ⑨298, ⑩61,

忍演(判天台宗事) ⑪101,

仁王道場(仁王般若百座大會, 三年一度) ②202, ⑥81,

'仁王般若經'(仁王護國般若波羅蜜經, 仁王經) ②
　　35, ③13,

仁勇校尉 ⑤8,

印元寶 ⑫20,

仁井田陞(日本) ①214, ②217,

仁濟院 ⑤285,

仁宗(趙禎, 宋) ②100(卽位), 309,

仁宗(構, 楷, 長陵) ③249, ④5(卽位), 40, 201, 218,
　　222, 223(38歲), 224, 233,

仁宗(愛育黎拔力八達, Ayurbarwada, 元) ⑧421, 426,
　　⑨23, 49, 83, 89, 97, 117,

仁宗御筆 ④201,

仁宗妃 任氏(明宗·神宗의 母) ⑤233, 234,

仁宗次妃 李氏(李資謙의 第4女, 福昌院主) ⑤310,

麟州→含仁鎭 ⑥182,

麟州城(古麟州城, 新義州市 送鵬洞) ②136,

'人天寶鑑' ⑧215,

'人天眼目' ⑩106,

印海 ⑪98, 99,

仁赫(大師) ⑥148,

人火(火) ①147,

印侯(忽剌歹, 忽剌帶, 忽剌台, 兀剌帶, Quradai, 印
　　承旦의 父) ⑧44, 以後 印侯 67, 110, 152,
　　159, 162, 169, 195, 201, 202, 233, 240, 247,
　　251, 266, 273, 281, 307, 338, 339, 341, 362,
　　⑨53(狂縱貪婪),

仁興社 ⑧91, 218,

日耕 ⑫164,

日記[닛키, 日本語] ⑬71,

壹岐島(一岐島, 이키지마) ⑧11, 139, 140, 142, 144,

日南至(日短至, 冬至) ①234, ②324,

一年(太陰太陽曆, 舊曆) 12個月 a.大盡 6個月, 小
　　盡 6個月, 354日. b.大盡 7個月, 小盡 5個月
　　355日 ②201,

日短至(日南至, 冬至) ②364,

一利川(一善郡, 善州) ①103,

一利川 戰鬪 ①103,

一牟山城[淸州市 壤城山城 推定]→燕山鎭 ①65,

一緡=錢100個[枚] ②420,

日本 ⑩289,

日本國 ⑥220(謝倭賊, 請互市),

日本國使→日本國師 ⑫11(誤字),

日本國船頭 ②355,

日本國王 ⑦79, 101, 157, 167, ⑧20, 104,

日本國皇帝 ⑩294,

日本曆 ⑥220,

日本民 ②191,

日本俘 ⑧194,

日本使者 ⑦170(彌四郞), ⑪199,

任光義 ⑫259,

任君輔 ⑩32, 283,

任奎→任克忠

林郊一 ③181,

任克正 ⑤31,

任克忠(→任奎) 克忠, ④278, ⑤81, 奎, 129,

林杞 ⑦35,

林基榮 ③92, ④89, 262, ⑥106, 251, 299, 303,
　　306, 311, 330, 345, 363, 379, ⑧19, 75, 233,
　　⑨227, 240, 389,

林寧(宋) ③13,

林大光 ⑩275, 280,

林大有(宋商) ④249, 273,

林德元 ⑥52,

林得侯→印得侯? ⑥62,

林羅山(하야시 라잔, 日本) ⑥196,

林明弼(林名必) ①43,

人物島(仁物島, 仁勿島)

任睦 ⑥435, 440, ⑦68,

林蒙古不花[Munggu Buqa] ⑩54, 63,

林民庇 ⑤24, 219, 241, 255, 273, 299(常寫佛經),

林密(明使) ⑩465, 466, 467, 469, 471, ⑪11(開州站),

林樸 ⑩154, 176, 220, 238, 256, 259, 295, 304,
　　306, 316, 325, 390, 391, 457, 464, ⑪6, 25, 63
　　(杖流務安, 途中被殺, 泄齋),

林畔驛(宜州) ⑥388,

任伯顏禿古思→伯顏禿古思

林炳泰 ⑥258,

任甫→任輔 ⑥136(誤字),

林葆 ⑥329,

任卜童 ⑫66,

任聘 ⑫138,

'臨事或折' ⑤317,

任瑞(←亏文伊) ⑨127, 137, 153, 251,

林栖筠 ⑫138,

任誠(明) ⑪127,

林成味 ⑪116, 184, 227, 254,

林遂 ⑤126,

任壽 ⑪341, ⑫259,

林淑 ⑩60,

任純禮 ⑫154,

林信(銀川翁主의 父, 釋器의 外祖父) ⑨329, ⑩
　　455,(被誅, 恭愍王),

臨安府(南宋)→杭州

林榦→林幹 ③91, 234(誤字),

林彥 ①73(王逢規의 使者),

林彥修(林堅味의 父) ⑪300,

任彥忠 ⑪134, 287,

林衍 ⑥443, ⑦12, 86, 94, 99, 100, 101, 103,
　　105, 106, 107, 110, 111, 112, 113, 115, 116,
　　117, 118, 119, 120, 122(執政, 病死), 123, 124,
　　127, 138, 139, 147,

任永齡 ⑤226, ⑥55, 107, 115,

任永岭→任永齡 ⑥106(誤字),

林靈素(道士, 溫州人, 宋) ④135,

林永軾 ⑥75,

林玲愛 ③39,

林永祖→林永軾 ⑥75,

林完(→林光, 進士, 漳州人, 宋) ③234, 244, 299,
　　④20, 23, 29, 32, 33, 134, 180, 186, 275, 279,

林完 ⑩419, 444,

林祐 ⑩335,

霖雨(久雨, 恒雨, 淫雨, 霪雨, 장마) ①142, ②
　　103, 219, 242, 276, 300, 431, ⑩360, 386, ⑫60,
　　137,

林元(元) ⑧393,

任元敳(任元厚) ④45, 133, 217, ⑤20,

林原宮(林原闕)→大華宮

任元濬 ①113, ④118, 171, 241,

林元通 ③86,

##

174, 179, 206,

'子卯不樂'[拘忌日] ⑥31, ⑩116,

紫微垣 ③216,

資福寺(楊根縣 奉日鄉)a ⑥69, 415,

資福寺b ⑥146,

慈悲嶺(岊嶺) ①277, ⑤163, ⑦108, 119,

刺史 ①283,

子山(僧) ⑨256,

孜西(大師) ⑨251,

子璿(長水子璿, 宋) ③19,

子城 ⑦184,

慈淑(僧) ⑥369,

資嚴(大師) ⑤87, 88,

紫燕島 ⑥9, 90,

紫雲 ③70,

紫雲寺[光州市] ⑤238, ⑥109, ⑫38,

慈恩島(靈光) ⑩453,

慈恩寺 ③158,

慈仁縣[慶山市 慈仁面] ⑥60,

慈藏(新羅) ⑪153,

藉田[籍田] ①231,

資政院 ⑧322,

資政院副使 ⑧322,

子弟衛 ⑩423, 451,

磁州城→慈州城 ②48(誤字),

紫草[지치] ⑥176,

自超[無學自超] ⑩49, 103, 351, ⑫67, 259,

'資治通鑑'(資理通鑑) ①16, ⑨79, 80,

紫霞洞 ⑨98, 277,

'紫霞洞'(蔡洪哲) ⑨277,

資幸(大師) ⑤20,

滋顯 ③95,

慈惠(鐵原 地藏寺僧) ⑪45,

自回(禪師) ⑧192,

鵲岬寺(淸道 雲門山) ①126,

作帝建(昕康大王, 景康大王, 王建의 祖父) ①19,

鸞食 ②270,

雜技(雜伎) ③121,

雜別賜→別賜祿

雜甫龜→田甫龜 ⑥185(誤字),

張幹(契丹使) ①293,

張柬之(宰相, 唐) ⑫87, 88,

長岬寺(淸州 靑塘縣) ⑤66,

藏經法會(藏經道場, 春6日, 秋7日) ②129, 202,
③259

長慶殿 ③151,

張慶姬 ①19, 124, 133, 146, 189, 204, 207, ②35,
61, 143, 439, ③149, 321, ⑥54, 90, 310, 465,
⑧44, 308, ⑩27, 263, ⑪8,

張洎(宋) ①109, 200, 201,

張桂 ⑧403,

張戒然 ⑦45,

張季烈 ⑦20,

張季凝(後晉) ①130, 137,

掌固 ③124,

長谷部樂爾(日本) ①280, ②370, ⑨296, ⑫176,

長谷寺(靑陽) ⑨179, 350,

張恭(張公) ⑧156,

張公允 ⑨235,

長公主[姊妹] ②163,

張光富 ⑤225,

張喬 ②106,

張九齡(宰相, 唐) ⑨101,

張國珍(張士誠의 參謀?) ⑩152,

張君弘(中國) ⑫8,

張珪(元) ⑧151,

張金龍(中國) ⑤51,

張及 ⑪230,

長鬐縣[浦港市 長鬐面] ⑩280,

張吉 ①80,

張佶 ⑦191, 194(葬事),

長寧公主 王氏(忠惠王, 德寧公主의 女) ⑩50, 350, 358, 359, ⑪99, 109,

長寧節(穆宗) ①303,

長湍 納鉢(波吾達) ⑪249,

長湍渡 ⑨338,

長湍府 ⑦53,

張端說 ①198,

張大本(蒙古) ⑦37,

張德良 ⑩341,

張東翼 ①29, 30, 44, 59, 72, 96, 130, 153, 157, 162, 178, 192, 237, 256, 263, 264, 291, 320, ②33, 52, 63, 82, 119, 153, 222, 243, 261, 365, 429, ③45, 51, 62, 73, 84, 100, 108, 147, 167, 254, ④38, 108, 109, 111, 113, 168, 202, 250, ⑤14, 44, 188, 189, 243, 292, ⑥11, 44, 62, 65, 66, 69, 94, 113, 118, 144, 171, 182, 188, 191, 217, 219, 222, 357, 369, 429, 449, 461, ⑦18, 34, 35, 47, 49, 55, 67, 79, 82, 101, 105, 118, 140, 157, 159, ⑧5, 23, 42, 48, 49, 80, 96, 97, 191, 192, 222, 236, 258, 259, 281, 293, 344, 361, 398, 417, 291, 344, 359, 378, 401, 403, 417, 419, 431, ⑨24, 32, 33, 37, 52, 59, 77, 78, 81, 83 88, 111, 117, 120, 152, 155, 169, 170, 180, 188, 191, 194, 204, 212, 214, 220, 230, 238, 241, 251, 258, 276, 278, 287, 290, 346, 372, 390, 395, 401, ⑩6, 45, 76, 106, 133, 148, 161, 187, 289, 293, 294, 303, 310, 335, 340, ⑪52, 100, 105, 112, 113, 131, 132, 133, 136, 154, 199, 214, 226, 239, 244, 275, ⑪344, 348, ⑫39, 195, ⑬49, 52,

張燈 ⑪206,

長樂宮[西京宮闕, 西宮] ②432,

張良守 ⑥62,

張良允 ⑥212,

張亮采(中國) ①50,

張令卿 ④57,

長岭殿→長齡殿 ③197(誤字),

長齡殿 ③197, 315,

長齡節(靖宗) ②174,

張令才 ⑤100,

章僚(南唐) ①164, 175,

長陵(仁宗, 長豊郡) ④223, 233, ⑤37,

張萬公(金) ⑤297,

長命寺[安城市 竹山面] ①297,

蔣崟 ③100,

張問 ⑨7,

張文謙(蒙古) ⑦37, 38,

張聞慶 ⑤136,

張文緯 ③201, 293, 298, ④140,

長文緯→張文緯 ③201(誤字),

臧文仲(魯) ⑧100,

張拔突(張禧, 將帥, 元) ⑧124,

張邦唱→張邦昌 ③217(誤字),

張邦昌(僞齊 皇帝, 宋) ③217, ④61(皇帝),

張方平 ⑪306, 317, 332, 346, 350,

張伯 ⑪272(以譯官知名),

張伯顏 ⑩418,

張帆(中國) ⑪71,

章甫[儒子, 儒生] ⑫249,

張補之 ⑪222,

張溥(明使) ⑪310, 312, 313, 314,

張彬(張芬) ①68(新羅使), 79(高麗使),

張瓚 ⑫66,

張思吉 ⑫144,

張師德(官僚, 宋) ②56,

張師說(張思說, 契丹) ③43,

張士誠(元末의 塩商, 高郵賊帥, 群雄, 誠王, 吳王) ⑩55, 59, 62, 109, 124, 125, 132, 137, 147, 148, 160, 193, 220, 249, 251, 253, 263, ⑫113,

長沙縣[高敞郡] ⑩280, ⑪95,

章山縣(→慶山縣) ②83, ⑥60,

獐山縣→章山縣 ②83(誤字),

長生寺 ③25, ⑧319,

長生浦[長省浦] ⑩10,

長生標 ③19,

張碩(張暉의 子) ⑧71, 285, 330, 337,

張詵(宋使) ④60,

張瑄(海商, 官人, 元) ⑧245, 292, 293,

張瑄(張舜龍의 子) ⑧232, 311, 370,

張世傑(將軍, 南宋) ⑧96(自盡, 南宋滅亡, 1279年
　2月),

張脩 ③102, 155, 234, 250, 311, ④234, ⑤21,

長守驛(長水驛, 永川市 新寧面) ②390, ⑪258,

張守智(元使) ⑧220,

張純亮 ⑥385,

張舜龍(←三哥, 回回人) ⑧44, 138, 149, 198, 254,
　311,

張崇(金使) ⑤63,

張升亮 ⑩30, 31,

張氏(張金莊, 禑王의 乳母)→金莊

長安[西安市] ①282, ⑧396,

長安寺 ⑨275, 355, 396,

張安世 ⑨338,

長巖(長岩, 舒川浦營) ⑩267,

長巖戌(舒川浦營) ⑪51,

張良允 ⑥213,

張侶 ⑪145, 221,

張汝猷(渤海系, 金使) ⑤298,

張易(蒙古) ⑦37,

張延祐 ②11, 48,

長淵縣(襄津縣) ①272, 299, ②233, ⑪91,

長延縣(忠州) ①299,

張英(中國) ⑤250,

張蘊古(官僚, 唐) ⑩437,

張芸 ⑧309,

狀元(壯元) ⑤19,

張元文→張允文 ⑥17(誤字),

長源亭(臨津縣 長浦, 開豊郡 開豊邑 옛 柳井洞)
　②281, ⑤41, ⑪201,

張元祖(張元組) ⑨104,

張暐(洪福源의 姪, 洪君祥의 從兄弟) ⑦174, ⑧
　287,

張渭男 ②82,

掌衛部(←內軍) ①167,

張裕 ⑥39,

丈六佛(丈六像) ①153,

張允文 ⑤5, 256, ⑥17, 43, 53, 70, 72, 89,

張允和 ⑫37,

莊義寺(藏義寺, 莊義寺, 三角山, 洗劍亭初等學校)
　②122,

張耳 ⑨253,

張弛 ⑫138,

張益明 ⑤130,

張仁甫(都綱, 元) ⑩125,

張仁順 ⑫136,

張仁祉 ⑨124,

張仁銓 ①275,

張鎰(←張敏) ⑥191, 234, 325, 356, ⑦36, 39, 46,
　57, 73, 92, 146, 199, ⑧13, 37(溫恭直諒),

張自牧 ⑤309,

張子秀 ⑪254,

張滋崇 ⑪230,

張子贇 ⑧403,

張子溫 ⑩328, 329, 343, 363, 396, 413, 421, 422,
　428, 433, 453, 473, ⑪9, 11, 314, 343, 366, ⑫8,

張自溫→張子溫 ⑪314(誤字),

帳殿(帳幕, 天幕, 波吾達로 建立된 行宮) ②273,

張戩 ⑨77,

張躋 ⑩341,

187, 197, 203, <u>204</u>, 266, 324,

<u>著觀</u>(僧) ⑥41,

著令 ⑩404, ⑫208,

猪山島[제산도] ①89,

佇遊 ③73,

猪田村(密城) ⑤304(民亂 罹災民 7千餘人 捕獲, 1194年4月),

瀦宅[破家瀦宅, 破墓瀦宅] ⑩236,

猪坂橋(猪板橋) ⑧137,

楮幣(楮貨, 紙幣, 會子) ⑫210, 257,

苧布 ⑨59, ⑩433,

楮貨庫(資瞻楮貨庫) ⑫210, 257,

<u>迪巨</u>(蒙古) ⑥261,

積慶公主(顯宗의 女, 孝靖公主) ②<u>137</u>,

積慶宮主(顯宗妃, 平陵) ②<u>135</u>,

積慶宮主 ③20,

赤氣[極光] ②44, ③33, ⑤184,

赤登樓(沃州, 沃川) ⑪234,

籍沒 ①37,

<u>翟方進</u>(前漢) ②134,

積善翁主 <u>柳氏</u>(金敬直의 妻, 金興慶의 母) ⑩384, 449,

積率→積卒[積卒星, 積卒陣] ⑤200, ⑥13(誤字),

適長→嫡長[嫡長子] ④13,

籍田(藉田) ①231, ⑧45,

赤田→籍田(藉田) ⑧45(誤字),

'赤地千里' ④135,

寂照寺 ⑨188,

赤族 ⑤315,

赤祲 ②44,

赤縣 ①286,

殿閣名 ④174(改稱, 1138年7月),

前間恭作(日本) ⑪344,

<u>田慶成</u> ⑥94,

전경수 ③6,

田穀(金使) ④198,

<u>田拱之</u> ①323, ②36, 46,

典工判書→禮儀判書 ⑪228(誤謬),

<u>全光宰</u> ⑥359, 361, 284,

<u>田起</u> ③282, ④15, ⑤9, 25,

全基雄 ①223, ③309,

箭內 瓦(日本) ⑧42, 106,

<u>田祿生</u> ⑨395, ⑩155, 159, 237, 256, 278, 287, 382, 386, 392, 443, 455, 465, ⑪6(禑王師傅), 15(々), 28(杖流, 途中死, 李仁任, 崔瑩),

典農司 ⑨22,

旃檀園(蔡洪哲) ⑨72, 98,

<u>錢大昕</u>(淸) ③65, ⑨64,

纏頭 ⑨119,

<u>田頭乞不花</u>(田豆乞不花) ⑨324,

'傳燈錄' ⑩160, 381, 419,

傳燈寺(江華) ⑧163,

全羅州道萬戶府(元) ⑧230,

全羅州道按察使牒 ⑥217, 220, 232,

<u>全亮</u> ⑥452,

氈廬[蒙古包, Mongolian yurt, gel] ⑥261,

<u>田盧</u> ⑧75,

旃檀(栴檀) ⑨277,

<u>田德祖</u>(大學生徒) ②435,

轉動政 ⑪73,

전룡철 ②24,

<u>錢鏐</u>(吳越王) ①72, 169,

典理佐郞→典理正郞 ⑧173(誤字),

氈幕[氈帳, 斡魯朶, ordu] ⑦190, ⑨172,

<u>田文胤</u> ⑦164,

田民計點使 ⑨45,

田民都監官 ⑪270,

田民辨僞都監 ⑪206,

田民辨正都監 ⑦96, ⑧218, 364, ⑩29, 36, ⑪361,

田民辨正別監[田民別監] ⑩47,

節度使　①283,

節度巡官　①155,

岊嶺(慈悲嶺)　①277, ⑤163, ⑦108, 119,

節付→郎付?　④159(誤字),

絶影島　①61,

節日(生日) 改定　⑤156, 157, ⑥31,

節日使　⑤13, 185, 209, ⑥22, 36, 63,

節制使(←元帥)　⑫54,

折中(澄曉大師)　①129(塔碑),

撿點軍→檢點軍　②395(誤字),

點軍色　⑪170,

占城(占波, Champa, 安南의 남쪽, 베트남 南部)
　　⑩357, 447,

點牛色　⑪301,

點奏　③186, ⑤193,

粘合南合(蒙古)　⑥322,

粘合重山(中山, zhan-he junsan, nian-he junsan,, 女
　　眞人, 蒙古)　⑥320, 321, 322, 323,

鄭可臣→鄭興

鄭可宗　⑩201,

正覺社(小白山)　⑨286,

靖康(年號, 宋)　④34,

靖康의 變(1126年閏11月)　④53,

靜江府[江西省]　⑨227,

政開(年號, 後百濟)a ①31,

政開(年號, 泰封)b ①37,

鄭居義　⑩321,

鄭傑→鄭倍傑

鄭謙　⑦35,

鄭坤　⑪326,

鄭公權→鄭樞

鄭公旦　⑧55,

丁公壽　⑥147,

鄭公秀　⑧232,

鄭公順　⑥36,

鄭公衍　⑨274,

鄭功志　②150,

鄭公扎　⑥35,

鄭過(鄭夢周의 弟)　⑫273,

'鄭瓜亭'　④270,

'貞觀政要'　①254, ②162, ④20, ⑪98, ⑫133,

鄭光　⑨355,

鄭光吉　⑪230,

鄭光道a　①81,

鄭光道b　⑩147,

丁光敍　⑤297, ⑥53

鄭光晳　⑥77,

丁光祐　⑤248,

鄭龜　⑧55,

鄭矩　⑪83,

鄭求福　①175,

鄭龜晋　⑪231,

鄭國儉　⑤194, 219, 293, 294, ⑥51

鄭國卿　⑩38,

鄭國鉉　⑩341,

鄭筠(鄭仲夫의 子)　⑤154, 204(被殺, 慶大升),

鄭均　⑥462,

鄭克恭(→鄭克永) 克恭、 ③141, 275, 克永, 295, 304,
　　306, ④61(明銳勤學),

鄭克溫　⑤84, 171, 174, 285, ⑥107(不露圭角),

丁克仁　①253, ⑥337,

鄭僅　③13, 31,

鄭奇柱　⑤209,

定難功臣→定祚功臣　⑫230,

鄭蘭鳳(宦官)　⑪309,

鄭南晋　⑪209, 210,

鄭訥生　⑪49,

鄭丹鳳　⑩449,

鄭達蒙　⑩341,

鄭澹(鄭道傳의 子)　⑫61,

定妃 安氏(恭愍王妃, 丁克仁의 女)   ⑩295, ⑪54, 109, ⑫5, 6, 77,

鄭庶→鄭元庶

政批[都目狀]   ⑪55,

政事令   ①316,

政事堂   ②180, ⑥238,

鄭思度(→鄭思道)   ⑨249, 287, 358, 400,

淨事色   ⑥457, ⑧21, 433, ⑪132, ⑫231(復置),

鄭思吾   ⑩387,

鄭士偶   ⑫196,

鄭相   ⑥240,

鄭尙   ⑪230,

井上隆彥(日本)   ⑦198,

正色   ⑥133, 294,

政色書記   ⑥205,

鄭敍   ④268, 269, 270, 271,

正宣(僧)   ⑥97, 100,

鄭僐(←鄭賢佐)   ⑧188, 363, ⑨167(性好釋典),

鄭墡謨   ②139, 304, ③274, ④126,

정선종   ③23,

鄭成   ②13, 23,

鄭成澤   ⑤73,

鄭世鬈   ⑤284,

鄭世臣   ⑥463,

鄭世雲   ⑨287, ⑩143, 169, 170, 175, 177(被殺, 開京, 金鏞詭計), 178, 180, 265,

鄭世裕   ⑤243, 248, 306, ⑥111,

鄭世俊   ⑤170,

鄭珆   ⑧301,

鄭紹宗(中國)   ⑧406,

鄭松壽   ⑥418,

鄭需   ⑫37,

鄭守剛   ⑤278,

鄭守琪   ⑨95,

井手誠之輔(日本)   ⑧192, ⑨33, 152,

丁守弸   ⑤176,

鄭守弘   ⑫137,

井宿[井, 東井]   ⑤74,

鄭肅文   ⑨13,

鄭叔瞻(鄭晏의 父)   ⑥111, 125, 129, 306,

鄭肅忠   ⑤101,

鄭淳   ⑥355,

鄭恂   ⑪172,

鄭襲明   ④137, 138, 221, 255, 261(自盡, 力學能文), 266,

鄭習仁   ⑩66, 283, ⑫223,

鄭習義→鄭習仁   ⑫223(誤字),

鄭承可   ⑪268, 270, 372, 378, 379, ⑫20(被誅, 崔瑩關聯),

丁承說   ⑧364,

鄭承五(鄭承伍)   ⑧156,

鄭承祖   ⑥170,

鄭承休   ①102,

鄭試   ⑦72,

鄭時   ⑧101,

丁臣桂   ⑩144,

鄭臣保(→鄭彪)   ⑦103

貞信府主 王氏(忠烈王妃, 江陽君 滋의 母)   ⑨112, 124,

鄭神勇(興化鎭將軍)   ②48, 53(戰死, 契丹), 60(褒賞), 90(褒賞),

鄭臣祐女 鄭氏   ⑪381,

淨心→妙淸

'程氏演繁露'   ①161,

正衙(正廳, 正殿)   ②241,

政案   ④104,

鄭晏(←鄭奮, 鄭叔瞻의 子) 奮   ⑥306, 晏, 329, 332, 336, 337, 338, 342, 344, 345, 350, 366, 380(白翎島, 被殺), 381, 403(奴婢),

靜眼(大禪師)   ⑨82,

鄭安校 ⑨95,

鄭安道 ⑪254,

楨幹→楨榦 ③89,

丁若鏞(朝鮮) ①213, ②87, ③160, ④68,

定陽君 瑈→王瑈

鄭良謨 ①280, ④223, ⑤25, 37, ⑥329, 402, ⑨296,
　　297, ⑫176, 195,

鄭良生 ⑩312, ⑫266,

正陽寺 ⑩279, ⑪46,

井彦深 ④219,

丁彦眞 ⑥44, 45, 48, 51, 54, 56, <u>109</u>,

淨業院 ⑨92, 155, ⑫6,

程與(遼東都指揮使司 百戶 明) ⑪297, 298,

鄭珤→鄭紐 ⑨331(誤字),

鄭珤→郭珤(密直提學) ⑩127(誤謬),

鄭珤(八川君) ⑪<u>33</u>(精曉音律),

鄭永鎬 ①203, 240, ②100, ③44, 54, ⑤215, ⑥
　　103, 312, 386, ⑫167,

丁午(國統, 國師) ⑧375, 412, 420, 423, ⑨8, 30,
　　45, 72, 76, 82, 84, 87, 101, 108,

鄭頵 ⑨98, ⑩<u>136</u>,

鄭溫(鄭也可拔都兒, 元) ⑦180, 181, 183,

鄭蘊(朝鮮) ⑬6,

鄭杕根 ③195,

定遼衛 ⑩410, 433, 473, ⑪40, 54, 161, 341,

鄭容秀 ②327,

貞祐(年號, 金) ⑥101, 145(仍舊), 156(々, 興定3年),
　　169(々), 174(々. 興定5年), 183(貞祐10年, 元光1
　　年),

鄭寓(←鄭瑀) ⑪35, ⑫140, 273,

鄭于澤 ⑧192, ⑨24,

鄭又玄 ①248,

鄭暉 ⑩107,

鄭云敬 ⑨219, 222, 232, 234, 321, ⑩14, <u>277</u>(榮州),

淨源(宋, 晋水淨源) ③16, 17, 18, 21,

貞元(年號, 金) ⑤6,

定原君 鈞→王鈞(恭讓王의 父)

鄭元寧 ⑤84,

靖原都護府→知原州事 ⑦117,

定遠大都護府→定遠都護府 ⑦105,

鄭元庇(→鄭庇) <u>元庇</u>, ⑩284, <u>庇</u>, 461, 467,

定遠鎭(鴨綠江東畔 高麗境內, 契丹城堡) ②54, 133,

定元侯→定遠侯(王弼, 武將, 明) ⑪342(誤字),

鄭元厚 ⑫38,

廷尉 ③39,

鄭儒 ⑥149,

鄭柔 ⑩66,

鄭愈 ⑩435,

正柔(大德) ⑨191,

鄭惟產 ②356,

正胤(胤嗣, 皇嗣, 皇太子) ①56,

鄭允耆 ⑧270,

鄭允宜 ⑦86,

鄭允興 ⑨112,

鄭恩雨 等編 ⑥320, 371, ⑦200, ⑧131, 244, 253,
　　366, 376,

鄭乙輔 ⑨121, 315, ⑩29,

鄭應卿 ⑥272,

鄭應喬 ⑧232,

丁應起 ⑤70,

鄭應文 ④40,

鄭顗 ⑥137, 289,

鄭義 ⑦48,

鄭毅→鄭顗 ⑥289(誤字),

鄭仁卿 ⑥426, ⑦10, 89, 102, 103, 112, 115, 121,
　　123, 131, 132, 139, 155, 157, 180, 186, 193,
　　⑧7, 8, 69, 103, 109, 119, 137, 160, 162, 167,
　　173, 178, 189, 195, 198, 202, 203, 204, 229,
　　236, 254, 260, 403, <u>408</u>(以譯官知名),

鄭寅妻 宋氏 ⑫<u>57</u>(被殺, 咸陽, 倭賊),

鄭一麟　⑥363,

征日本戰船(征日本船)　⑦194, ⑧175, 183,

征日本行省(征日本行中書省)　⑧169,

鄭任德　⑩435,

鄭子良　②82, 89,

鄭子璵　⑦124, 154, ⑧46(以譯官知名),

鄭子瑛→鄭子璵　⑧46(誤字),

鄭子厚　⑩152,

丁作鹽(永興鎭長)　②244,

鄭在元　②125,

鄭悰　⑪79, 230,

政轉動→轉動政　⑪73(誤字),

鄭漸(鄭沆의 兄)　④103,

鄭井　⑫37, 202,

鄭旌叔→鄭旌淑　④21(誤字),

鄭肇　⑪230,

鄭存實　⑤278,

定宗(堯, 安陵)　①61(出生), 132, 135(卽位), 137, 139,
　　141, 146(27歲),

靖宗(亨, 平壤君, 周陵)　②169(卽位), 222(29歲), 225,

鄭從(→鄭渾, 鄭之祥의 子)　⑫50,

鄭宗本(鄭夢周의 次子)　⑫252, 253,

鄭宗誧　⑥86,

鄭宗誠(鄭夢周의 長子)　⑫252, 253,

井宗厚　⑤42, 282,

貞州[開城市 開豊郡 豊德里 推定]　①35,

定住[Dinju]　⑩67, 68,

靜州鎭城[平安北道 新義州市 仙上洞]　②161,

鄭準→鄭准　⑥404(誤字),

鄭准提(→鄭地) 准提,　⑩458, 459, 地, ⑪89, 101,
　　117, 118, 122, 131, 185, 210, 239, 254, 256,
　　273, 293, 345, 371, ⑫21, 30, 55, 60, 80, 134,
　　149, 219,

鄭俊候→鄭俊侯　③314(誤字),

鄭仲夫　④243, ⑤78, 112, 113, 114, 115, 116,
　　117, 119, 121, 132, 139, 142, 143, 147, 168,
　　172, 191, 195, 203(執政, 被殺, 慶大升, 1179年
　　9月), 204,

鄭仲壺　⑤124,

鄭楫　⑨204,

鄭曾(鄭智)　②262,

鄭芝　⑦35, 61,

丁志(明)　⑩366,

鄭地→鄭准提

鄭之溟(鄭之衍)　⑧111,

鄭知常(←鄭之元)　③229, 237, ④49, 143(被殺, 開
　　京, 妙淸亂 關聯, 金富軾),

鄭知源　④32, 243, 254,

丁瑨　⑥337,

鄭陳　⑧232,

丁贊(武將)　⑩212, 213, 246(獄死, 冤獄, 睦忠),

정찬영　⑥388,

鄭昌　⑨95,

鄭昌孫(朝鮮)　①23,

鄭天起　⑨275, ⑩7, 30, 31(下獄, 趙日新亂 關聯),

鄭天呂　⑧359,

鄭天麟　⑩154,

鄭天濡　⑨225,

鄭天益　⑩202,

鄭天祚　⑧232,

偵牒→偵諜　⑥286(誤字),

政廳[正殿]　①43,

鄭淸柱　①31, 90, ⑧49,

鄭招　⑩5,

鄭忖　⑫138,

定聰(大師)　⑥190,

鄭摠　⑪46, 49, 305, ⑫184,

鄭樞(→鄭公權, 鄭摠의 父) 樞,　⑩42, 280, 443,
　　⑪6, 公權, 42, 124, 237(恭儉謹厚),

整治都監(整理都監)　⑨359(置, 1347年2月), 360, 361,

照刷→刷卷

趙脩(趙修) ⑥94, 323, 363, 378,

趙淑 ⑥36,

趙叔昌(←趙叔璋, 趙沖의 長子) ⑥256, 260, 266,
　　273, 281, 285(趙叔璋), 293(遭誅),

趙叔章→趙叔璋 ⑥273(誤字),

趙珣→趙季珣 ⑥456(脫字),

曹恂(宦官) ⑪268, 345, 346, 372,

趙承肅 ⑪83,

曹時著 ⑥266,

趙湜 ⑤98,

朝臣(日本官人의 稱臣 語套) ②279, ⑨283,

曹愼 ⑧238,

曹信 ⑩443, 451, 453(使行中 溺死, 靈光 慈恩島),

曹莘卿 ⑨245, 250,

曹娥廟[浙江省] ③259,

朝陽鎭 ⑥120, 140,

兆陽浦(寶城郡管內 兆陽縣, 옛 安波浦의 改稱)
　　⑪112, 113,

趙良弼(蒙古, 女眞系) ⑦18, 122, 136, 140, 158,
　　159, 160, 161, 165, 179, 183, 187,

'趙良弼書狀' ⑦158,

曹楊休(曹揚休) ③94,

釣魚山[四川省 重慶市 四川盆地] ⑦5,

晁巖(金) ⑤312,

曹彦 ⑪295,

祖宴[祖道宴] ⑧71,

趙涓 ⑪326,

趙延壽→趙珝

趙焱(道宗, 南宋) ⑧6,

祖琰→祖英(僧) ⑧113(誤字),

祖英(僧) ⑧113,

趙英珪 ⑫249(圍隱殺害),

趙英吉(李仁任의 婢壻) ⑪280, ⑫21, 39, 40,

趙英茂 ⑫249(圍隱殺害),

趙永仁(趙沖의 父) ⑤42, 149, 165, 248, 294, ⑥
　　10, 16, 32, 34, 43(博學多才),

趙璈(←趙文柱) ⑥456, ⑦96, 102, 115, 117,

趙雍(趙孟頫의 次子) ⑩103,

爪哇(Yavadvipa, 인도네시아의 島嶼, 南蕃, Jaba)
　　⑩447, ⑪14,

詔曰[教曰] ③74, 83, 89, 91,

祖王(祖代, 聖祖代) ⑨16,

趙容謙 ②21,

趙友良 ⑫61,

趙云介 ⑪105

趙云仡 ⑩107, ⑩216, 234, ⑫32,

趙元 ①322, ②16,

曹元正 ⑤116, 223, 265, 266,

趙源昌 ②72, ⑥103,

趙元昊(西夏) ⑦37,

趙愉 ⑧68,

趙瑜→趙愉 ⑧68(誤字),

趙裕(沈德符의 幕下) ⑫149, 152(被誅, 絞殺),

趙胤 ⑧192

趙允藩(趙允蕃) ⑦96,

曹允通(←曹精通) ⑧5, 54, 55, 99, 167, 173, 412
　　(以圍碁顯達),

趙瑋(趙日新의 父) ⑨44, 240, 286, 377(發言侃侃),

趙偉→趙瑋 ⑨286(誤字),

趙位寵 ⑤149(擧兵, 西京叛亂, 1174年9月), 151,
　　157, 160, 161, 162, 163, 165, 168, 169, 170(被
　　殺, 西京叛亂 鎭壓, 1176年4月), 174,

趙位寵의 叛亂 ⑤149(起兵, 明宗4年9月), 170(鎭
　　壓, 明宗6年4月),

祖膺(大師) ④34, ⑤9, 87, 88, 146,

趙宜璞 ⑪302,

趙彝(叛逆者) ⑦70, 74, 75, 81, 83, 86, 87,

趙翌 ①160, 173,

趙翼(朝鮮) ①19,

77(重昏侯德, ⾦),

趙孝剛(中國)　⑧79,

曹孝立　⑥397(自盡, 春州, 蒙古兵),

趙煦(宋 哲宗)　③12, 17, 28,

趙珝(趙詡→趙延壽, 趙仁規의 子)　⑧277, 289, ⑨
　　91, 以後 趙延壽 92, 159, 161, 170(貪財好色),

趙暉(叛逆者)　⑥452, 455, ⑩405,

趙休　⑪302,

趙興門→趙日新

趙希古　⑩313, ⑪70, 106,

曹希甫　⑥309,

曹希參(壽城縣人, 孝子)　⑪230(被殺, 加利縣, 倭
　　賊), 235(々, 趙浚, 旌表上疏), 244(々, 旌表),

足利幕府(아시카가 바쿠후, 室町幕府)　⑪111,

足利義詮(아시카가 요시아키라, 幕府 2代將軍)
　　⑩305, 308, 309, ⑪96,

尊勝院(손소인, 東大寺)　⑦79,

從諫(慈辯從諫, 宋)　③17

'宗鏡錄'　⑨78,

宗經茂[소우 쓰네시게]→宗宗慶

'宗鏡撮要'　⑥97,

宗璘(玄悟國師)　④195, 239, ⑤124, 129, 201, 246,

宗麟(重大師, 翠嵓寺)　⑥188,

宗廟→太廟

宗本(圓照宗本, 宋)　③15, 19,

鍾山[南京市 玄武區 紫金山]　⑪302,

終月→終日　④280,

種田軍　⑧90,

宗正寺→宗正府(元)　⑨139(誤字),

宗貞盛(소우 사다모리)　⑨239,

宗宗慶(對馬島 守護代 宗經茂의 法號인 雲巖宗
　　慶의 다른 表記)　⑩323, 328,

宗眞(只骨, 夷不菫, 金 欽宗)　①36,

左諫議大夫→左司議大夫　⑧55(誤謬),

左京里　⑨118,

左光慶(金使)　⑤197, 198,

左光祿→左光慶　⑤198,

繪佐藤ももこ(日本)　⑫25,

佐伯弘次(日本)　⑦198,

左僕射→左承旨　⑧278, 381(誤謬),

左散騎常侍→左常侍　⑨196(誤謬),

左相→佐相?　①72,

坐星→帝坐星(帝座星)　②157(脫字),

左蘇(白岳山)　⑪120, 129, 131, 160,

左首衛→左右衛　①63,

佐須浦(對馬市)　⑧12,

左右(近臣)　①29,

左右翼　⑥150,

左藏庫　⑨347,

左遷　③310,

周佳(中國)　②273,

周謙　⑪135, 273, 301,

周璟(丹城縣 孝子)　⑪274,

朱慶餘　⑥161,

周公伯　⑧99,

朱光美(朱匡美)　⑤275,

珠宮[平安南道 大同郡 龍山面]　④81,

朱記　②28,

周起→周佇　②29(誤字),

主農卿(←司農卿)　①231,

周能(今川了俊의 參謀)　⑫135, 213,

朱德明　②149,

朱德潤(元)　⑨33, 285, ⑩310,

周藤吉之(日本)　①15,

周孟仁　⑪111,

朱蒙(東明王)　①68, 235,

朱夢炎(明)　⑪132,

周文德(宋商, 台州人)　①263,

周伯琦(元)　⑩151,

周福(元)　⑧103, 104,

俊呈(僧)　①60,

峻豊(年號, 光宗)　①167, 184,

俊弘(內奉省令 歷任)　①189,

中京大定府(契丹, 內蒙古自治區 赤峰市)　①325,
　②30, ⑦84,

重高(中菉)　⑤108,

重光寺(慧日重光寺, 開城府)　②38(開創), 123, 137,
　③148,

重光寺塔　②278,

'重光會史'　③107, ⑬59,

重九(朝鮮) 風俗　①211,

重近啓樹(日本)　⑤236,

中吉 功(日本)　①197, ②95, 111, ⑥190, 364, ⑧
　192, ⑨371, 392,

中寧山城(長興府)　⑫166, 219,

中臺省　①291, ②5, 23(罷),

重林寺　③211,

中都(燕京, 北京市, 蒙古)a　⑦61, 121, 169(改稱,
　大都),

中都 遺址[河北省 張家口市 張北縣]b　⑧405, 406,

中道(←中原道, 忠原道, 忠淸道)　⑦175, ⑨172,

中都城(金 首都, 燕京)　⑦189,

中都護府→小都護府(中은 別稱 또는 誤字?)　②66,

中立(宋)　③14

重房　⑤259, ⑥41, ⑪186, 257, 261, 269, ⑫54,

重房堤　⑤213,

重房池(海豐)　⑪325,

中奉大夫→奉翊大夫　⑧28(誤謬),

中峰明本(明本, 元)　⑧395, ⑩133,

中山(官人, 蒙古)→粘合重山

中山侯(湯和, 明)　⑩415,

中常里(開城府)　⑪273,

衆生寺(雞林府)　⑪144,

仲敍　⑥103,

中書檢校→中書省檢校　⑩294,

中書門下(←政事堂, 中書省·門下省, 唐 3省制)　②273,

中書門下省　⑥18,

中書門下省→內史門下省　②292, 293,

'中書門下'體制　②180,

中書省→內史省　②246, 283, 285, 286, 287, 288,

中書省(都堂, 蒙古, 元)　⑦116, ⑧243, 245, ⑩221,

中書省 宰相(中書, 蒙古)　⑥322,

中書省牒(蒙古)　⑦100, 101,

中書侍郎同平章事→中書侍郎同中書門下平章事
　⑤79, ⑥172,

中書侍郎平章事→中書侍郎同中書門下平章事　⑥172,

中書平章事→中書侍郎平章事　⑤139, ⑥172,

中書平章政事→中書平章事　⑩147,

中善大夫→中奉大夫　⑧132(誤謬),

重城　①187,

重試[殿試]　⑧117,

'中心藏之'　①123,

中庵壽允(中菴壽允, 守允, 日本僧)　⑩133, 428,

中野照男(日本)　⑨117,

重陽宴　⑥41,

重陽節[重九, 九九]　⑥81, ⑩113,

仲猷祖闡(祖闡, 明)　⑪13,

中政院(元)　⑨306,

中照(僧)　⑨311,

中州→忠州　②100,

中村榮孝(日本)　⑩294,

中村裕一(日本)　①212, 250, ②138, 200, 220, 366,
　⑬65,

中樞院　①267, ②5(改稱, 中臺省), 23(復置), ③66
　(改稱, 樞密院),

中樞院 日直員→左·右承宣　②108,

重出　⑤144,

中統(年號, 蒙古)　⑦23,

中河寺　⑤30,

中向(僧)　⑨241,

至元鈔法 ⑨51,

池齋(李芳雨의 丈人) ⑩469, ⑪55, 72(被誅, 竊弄威權, 賣官鬻獄), 74, 75, 76,

池允輔 ⑧284,

智顗(智顗大師, 隋) ③19,

池義深 ⑥271,

智恩寺(치온지, 京都府 宮津市) ⑨145,

知恩院(치온인, 京都市 東山區) ⑨117, 155, 187,

之印(廣智大禪師, 睿宗의 子, 小君) ③120, 261, 278, 303, 321, ④245, 249, ⑤17, 18, 33, 153, ⑥31,

知印房(箚子房) ⑨211, ⑩316,

智仁挺 ⑤151,

至日(冬至, 夏至) ⑨291,

智資深 ⑥30, 45,

地藏寺(鐵原) ⑩172,

持長齋 ⑩251,

池田 溫(日本) ②343, 353, 410,

至正(年號, 元) ⑨286, ⑩85(權停, 恭愍王5年6月), 335(復停, 恭愍王18年5月),

至正帝(惠宗, 順帝) 蒙塵 ⑩324,

'至正條格' ⑪71, ⑫236,

知制誥[兼三字] ⑧319,

知製教 ⑧319,

智宗(圓空國師) ①109, 141, 163, 169, 171, 205, 299, 329, ②42(王師), 72,

智之用(智之勇, 智祿延의 子, 變亂圖謀) ④249(獄死, 宋商과 連結),

地震 ①36(新羅), 75(碧珍郡), 183, 184, 323(西京), ②33(慶州), 38(々), 39(々), 40(金州), 42(々), 43(金·慶州), 47(慶州), 54(慶州), 93(漣川), 106(金州), 112(尙州), 115(廣平·河濱), 116(慶·尙·淸州·安東·密城), ②157(尙州), 160(安東, 陜州), 174(京城, 慶州), 178(京城, 東京, 尙州, 廣州, 安邊府), 291, 320(京城), ③134, 135, 291, ④136 地震(東京), 169(西京), 276, 277, ⑤39, 75, 206,

207, 237(京城), 312(々), ⑥97(羅州), 106, 112, 163, 192(西京), 210, 215, 217, 260, 352, 406, 436(京城), ⑦9, 24(江都), 25, 32, 55(京城), 62, 122, 170, ⑧45, 61, 85, 148, 182, 265, 267, 268, 290, ⑨260, 261, 274, 304, 308, 338, 339, ⑩25, 40, 69, 114, 127, 162, 183, 188, 198, 199, 201, 202, 208, 259, 286, 292, 310, 314, 354, 464, ⑪8, 46, 104, 119, 135, 161, 278, 279, 308, 309, 315, 333, ⑫75, 205, 209, 213,

地震(元帝國) ⑧384,

地眞→地皇? ⑤162,

智蔡文 ②15, 16, 17, 18, 23,

智泉(正智國師) ⑩49, 103,

至治(年號, 元) ⑨126

智偁(僧統) ④178, ⑤124, 166, 207, 215, 269, 281, 284, 285, 292, 294, 297,

歧灘(歧平渡, 江陰縣) ⑪376,

砥平縣 ⑪151, 163,

志賀島(시카시마) ⑧1341,

志閑(僧) ⑥303

之護(禪師) ⑧180,

芝黃袍[芝黃] ⑧361

指麾使→指揮使 ②137(誤字),

指揮使 ⑧133

直寧縣(直明縣, 一直縣) ①80,

直明縣→直寧縣 ①80,

直門下省事(直門下省, 直門下) ②180,

直升 ⑥69

直指寺(金山, 金泉市) ⑪204,

眞哥(Jimge, 武宗妃) ⑨34,

秦幹公(秦獻衣) ⑤172,

進慶 ①75,

眞岡(僧) ⑧311,

陳景 ⑫31,

眞鏡大師塔碑(審希) ②261,

陳高華(中國) ②30, ⑥304, 386, ⑦23, ⑧106, 148, 274, 275, 300, 331, 350, 411, 425, ⑨70, 79, 93, 170, 203, 247, 361, ⑪248,

進貢禮物(高麗→契丹) ①297,

眞観寺(開城府) ①307, 322,

陳光卿 ⑤302,

陳光恂 ⑤190,

晉光仁 ⑤131, 191, 207, 239, 253, 257,

津口亭→津亭 ②100(誤字),

陳君祥[浙江省 舟山市 袋山縣 蘭秀山 叛賊] ⑩ 373,

陳克修 ⑤284,

眞金(Jimkin, Chinkim, 裕宗) ⑦186, ⑧75, 187, 192 (死亡通報), 236,

晉兢 ①160,

珍島 攻擊戰 ⑥258,

珍島賊(三別抄) ⑦152,

珍島縣(珍島) ⑤116, ⑦151, 153,

珎洞→珍同縣 ⑥53,

秦得文 ⑤76,

陳得芝(中國) ⑦11, 188, 189, 200,

眞樂公(李資玄) ④97,

眞臘(占臘, Kmer, Kmir, 占城 남쪽의 캄보디아) ⑩447,

陳亮 ①239,

秦良弼 ⑧405,

陳旅(元) ⑨241,

陳力昇 ⑤83,

陳龍甲 ⑤135, ⑥211, 290, 297,

眞陵(神宗妃 金氏, 位置不明) ⑥187,

陳理(漢 皇帝, 陳友諒의 子) ⑩409, 415,

陳林→大陳林(契丹)

'診脈圖訣'(胗脈圖訣) ⑫53, 57,

鎭溟口(鎭溟浦, 安邊都護府) ②6,

鎭溟都部署 ②6,

鎭溟倉(朔方道) ②6, ⑫235,

鎭溟縣 ⑥228,

陳睦(宋使) ②410, 413,

鎭撫使→按撫使 ⑥355(誤字),

進奉 ⑥217,

進奉船(貢船, 日本, 倭) ⑥65, 327, ⑦47,

進奉表 ④40,

眞絲(繭絲) ⑥367,

陳士龍 ⑤213,

陳斯文 ⑨395,

鎭西探題→九州探題

陳涉(陳勝, 秦) ③305, ⑥15,

秦聖圭 ⑨387,

鎭城倉[群山市 聖山面 倉梧里] ①272,

秦世儀 ⑥134,

鎭守軍→鎭戍軍 ⑧90,

鎭戍軍 ⑧90,

陳叔(陳淑) ③301, ④266,

陳述(中國) ①62, ②48, 116, 117, 230, 216, ⑥153, 266,

陳升 ⑤107,

陳勝→陳涉

秦始皇 ①42,

陳湜 ⑤117, 282,

眞身舍利(通度寺)→釋迦牟尼舍利

眞安(大禪師) ⑨181,

陳巖(元) ⑧186,

辰嵒宮(辰巖宮) ⑦83,

晉陽府 ⑥241, 250,

秦陽胤 ⑥41,

陳彥匡 ⑥36,

眞如寺(秀州, 上海市) ③19,

陳汝義 ⑩387,

晉英茂 ⑪230,

陳永緖 ⑩342,

差年久近 ②779

車得圭→車得珪 ⑧150(誤字),

車羅大(札刺亦兒部人火兒赤, 札剌觯, 札拉岱, 札
　剌兒塔出, 箭剌觯, Jarlitai) ⑥408, 417, 443,

箭剌(撒禮塔) ⑥288,

車富民 ⑥58,

次婢李氏→次妃李氏(惠妃) ⑩166(誤字),

車沙兀[司禁, 司鑰] ⑫243,

車松佑(車松祐) ⑥450, ⑦12, 72(宋 賊船 拿捕),

車信(←車忽觯, 高麗人) ⑧39, 217, 306,

車若松 ⑤259, 262, ⑥34, 52, 58,

車勇杰 ②388,

車元年 ⑧219,

車仁揆 ⑤147,

箭字→箭子 ⑤250(誤字),

箭子房(知印房) ⑨211, ⑩316, ⑪33,

車俊 ⑫242,

車仲圭 ⑤149,

車偶 ⑥250,

車峴(車懸峴) ①123, ⑥304,

車玄有 ⑪34,

窄梁[손돌목] ⑦146, ⑩16,

捉鷹別監 ⑧166,

粲謙(僧) ⑥141,

粲然→燦然 ⑨335(誤字),

粲英(贊英, 大智國師) ⑨397, ⑩49, ⑪248, 254,
　⑫9, 115, 116, 139,

璨幽(元宗大師) ①56, 125, 161, 177(塔碑), 192(々),
　198(碑陰),

察度(流球國 中山王) ⑫58, 145,

札剌(箭剌, Jala, 蒙古) ⑥152, 154, 155, 163, 176,
　256, 323, 365,

捗理辨違都監→察理辨違都監 ⑨107(誤字),

察理辨違都監 ⑨107, 128, 133,

察訪別監 ⑨390,

察訪使 ⑤100, 186, 271, ⑨390,

察罕帖木兒[Chagan Temur]a ⑨68, 158,

察罕帖木兒[Chagan Temur]b ⑩124, 137, 138,

塹城壇(塹星壇) ⑦58, ⑨160,

參政→參知政事 ②242,

參職 ⑤93,

參學僧徒 ③9,

暢交(匠人) ⑤133,

昌寧曹氏→昌寧曺氏[改字] ⑫156,

蒼頭 ⑥388,

昌樂公主(仁宗 第三女) ⑥112,

昌樂宮 ⑥44

昌樂宮主 ⑥127,

昌陵(世祖 王隆, 王建의 父) ①19,

昌麟島[甕津郡 昌麟島里] ⑥430, 436, 446,

昌林寺(慶州) ②95, ⑧399,

昌林寺址 ⑧222,

昌福寺[江華郡 禪源面] ⑥241, 346, 365(增修),

彰善縣(彰善島, 興善縣) ⑦98,

彰聖寺[水原市] ⑪322,

昌王(昌, 廢小王昌, 世子, ⑪180, 183, 191, 223,
　309, 319, 351, 369, 380, 381, ⑫5, 9, 19, 21,
　51, 60, 61, 73, 75(廢位, 遷江華), 83, 86, 88
　(遇弑, 江華), 98, 113, 271,

昶雲(等觀僧統) ②209,

彰義門(大都) ⑨101,

彰義站(彰義縣, 瀋陽市) ⑧74, ⑨384,

瘡腫科 ③295,

昌化(見州管內 驛站) ②378,

昌和寺 ⑩152,

蔡京(宰相, 宋) ③259, 293,

蔡克敬 ⑩341,

蔡謨 ⑤222, ⑥5, ⑦61, ⑧109, 142, 210, 377,

天鳴　④48,

天門　①271,

天栢(천배)→天棓(천부)　⑤230,

天保奴太子(益宗의 子)　⑫39(遇弑, 絞殺, 토라江
　邊, 阿里不花의 後裔 也速迭兒),

天復(年號, 唐 昭宗)　①31,

天福(年號, 後晉)a　①105, 110(始行),

天福(年號, 後漢)b　①143(天福12年),

天棓(천부, 紫微垣의 右便 第5星 或 第10星)　④211,

泉府　⑤128, 129,

闡祥(僧統)　④192,

川上祭[祈晴祭]　②172,

天祥祭　②347,

川西裕也(카와니시 유야, 日本)　⑧82, ⑨169, ⑩148,

天成節(獻宗)　③64,

天沼俊一(日本)　⑪88,

天授(年號, 高麗太祖)　①41, 65, 93(停止?),

天壽寺　⑪192,

天壽節(世宗, 金)　⑤156, 277, 279, 283, 290, 300,
　304, 310, 319, 324, ⑥22, 30, 36, 42, 46, 48,
　58, 68, 71, 75,

天水縣[甘肅省]　⑧263,

天順(年號, 元)　⑨195, 196,

天順軍使→大順軍使　①232,

川勝 守(日本)　⑥222,

天屍→天尸(積屍)　⑥401,

天市垣　③298, ⑦51,

天安府　⑥103,

天安節(道宗, 契丹)　②359,

千嚴元長(僧)　⑩24,

天演(僧)　⑥453,

天英(圓悟國師)　⑥352, 353, 354, 361, 376, 430,
　⑧34, 190,

'川玉集'(散失)　②294, 296,

天祐(年號, 唐 昭宗)　①34,

千牛備身將軍　⑤52,

天雲(僧)　⑨344,

天垣→天市垣　⑦51(脫字),

天元(年號, 元, 益宗)　⑪122, 145, 355,

天元節(宣宗)　③10,

天元帝→益宗[大元蒙古帝國]

川越泰博(日本)　⑦198, ⑫222,

天祐(日本僧)→大有天祐

天因(靜明國師)　⑥360,

'賤者隨母之法'　②193,

天子之光　①96,

天章(僧)　⑥330,

天井寺　⑥34,

天帝釋(帝釋天, 天主)　②299, ⑩300,

天帝釋道場(帝釋道場, 帝釋齋)　②299, ④156,

天祚帝(耶律延禧, 阿果)　③108, 133, 143, 263, ④
　30(被擄, 山西應州 河陰縣 余睹谷, 契丹帝國
　滅亡, 1125年2月), 33(54歲),

泉州[福建省]　①179,

川州　⑧75,

'天地瑞祥志'(瑞祥志)　①85, ②200, ③40,

天眞(僧)　⑥97,

天贊(年號, 契丹)　①57,

天頙(僧)　⑥309, ⑧269,

天清節(太宗, 金)　④73,

天秋太后→應天太后

千秋殿　①325,

千秋節(←千春節, 成宗)　①234, 301,

天竺寺(杭州)　③19,

千春節(→千秋節, 成宗)　①234(改稱),

'天台四教儀'　①168,

天台選　⑪177,

'天下兵起'[紅巾賊起兵]　⑩9,

天顯(年號, 契丹)　①67,

千惠鳳　②52, ③92, ⑥149, 235, 361, 373, ⑨50,

崔巨鱗(崔奇遇)　③287, 307, ④10, 11,

崔居業　①176,

崔鐲　⑪305, ⑫51,

崔璟→崔源

崔敬(元)　⑨282,

崔繼芳　③240, 241, 270, 286,

崔珙　⑤78, ⑥53, 272, 405,

崔公翊(←崔公詡)　③40, 123,

崔公哲　⑪31, 53, 95, 111, 173, 270, ⑫134(尹·李
　　事件, 下獄), 135(獄死),

崔灌(崔洪胤의 父)　④86, 200, 281,

崔關　⑪230,

崔光範　①165, 166,

崔光甫(崔匡輔)　⑤260,

崔光世　⑤141,

崔光遇　⑥18, 58,

崔光遠　④117, ⑤176,

崔光胤(崔彦撝의 子)　①143,

崔匡義　⑥51, 60,

崔光廷→崔光遠?　⑤176,

崔匡之　⑫67,

崔匡之 紅牌　⑫66,

崔光陟→吳光陟　⑤110(誤謬),

崔宏　⑫37,

崔均　⑤49, 145, 149, 151,

崔克文　⑤282,

崔克孚　⑫67,

崔克孚妻 林氏　⑪56(被殺, 樂安郡, 倭賊),

崔克遇→崔光遇　⑤58(誤字),

崔伋　④181,

崔兢　⑪83,

崔基靜→崔洪胤　⑤180(改名),

崔吉會(陶工)　①274, 280,

崔南敷　⑥38,

崔寧　⑥461,

崔老星　⑨245,

崔溫→崔沖紹

崔鄲　⑫30,

崔霶　⑪83,

崔讜　⑤123, 128, 182, 230, ⑥21, 88,

崔德林　⑩30,

崔德之(朝鮮)　①24,

崔敦禮　⑤288,

崔東寧　③160, ⑧263,

崔東秀　⑦89, 90,

崔東軾　⑤114(被殺, 武臣亂),

崔得林妻 洪氏　⑪124(被殺, 咸悅縣, 倭賊),

崔得中　①257,

崔得枰　⑨77,

崔亮　①276, 284(寬厚能文),

崔連→崔璉　⑤222, 261(誤字),

崔湅→崔璉　⑤222(誤字),

崔璉　⑤222, 261, ⑥5,

崔廉(竹州倉正)　①297,

崔濂　⑪327,

崔婁伯　⑤8, 34, ⑥64,

崔璘　⑥94, 287, 306, 323, 350, 367, 428,

崔潾　⑪172,

崔霖　⑩46,

崔萬生　⑩4753, ⑪6(被誅, 車裂, 恭愍王 弑害), 65,

崔孟孫　⑪139,

崔茂宣　⑪97, 179, 180, 182,

崔汶苮(大匠)　⑥188,

崔文度(崔誠之의 子)　⑨124, 239, 261, 324, 344,

崔文利　⑪83,

崔文牧　⑤248,

崔文本　⑧38,

崔文清(崔仁請)　⑤250,

崔美　⑤184,

崔敏庸　③209,

崔博　⑥130,

崔磐　⑩66,

崔伯　⑩261, 272, 346,

崔伯卿　⑦26,

崔伯倫(崔瀣의 父)　⑧162, 203, 417, 423, ⑨13,

崔白倫→崔伯倫　⑧417(誤字),

崔伯興　⑧181, 184,

崔凡述　⑥299, 306, 311, ⑧75, 110, 233,

崔輔成　②12, 258,

崔甫淳　⑤151, 226, 269, 271, ⑥33, 37, 45, 60, 64, 80, 91, 92, 94, 98, 102, 105, 130, 154, 173, 184, 187, 202, 204, 234, 240,

崔卜夏　⑩66,

崔逢深(武擧出身)　④109,

崔傅　⑥82, 190,

崔溥→崔傅　⑥190(誤字),

崔裒抗　④23, 219,

崔斐　⑤316,

崔毗一(崔誠之의 父)　⑨62, 114,

崔思兼　⑥39,

崔思諒→崔思訓

崔斯立　⑧232,

崔士威　①326, ②11, 28, 100, 133, 134, 201, 257,

崔思全　④42, 180(以醫術進), ⑧315(褒賞),

崔思專→崔思全　⑧314(誤字),

崔思正　⑩466(敗死, 木尾島, **倭賊**),

崔思齊　②265, 431, ③46, ⑥368,

崔思諏(崔冲의 孫)　②309, ③29, 142, 144, 253 (務存大體),

崔思訓(→崔思諒)　思訓, ②250, 思諒 362, 409, 434, ③8, 49(沈靜寡言),

崔山　⑥289,

崔山甫　④220,

崔尙　②171, 307, 326,

崔賞→崔尙　②307(誤字),

崔偩　⑤104,

崔瑞　⑥405, 406, 421, 428, ⑦53, 115, 127, 134, 141, 164, 178, ⑧25, 48, 83, 87, 96, 103, 151, 152, 159, 194, 196, 202, 203, 233, 283, 402,

崔瑞→崔湍　⑨73(誤字),

崔錫(→崔奭, 崔惟淸의 父)　錫, ②250, 奭, ②435, 438, ③29, 100,

崔碩　⑧150,

崔璿→崔潸　⑨192(誤字),

崔詵(崔惟淸의 子)　⑤42, 110, 211, 216, 257, 296, 304, 319, ⑥10, 43, 63, 68, 71, 80(恬淡寡言),

崔宣　⑪302,

崔先旦　⑥175,

崔善柱　①182,

崔善之(崔致遠의 5代孫)　②357,

崔暹　①160, 276, 293, 295,

崔珹(→崔瑊, 崔忠獻의 子, 任氏所生, 熙宗의 壻)　⑤315, ⑥440,

崔盛樂　⑦133,

崔成務　①303, 310, 311,

崔成淵　⑩341,

崔聖銀　①203, ⑥320, ⑦200, ⑧131, 253, 366, ⑨139, 236,

崔誠之(←崔實, 崔文度의 父)　⑧178, 332, 422, ⑨70, 102, 104, 124, 215(精於數學),

崔世輔(崔斐의 父)　⑤92, 243, 245, 260, 261, 301 (不識文字, 賣官鬻爵), 316(崔斐 流配),

崔世延(宦官)　⑧184, 285, 305(被殺, 忠烈王妃 死亡關聯, 忠宣王),

崔少　⑤248,

崔素　⑤250,

崔守雌　⑩42,

崔守璜(崔斯立의 父)　⑧186, 369(正直勤儉),

崔淑臣　⑨279,

崔淑仟　⑧281, 382,

崔怡(←崔瑀, 崔忠獻의 子) ⑥250, 268, 320, 336, 337, 338, 339, 347, 348, 351, 352, 353, 354, 363, 365(執政, 70歲前後), 366, 369, 388,

崔伊 ⑫138,

崔翼臣 ②335,

崔甽 ②326,

崔仁 ⑤250, 302, 306,

崔仁渷(→崔彦撝) 仁渷(新羅), ①62, 彦撝(改名, 高麗), 102, 129(寬厚能文),

崔仁哲 ⑪15, 89,

崔逸 ⑥155,

崔滋(←崔宗裕崔安) ⑥94, 243, 245, 287, 307, 331, 355, 360, 368, 385, 405, 429, 446, 456, 458, ⑦25(淸嚴鎭俗), 26,

崔自卑 ⑩201,

崔滋盛 ③231, ④117, 207(剛敏善政),

崔資盛→崔滋盛 ③231(誤字),

崔子英 ④213, ⑤89,

崔自源 ⑫148,

崔子葩 ⑤16,

崔梓 ③118, 155, ④44,

崔宰(崔有慶의 父) ⑨219, 315, ⑩65, 179, 257, ⑪117(剛直不撓),

崔積良(臨陂縣令) ②206,

崔迪元 ⑤268,

崔甸 ⑧192

崔挺 ③127, 297(善射, 有戰功, 東女眞),

崔精 ③309, ⑤26,

崔貞 ⑤184,

崔楨 ⑧180,

崔正份 ⑤311, ⑥162, 199, 213, 232, 239, 329,

崔正芬→崔正份? ⑥162,

崔正華 ⑥239,

崔齊顔 ②209, 221, 227,

崔肇 ⑧383,

崔存 ⑤268,

崔宗均 ⑥329,

崔宗藩(崔宗蕃) ⑤128, ⑥250,

崔鍾奭 ①75,

崔宗紹 ⑦96,

崔宗裕→崔安崔滋 ⑥245(改名),

崔宗梓 ⑥16, 189, 204,

崔宗靜 ⑥161,

崔宗操 ⑥22,

崔宗俊(崔宗峻) ⑥35, 185, 231, 213, 239, 296, 313, 320, 332, 334, 352,

崔湊→崔湊 ④186(誤字),

崔濬→崔璿 ③143(誤字),

崔濬[崔帖木兒不花, 崔特穆爾巴哈, Temur Buqa] ⑨188, 189, ⑩6, 47,

崔仲居 ④57,

崔仲卿 ⑦70, ⑧207,

崔証(崔詡) ⑤137, 261, ⑥33, 273,

崔贄 ③259, 286,

崔潰 ⑫37,

崔知夢(←崔聰進) ①181, 202, 230, 247(聰敏嗜學, 又精天文),

崔之甫 ⑧26,

崔之雅 ⑫66,

崔祗義 ⑤294,

崔直之 ⑫66,

崔湊 ③172, ④186, ⑤38(邸宅),

崔湊妻 林氏 ⑤12,

崔質 ②48, 51(被誅, 軍亂, 西京),

崔澄(許珙의 同壻) ⑦84,

崔場→崔詔 ⑧322(誤字),

崔昌 ②15,

崔昌大(朝鮮) ③179,

崔天儉(淑妃의 父, 禑王) ⑪289, 290, 292, 324, 344,

崔天祐 ⑥43, 169,

崔弘正b(武將)→崔弘宰 ③240(改名),

崔和尙 ⑨329, ⑩30, 31(被殺, 趙日新一黨, 趙日新),

崔煥規(崔奐規) ①112, 140,

崔晛 ②117,

崔晛(崔宗峻의 子) ⑥185, 240, 243,

崔孝球 ⑤186,

崔孝思(崔坦) ⑤100, 128, 186, 324, ⑥16, 26, 47, 53, 146, 147,

崔孝溫(崔濡의 子) ④210, ⑤77,

崔孝著 ⑤41, 42, 234, ⑥16,

崔詡→崔証 ⑥33,

崔興儒 ⑪230,

최희렴 ②216,

崔希穆 ②159,

秋季問候使 ①291,

推考 ④244,

椎名宏雄(日本) ⑥161, 216, 414, ⑨78, ⑩106,

樞密院(←中樞院) ③66(改稱),

樞密院→光政院(南唐) ⑧322

樞密院→密直使 ⑧27(忠烈王1年10月, 地位降等),

秋夕 風俗(朝鮮) ①211,

杻城(橻城, 洪州) ②201 ⑦8,

推刷色(推考色) ⑧24, ⑩36,

秋永壽(秋穎秀) ⑥80,

蒭蕘→蒭藥[蒭藥變星] ⑥37(誤字),

秋適 ⑧300, 336,

秋丁 ③195, ⑨400, ⑩230,

推徵色 ⑪292,

鞦韉 ⑥351,

追討使 ⑦130,

抽解[市舶稅, 通關稅, 現物去來稅, 南宋] ⑥216,

丑驢[Coliu] ⑨400,

祝釐 ⑤74, ⑧20,

畜馬料式[馬飼料配給方式] ⑤39,

竺沙雅章(日本) ①286,

丑山島(竹山島, 寧海) ⑪305, 328, 336,

祝尙書(中國) ①246,

筑紫 豊(日本) ⑧14,

筑前國[치쿠젠쿠니, 福岡縣] ①238,

築後國[ちくごのくに, 福岡縣] ⑨283,

春季問候使(歲貢使) ①291,

春部 ①64,

春社·秋社 ①212.

春屋妙葩(슌오쿠 묘하, 日本) ⑩308, 309,

春丁 ③195, ⑪130,

春州→原州 ⑥398(誤謬),

春州道 ⑤21, 127,

春州城 ⑥397,

'春秋傳'(胡氏春秋傳) ⑩364,

'春秋集註傳'(春秋集註, 張氏春秋集註) ⑩364,

尤甲法心(金) ⑥72,

出凡→出九(出玖) ①219(誤字),

'出師表' ⑩441(前), ⑫87(前, 後),

出雲國(이즈모쿠니, 島根縣 出雲市) ⑩294,

黜陟→察訪使 ⑤271,

出推使→黜陟使? ③30,

冲鑑(圓明國師) ⑧270, 395,

衷甲 ⑥368,

衝車 ④150,

'忠敬王實錄'(元宗實錄, 散失) ⑨225,

忠湛(眞空大師) ①116, 143,

冲湛(僧) ⑥69,

忠烈王(諶, 昛, 賰, 昛, 慶陵), ⑥302(出生), ⑦32 (壽元節), 37, 98, 102(聞元宗廢位, 婆娑府), 104, 106, 107, 110, 112, 122, 123, 130, 132, 137, 138, 151, 155, 178, 197, 199, ⑧5, 7(卽位), 44 (改名, 賰), 133, 180, 186, 229, 263(1月, 改名, 昛), 271(々), 310(退位), 334(復位), 436(73歲), ⑨5, 37, 39, 44,

忠穆王(昕, 八思麻朶兒只, 八麻朶兒赤, Basima Dorji,

太宗(李世民, 唐)　①143, 157, 158, 287, ③46, ⑩
　　437,

太宗(耶律德光, 堯骨, 阿保機의 次子, 契丹)　①
　　72(卽位), 140, 142, 286,

台州[浙江省 台州市]　②146,

泰州[江蘇省 泰州市]　⑤290,

太集成　⑥147, 258, 303,

太倉(太倉衞, 江蘇省)　⑧244, ⑩397,

太淸樓(汴京)　③281,

太初曆(漢武帝)　①147,

太平(年號, 契丹 聖宗)　②98, 99, 100[復行], 151
　　(仍用), 175(々),

太平[Taiping]　⑩109, 117, 120, 130, 131,

太平館a(開京)　⑪311,

太平館(朝鮮, 征東行省 舊地)　⑪79,

'太平廣記'　⑬63,

太平寺(愛知縣, 아이치켄)　⑩6,

泰平侍郞→廣評侍郞　①46(誤字),

'太平御覽'　③95, 164, ⑤296,

'太平睿覽圖'(宋)　③263, 280,

大平亭→太平亭　⑤25,

太平興國(太平, 年號, 宋)　①195,

颱風　⑤46, ⑧142, 148,

太學(汴京)　③279,

泰和(年號, 金)　⑥34,

太后稱制　③34,

澤本光弘(日本)　①66,

터키族[突厥族, 위구루, 畏吾兒]　①100,

吐蕃[甘肅省]　②147, ⑨66, 124,

土音不花(海洋萬戶)　⑪217,

土表→士表　⑦113(誤字),

'通鑑綱目'(資治通鑑綱目)　⑫165,

通告使[報哀使]　①291,

統古與(耶律統古典, 金, 大遼收國)　⑥117, 118(被
　　殺, 高麗, 耶律哈舍),

通度寺　③13, ⑥299, ⑦65(眞身舍利), ⑨179, ⑩194,
　　⑪80,

'通度寺事蹟略錄'　⑨191,

通洋浦(興海)　⑪353,

通議郡(羅州)　①272,

通義侯→王僑

通濟院　⑩208,

通州[江蘇省 南通市]a　②337,

通州[北京市]b　⑥88, ⑨88,

通州城[平安北道 東林郡 古軍營]　①324,

通天犀帶　③126,

通波驛(俗稱 東坡驛)　②387,

通海縣　⑥239,

統和(年號, 契丹)　①233, 281(始行),

退火郡(義昌郡)　①157,

投石機(木製, 抛車, 霹靂車)　⑥258,

投石戲→石戰

投下[tou xia]　⑧80,

投下領[tou xia領]　⑧80,

投化倭　⑩342,

特別進獻(橫進物件, 高麗→契丹)　①296,

波哥景(僧)　⑨311,

把匝剌瓦爾密(把匝剌瓦兒密, Baljawarmir, 梁王 孛
　　羅의 子, 承襲)　⑪233, 237,

怕尼芝(流球國 北山王)　⑫59,

波都帖木兒　⑩432,

破頭潘(潘誠, 紅巾賊帥, 元)　⑩53, 112, 124, 128,
　　131, 161, 162, 175, 176,

婆娑路(婆娑府, 婆速路, 婆束, 九連城, 遼寧省, 義
　　州의 對岸)　⑤121, ⑥117, 134, 212, ⑦40, 103,
　　112, ⑧49, ⑩132, 226,

巴思答兒(蒙古)　⑦35,

波吾達(蒙古幕, 蒙古帳幕, 斡魯朶, orda) ⑧79, ⑨172,

波吾赤[bayurchi] ⑨355,

巴音島[江華郡 艼音島?] ②226, ⑩16,

'罷諸縣尉' ⑥428,

巴只(→定平都護府, 東北界) ②205,

波下(蒙古) ⑥319,

'破閑集' ⑦18,

判(決案, 判案) ①186,

判開城府事 ⑩184,

判開城府尹[判府尹]→判開城府事[判府事] ⑧429,

板橋鎭[山東省] ③12,

判國子監事 ③267,

版圖司(戶部, 民部) ⑨339, ⑩413(民部→版圖司),

判都僉議使司事→領都僉議使司事 ⑨365,

板房庵 ⑩292,

判兵曹事→判兵部事 ②358(誤字),

判事→判典客寺事 ⑨231(誤字),

版案 ②107,

判旨 ⑩429,

判下→制下 ⑥311(誤字),

八角島(博多?) ⑧146, 152,

八角殿(花園) ⑩443, ⑪160, 378,

八關會(開京, 11月) ①47, 207(成宗卽位年, 雜技演戲 停罷), 249(八關會 停罷), 278, ②22(復置), ⑤165, 194, 320, ⑥250, ⑨14,

八關會(西京, 10月) ②167, 249(八關會 停罷), 278,

八關會幸次儀仗 ⑤55,

八紘 ①91

八羅峴(雲峰縣) ⑫30,

八馬碑 ⑧150,

八坊廂 ⑦71,

八不罕(泰定帝妃) ⑨162,

八思吉(八思吉思, Basi Gisi) ⑨118,

八思巴[聖人] ⑨79,

八思巴(八合思巴, 發思巴, Phags-pa, 帝師, 聖人) ⑧35, ⑨79,

八思巴[Phags-pa]文字 ⑧323, ⑨237, 326,

八仙宮 ①16,

八牛弩(八弓弩, 三弓床弩·三弓ㅄ子弩) ②157,

八衛[二軍六衛] ⑩190, 252, 275,

八助音部曲(八助部曲, 慶州市 管內) ②414,

八眞仙 ①16,

八扎(八札, Baja) ⑨34,

八站(東八站, 遼東八站) ⑩83,

霸家臺[博多, 하카다] ⑪59, 86, 96, 119, 329,

霸家臺人[博多人民] ⑫253,

浿江 西浦(浿水, 禮成江 河口) ①15,

貝多羅葉經[pattra樹葉經, 貝葉經] ⑪8, 9,

貝葉經→貝多羅葉經(華藏寺)

牌子 ⑧42,

覇州[河北省] ⑨61,

彭善國(中國) ⑥287, ⑧79,

彭寅(宋商) ④249,

彭希密 ④186,

片桐 尙(日本) ⑨99,

'編年綱目' ⑨352,

片山共夫(日本) ⑧83, 289,

片箭 ⑩354, ⑪86,

遍照→辛旽

編鍾(樂器, 明) ⑩362,

便處 ⑫268,

貶職 ③310,

平校[檢校] ①242(檢校), ②229(平校, 檢校),

平斗量都監 ⑤140,

平灤路(平灤, 河北省) ⑧161,

平灤州→平灤州[平灤州] ⑧164,

平山處林 ⑨375,

平勢融部(日本) ①91,

平壤 ⑩303, 304,

平壤道　⑨21, ⑩6,

平陽路[山西省]　⑧384,

平壤府　⑧433,

平原郡(原州)　①272,

平音　⑧201,

平章郡→平昌郡　⑧319(誤字),

平章君(李淑)→平昌君　⑧319(誤字),

平田 寬(日本)　⑨33,

坪井良平(日本)　①157, 172, ②140, 158, 315, ③
　8, 172,

平則門(大都 西門)　⑨210,

平戶島(히라토지마, 平壺島, 平湖島)　⑧141, 144
　146, 152,

平奐　①84,

廢開城縣　①282,

弊賦(敝賦)　⑧77,

陛下　①224,

蒲溪寺　⑥41,

砲機[投石機]　④154,

蒲桃(蒲里代完, Burideiqan?)　⑥262,

蒲里伩完(Burideiqan, 蒲里伩也, Burideiye, 蒙古)　⑥
　159, 177,

蒲馬　③248, 272, 287,

鋪馬蒙古文字[鋪馬箚子, 鋪馬證明書, voucher, 元]
　⑪314. 322,

鋪馬聖旨[鋪馬箚子, 發馬文書, 元]　⑧106, ⑪325,

鋪馬祇應　⑦6,

鋪馬箚子色　⑧36,

布帛尺　③250,

砲石(投石機와 石彈)　④154,

鮑石亭　①71,

浦鮮萬奴(布希萬奴·完顏萬奴, 金)　⑥116, 134, 148,
　152, 292, 454,

捕倭使　⑩15,

苞茸→苞苴(誤字)　⑨271(禮物, 賄賂, 賂物),

蒲宗孟(宋)　③18,

布只貝(女眞)　⑥452,

砲車(砲)　⑥258,

蒲察[Foqa hala]氏　⑥148,

蒲察五斤(金)　⑥148,

蒲察忠安(金使)　④201,

瀑布寺(濟州)　⑧301,

漂流人[流來高麗人]　①304,

漂水縣(應天府 管內, 南京市)　⑫140,

表信　⑨375,

表訓寺(懷陽, 金剛山)　⑨263, ⑩323, ⑪46,

蒲黑帶→蒲里伩完[Burideiqan]　⑥177,

品米　⑪69,

稟柔(若木郡 副戶長)　②141,

馮家昇(中國)　①50,

豐德門→德豐門?　④231,

豐德縣　⑧109,

楓島(華城市)　⑩15,

豐島悠果(日本)　③271,

風師　②217,

豐山縣→禮山縣?　①273,

馮勝(宋國公, 明)　⑪342,

風月樓　⑩359, 397,

豐田五郞(日本)　①290,

豐儲倉　⑪215,

豐州城　④44,

楓川(鐵圓)　①48,

楓川 納鉢(波吾達)　⑪249,

皮瑩文　⑤149,

皮子休　⑫138,

避殿[避正殿]　②155,

피현군(椵峴郡)　①286, ⑤218,

避諱　①281, ⑥280,

避諱字→諱字

必里禿太子(天元帝 益宗의 子)　⑪373,

韓守延　⑧231,

韓淑旦　③102,

韓椅(契丹使)　②116(誤字),

韓恂(叛逆者)　⑥165, 166, 169(被誅), 185(韓恂一黨),

寒食　①211,

韓愼　⑦116, 121, ⑧187, 231, 404, 405, 420(被誅,
　　大都), ⑨208

寒食　③14,

寒食　風俗　①206,

漢兒[漢人]　②248, ③275,

韓渥　⑨125, 199, 280, ⑩236,

韓安(韓方信의 子)　⑪6(被誅, 恭愍王遇弑),

韓安仁(←韓皦如)　③294, 298, 301, 304, 354, 310,
　　④6, 8, 9, 11(被殺, 李資謙),

韓安中　④11(流配, 李資謙),

漢陽公(李資謙)　④10,

漢陽府(漢陽)　⑧433, 238, 239, ⑫147,

漢陽山城　⑪351, 369,

韓約　⑤223,

韓彦卿(後周)　①161,

韓彦卿　①293, 302,

韓彦恭　①155, 263, 265, 266, 267, 309, 316(明敏
　　好學),

韓彦國→韓楫

韓汝嘉(金)　⑤78,

韓汝忠(韓哲忠)　⑩42,

韓淵(宋使)　④67,

韓楫(→韓彦國)　楫　④210, 彦國, ⑤136, 142(被殺,
　　癸巳의 亂),

韓永　⑧23, 378, ⑨189, 274,

韓元發　⑩43,

韓元哲　⑫22,

韓用根　②306,

韓用盃(韓愼의 子)　⑧420(充驛戶),

韓愈(官僚, 唐)　④95, ⑫116, 177,

韓儒林(中國)　⑦197, ⑧50,

韓惟善　⑥333,

韓惟翼　③126,

韓惟靖→韓靖　④277,

韓惟忠→韓柱

韓惟漢(韓惟謹)　⑥59,

韓允烑　⑥253, 256,

韓潤弼　①158,

韓殷　⑫37,

韓義　⑩66,

韓蘭卿　①187, 257, 322,

韓子純　③209,

韓章錫　③265,

韓梓　④185,

韓靖　④57, 277,

韓正修　⑤232, 236, 288,

韓禎訓　②6, 152, 215, 274, 275, 323, 378, 389,
　　⑥420, ⑦172, ⑧244, ⑨393, ⑩126, ⑪113, 376,
　　⑫232,

韓祚　②95, 101,

韓宗守(工匠)　⑥41,

韓宗愈　⑧403, ⑨90, 142, 144, 145, 223, 274, 275,
　　316, ⑩55(寬厚且重),

韓柱(→韓惟忠)　柱　③102, 138, 295, ④11, 惟忠,
　　153, 161(貶職), 210, 235(勤儉正直),

韓州[吉林省 梨樹縣, 金]　⑥117,

韓州(遼寧省 昌圖市 八面城, 金)　④67,

韓柱國→韓國柱　⑪138, 143(本末倒置),

韓俊臣　④188,

韓仲禮　⑩415, 416, ⑪41,

韓仲敍(大匠, 工人)　⑥314, 386,

韓仲熙　⑨10, 82, 86,

韓卽→韓就?　⑦21(誤字),

韓卽由　③183,

韓葳　⑩274, ⑪109, ⑫270(流配),

韓天童　⑪302,

韓帖木兒不花→韓孝先

韓冲　③222, 226, 238, 305, ④81(剛直能文),

韓冲熙→韓仲熙　⑨10, 82(誤字),

韓就a　⑤120, 126, 183(工術數),

韓就b　⑥384, 443, ⑦21, 51,

旱暵　③313,

韓玄珪　①129, 136,

韓弘道(韓弘度)　⑨288, ⑩42,

韓洪甫　⑥426, ⑦15,

韓確(韓方信의 孫, 朝鮮)　⑪65,

韓竑→韓就　⑥384(誤字),

韓孝先(韓帖木兒不花, Temur Buqa, 韓永의 長子)　⑨274, 325, ⑩207(火災, 湖廣行省 貴州),

韓休(宰相, 唐)　⑨101,

韓希愈　⑧222, 240, 241, 242, 266, 338, 341, 397, 401, 411(大都, 避身中, 樸素豁達),

咸康(年號, 晋)　⑥53,

轞車[檻車]　⑨318,

函谷關[河南省 三門峽市管內 靈寶市]　⑥307,

咸關嶺[咸興市]　⑩191,

咸吉兢　①184,

咸寧節(睿宗)a　③150,

咸寧節(元宗)b　⑦66,

含德殿→含元殿

函普(Qanpau, 高麗人, 金의 祖先)　③125, 252,

咸傅霖　⑪302,

哈舍(耶律哈舍, 噫捨, 金, 大遼收國)　⑥118, 157(自盡, 江東城, 大遼收國 滅亡, 1219年1月),

咸成節(神宗)　⑤156, ⑥16, 31,

咸脩　⑥86,

咸淳(年號, 南宋)　⑦66,

咸淳(咸有一의 子)　⑤282, ⑥20,

咸承慶　⑩66,

咸新鎭　⑥254,

咸陽[陝西省]　⑥307,

咸陽[咸陽郡]　⑪185, ⑫57,

咸延壽　⑥201,

咸雍(年號, 契丹)　②314,

含元殿(含德殿)　①160,

咸有一　④193, 205, ⑤123, 173, 196, 251(不事生產), ⑥20,

咸州→合剌(哈蘭府, 蒙古)　⑥455, ⑪291,

咸昌縣[尙州市]　⑫128, 146,

咸平(年號, 宋)　①303,

咸平(咸平府, 遼寧省)　⑥115, 116, ⑧206,

咸平宮主房　⑦13,

哈丹(合丹, 哈丹禿魯干, Qadan)　⑧229, 236, 237, 239, 240, 312,

合剌(哈剌, 哈喇, Qala)　⑥380,

合剌(咸州)→哈蘭

哈剌台[Qaladai]　⑨31,

哈剌不花a(Qala Buqa, 恭愍王妃 寶塔失里公主의 從兄)　⑩283,

哈剌不花b(Qala Buqa)　⑩319, 398,

哈剌歹[Qaladai]　⑧148,

哈剌匠(家州)　⑩400, 407, 410,

哈剌張(哈剌, Qara Jang, 瀋陽古城 地域)　⑩408,

合剌波豆(合剌波豆兒, Qala Bagatur]　⑩347, 374,

哈剌八禿(韃靼王)　⑩355,

哈蘭(合剌, 哈蘭府, 咸州, 咸興市)　⑪291, 311,

哈麻[Qama]　⑩69, 129,

閤門(閣門, 東上閤門, 西上閤門)　②162, ③270,

哈伯[카베]　⑧53,

哈散[Qasan]　⑧342, 344,

合蘇館路[遼寧省]　④29,

哈兒章(哈剌章, Qara Jang)　⑩33, 39,

哈赤(Qachi, 牧馬者, 牧胡, 達達牧子)　⑧274, ⑩195, 304,

哈赤溫[Qachiun]　⑥177,

海賊(倭, 倭賊)　⑩289, 293,

海賊船　③55,

廨典庫(解典庫)　⑨193,

海州(遼寧省 海城市, 明 海州衛)　⑩195, 209, ⑪48,

海州津(海州, 遼寧省, 高句麗 卑奢城?)　⑥287,

行中書省丞相職　⑨119,

海靑圓牌　⑧106,

海村　③115,

海會　①56,

헬리혜성(1p/Halley, Halley's comet)　①256, ⑪116,

'行軍萬戶印'(禮部, 金帝國)　⑥98(1213年3月),

行臺[分臺]　①48,

行臺監察御史　⑤136,

行部　⑥28,

幸西寺(開城府)　⑨157,

行成　⑪18,

行省右承→行省右丞　⑧74(誤字),

行首　⑥427,

行守法　①40,

行淳(僧)　⑨179,

倖臣(幸臣)　⑤119,

行心(僧)　⑩160,

行在所(行在)　②18,

行寂(朗空大師)　①154(塔碑),

行從都監　⑦60, ⑧160,

幸州奇氏　⑥62,

行中書省→行尙書省(元)　⑨27,

幸次(行次)　①49, ③21,

行草體　③291,

許綱　⑩168, 209, 247,

許綱妻 金氏　⑩296(辛旽),

許謙(元)　⑨113,

許慶a　③192, 256(淸廉忠儉),

許慶b→許琮(許悰)

許京　⑤172

虛谷(元僧)　⑧421,

許珙　③324, ⑥379, 422, 444, 446, 461, ⑦23, 80, 84, 176, 178, ⑧25, 28, 30, 43, 96, 109, 195, 203, 216, 227, 230, 246(不事生産), 366,

許冠　⑧382,

許筠(朝鮮)　⑪107,

許錦　⑩107, ⑪367(不喜浮圖),

許齡(→許絅)　⑨248,

許玲　⑪106,

許利涉　⑤31,

許穆　⑥369,

許伯　⑨98, 364, ⑩109,

許富　⑨121, 125, 245,

許士淸　⑩437,

許瑞　⑩268,

許勢脩　④57, ⑤71, 77,

許世脩→許勢脩　⑤77(誤字),

許少遊　⑩269,

許受(許綏)　⑥98,

許遂　⑦23,

許純　④133,

許嵩　⑨56,

許時　⑩198, 201,

許遉　⑨331, 332,

許溫　⑩321,

許邕　⑨225, 345, ⑩108(丹城縣), 269,

許邕妻 李氏　⑪173,

許完　⑪151(被誅, 乳媼 張氏關聯), 152,

許元　①302,

許猷　⑩6, 154, 268,

許有全　⑦199, ⑧423, ⑨148, 149,

許應　⑩387, ⑫32, 40, 47, 181, 182, 208, 217,

許仁旭　⑤142,

許子端　⑤113(被殺),

許子麟　⑩449,

懸門　⑥129,

賢妃(安淑老의 女, 定妃의 姪女, 禑王妃)　⑪349,

顯聖寺　⑦189,

'賢首國師傳'(法藏和尙傳)　③51,

賢首法藏(唐)　③15, 17,

顯雄(僧)　③90,

玄元烈→玄孝哲

玄應(首座)　④179, 180,

顯義祠(扶餘, 李存吾)　⑩386,

玄寂(大師)　④104,

顯宗(詢, 大良院君, 宣陵)　①277, 296, 314, 321,
　326, ②5, 17, 19, 22, 36, 51, 81, 87, 92, 96,
　97, 129, 138, <u>143</u>(40歲), 145, 146,

顯宗(甘麻剌, 泰定帝의 父)→甘麻剌

玄宗(唐)→李隆基

玄津(大師, 利義寺)　⑥198,

玄鶴　①160,

玄化寺(大慈恩玄化寺)　②75, 92, 97, ③84, ⑥128,
　⑧170,

玄化寺碑　②61, 96, 102,

玄孝哲(→玄元烈)　⑦107, 116, 121, ⑧187, 231,

玄風縣　⑩389, ⑫158,

玄暉(法鏡大師)　①62, 128(塔碑), 129(碑陰),

玄曦(→沖曦, 仁宗의 第5子, 元敬國師) 玄曦　④
　239(祝髮), 251, 沖曦, ⑤94, 177, 211, <u>230</u>,

血食　⑨148,

峽溪(俠溪, 黃海北道 新溪郡 新溪邑)　②82,

夾谷必蘭(官人, 金)　⑥148,

夾帶　⑤88,

夾山(內蒙古 薩拉齊 西北)　③143,

夾室　⑨38,

荊軻(歌人, 戰國 衛)　⑥159,

邢景旺(中國)　③126,

刑名之學(公孫鞅)　⑫206,

逈微(先覺大師)　①140(塔碑),

邢順　①101, 108,

刑人推整都監　⑩266,

荊節(蒙古)　⑦22,

'兄弟旁及'　①275,

'荊楚歲時記'　⑬65,

熒惑(火星, Mars)　②25, 318,

惠琚(大師, 祗毗寺 住持)　⑤189,

惠居國師　①143, 144, 179, 184, <u>187</u>,

惠謙(大師)　⑪216,

慧歸(大師)　⑥234,

惠謹(大師)　⑥144,

惠勤(懶翁惠勤, 禪覺王師, 普濟尊者)　⑨181, 185,
　372, 375, 399, ⑩24, 25, 37, 63, 91, 101 121,
　129, 153, 161, 163, 168, 231, 238, 279, 297,
　312, 317, 346, 356, 369, 371, 396, 421, ⑪44
　46(神勒寺), 54, 114, 204,

惠文(僧)　⑤322, ⑥<u>297</u>,

慧福(慧因寺僧)　⑨85,

惠妃 <u>李氏</u>(李齊賢의 女)　⑩166, ⑪7(削髮), 109, ⑫6,

惠妃 <u>韓氏</u>(靖宗妃, 玄陵)　②179,

慧宣　③15,

'惠鮮鰥寡'　⑫148,

彗星(孛星, Comet, 꼬리별, 살별)　①33(新羅), 255,
　320(客星, 朱伯星), ②44, 75, 77(滅), 86, 183,
　203, 260, 319, 360, ③87, 156, 215, ⑤20, ⑥185,
　186, 327, ⑦60, 180, ⑧51, 267, 268, 302, 303,
　336, 367, 387, 389, 397, ⑨64, 255, 278, 279,
　342, 343, ⑩189, 246, 298, 319, 320, 321, 353,
　460, ⑪49, 50, 116(헬리혜성), 215, 223(孛星),
　⑫173, 240, 241,

惠成(僧)　⑥103

惠湜(崛山寺住持)　⑩381,

慧諶(<u>崔寔</u>, 眞覺國師)　⑥35, 69, 97, 107, 111, 112,
　129, 143, 187, 189, 196, 210, 215, 221, 230,
　244, 290, <u>295</u>, 296, 369,

忽刺出(Qurachu, 蒙古 諸王) ⑦179,

忽刺歹(忽刺台, 忽刺帶, 兀刺帶Quradai)→印侯

忽魯不花(活兒不花, Qulu Buqa, 蒙古) ⑦37, 44,

忽魯勿塔(蒙古) ⑧140,

忽鄰(忽憐, Kuril, 元使) ⑧395, 401, <u>402</u>(病死),

忽林失(Qurimchi)→頭輦哥 ⑦140, 157,

忽林赤(Qurimchi)→頭輦哥 ⑦140, 157, 159,

忽伯反(Qubaban, 蒙古) ⑦18,

忽兒干 ⑧84,

忽赤(火里赤, 火兒赤, 忽只, qorchi, 衛士) ⑥23,
　　⑦96, ⑧13, ⑨50, ⑩437,

忽只→忽赤

忽必烈(쿠빌라이, 世祖, 監國 托雷의 第4子) ⑦
　　7, 11, 17, 18, 19, 20, 25, 46, 61, 62, 63, 68,
　　71, 79, 81, 83, 87, 106, 115, 139, 164, 180,
　　188, 189, 190, ⑧24, 25, 32, 78, 93, 121, 137,
　　143, 165, 167, 175, 224, 248, 250, <u>273</u>(80歲),
　　274, 276, 292, 338, 357, ⑨5,

忽汗城(上京龍泉府, 渤海) ①66,

虹[무지개, 蠑蝀] ⑥399,

洪侃 ⑦71,

洪開道 ⑩140(被誅, 恭愍王),

紅巾賊(紅賊, 紅頭賊, 南賊, 河南妖寇) ⑨400, ⑩53,
　　74, 132, 139, 162, 172, 192, 200, 220,

洪慶[墨和尙] ①76,

洪徹 ⑤289,

洪敬 ⑧390,

弘慶寺(奉先弘慶寺, 天安府, 天安市 成歡邑) ②59,
　　65, 98,

洪灌 ③141, 239, 263, 286, 272, ④14, 35,

洪瓘→洪灌 ③263, 286, 272(誤字),

洪君祥(宰相, 洪茶丘의 弟, 元) ⑧256, 257, 259,
　　263, 266, 270, 271, 280, 286, 337, 425, ⑨<u>31</u>,

洪奎→洪文系

洪鈞a ①73,

洪均→洪鈞b ⑥267, 292, 341, 360, ⑦108,

洪金富(中國) ⑧148, ⑨242,

洪器 ②309, ③92,

弘吉刺氏(瓮吉刺, Onggirat, Qonggirad, 世祖妃) ⑦185,
　　⑧<u>138</u>,

弘吉刺氏(瓮吉刺, Onggira, 仁宗妃) ⑨67,

洪吉旼 ⑪49,

洪茶丘(洪chaqu, 洪察忽, chaqu, 洪俊奇) ⑥443,
　　449, ⑦9, 35, 110, 132, 136, 141, 144, 151, 169,
　　174, 176, 180, 183, 184, 189, 194, 197, 199, ⑧
　　8, 9, 11, 14, 17, 51, 52, 53, 66, 79, 86, 94,
　　113, 122, 132, 133, 135, 139, 140, 141, 142,
　　148, 151, 161, 184, 206, 236, 237, <u>249</u>, 266,

洪大純(洪大宣, 洪福源의 父, 叛逆者) ⑥154, 155,
　　256, 291, 369,

洪德成 ②171,

紅螺山(洪羅山, 赤峰市 西方) ⑩358,

洪魯 ⑫138,

洪祿遵 ⑦108, 195, ⑧21, 50,

洪倫 ⑩476, ⑪6(被誅, 恭愍王 弑害), 65, 76,

洪陵(高宗, 江華邑 菊花里) ⑥465, ⑦7,

洪萬(洪茶丘의 子)→洪重喜

洪末的(洪末赤, Maguchi, 洪末的里, Maguchili) ⑨207,

洪武(年號, 明) ⑩319, 366, 停止⑪70, 復行115, 停
　　止372, 復行379,

洪武帝(紅巾賊, 南賊, 朱平章, 吳國公, 太祖高皇
　　帝) ⑩319, 328, 332, 336, 337, 354, 362, 415,
　　419, 425, ⑪173, 175, 179, 272, 309, 333, 363,
　　⑫52, 161, 174(避諱, <u>元</u>→原), 175, 220, 229,
　　242, 255,

洪文系(→洪奎, 洪戎·明德太后의 父) <u>文系</u>. ⑦125,
　　139, 147, 168, ⑧217, 239, 287, <u>奎</u>, 307, 325,
　　⑨39, 74, <u>93</u>,

洪敏求 ⑩40, 107, ⑪172,

洪百壽(洪福源의 弟) ⑥291, ⑧259,

檜巖寺(檜巖, 楊州)　⑤182, ⑧399, ⑩354, 369, ⑪44, 160, 166, 198,

檜菴→檜巖[檜巖寺]　⑫198(誤字),

淮王(王帖木兒不花, Temur Buqa)　⑩324, 336, 344, 346, 355,

會源→會原　⑨394(誤字),

會原城　⑤30,

會原倉　⑪69,

'淮陰背水'　⑧10,

懷音鎭　⑥234,

懷節→朴懷節　⑧314(脫字),

懷正(僧)　④202, 209, 210, 214,

懷俊　⑤94,

廻眞寺(東京, 慶州)　②26,

廻浦寺(尙州)　④104,

廻桓(禪師)　⑧91,

回回砲(西域砲)　⑧168,

橫溪驛[平昌郡 大關嶺面 橫溪里 大嶺院址]　②388,

橫歛→橫斂　②150(誤刻),

橫賜使(橫宣使)　⑤11, 57,

橫賜高麗使　⑤90, 148, 149, 181, 295,

橫相乙兒[新疆省]　⑥362,

橫宣(橫賜)　②195,

橫宣使(橫賜使, 泛使)　①291, ②195, 248, ⑥71,

橫城縣　⑤42,

橫進物件(特別進獻, 高麗→契丹)　①295, 296,

孝恭王(新羅)　①36,

孝惇(禪師, 尹彦頤의 子)　④208, ⑤207,

孝思觀(孝思殿, 奉恩寺)　⑩62, ⑫75, 98,

孝思殿→景命殿　⑩441,

曉禪(僧)　①284,

孝肅王太后→獻貞王后 皇甫氏]

孝心　⑤300, ⑥11,

孝章(僧)　⑥208,

'孝行錄'　⑨353,

後期　⑧221,

後軍總管使→後軍總管　⑤154,

後壇史→諸壇史　②253,

後唐 滅亡(936年閏⑫月)　①105,

後藤十三雄(日本)　⑧79,

厚德殿　⑤121,

厚陵(康宗)　⑥99, 100,

厚朴　②418,

後百濟 滅亡　①104,

後梁 滅亡(923年10月)　①60,

後壁　⑦96,

候封→侯封　②284(誤字),

後蘇　⑪129,

後深草上皇(고후카쿠사上皇)　⑧259,

後容→從容　⑧327(誤字),

侯祐賢(侯友賢·顯忠, 元)　⑦190, 191,

侯章(宋使)　④45, 46, 47,

厚紙　⑨206,

後至元(至元, 重紀至元)　⑨242, 248,

後晋 滅亡(946年12月)　①140,

後漢 滅亡(950年11月)　①149,

勳[勳階]→勳官

勳官(勳階, 上柱國, 柱國 等 12等級)　①53, ②33, 34, 376(疏略),

訓狐(猫頭鷹, 鵂鶹, 올빼미)　④87,

勳田　①196,

蠚蜮[훼회?]　④273,

諱晨道場→諱辰道場　②226, 233(誤字),

諱字(敬字, 避諱字)　①20,

徽政院　⑤253,

黑紺　⑥142,

黑契丹(Kara-Khitan, 西遼, 耶律大石)　⑥263,

黑旗賊　⑥142,

黑驢[Qeliu]　⑩259,

黑山島(羅州牧 管內)　④269, ⑦90, 92,

熙宗(淵, 憲, 譓, 淵, 碩陵) ⑥27(改名, 憲, 太子),
　　54, 55(卽位), 59, 89(廢位, 紫燕島 安置), 109
　　(喬桐縣 安置), 217, 310(法天精舍, 57歲),
熙宗(金)→完顔亶
熙宗妃 任氏(紹陵) ⑥357,
希璨(判曹溪宗事) ⑪109,
戱下(麾下) ⑦174,
羲爻[卦 基本符號] ②173.
(々)

執筆後記

筆者는 젊을 때부터 이 나이에 이르기까지 學問에 힘썼으나 큰 成果를 거두지 못하고, 高麗時代에 관련된 外國資料를 읽어 數種의 冊子를 발간한 바가 있다. 그 과정에서 『高麗史』를 정밀하게 검토한 적이 없었지만, 언젠가는 이에 수록된 日辰[干支紀年]을 아라비아의 숫자로 계산하려고 하였다.

그러다가 甲年을 1개월 남짓 남겨둔 2011년 11월, 삶의 중반에 잃어버린 居處를 貧妻의 갖은 노력으로 戰鬪機 發進의 소리가 요란한 곳에 마련하게 되었다. 이때 여러 子女들을 키우면서 苦生만 하시다가 그들의 자리매김[定着]을 보지 못한 채 作故한 先考의 遺言이 생각이 났다. 그것은 '兩班의 後裔로서 어떠한 成果도 거두지 못하고, 떠나는 나의 이름을 남겨라'는 아픈 事緣이었다.

이후 필자는 이 책을 마련하기 위해 더욱 분발하여 교토[京都]를 오가면서 先賢들이 夏安居·冬安居를 하듯이 수많은 책을 벌려 놓고[枕經藉書], 거의 10년간을 精進하였다. 이제 어느 정도의 結實을 보게 되었으나, 『고려사』를 흩트려 놓은 『高麗史全文』을 만들었다는 비판을 받을 餘地도 없지 않을 것이다. 그렇지만 '學問의 보다 나은 발전을 위해서는 어떠한 방법의 驅使도 행하지 않으면 안된다'는 필자의 念願을 同學들께서는 관대히 받아 주었으면 한다.

이제 장기간에 걸쳐 文獻資料[資料學]의 연구에만 치중하여 일찍부터 뜻을 두고 있던 政治史에 대한 뚜렷한 성과를 내지 못한 아쉬움이 있다. 이 책의 출판을 憑藉하여 學者의 所任을 다하지 못한 것을 免責받으려고 한다. 아울러 새로운 工具를 가지게 되는 後續世代에게 '分斷된 韓半島에서 서글프게 찬밥[寒食]의 身世가 된' 高麗史研究의 進展을 위해 더욱 힘써 주실 것을 부탁드린다. 지금까지 필자를 聲援해 주셨던 國內外의 同學들에게 머리를 숙여 감사의 인사를 올린다.

또 책의 脚注를 면밀히 점검해준 東灘國際高校 教師 辛晟愛氏, 執筆에 따른 庶務를 담당한 講師 李智淑氏에게 고마움을 올린다. 오랫동안 異國에 머물던 필자를 聲援해주신 植松 正, 夫馬 進·杉山正明·金文京, 鶴間和幸 등의 教授, 필자가 在職했던 歷史教育科의 여러 教授, 花園町의 姑從四寸 宋海達[石山敏郞]·公達兄弟에게도 인사를 올린다. 岩倉의 尹泰成·朴秀眞 夫婦는

이 事業의 중요성을 알고, 여러모로 便宜를 제공하여 낯선 땅에서 만난 고향 까마귀가 얼마나 반가운지를 잘 보여주었다. 또 이 책자를 마무리할 무렵인 2021년 春季에 蔡雄錫, 金甫桃, 박수찬 教授에게 관심이 있는 부분만 한번 읽어 주기를 부탁드려 많은 教示를 받았다. 채웅석 교수는 6월부터 거의 5개월에 걸쳐 자신의 연구를 밀어둔 채, 정밀하게 一讀하고 수많은 誤謬를 고쳐주셨다. 그때 필자는 妻의 重病으로 인해 책상 앞에 있을 수 없어 全體를 通讀하지 못하였는데, 이를 채교수가 대신하여 주신 셈이다. 同學의 友誼를 어떻게 갚아야 할지를 모르겠다.

그리고 先考가 필자에게 내린 간곡한 말씀은 走馬加鞭이었을 것이지만, 글자그대로 받아들여 사실을 기록한다. "사회의 변화에 따라 몰락한 집안을 일으키려던 父祖(都護府使 曦煥, 學生 基柱, 學生 錫鿥)의 餘望을 잇기 위해 張一淳(太常卿派 21世孫)은 少年時期에 오사카[大阪]에 들어가 오랫동안 머물렀다. 30代 初半에 모[禾]와 피[稗]를 分別하지 못한 채 農民이 되어, 집밖에서는 땅을 밟지 않고 성장했다는 白童妓와 함께 奉先(米穀商 蔡俊基의 妻), 東元(建設社代表), 東萬(前校長·啓明大學教授), 東熙(前砲兵大隊長·建設社常務), 東憲(建設社代表), 明淑(講師 吳世正의 妻), 僖修(新韓銀行員 安聖旭의 妻) 등의 여덟 男妹를 위해 거의 30년간 佃作에 盡力하였다. 그의 동생 再淳도 劉錦順과 함께 東守(前建設社部長), 東述(建築技士), 東旭(製絲社代表), 東漢(機械技士), 東和(機械技士 兪炳國의 妻) 등의 다섯 男妹를 키우면서 務農하다가 兄보다 먼저 世上을 떠났다".

筆者는 勉學하기에 늦은 나이인 50代부터 교토[京都]로 여러 번 건너갔지만, 워낙 가진 게 없어 슬펐다. 이때 貧妻(徐松枝, 막내)는 혼자 집에 있기도 하였고, 異國에서는 割引된 食品購入, 山野에 있는 달래[ヒメニラ]·고사리[ワラビ]·정구지[韭菜, ニラ]의 採取에 분주하였다. 그 덕택에 필자는 수많은 冊子를 짊어지고, 하쿠만벤[百萬遍]의 複寫센타로 거의 每日마다 달려 갈 수 있었다. 또 妻父母는 徐昌洙(徐思選의 12世孫), 安景祚[順興]인데, 丈人이 일찍 逝去하여 丈母가 相德(前公務員, 前慶尙北道女性局長 鄭順子의 夫), 喜淑(主婦), 相烈(伽倻琴名人, 前우리銀行員 金基仙의 夫), 相珉(前農協職員), 相駒(機械技士) 등의 여러 男妹를 힘들게 키웠다.

이러한 사실로 인해 筆者는 自身에게 부여된 어떠한 작은 일이라도 최선을 다하려고 노력하지만, 自身의 基盤이었던 農民을 위한 아무런 자취도 남기지 못하였다.

2021년 2월 11일 枕經藉書堂을 떠날 준비를 하면서

張東翼 拜上

이보다 2개월 후에 늘 清亮하고 아름답던 妻가 크게 쇠약해져 自身의 손길이 필요한 이웃을 잊었는지, 妻의 發病도 모르고 本業에만 專念하는 筆者가 섭섭했는지, 급하게 當付의 말을 남기고 江南세브란스病院으로 떠났다(4月). 妻의 勤儉에 의지하여 起身한 不肖는 너무나 슬프고 虛無하여 本書를 제대로 마무리하지 못했다.

■ 略歷

1951년 慶尙北道 漆谷郡 北三面 崇烏3里 190番地에서 出生

1974년 慶北大學 師範大學 社會科 歷史專攻 卒業, 步兵少尉 任官,
　　　 大邱女子商業高等學校 教師(2年, 學業으로 인한 徵集保留)

1976년 陸軍 第三士官學校 教授部 教官(中尉, 2年 以上)

1978년 蔚山專門大學 教養學科 助教授(2年 以上)

1981년 以來 慶北大學 師範大學 歷史科 專任講師, 助·副教授, 教授 歷任

1992년 釜山大學 博士(文學)

2010년 京都大學 博士(文學, 新制論文)

1999·2003·2009년 京都大學 招聘教授(各1年, 이후 많은 歲月을 北白川에서 逍遙)

2006년 慶北大學 學生處長(1年)

2012년 國史編纂委員會 委員(3年)

2016년 韓國研究財團의 人文·社會分野 優秀學者 支援事業에 選定됨(5年)

2017년 慶北大學 師範大學 歷史科에서 停年退職

2022년 現在 慶北大學 師範大學 中等教育研究所 研究員

居處, 郵便42749, 大邱市 達西區 月谷路 320番地, 普誠銀河APT 106棟 602號

家族, 權永三[安東]의 丈人, 張熙根·具恩卿[綾城]의 父, 權啓邊·那延, 張善祐·民祐의 祖父

■ 著書

『高麗後期外交史研究』(一潮閣, 1994), 『元代麗史資料集錄』(1997), 『宋代麗史資料集錄』(2000), 『日本古中世高麗資料研究』(2004, 以上 서울大學出版部), 『高麗時代對外關係史綜合年表』(東北亞歷史財團, 2009), 『高麗史世家初期篇補遺』 1,2(景仁文化社, 2014), 『高麗史研究의 基礎』(景仁文化社, 2016), 『モンゴル帝國期の北東アジア』(汲古書院, 2016)

e-mail : dichang@knu.ac.kr, dichang0407@daum.net

mobile phone : 010-3802-5354

新編高麗史全文

부록

초판 1쇄 인쇄 ｜ 2023년 05월 23일
초판 1쇄 발행 ｜ 2023년 05월 30일

지은이 ｜ 張東翼
발행인 ｜ 한정희
발행처 ｜ 경인문화사
편집부 ｜ 김지선 유지혜 한주연 이다빈 김윤진
마케팅 ｜ 전병관 하재일 유인순
출판번호 ｜ 제406-1973-000003호
주소 ｜ 경기도 파주시 회동길 445-1 경인빌딩 B동 4층
전화 ｜ 031-955-9300   팩스 ｜ 031-955-9310
홈페이지 ｜ http://www.kyunginp.co.kr
이메일 ｜ kyungin@kyunginp.co.kr

ISBN 978-89-499-6718-9 94910
　　　978-89-499-6754-7 (세트)
값 37,000원